C000063271

WIE FUNKTIONIERT DAS?

Wie funktioniert das?
Die Technik im Leben von heute
608 Seiten mit 282 zweifarbigen und 8 vierfarbigen Schautafeln.

Wie funktioniert das?
Der Mensch und seine Krankheiten
608 Seiten mit 257 zweifarbigen und 8 mehrfarbigen Schautafeln.

Wie funktioniert das?
Gesund sein und fit bleiben
543 Seiten mit 229 zweifarbigen Schautafeln.

Wie funktioniert das?
Der moderne Staat
512 Seiten mit 240 zweifarbigen Schautafeln.

Wie funktioniert das?
Die Umwelt des Menschen
607 Seiten mit 244 zweifarbigen Schautafeln.

Wie funktioniert das?
Die Wirtschaft heute
656 Seiten mit 315 ganzseitigen Schautafeln.

Wie funktioniert das?
Die Energie – Erzeugung, Nutzung, Versorgung
303 Seiten mit 137 zweifarbigen Schautafeln.

Wie funktioniert das?
Die Arzneimittel
320 Seiten mit 132 zweifarbigen Abbildungen.

Wie funktioniert das?
Städte, Kreise und Gemeinden
336 Seiten mit 160 zweifarbigen Schautafeln.

Wie funktioniert das?
Die Bundeswehr
316 Seiten mit rund 147 zweifarbigen Schautafeln.

Wie funktioniert das?
Der Computer
288 Seiten mit 137 farbigen Bildtafeln.

Wie funktioniert das?
Wetter und Klima
304 Seiten mit 142 farbigen Bildtafeln.

Wie funktioniert das?
Die Ernährung
308 Seiten mit 134 zweifarbigen Bildtafeln.

MEYERS TASCHENLEXIKA ZU SPEZIALTHEMEN

Meyers Taschenlexikon Biologie in 3 Bänden
Alles Wissen über Mensch, Tier und Pflanze.
960 Seiten, rund 15 000 Sachartikel und Biographien. Über 800 meist farbige Abbildungen, Graphiken, Tabellen, Übersichten.

Meyers Taschenlexikon Geschichte in 6 Bänden
Die Weltgeschichte in 25 000 exakt definierten Stichwörtern. 1984 Seiten, rund 25 000 Biographien, Sachartikel und Ländergeschichten.
Zahlreiche zum Teil mehrfarbige Abbildungen, Abbildungen, rund 9 000 Literaturangaben.

SCHLAGLICHTER

Deutsche Geschichte in Schlaglichtern
480 Seiten, über 320 Abbildungen. Register.

Deutsche Literatur in Schlaglichtern
516 Seiten, über 230 meist farbige Abbildungen.

Europäische Musik in Schlaglichtern
Die bedeutendsten musikalischen Ereignisse der abendländischen Musik von ihren Anfängen bis heute. 496 Seiten mit über 200 meist farbigen Abbildungen und Notenbeispielen.

Geschichte der Medizin in Schlaglichtern
Die verschiedenen Epochen der Medizin von den Anfängen bis zum heutigen Stand. 380 Seiten mit zahlreichen, meist farbigen Abbildungen.

KINDER- UND JUGENDBÜCHER

Meyers Jugendlexikon
Ein allgemeines Lexikon, das auf keinem Schülerschreibtisch fehlen sollte. 672 Seiten, rund 7 500 Stichwörter, zahlreiche meist farbige Abbildungen, Fotos, Schautafeln und Tabellen.

Meyers Großes Kinderlexikon
Das neuartige Wissensbuch für Vor- und Grundschulkinder. 323 Seiten mit 1 200 Artikeln, 1 000 farbigen Abbildungen sowie einem Register mit etwa 4 000 Stichwörtern.

Meyers Kinderlexikon
Mein erstes Lexikon. 259 Seiten mit etwa 3 000 Stichwörtern und rund 1 000 farbigen Bildern.

Meyers Buch vom Menschen und von seiner Erde
Erzählt für jung und alt von James Krüss, gemalt von Hans Ibelshäuser und Ernst Kahl.
162 Seiten mit 77 überwiegend ganzseitigen, farbigen Bildtafeln.

MEYERS KLEINE KINDERBIBLIOTHEK

Das Ei. Das Wetter. Der Marienkäfer. Die Farbe. Das Auto. Unter der Erde.
Die neuartige Bilderbuchreihe mit umweltverträglichen Transparentfolien zeigt das Innen und Außen der Dinge und macht Veränderungen spielerisch sichtbar. Jeder Band mit 24 Seiten, durchgehend vierfarbig.

Meyers Großes Sternbuch für Kinder
126 Seiten mit über 100 farbigen, teils großformatigen Zeichnungen und Sternkarten.

MEYERS LEXIKONVERLAG
Mannheim/Leipzig/Wien/Zürich

SCHÜLER-DUDEN

Grammatik

DUDEN für Schüler

Rechtschreibung und Wortkunde
Vom 4. Schuljahr an

Grammatik
Vom Aktiv bis zum zweiten Futur

Wortgeschichte
Sprachgeschichte und Etymologie
für den modernen Sprachunterricht

Bedeutungswörterbuch
Weil viele Wörter mehrdeutig sind

Fremdwörterbuch
Von relaxed bis marginal

Die richtige Wortwahl
Auf einen Schlag den inhaltlich
und stilistisch treffenden Ausdruck

Lateinisch-Deutsch
Die Neufassung des »Taschen-
Heinichen«

Der Sport
Vom Fallrückzieher bis zur
Trainingslehre

Die Kunst
Von der Farbenlehre bis zur
Aktionskunst

Die Musik
Bach und Bebop, Farbenhören
und farbiges Rauschen

Die Literatur
Absurdes Theater, Naturalismus,
Hinkjambus: die Literatur in ihrer
Vielseitigkeit

Die Chemie
Von der ersten Chemiestunde
bis zum Abiturwissen

Die Ökologie
Klassische Ökologie und
moderne Umweltproblematik

Die Pflanzen
Vom Gänseblümchen bis zum
Mammutbaum: Antwort auf Fragen,
die im Unterricht offen bleiben

Die Biologie
Auf dem neuesten Stand der
Forschung

Die Tiere
Rötelfalken und Rötelmäuse.
Für kleine und große Biologen

Die Physik
Die wichtigsten Begriffe und
Methoden der Physik

Die Astronomie
Von hellen Sternen und schwarzen
Löchern. – Stern-Stunden verständlich
gemacht

Die Geographie
Von der Geomorphologie bis zur
Sozialgeographie

Wetter und Klima
Vom Heidelberger Talwind bis zu
den Passaten

Die Geschichte
Ob Merkantilismus oder UN:
alles Wissenswerte leicht
zugänglich

Die Wirtschaft
Vom Break-even-point bis zur
Schattenwirtschaft

Politik und Gesellschaft
Vom Bruttosozialprodukt bis zur
Pressefreiheit

Die Religionen
Aberglaube, Christentum,
Zwölfgöttersystem: die Welt der
Religion auf einen Blick

Die Philosophie
»Logik des Herzens« und
kategorischer Imperativ:
die wichtigsten Modelle und Schulen

Die Psychologie
Vom Alter ego bis zur Zwillings-
forschung

Die Pädagogik
Alles zum Thema Schule, Ausbildung
und Erziehung

Die Informatik
Algorithmen und Zufalls-
generator: das Informationszentrum
für Anfänger und Fortgeschrittene

Die Mathematik I
5.–10. Schuljahr

Die Mathematik II
11.–13. Schuljahr

Das Wissen von A bis Z
Ein allgemeines Lexikon:
die ideale Ergänzung zu den
»Spezialisten«

DUDEN-Schülerlexikon
Ein Lexikon nicht nur für die Schule

SCHÜLER-
DUDEN

Grammatik

Eine Sprachlehre mit
Übungen und Lösungen

3., völlig neu bearbeitete
und erweiterte Auflage
Herausgegeben von
der Dudenredaktion
Bearbeitet von
Peter Gallmann und
Horst Sitta

DUDENVERLAG
Mannheim · Leipzig · Wien · Zürich

CIP-Titelaufnahme der Deutschen Bibliothek
Schülerduden »Grammatik«: eine Sprachlehre mit Übungen
und Lösungen / hrsg. von d. Dudenred.
Bearb. von Peter Gallmann u. Horst Sitta.
3., völlig neu bearb. u. erw. Aufl.
Mannheim; Wien; Zürich: Dudenverl., 1990
ISBN 3-411-02243-4
NE: Gallmann, Peter [Bearb.];
Bibliographisches Institut & F. A. Brockhaus AG, Mannheim
Dudenredaktion; Grammatik

Druck: Klambt-Druck GmbH, Speyer
Einband: Graphische Betriebe Langenscheidt, Berchtesgaden
Printed in Germany
ISBN 3-411-02243-4

VORWORT

Dieses Buch ist eine Grammatik für die Schule. Von den Lauten und Buchstaben über das Wort bis zum Satz beschreibt sie die Grundstrukturen der deutschen Sprache. Der Schüler kann sie für seine eigene häusliche Arbeit nutzen; gleichermaßen kann sie vom Lehrer im Sprachunterricht herangezogen werden.

Die Grammatik ist einmal als Nachschlagewerk gedacht – für den Fall, daß man Auskunft in einer grammatischen Frage sucht; diesem Zweck dienen die zahlreichen Tabellen, die sie enthält. Sie leitet darüber hinaus dazu an, grammatische Probleme selbst zu lösen; didaktisch vielfach bewährte Verfahren (zum Beispiel Ersatzprobe, Verschiebeprobe) spielen hier eine wichtige Rolle. Ihr Ziel ist, nicht einfach grammatische Aussagen zu treffen, sondern diese nachprüfbar zu machen und den Schüler zu eigenen grammatischen Aussagen zu befähigen. In diesem Zusammenhang gehören auch die Materialien, die sie anbietet: Übungen, zu denen im Anhang Lösungen zusammengestellt sind, sowie Texte zu grammatischen Fragen, die anregen und weiterführen wollen.

In ihrer Terminologie bewegt sich die Grammatik im Rahmen der Empfehlungen, die die Ständige Konferenz der Kultusminister der Länder in der Bundesrepublik Deutschland 1982 ausgesprochen hat. Sie steht damit im Einklang mit der Schulpolitik aller deutschsprachigen Länder, die auf Vereinheitlichung und Vereinfachung der Terminologie abzielt. Wo unterschiedliche Entscheidungen möglich waren, ist im Zweifelsfall normalerweise die traditionelle Bezeichnung beibehalten worden; nur sehr behutsam (und wo sie sich schon deutlich durchgesetzt haben) sind neuere Benennungen verwendet worden. Dabei folgt diese Grammatik einer Entwicklung, die zur Zeit allgemein zu beobachten ist: Wo es um die Bezeichnung von Formalem oder Funktionalem geht, wird eher eine lateinischstämmige Bezeichnung gewählt; wo es um Inhaltliches geht, neigt man eher zu deutschstämmiger Terminologie.

Man spricht zum Beispiel vom »Futur«, wo man die Form meint, von »Zukunft«, wo man einen Inhalt ansprechen will.

Ausführliche Sach- und Wortregister am Schluß des Buches sollen den Zugang zu den einzelnen Kapiteln erleichtern. Ein kurzes Literaturverzeichnis verweist auf weiterführende Literatur zu grammatischen und didaktischen Fragen.

Mannheim, den 15. März 1990

Der Wissenschaftliche Rat
der Dudenredaktion

INHALT

HINWEISE ZUR BENUTZUNG

Das Wichtigste ist: Dieses Buch ist eine Grammatik. Grammatiken *liest* man nicht (schon gar nicht in *einem* Zuge), man liest nur *in* Grammatiken; man schlägt in ihnen nach, wenn man Fragen zu einem Problem hat. Als Schülerduden-Grammatik ist dieses Buch eine Grammatik für Schüler und Lehrer. Der Schüler kann es für seine eigene Arbeit zu Hause gebrauchen; Schüler und Lehrer können aber auch in der Schule gemeinsam damit arbeiten.

Im Normalfall stellen wir uns die Benutzung dieses Buches folgendermaßen vor: Es ist ein grammatisches Problem aufgetaucht, zu dem man genauere Auskünfte haben möchte. Dazu schlägt man in der Grammatik nach. Dort sollte man eine Erklärung finden und so viele Beispiele, daß man die Erklärung gut verstehen und auf andere Fälle übertragen kann. Man findet überdies Übungen, mit deren Hilfe man überprüfen kann, ob man recht verstanden hat. Zu diesen Übungen gibt es im hinteren Teil des Buches Lösungen. Manchmal haben wir auch Texte beigegeben, die ein Problem von einer eher ungewohnten Seite her beleuchten; diese Texte sollen zu eigenen, weiterführenden Überlegungen anregen.

In der Schule kann man das Buch benutzen, wenn man bestimmte Erscheinungen der deutschen Grammatik ausführlicher oder in einem größeren systematischen Zusammenhang angehen will. Man kann sich dann über ein bestimmtes Kapitel der Grammatik ein geschlossenes Bild verschaffen.

Eine andere Möglichkeit läge darin, die Grammatik unmittelbar in die Arbeit an anderen sprachlichen Problemen einzubeziehen, zum Beispiel so:

1. In der Schule wird an irgendeiner Aufgabe, zum Beispiel an der Abfassung eines Textes, gearbeitet.

2. Bei dieser Arbeit taucht ein sprachliches Problem auf – ein grammatisches: Man muß zum Beispiel Formen der Redeerwähnung kennen oder die sprachlichen Mittel des Begründens beherrschen.

3. In gemeinsamer Arbeit diskutiert man das Problem in der Klasse und versucht Regeln zu finden.
4. Zur Überprüfung schlägt man in der Grammatik nach.
5. Zur Sicherung des Gelernten wird eine Übung bearbeitet, zum Beispiel aus der Grammatik.
6. Wann immer man später auf Texte stößt, in denen das behandelte Problem wieder auftaucht, sucht man einen Bezug zu dem, was man bei der grammatischen Arbeit gelernt hat. Nötigenfalls beschäftigt man sich auch noch einmal vertieft mit der einschlägigen Grammatikdarstellung.

Mehr als jedes andere Vorgehen sichert dieses systematische Hin und Her zwischen Grammatik und Sprachverwendung, daß grammatisches Arbeiten unser Sprechen und Schreiben wirklich beeinflussen kann.

Ein paar praktische Hinweise zum Schluß:

• Die Abschnitte dieses Buches sind mit eingerahmten Zahlen, zum Beispiel 234 , durchnumeriert. Auf sie beziehen sich die an vielen Stellen eingestreuten Verweise (zum Beispiel: ↑ 234), die den Zusammenhang zwischen verschiedenen grammatischen Erscheinungen sichtbar machen sollen.
• Wenn man rasch eine Auskunft über eine grammatische Einzelfrage sucht, zum Beispiel über die Steigerung des Adjektivs oder über Formen des Verbs in der indirekten Rede, arbeitet man am besten vom alphabetisch geordneten Sachregister auf den Seiten 485 bis 493 her.
• Findet man im Sachregister nicht, was man sucht, schlägt man im Verzeichnis der Fachausdrücke auf den Seiten 501 bis 509 nach. Dieses Verzeichnis enthält nicht nur die Fachausdrücke, die in dieser Grammatik verwendet werden (zum Beispiel *Adjektiv*), sondern auch deren Entsprechungen in anderen Grammatiken und Sprachbüchern (zum Beispiel *Eigenschaftswort, Artwort, Wiewort*).
• Auf Einzelfragen führt schließlich das Wortregister auf den Seiten 494 bis 500. Es gibt zum Beispiel Auskunft darüber, ob *brauchen* auch ohne *zu* oder *wegen* mit dem Dativ korrekt ist.

DIE KLEINSTEN BAUSTEINE
DER SPRACHE

Laute und Buchstaben

1 Alle Wörter unserer Sprache sind aus einer kleinen Anzahl von Lauten bzw. Buchstaben zusammengesetzt. Die Laute sind die Bausteine der gesprochenen Sprache, die Buchstaben diejenigen der geschriebenen Sprache.

Unsere Schrift hat 26 Buchstaben; dazu kommen noch die Zeichen für die Umlaute *ä, ö, ü* und das *ß*:

abcdefghijklmnopqrstuvwxyz

äöü ß

Die Buchstaben der geschriebenen Sprache und die Laute der gesprochenen Sprache können einander zugeordnet werden. Dabei entspricht allerdings einem bestimmten Laut keineswegs immer ein bestimmter Buchstabe – und umgekehrt. So steht der Buchstabenverbindung *sch* einerseits ein einziger Zischlaut gegenüber, andererseits entspricht dem einen Buchstaben *x* eine Folge von zwei Lauten [ks].

Manchmal stehen für ein und denselben Laut mehrere Buchstaben oder Buchstabenverbindungen zur Verfügung. So bezeichnen zum Beispiel *a, aa* und *ah* in den Wörtern *Tal, Saal* und *Zahl* denselben langen Laut. Umgekehrt muß manchmal ein Buchstabe in verschiedenen Wörtern unterschiedlich gelesen werden. Das gilt zum Beispiel für das G in *Geld* und *Genie* (beim zweiten Wort entspricht dem *G* ein weicher Sch-Laut).

2 Laute und Buchstaben sind Bausteine für Elemente, die einen Inhalt ausdrücken, eine Bedeutung tragen. Solche Elemente können ganze Wörter, aber auch Teile von Wörtern sein:

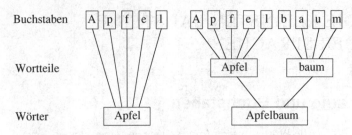

Für sich allein betrachtet, haben Laute und Buchstaben in Wörtern keine Bedeutung. So haben etwa Wörter, die mit einem *A* beginnen, kein inhaltliches Merkmal gemeinsam, mit dem sie sich von anderen Wörtern, beispielsweise von denen mit einem *Z* am Anfang, unterscheiden. Der Buchstabe *A* ist also kein Bedeutungsträger, ebensowenig der ihm entsprechende Laut.

3 Wenn wir Wörter ganz langsam und deutlich aussprechen, zerfallen sie in Einheiten, die wir *Silben* nennen:

Ananas → A-na-nas
Banane → Ba-na-ne
Kinder → Kin-der
Zimmerpflanze → Zim-mer-pflan-ze

Kern der Silbe ist ein volltönender Laut, den man als *Vokal* oder *Selbstlaut* bezeichnet. Vor oder nach dem Vokal stehen meist andere Laute, die man *Konsonanten* oder *Mitlaute* nennt; es gibt allerdings auch Silben, die nur aus einem Vokal bestehen:

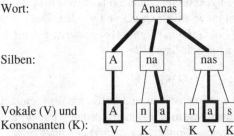

| 4 | ÜBUNG |

Stell dir vor, du müßtest für das Deutsche eine Silbenschrift schaffen, also eine Schrift, in der jeder Silbe ein besonderes Zeichen entspricht. Wie viele Zeichen brauchtest du, um die folgenden Wörter zu schreiben?

Banane, Hagel, Nebel, halten, Nagel, turnen, bellen, gelten, lenken, Hallenbad, kennen, Nabel, Kanten, Haken, Kanne, Natur, nennen.

| 5 | ÜBUNG |

Was ist das Besondere an den folgenden Interjektionen (Ausrufewörtern)?

Psst! Brr! Hm! Dz, dz, dz!

Die Vokale

| 6 | Bei den Vokalen kann man unter zwei Gesichtspunkten noch einmal Untergruppen bilden: |

1. Man kann *Grundvokale* und *Umlaute* voneinander unterscheiden.
2. Man kann von den *einfachen Vokalen* die *Diphthonge (Zwielaute, Doppellaute)* abgrenzen.

Kombiniert man die beiden Gesichtspunkte, so ergibt sich das folgende Schema:

	Grundvokale	Umlaute
einfache Vokale	a e i o u	ä ö ü
Diphthonge (Zwielaute)	ei (ai) au eu	äu

Dem Buchstaben y entspricht in den meisten Wörtern ein Ü-Laut:

Physik, Psychologie, Rhythmus, lynchen, zynisch.

| 7 | Alle einfachen Vokale kommen lang und kurz vor. Man kann das an den folgenden Wortpaaren sehen: |

kurzer Vokal	langer Vokal
still, Fisch, Widder	Stiel, Nische, wieder
Bett, Wetter, stellen	Beet, Meter, stehlen
Ratte, Masse, Fall	raten, Maß, fahl
Schrott, Schloß, Post	Schrot, groß, Trost
flüssig, Küste	müßig, Wüste

| 8 | Zwischen *eu* und *äu* besteht ein Unterschied nur in der Schrift, nicht in der Aussprache. Auch bei *e* und *ä* hört man |

in der Standardsprache denselben Laut, wenn er kurz gesprochen ist:

> Leute / läuten, greulich / gräulich, Kreuzchen / Käuzchen.
> Wende / Wände, Herz / März, Stelle / Ställe, Restchen / Kästchen.

Wenn *e* und *ä* hingegen einen langen Laut wiedergeben, werden sie verschieden ausgesprochen:

> Beeren / Bären, Ehre / Ähre, wehren / währen, Reeder / Räder,
> Meere / Mähre, Seele / Säle, (wir) geben / (wir) gäben.

| 9 | In Nachsilben entspricht dem Buchstaben *e* oft ein »Murmelvokal« von unbestimmter Lautqualität: |

> Suche, Breite, Tasche, müde.

Bei den Nachsilben, die auf *-en, -em* oder *-el* enden, ist oft gar kein Vokal mehr hörbar; *m, n* und *l* bilden dann wie Vokale den Kern einer Silbe:

> Bogen, reden; Atem, gutem; Nagel, dunkel.

Die Konsonanten

| 10 | Die Konsonanten teilt man nach der Art ihrer Hervorbringung im Mund ein. Die folgende Tabelle veranschaulicht |

das. Dabei müssen freilich die Laute durch Buchstaben wiedergegeben werden. Da sich Laute und Buchstaben aber meist nicht eindeutig aufeinander beziehen lassen (↑ 1), haben wir zur Verdeutlichung Beispiele hinzugefügt:

		Lippen-laute	Zahnlaute	Zischlaute	Gaumen-laute
Verschluß-	hart	p (Perle)	t (Tisch)		k (Koffer)
laute	weich	b (Buch)	d (Dach)		g (Garn)
Reibelaute	hart	f (Fenster)	ss (lassen)	sch (schön)	ch (Nacht)
	weich	w (Wind)	s (lesen)	g (Genie)	j (ja)
Nasenlaute		m (Mund)	n (neu)		ng (Klang)
Fließlaute			l (Linde)		r (Rad)

11 Vom Laut, dem im Deutschen die Buchstabenkombination *ch* entspricht, gibt es zwei Varianten: eine helle, weiter vorn gesprochene sowie eine dunklere, weiter hinten gesprochene. Letztere kommt nur nach den Vokalen *a, o, u, au* vor. Die helle Variante wird auch *Ich-Laut* genannt, die dunklere *Ach-Laut*.

> Helle Variante (Ich-Laut): ich, Sicht, Becher, Dächer, Löcher, Bücher, streichen, Seuche, durch, Molch, manche.

> Dunkle Variante (Ach-Laut): ach, Nacht, doch, Flucht, Strauch.

12 In der Standardaussprache werden die weichen Konsonanten *b, d, g, s* hart gesprochen, wenn sie im Silbenende (= Silbenauslaut) stehen. Diese Veränderung in der Aussprache wird *Auslautverhärtung* genannt. Beim Schreiben wird sie nicht berücksichtigt. Der Grund dafür ist: Wortteile, die mehreren Wortformen gemeinsam sind, sollen im Schriftbild gleich erscheinen.
Der Ausspracheunterschied wird deutlich, wenn man verwandte Wortformen miteinander vergleicht:

Weiche Aussprache	Harte Aussprache im Silbenauslaut
graben, Gräber, Grube	Grab, Grübchen
Gläser, glasig	Glas, Gläschen
leiden, Räder	Leid, Rad

Andere lautliche Erscheinungen

13 Wenn Menschen in einer Sprache miteinander reden, die uns fremd ist, verstehen wir kein Wort. Trotzdem erkennen wir, ob ein Sprecher zum Beispiel eine Aussage macht, etwas bestreitet, unterstützt, ob er eine Frage stellt oder ob er sein Gegenüber zu etwas auffordert. Gesprochene Sprache ist also nicht einfach ein Strom von Wortformen und damit letztlich von Silben und Lauten. Zu ihr gehören vielmehr noch weitere Erscheinungen, zum Beispiel die folgenden:

1. Ein Sprecher *gliedert* seine Äußerungen, indem er *Tonbögen* bildet, das heißt, seine Stimme an bestimmten Stellen hebt oder senkt, unter Umständen auch Pausen macht. Bei der schriftlichen Wiedergabe von Gesprächen deuten wir dies oft mit Satzzeichen an. (Aber Achtung: In der geschriebenen Sprache setzen wir zur grammatischen Gliederung des Textes oft auch an Stellen ein Komma, an denen in mündlicher Rede kein Einschnitt zu hören ist.)

> Der Lehrer, sagt Fritzchen, spinnt.
> Der Lehrer sagt, Fritzchen spinnt.

> Und ganz am Schluß kommt noch – Stefan!

> Wir benötigen noch: Lauge und Schleifpapier, Farbe und Pinsel.

2. Der Sprecher kann mit der *Art* der Tonbögen – oder einfacher: mit der *Satzmelodie* – zum Ausdruck bringen, ob er zum Beispiel eine Aussage macht, eine Aufforderung ausspricht oder eine Frage stellt. Wenn wir Gesprochenes schriftlich wiedergeben, deuten wir dies mit entsprechenden Satzschlußzeichen an:

> Du kommst morgen auch.
> Du kommst morgen auch!
> Du kommst morgen auch?

3. Der Sprecher kann mit seiner Stimme ausdrücken, daß er etwas ernst meint, daß er nur einen Scherz macht, daß er ironisch oder zynisch sein will. Nuancen dieser Art können in der Schrift freilich nicht direkt wiedergegeben werden. Den Sinn einer Äußerung können wir dort nur aus dem Zusammenhang erschließen.

4. Man kann Teile eines Satzes besonders *hervorheben*. Bei der Umsetzung in geschriebene Sprache stehen zum Ausdruck dieser Merkmale der gesprochenen Sprache graphische Hilfsmittel wie Unterstreichen oder schräge (kursive) Schrift zur Verfügung:

> *Sibylle* hat das Buch in die Bibliothek gebracht.
> Sibylle *hat* das Buch in die Bibliothek gebracht.
> Sibylle hat *das* Buch in die Bibliothek gebracht.
> Sibylle hat das *Buch* in die Bibliothek gebracht.
> Sibylle hat das Buch *in* die Bibliothek gebracht.
> Sibylle hat das Buch in *die* Bibliothek gebracht.
> Sibylle hat das Buch in die *Bibliothek* gebracht.
> Sibylle hat das Buch in die Bibliothek *gebracht*.

14	ÜBUNG

Was deutet eine Sprecherin an, wenn sie die kursiv gesetzten Teile der obenstehenden Sätze besonders betont?

Beispiel: *Sibylle* hat das Buch in die Bibliothek gebracht. → Also nicht etwa jemand anders.

15	ÜBUNG

»Das hast du gut gemacht!«

Versuche, diesen Satz ernsthaft, ironisch, freudig erregt, erstaunt, überrascht, entsetzt, lachend, höhnisch, verlegen, enttäuscht auszusprechen.

Andere Elemente unserer Schrift

16 Wie gesprochene Sprache mehr ist als ein Strom von Lauten, so ist geschriebene Sprache mehr als eine Aneinanderreihung von Buchstaben. Was gibt es noch für Elemente in der Schrift? Wir gehen hier kurz auf die folgenden ein:

– Ziffern
– Sonderzeichen
– Satzzeichen
– Wortzwischenraum
– Groß- und Kleinbuchstaben
– Schriftarten
– Textblöcke

17 *Ziffern* sind Zahlzeichen. Sie stehen für Zahlwörter oder Teile von Zahlwörtern. Zahlen können in Ziffern oder Buchstaben geschrieben werden. Die Ziffern haben im Gegensatz zu den Buchstaben keine Beziehung zur Lautung der Zahlwörter. In Ziffern geschriebene Zahlen sehen daher in allen Sprachen gleich aus:

Deutsch	Französisch	Englisch
4 = vier	4 = quatre	4 = four
12 = zwölf	12 = douze	12 = twelve
9762 = neuntausend-siebenhundertzweiund-sechzig	9762 = neuf mille sept cent soixante deux	9762 = nine thousand seven hundred and sixty-two

Ähnlich wie die Ziffern stehen zum Beispiel die folgenden Sonderzeichen für ganze Wörter:

§ = Paragraph   % = Prozent   & = und
$ = Dollar   ‰ = Promille   † = gestorben

18 In der gesprochenen Sprache hängen wir die Wörter nahtlos aneinander. Als die Menschen angefangen haben zu schreiben, haben sie das auch in der Schrift zunächst so gehalten.

So hat man in der Antike lange ohne Zwischenraum zwischen den Wörtern geschrieben. Man nennt das *Scriptura continua*. Heute dagegen machen wir zwischen den einzelnen Wörtern einen Zwischenraum. Das erleichtert das Lesen sehr stark, da so die sinntragenden Einheiten des Textes ohne Raten und Suchen auf den ersten Blick erfaßt werden können.

Ohne Wortzwischenraum	Mit Wortzwischenraum
Wiemansiehtkönnentextenursehrsch wergelesenwerdenwennderwortzwisc henraumfehlt	Wie man sieht, können Texte mit Wortzwischenraum sehr viel besser gelesen werden.

19 Mit den *Satzzeichen* gliedern wir das Innere von Sätzen, und wir grenzen ganze Sätze im Text voneinander ab:

So haben sie es geplant. Und so haben sie es auch ausgeführt.
So haben sie es geplant – und so haben sie es auch ausgeführt.
So haben sie es geplant; und so haben sie es auch ausgeführt.
So haben sie es geplant, und so haben sie es auch ausgeführt.

20 ÜBUNG

Was bewirkt das Setzen der Satzzeichen in den folgenden Sätzen:

1. Herbert hat uns vor allem am Abend gern besucht.
2. Herbert hat uns (vor allem am Abend) gern besucht.
3. Herbert hat uns, vor allem am Abend, gern besucht.
4. Herbert hat uns – vor allem am Abend – gern besucht.

21 Unsere Schriftzeichen haben nicht nur eine einzige, feste Form. So existieren alle Buchstaben des Alphabets (außer ß) als Groß- und als Kleinbuchstabe. Diese Formen kann man noch variieren: es gibt Schriften mit geraden und solche mit schrägen Buchstaben (= Kursive), mit feinen und fetten, mit eckigen und runden Buchstaben. Diese Vielfalt kann man ausnützen:

1. Wir machen den Satzanfang deutlich, indem wir im ersten Wort des Satzes den Anfangsbuchstaben groß schreiben:

Aller Anfang ist schwer.

2. Mit einem Großbuchstaben heben wir ferner bestimmte Wörter, nämlich Nomen, Eigennamen und bestimmte Anredewörter, vom Rest des Textes ab:

> Wenn hinter Fliegen Fliegen fliegen, dann fliegen Fliegen Fliegen nach.
>
> Dieses Photo zeigt mich vor dem Schiefen Turm von Pisa.
> Wann paßt es Ihnen, Frau Loser?

3. Wir können Wörter hervorheben, indem wir lauter Großbuchstaben wählen:

> Das ist ein MUSTERSATZ.

4. Großbuchstaben sind auch typisch für sogenannte Initial- oder Buchstabenwörter (↑ 404):

> Die meisten Rundfunkstationen senden in UKW. Die DB stellte den neuen Intercity-Zug vor.

5. Wenn wir eine besondere Schrift wählen, können wir einzelne Wörter oder Textteile hervorheben:

> Das ist ein *Mustersatz*.
> Das ist ein **Mustersatz**.
> Das ist ein ***Mustersatz***.

In ähnlicher Weise benutzen wir Unterstreichungen:

> Das ist ein <u>Mustersatz.</u>

Manchmal kann man wählen, ob man ein Textelement mit Satzzeichen oder mit anderen graphischen Mitteln hervorheben will:

> Im »Tapferen Schneiderlein« kommt ein Einhorn vor.
> Im *Tapferen Schneiderlein* kommt ein Einhorn vor.

22 Anders als gesprochene Sprache existiert geschriebene Sprache nicht nur einen Augenblick: Man kann einen geschriebenen Text als Ganzes vor sich haben, hin und her blättern, etwas nachschlagen, etwas überfliegen, etwas überspringen usw. Bei gesprochener Sprache, zum Beispiel bei einem Vortrag, kann man das alles nicht. Um die Orientierung im geschriebenen Text zu erleichtern, ordnen wir den Text in *Textblöcken* an. Außerdem kann man einzelne Textteile als Überschrift, als Bildlegende, als Fußnote usw. freistellen.

23 | ÜBUNG

Welche Funktion haben die Textblöcke im folgenden Brief?

```
    11111111111111111111        22222222222222222
    11111111111111111111
    11111111111111111111


    33333333333333333333
    33333333333333333333
    33333333333333333333



    4444444444444444444444444444444444444444444


    5555555555555555555555555555

    666666666666666666666666666666666666666666666
    666666666666666666666666666666666666666666666
    666666666666666666666666666666666666666666666
    666666666666666666666666666666666666666666666
    666666666666666666666666666666666666666666666
    666666666666666666666666666666666666666666666
    666666666666666666666666666666666666666666666
    66666

    666666666666666666666666666666666666666666666
    666666666666666666666666666666666666666666666
    666666666666666666666666666666666666666666666
    6666666666666666666666666666666666666666666

    77777777777777777777

        888888888888888


    9999999999999999999
    9999999999999999999
    9999999999999999999
```

WORT- UND FORMENLEHRE

Grundsätzliches

Wort und Wortform

24 Was ist ein Wort? Man kann hier einwenden: Was soll diese Frage? Jeder glaubt doch zu wissen, was ein Wort ist: Wörter sind die Bausteine, aus denen wir Sätze bauen. Wörter trennen wir, wenn wir schreiben, durch den Wortzwischenraum voneinander.

Aber genügt dieses Wissen? Machen wir einen Test! Wie viele Wörter sind in den folgenden Sätzen kursiv (schräg) gedruckt?

> Die zwei *Türme* der Burg waren schon von weitem zu sehen.
> Der niedrigere *Turm* war vierzig Meter hoch.
> Wir sind auf den höheren *Turm* geklettert.
> Die Mauern des *Turms* bestanden aus dicken Quadern.
> Auf beiden *Türmen* wehten bunte Fahnen.

Handelt es sich hier um fünf verschiedene Wörter? Oder um vier? Oder schließlich – da sie doch bei allen Unterschieden eng zusammengehören: Handelt es sich um fünf Varianten eines einzigen Wortes?

25 Wir wollen für den Umgang mit diesem Problem festlegen: Es handelt sich in den fünf Sätzen um verschiedene *Wortformen* ein und desselben *Wortes*. Wir unterscheiden also zwischen *Wort* und *Wortform*.

Einem Wort werden unterschiedliche Wortformen zugeordnet. Im folgenden Schema stellen wir die acht Wortformen zusammen, die zu dem Wort *Turm* gehören. Wir unterscheiden dabei *Nennform* und *übrige Wortformen*:

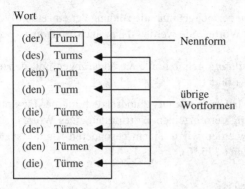

Die Nennform und die übrigen Wortformen sind grundsätzlich gleichrangig. Die Unterscheidung zwischen ihnen rührt daher, daß man »Wörter«, wenn man über sie sprechen will, zusammenfassend benennen muß. Dazu wählt man eine möglichst neutrale Wortform, eben die sogenannte *Nennform*. Es ist die Form, unter der Wörter im Wörterbuch aufgeführt werden. Bei den Nomen dient dazu die Wortform im Nominativ Singular, beim Adjektiv die unflektierte Form (↑ 269). Diese Formen haben den Vorteil, daß sie keine Endung haben. Für das Adjektiv bietet sich zum Beispiel folgendes Bild:

> Nennform (ohne Endung): *schön*.
>
> Andere Wortformen (mit Endungen): ein *schön-er* Tag, ein *schön-es* Haus, im *schön-st-en* Augenblick, ein *schön-er-es* Photo.

Im Gegensatz zu den Nomen und den Adjektiven hat die Nennform der Verben eine Endung: Nennform ist hier der Infinitiv mit der Endung *-en* oder *-n:*

> Nennform (mit Endung *-en*): *such-en*.
>
> Andere Wortformen desselben Verbs: ich *such-e*, du *such-st*, er/sie *such-t*.

26 Im Zusammenhang mit den Begriffen *Wort* und *Wortform* sind zwei weitere Begriffe von Bedeutung: *Flexion* und *Wortbildung:*

1. Als *Flexion* bezeichnet man die Bildung der einzelnen Wortformen eines Wortes. Sie werden daher auch *Flexionsformen* genannt.
2. Zur *Wortbildung* gehören alle Veränderungen, mit denen man neue Wörter bildet.

Im folgenden befassen wir uns grundsätzlich mit der Flexion, also mit der Bildung der einzelnen Wortformen eines Wortes. Auf die Wortbildung werden wir in einem besonderen Kapitel später genauer eingehen (↑ 375 ff.).

| 27 | ÜBUNG |

Wie heißen die Nennformen zu den Wortformen der folgenden Sätze?

1. Des Königs Kleider waren unsichtbar. 2. Gisela wußte mehr, als sie ihren Freundinnen anvertraute. 3. Bei Tage kannst du von hier oben die Berge sehen. 4. Nach langem Warten rief mich die Rektorin herein. 5. Das Bessere ist der Feind des Guten. 6. Die Kinder rannten dem Ausgang zu.

Flexion

Flexionsformen und grammatische Merkmale

| 28 | Flexionsformen zeigen bestimmte grammatische Merkmale eines Wortes an. Nach grammatischen Merkmalen kann man Wörter gruppieren (↑ 29); grammatische Merkmale machen außerdem die Beziehungen zwischen Wörtern in einem Satz deutlich:

> Das ist Petra|s| Heft.

Die Endung -s zeigt, daß *Petra* im Genitiv steht. Der Genitiv drückt hier aus, daß zwischen *Petra* und *Heft* ein Besitzverhältnis besteht: Petra ist die Besitzerin des Heftes.

Die fünf Wortarten

29 Nicht bei allen Wörtern spielen die gleichen grammatischen Merkmale eine Rolle. Entsprechend ordnet man sie verschiedenen Wortarten zu. Wir unterscheiden fünf Wortarten. Dabei halten wir uns an die grammatischen Merkmale, die ihre Flexionsformen aufweisen. Im Schema auf der folgenden Doppelseite geben wir die besonders *typischen* grammatischen Merkmale der Wortarten an.

Peter Handke: Das Wort Zeit

Die Zeit ist ein Hauptwort. Das Hauptwort bildet keine Zeit. Da die Zeit ein Hauptwort ist, bildet die Zeit keine Zeit.

Wie das Hauptwort keine Zeit bildet, bildet das Hauptwort keine Leideform. Die Zeit ist ein Hauptwort. Da die Zeit ein Hauptwort ist, bildet die Zeit keine Leideform.

Die Leideform ist ein Hauptwort. Das Hauptwort bildet keine Leideform. Da die Leideform ein Hauptwort ist, bildet die Leideform keine Leideform. Aus demselben Grund bildet die Leideform keine Zeit.

Wie das Hauptwort weder Zeit noch Leideform bildet, bildet das Hauptwort keine Möglichkeitsform. Die Zeit ist ein Hauptwort. Da die Zeit ein Hauptwort ist, bildet die Zeit keine Möglichkeitsform.

Die Möglichkeitsform ist ein Hauptwort. Das Hauptwort bildet keine Möglichkeitsform. Da die Möglichkeitsform ein Hauptwort ist, bildet die Möglichkeitsform keine Möglichkeitsform. Aus demselben Grund bildet die Möglichkeitsform keine Zeit.

Das Hauptwort bildet keine Leideform. Die Möglichkeitsform ist ein Hauptwort. Da die Möglichkeitsform ein Hauptwort ist, bildet die Möglichkeitsform keine Leideform. Aus demselben Grund bildet die Leideform keine Möglichkeitsform.

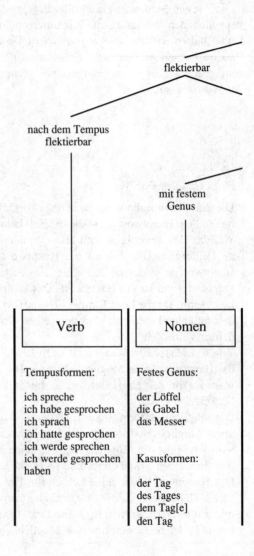

flektierbar

nach dem Tempus
flektierbar

mit festem
Genus

Verb	Nomen
Tempusformen:	Festes Genus:
ich spreche	der Löffel
ich habe gesprochen	die Gabel
ich sprach	das Messer
ich hatte gesprochen	
ich werde sprechen	Kasusformen:
ich werde gesprochen haben	der Tag
	des Tages
	dem Tag[e]
	den Tag

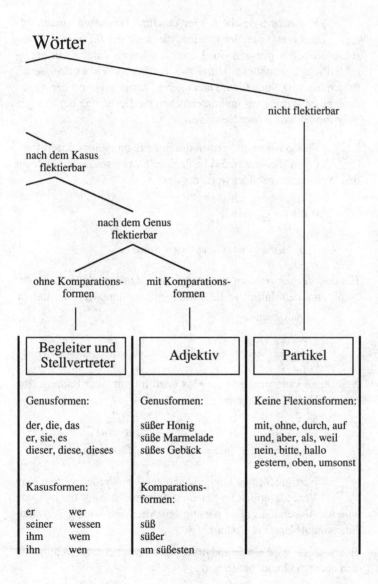

Wörter

nicht flektierbar

nach dem Kasus
flektierbar

nach dem Genus
flektierbar

ohne Komparations-
formen

mit Komparations-
formen

Begleiter und Stellvertreter	Adjektiv	Partikel
Genusformen:	Genusformen:	Keine Flexionsformen:
der, die, das er, sie, es dieser, diese, dieses	süßer Honig süße Marmelade süßes Gebäck	mit, ohne, durch, auf und, aber, als, weil nein, bitte, hallo gestern, oben, umsonst
Kasusformen:	Komparations- formen:	
er　　　wer seiner　wessen ihm　　wem ihn　　wen	süß süßer am süßesten	

2*

Die sprachlichen Mittel der Flexion

30   Wir haben gesehen: Vier der fünf Wortarten nutzen bestimmte Arten der Flexion, das heißt der *Bildung* von verschiedenen *Wortformen*. Im Deutschen stehen dafür recht unterschiedliche *sprachliche Mittel* zur Verfügung.Wir wollen sie im folgenden kurz vorstellen. Dabei gehen wir immer von der *Nennform* eines Wortes aus und untersuchen die Herleitung der übrigen Wortformen von dieser Nennform.

31   Flexionsformen können durch Anfügung eines unselbständigen Elementes, das heißt einer *Flexionsendung,* hinten an den Wortstamm gebildet werden:

> der Tag
> → des Tag│es│, die Tag│e│
>
> breit
> → ein breit│er│ Graben, eine breit│e│ Straße

Bei den Verben gewinnt man den Stamm dadurch, daß man an der Nennform, dem Infinitiv, die Infinitivendung *-en* oder *-n* abstreicht:

> Infinitiv: such│en│
>
> → Stamm: such-
> → Andere Flexionsformen: ich such│e│, du such│st│, er/sie such│t│

Manchmal kann man an eine Flexionsform mit einer Endung eine weitere Endung anhängen:

> breit   das Kind
> → breit│er│   → die Kind│er│
> → eine breit│er│e│ Straße   → den Kind│er│n│

32   Flexionsformen können auch gebildet werden, indem man Veränderungen *im Stamm* vornimmt. Man spricht hier von *innerer Abwandlung.* Die wichtigsten Arten von innerer Abwandlung sind *Ablaut* und *Umlaut.*

Beim *Ablaut* wird ein Grundvokal (*a, e, i, o, u; ei, au, eu*) durch einen anderen Grundvokal ersetzt:

sprech-en
→ Stamm: sprech-
→ Ablaut: ich spr$\boxed{a}$ch

lauf-en
→ Stamm: lauf-
→ Ablaut: ich l$\boxed{ie}$f

Ein Grundvokal kann aber auch durch einen *Umlaut (ä, ö, ü; äu)* ersetzt werden. (Achtung: Das Wort »Umlaut« bezeichnet also sowohl einen bestimmten Typ Vokalwechsel als auch einen bestimmten Typ Vokal.)

der Nagel
→ die N$\boxed{ä}$gel

die Tochter
→ die T$\boxed{ö}$chter

Auch hier weisen viele Flexionsformen außer dem Umlaut noch eine Flexionsendung auf:

der Turm
→ die T$\boxed{ü}$rm$\boxed{e}$

lang
→ l$\boxed{ä}$ng$\boxed{er}$

33 Nur beim Verb wird bei einer Flexionsform, dem Partizip II, *vorn* ein Element angefügt, nämlich ge-. Man spricht hier von einem *Flexionspräfix*. Daneben weist das Partizip II immer auch eine Flexionsendung auf:

stell-en
→ Stamm: stell-
→ $\boxed{ge}$stell$\boxed{t}$

seh-en
→ Stamm: seh-
→ $\boxed{ge}$seh$\boxed{en}$

34 Manche Wörter haben Flexionsformen, die sich nur in ihren grammatischen Merkmalen, nicht aber in ihrer Form unterscheiden. So unterscheiden sich bei manchen Nomen die Formen des Plurals äußerlich nicht von denen des Singulars:

der Balken
→ die Balken

das Muster
→ die Muster

Das Verb

Übersicht

35 Verben sind Wörter, die man konjugieren kann. Hierher gehören zum Beispiel Wörter wie die folgenden:

arbeiten, bauen, bleiben, blühen, drehen, einschlafen, erblühen, erfinden, fallen, frieren, gehen, gefallen, haben, helfen, kämpfen, kommen, kennen, können, lesen, pflücken, regnen, schreiben, schwitzen, sehen, sein, spüren, stehen, stellen, tasten, tragen, verblühen, verreisen, wachsen, werden, wissen, wohnen, wollen, zählen.

36 Als Konjugation bezeichnet man die Flexion eines Wortes nach folgenden Gesichtspunkten:

1. Person und Numerus (grammatische Zahl);
2. Tempus (grammatische Zeit);
3. Modus (Aussageweise);
4. Genus (Handlungsrichtung).

Im einzelnen bedeutet das:

1. Das Verb bildet Formen wie die folgenden:

	Singular	Plural
1. Person	ich trage	wir tragen
2. Person	du trägst	ihr tragt
3. Person	er/sie trägt	sie tragen

Diese Formen sind nach *Person* und *Numerus* (grammatische Zahl) bestimmt. Man bezeichnet sie auch als *Personalformen* oder *finite Formen*.
Neben ihnen gibt es drei einfache *infinite* Formen:

infinite Verbform	Beispiele
Infinitiv	*suchen, tragen, drehen, lachen, sitzen*
Partizip I	*suchend, tragend, drehend, lachend, sitzend*
Partizip II	*gesucht, getragen, gedreht, gelacht, gesessen*

2. Finite Verbformen sind nach dem *Tempus* (der *grammatischen Zeit*) bestimmt. Es gibt sechs Tempora:

Tempus	Beispiele	
Präsens	ich suche	ich fahre
Perfekt	ich habe gesucht	ich bin gefahren
Präteritum	ich suchte	ich fuhr
Plusquamperfekt	ich hatte gesucht	ich war gefahren
Futur I	ich werde suchen	ich werde fahren
Futur II	ich werde gesucht haben	ich werde gefahren sein

Präsens und Präteritum sind *einfache* Tempusformen. Ihnen stehen die *zusammengesetzten* Tempusformen gegenüber. Bei den zusammengesetzten Tempusformen handelt es sich um Kombinationen von *sein, haben* oder *werden* mit infiniten Verbformen. Sie bilden zusammen eine grammatische Einheit.

3. Finite Verben sind ferner nach dem *Modus* (der *Aussageweise*) bestimmt. Es gibt die folgenden Modi:

Modus	Beispiele		
Indikativ	du suchst	du trägst	du bist
Konjunktiv I	du suchest	du tragest	du seiest
Konjunktiv II	du suchtest	du trügest	du wärest
Imperativ	such!	trag!	sei!

4. Verben bilden *Aktivformen* und *Passivformen*. Aktiv und Passiv werden unter dem Begriff der *Handlungsrichtung* oder des *Genus verbi* zusammengefaßt:

Handlungsrichtung	Beispiele
Aktiv	Ein Gewitter *überraschte* uns.
Passiv	Wir *wurden* von einem Gewitter *überrascht*.
Aktiv	Man *hat* das Kind zum Glück wieder *gefunden*.
Passiv	Das Kind *ist* zum Glück wieder *gefunden worden*.

| 37 | Nach inhaltlichen Gesichtspunkten kann man Verben in drei Gruppen einteilen: |

Verben, die eher einen Zustand beschreiben (Zustandsverben)	Verben, die eher einen Vorgang beschreiben (Vorgangsverben)	Verben, die eher eine Tätigkeit beschreiben (Tätigkeitsverben)
bleiben	einschlafen	arbeiten
sein	erfrieren	bauen
besitzen	wachsen	kaufen
enthalten	sinken	versenken
wohnen	fallen	pflücken
liegen	regnen	lesen

Freilich lassen sich die Verben den Gruppen nicht immer fest zuordnen. Oft entscheidet der Zusammenhang über die genaue Bedeutung.

Statt Verb heißt es manchmal auch *Tuwort, Tunwort, Tätigkeitswort* oder *Zeitwort*.

Die Bildung der einfachen Verbformen

Die Stammformen des Verbs

| 38 | Nicht alle Verben bilden ihre Formen auf die gleiche Weise. Vor allem unterscheidet man zwischen regelmäßiger und unregelmäßiger Flexion und entsprechend zwischen *regelmäßigen* und *unregelmäßigen Verben*.

Wie ein Verb flektiert wird, kann man an drei Verbformen besonders gut erkennen: am *Infinitiv* (der Nennform des Verbs), am *Indikativ Präteritum* (der Vergangenheit) und am *Partizip II*. Diese Formen werden daher auch als die *Kennformen* oder *Stammformen* des Verbs bezeichnet.

1. Der Infinitiv besteht aus dem Stamm und der Endung *-en* / *-n:*

   such|en|, helf|en|, renn|en|, änder|n|

2. Im Präteritum wird bei den regelmäßigen Verben die Endung *-te* angefügt; der Stamm ist gleich wie im Infinitiv, bleibt also unverändert:

   such|en| → ich such|te|

   Bei den unregelmäßigen Verben ändert sich der Vokal des Stamms. Man spricht hier von *Ablaut* (↑ 32). Bei einem Teil der Verben wird außerdem noch wie bei den regelmäßigen Verben die Endung *-te* angefügt:

   helf|en| → ich h|a|lf
   renn|en| → ich r|a|nn|te|

3. Im Partizip II wird bei den regelmäßigen Verben die Endung *-t* und meist auch das Präfix *ge-* angefügt:

   such|en| → |ge|such|t|

   Bei einem Teil der unregelmäßigen Verben ändert sich der Stammvokal. Das Partizip II derjenigen Verben, die im Präteritum die Endung *-te* bekommen, hat die Endung *-t,* die anderen haben die Endung *-en:*

   helf|en| → |ge|h|o|lf|en|
   fahr|en| → |ge|fahr|en|
   renn|en| → |ge|r|a|nn|t|

Die Endungen *-te* und *-t,* die für die regelmäßigen und einen Teil der unregelmäßigen Verben typisch sind, faßt man unter der Bezeichnung *t-Endungen* zusammen. Die regelmäßigen Verben werden auch als *schwach* bezeichnet, die unregelmäßigen ohne t-Endungen als *stark.*

Die folgenden Tabellen zeigen die Stammformen einiger typischer regelmäßiger und unregelmäßiger Verben.

39	Regelmäßige Verben:

Infinitiv	Stamm unverändert, t-Endungen:	
	Präteritum	Partizip II
lachen	(ich) lachte	(ich habe) gelacht
warten	(ich) wartete	(ich habe) gewartet
verreisen	(ich) verreiste	(ich bin) verreist
sammeln	(ich) sammelte	(ich habe) gesammelt
rechnen	(ich) rechnete	(ich habe) gerechnet
spazieren	(ich) spazierte	(ich bin) spaziert

40	Unregelmäßige Verben ohne t-Endungen:

Infinitiv	Änderung des Stammvokals, keine t-Endungen	
	Präteritum	Partizip II
sprechen	(ich) sprach	(ich habe) gesprochen
tragen	(ich) trug	(ich habe) getragen
rufen	(ich) rief	(ich habe) gerufen
nehmen	(ich) nahm	(ich habe) genommen
finden	(ich) fand	(ich habe) gefunden
fallen	(ich) fiel	(ich bin) gefallen
frieren	(ich) fror	(ich habe) gefroren
vermeiden	(ich) vermied	(ich habe) vermieden

Einige unregelmäßige Verben ohne t-Endungen verändern im Präteritum und im Partizip II außer den Stammvokal auch noch den Konsonanten:

Infinitiv	Änderung des Stamms, keine t-Endungen	
	Präteritum	Partizip II
schneiden	(ich) schnitt	(ich habe) geschnitten
ziehen	(ich) zog	(ich habe) gezogen
gehen	(ich) ging	(ich bin) gegangen
stehen	(ich) stand	(ich bin/habe) gestanden

Schließlich gibt es eine Reihe von Verben mit t-Endungen und zusätzlichen Veränderungen des Stamms:

Infinitiv	t-Endungen und zusätzlich Stammänderung	
	Präteritum	Partizip II
kennen	(ich) kannte	(ich habe) gekannt
rennen	(ich) rannte	(ich bin) gerannt
senden	(ich) sandte	(ich habe) gesandt
bringen	(ich) brachte	(ich habe) gebracht
wissen	(ich) wußte	(ich habe) gewußt

41 ÜBUNG

Bilde von den folgenden Verben die Stammformen, also das Präteritum und das Partizip II. Welche Verben werden regelmäßig, welche unregelmäßig flektiert?

trennen, kennen, können, gönnen, braten, lächeln, fliegen, stoßen, kraulen, schwimmen, stimmen, pfeifen, fressen, zeigen, schweigen, schmunzeln, gelten, schimpfen, kringeln, blöken, verzeihen, fahren, führen, drehen, sehen, gehen, stehen, versinken, versenken, denken, lenken, halten, schalten, halbieren, flüstern, rechnen, klingen, bringen.

42 ÜBUNG

Setze in den folgenden Sätzen die richtige Verbform ein.

1. Letztes Jahr (reisen) wir nach Italien. 2. Plötzlich ist der Strick (reißen). 3. Köln hatte zur Zeit der Römer noch Colonia Agrippina (heißen). 4. Ein Engländer hat den höchsten Preis (bieten). 5. Letzten Sommer (schwimmen) Lea jeden Tag einen Kilometer. 6. Bei seinem letzten Besuch (sprechen) der Onkel wie immer zuviel. 7. Das Öl ist in den Fluß (fließen). 8. Im letzten Kurs hat Simone ungewöhnlich oft (schweigen). 9. Gestern (verlieren) Sven seine Uhr. 10. Wir haben uns schon lange nicht mehr (streiten). 11. Letzten Sonntag (gießen) es den ganzen Tag lang in Strömen. 12. Seit

dem kleinen Zwischenfall hat sie mich immer (meiden). 13. Sie hatte mir nicht (verzeihen). 14. Familie Müller war die rosa Tapete (verleiden). 15. Die Kirschen haben unter dem dauernden Regen (leiden). 16. Ich habe den Plan noch einmal (überdenken). 17. Bis gestern hat Peter nichts von seinem Glück (wissen).

Verben mit regelmäßigen und unregelmäßigen Formen

43 Einige Verben haben im Präteritum und im Partizip II nebeneinander regelmäßige und unregelmäßige Formen. Bei einem Teil davon können unterschiedslos die regelmäßigen oder die unregelmäßigen Formen gebraucht werden:

Infinitiv	Präteritum	Partizip II
backen	backte buk	gebacken
glimmen	glimmte glomm	geglimmt geglommen
hauen	haute hieb	gehauen
spalten	spaltete	gespaltet gespalten

44 Wieder andere Verben haben mehr als eine Bedeutung, und bei einigen von ihnen verwendet man in der einen Bedeutung die regelmäßigen Formen, in der anderen die unregelmäßigen. Die wichtigsten dieser Verben sind in der folgenden Tabelle zusammengestellt.

Infinitiv (mit Bedeutungsangabe)	Präteritum Partizip II	Beispiel
bewegen (die Lage verändern)	bewegte bewegt	Er bewegte den Vorhang. Sie hat den Vorhang bewegt.
bewegen (veranlassen)	bewog bewogen	Wir bewogen ihn zum Einlenken. Wir haben ihn zum Einlenken bewogen.

Infinitiv (mit Bedeutungsangabe)	Präteritum Partizip II	Beispiel
erschrecken (in Schrecken versetzen)	erschreckte erschreckt	Der Knall erschreckte uns. Er hat uns erschreckt.
erschrecken (in Schrecken geraten)	erschrak erschrocken	Petras Bruder erschrak sehr. Wir sind deswegen sehr erschrocken.
hängen (zum Hängen bringen)	hängte gehängt	Ich hängte ein Poster an die Wand. Ich habe ein Poster an die Wand gehängt.
hängen (aufgehängt sein)	hing gehangen	In Danielas Zimmer hingen viele Poster. Es haben dort viele Poster gehangen.
quellen (im Wasser weich werden lassen)	quellte gequellt	Der Koch quellte die Bohnen. Die Köchin hat die Bohnen gequellt.
quellen (hervordringen, aufschwellen)	quoll gequollen	Der Rauch quoll aus dem Schornstein, ist aus dem Schornstein gequollen. Die Erbsen quollen. Die Bohnen sind gequollen.
schaffen (bringen, landschaftlich auch: arbeiten)	schaffte geschafft	Er schaffte die Kiste auf den Boden. Sie hat den ganzen Tag geschafft.
schaffen (hervorbringen)	schuf geschaffen	Die Künstlerin schuf ein neues Werk. Sie hat ein neues Werk geschaffen.
schaffen (in bestimmten Verwendungsweisen)	schaffte / schuf geschafft / geschaffen	Wir schafften / schufen endlich Abhilfe (Ordnung, Platz, Raum).
scheren (die Haare schneiden)	schor geschoren	Er schor die Schafe, hat sie geschoren.
(sich) scheren (sich davonmachen)	scherte geschert	Sie scherten sich aus dem Haus. Sie haben sich aus dem Haus geschert.
(sich) scheren (sich kümmern)	scherte geschert	Er scherte sich nicht um seine Kollegen. Sie hat sich nicht um ihre Kolleginnen geschert.

Infinitiv (mit Bedeutungsangabe)	Präteritum Partizip II	Beispiel
schleifen (schärfen)	schliff geschliffen	Er schliff das Messer. Sie hat das Messer geschliffen.
schleifen (über den Boden ziehen, dem Erdboden gleichmachen)	schleifte geschleift	Ich schleifte den Sack in den Keller. Sie haben die Kisten an den Strand geschleift. Die Festung wurde geschleift.
schmelzen (flüssig werden)	schmolz geschmolzen	Der Schnee schmolz an der Sonne, ist an der Sonne geschmolzen.
schmelzen (flüssig machen)	schmolz / schmelzte geschmolzen / geschmelzt	Die Sonne schmolz / schmelzte das Eis. Die Sonne hat das Eis geschmolzen / geschmelzt.
schwellen (größer, dicker werden)	schwoll geschwollen	Die Hand schwillt rasch an, sie schwoll rasch an, ist rasch angeschwollen.
schwellen (größer, dicker machen)	schwellte geschwellt	Der Wind schwellte die Segel, hat die Segel geschwellt.
senden (schicken)	sandte / sendete gesandt / gesendet	Die Königin sandte / sendete einen Boten, hat einen Boten gesandt / gesendet.
senden (ausstrahlen)	sendete gesendet	Das Fernsehen sendete ein Fußballspiel, hat ein Fußballspiel gesendet.
weichen (zurückgehen)	wich gewichen	Sie wichen nicht von der Stelle. Sie sind vor der Gewalt gewichen.
[ein]weichen (weich machen)	weichte geweicht	Der Koch weichte die Erbsen ein, er hat sie eingeweicht.
wenden (umdrehen)	wendete gewendet	Die Köchin wendete den Braten, hat ihn gewendet.
wenden (in eine bestimmte Richtung bringen)	wendete / wandte gewendet / gewandt	Sie wendete / wandte den Kopf zur Seite, hat den Kopf zur Seite gewendet / gewandt.

Infinitiv (mit Bedeutungsangabe)	Präteritum Partizip II	Beispiel
wiegen (ein Gewicht haben)	wog gewogen	Der Ringer wog 100 kg, hat 100 kg gewogen.
wiegen (das Gewicht bestimmen)	wog gewogen	Der Trainer wog den Ringer, er hat ihn gewogen.
wiegen (schaukeln)	wiegte gewiegt	Er wiegte das Kind. Sie hat das Kind in den Schlaf gewiegt.

Rudolf Steinhilber

Die Herren, die dich geschafft:
            die starken Verben
        gönnen sie gern
dem HErrn, der dich geschaffen.

---

45 ÜBUNG

Ersetze in den folgenden Sätzen den Infinitiv durch die richtige Verbform:

1. Das trockene Gras muß heute mittag noch einmal (wenden) werden. 2. Zum Glück haben wir den Einkauf so schnell (schaffen). 3. Der Beitrag der Filmemacherin wurde zweimal (senden). 4. Sie hatte einen wundervollen Film (schaffen). 5. Dein lautes Gebrüll hat mich (erschrecken). 6. Schon kurz nach Beginn des Vortrags (weichen) Sarahs Verlegenheit. 7. Erst gegen Ende des Vortrags (wenden) sie sich dem Kernthema zu. 8. Markus (hängen) den Schlüssel früher einfach an einen Nagel.

Die Personalformen

46 Finite Verbformen sind nach den grammatischen Merkmalen der *Person* und des *Numerus* (der Zahl) bestimmt.

Deshalb werden sie auch *Personalformen* genannt. Meistens stehen zum Ausdruck von Person und Numerus besondere Personalendungen zur Verfügung. Die folgende Tabelle zeigt die Formen eines regelmäßigen Verbs im Indikativ Präsens:

Grammatische Merkmale	Formen mit Personalendungen
1. Person Singular	ich lach e
2. Person Singular	du lach st
3. Person Singular	er / sie lach t
1. Person Plural	wir lach en
2. Person Plural	ihr lach t
3. Person Plural	sie lach en

Manche Personalformen sind endungslos, das heißt, sie bestehen aus dem bloßen Stamm, so in der 1. und 3. Person Singular des Präteritums der unregelmäßigen Verben ohne t-Endungen:

1. Person Singular	ich kam
2. Person Singular	du kam st
3. Person Singular	er / sie kam
1. Person Plural	wir kam en
2. Person Plural	ihr kam t
3. Person Plural	sie kam en

Kurt Marti: Umgangsformen

    Mich ichze ich.
    Dich duze ich.
    Sie sieze ich.
    Uns wirze ich.
    Euch ihrze ich.
    Sie sieze ich.
Ich halte mich an die Regeln.

Rudolf Steinmetz: Konjugation

Ich gehe
du gehst
er geht
sie geht
es geht

Geht es?
Danke – es geht.

Schwierige Flexionsformen

47 Wenn man die Stammformen eines Verbs kennt, bereitet die Bildung der übrigen Verbformen im allgemeinen keine Mühe. In folgenden Problembereichen treten gelegentlich Unsicherheiten auf:

– e/i-Wechsel und Umlaut im Indikativ Präsens;
– Imperativformen;
– die Endung der 2. Person Singular;
– die Bildung des Konjunktivs I;
– die Bildung des Konjunktivs II;
– trennbare Verben: Verben mit Verbzusatz;
– das Präfix *ge-* des Partizips II und der Verbzusatz;
– trennbare und untrennbare Verben.

e/i-Wechsel und Umlaut im Indikativ Präsens

48 Einige unregelmäßige Verben, die das Präteritum und das Partizip II ohne t-Endungen bilden, haben eine Besonderheit: In der 2. und 3. Person Singular des Indikativs Präsens wechselt der Stammvokal von einem *e* zu einem *i*. Man nennt dies *e/i-Wechsel:*

Infinitiv	2. Person Singular	3. Person Singular
spr e chen	du spr i chst	er spr i cht
h e lfen	du h i lfst	er h i lft
g e ben	du g i bst	er g i bt
verg e ssen	du verg i ßt	er verg i ßt
l e sen	du l ie st	er l ie st
empf eh len	du empf ieh lst	er empf ieh lt

Ähnlich: erlöschen → das Licht erlischt.

49 Einige unregelmäßige Verben mit Stammvokal *a, au, o* lauten diesen vor den Endungen *-st* und *-t* des Indikativs Präsens in *ä, äu, ö* um:

Infinitiv	2. Person Singular	3. Person Singular
f a hren	du f äh rst	er f äh rt
tr a gen	du tr ä gst	er tr ä gt
l a den	du l ä dst	er l ä dt
h a lten	du h ä ltst	er h ä lt
l a ssen	du l ä ßt	er l ä ßt
l au fen	du l äu fst	er l äu ft
st o ßen	du st ö ßt	er st ö ßt

Manfred Bosch

halte ich meinen rand
hältst du deinen rand
hält er seinen rand

halten wir unseren rand
haltet ihr euren rand
haben sie das letzte wort

Imperativformen

50 Im Singular des Imperativs (der Befehlsform) sind Formen mit der Endung -e und endungslose Formen gebräuchlich:

> Bringe / Bring mir das Heft!
> Stelle / Stell den Fernseher etwas leiser!

51 Verben, deren Stammvokal in der 2. Person Singular des Indikativs Präsens von *e* zu *i* wechselt (= e/i-Wechsel), haben auch im Singular des Imperativs Formen mit *i;* diese sind normalerweise endungslos:

Infinitiv	2. Person Singular Indikativ Präsens	2. Person Singular Imperativ
spr|e|chen	du spr|i|chst	spr|i|ch!
h|e|lfen	du h|i|lfst	h|i|lf!
g|e|ben	du g|i|bst	g|i|b!
l|e|sen	du l|ie|st	l|ie|s!

52 ÜBUNG

Ersetze in den folgenden Sätzen den Infinitiv durch die passende Verbform:

1. Komm, (helfen) mir beim Packen! 2. Wachs (schmelzen) schon unter der Wärme einer Kerzenflamme. 3. Du (halten) dich wohl für besonders gescheit! 4. Wann (fahren) ihr ab? 5. Ich verstehe dich so schlecht, (sprechen) bitte etwas lauter! 6. Wen (laden) du zu deiner Party ein? 7. Es (blasen) ein heißer Wind. 8. Wenn du unter mein Fenster (treten), kann ich dir den Schlüssel hinunterlassen. 9. Frau Reutner (halten) sich einen Papagei. 10. (Lassen) euch nicht darauf ein! 11. Demnächst (treten) Denise in die Handelsschule über. 12. Warum (tragen) ihr alle so dicke Pullover? 13. Wenn du nicht (aufpassen), (erlöschen) die Kerze. 14. (Geben) mir mal dein Heft! 15. Ein Arbeiter (laden) Kisten in den Güterwagen. 16. Ihr (verderben) mir noch den Appetit!

Die Endung der 2. Person Singular

53 Bei Verben, deren Stamm auf einen S-Laut ausgeht, wird die Endung *-st* normalerweise zu *-t* verkürzt; gelegentlich findet sich auch noch die lange Endung *-est:*

Infinitiv	2. Person Singular mit kurzer Endung	2. Person Singular mit langer Endung
reis en	du reis t	du reis est
fass en	du faß t	du fass est
schließ en	du schließ t	du schließ est
falz en	du falz t	du falz est
sitz en	du sitz t	du sitz est
box en	du box t	du box est

Die Bildung des Konjunktivs I

54 Das besondere Merkmal des Konjunktivs I sind Endungen, die ein *e* enthalten. Formen, die sich vom Indikativ nicht unterscheiden, werden heute nicht mehr gebraucht; sie sind in der folgenden Tabelle mit einem Gleichheitszeichen (=) markiert. Zum Vergleich sind auch die Formen des Indikativs aufgeführt:

Infinitiv	Indikativ Präsens	Konjunktiv I
stell en	ich stell e	ich stell e (=)
	du stell st	du stell est
	er stell t	er stell e
	wir stell en	wir stell en (=)
	ihr stell t	ihr stell et
	sie stell en	sie stell en (=)

Zum Ersatz der ungebräuchlichen Formen I siehe ↑ 102.

Die Bildung des Konjunktivs II

<u>**55**</u> Der Konjunktiv II wird vom *Präteritumstamm* gebildet; er
wird daher auch als *Konjunktiv Präteritum* bezeichnet. Von
der Bedeutung her aber ist er ein Konjunktiv zum Präsens.
Bei den regelmäßigen Verben lautet der Konjunktiv II wie der Indikativ Präteritum; er weist also auch die Endung *-te* auf. Ob eine
Verbform als Konjunktiv II oder als Indikativ Präteritum zu verstehen ist, kann nur aus dem Zusammenhang bestimmt werden
(siehe dazu auch ↑ 105 f.). Vgl. den unterschiedlichen Gebrauch
der Verbform *stellte* in den folgenden zwei Sätzen:

Indikativ Präteritum	Konjunktiv II
Weil ich keinen Platz hatte, *stellte* ich die Bücher auf den Boden.	Wenn ich mehr Platz hätte, *stellte* ich die Bücher nicht auf den Boden.

<u>**56**</u> Bei den unregelmäßigen Verben unterscheidet sich der
Konjunktiv II meistens durch Umlaut vom Indikativ Präteritum:

Infinitiv	Indikativ Präteritum	Konjunktiv II
bringen	ich brachte	ich brächte
können	ich konnte	ich könnte
wissen	ich wußte	ich wüßte

Bei Verben ohne t-Endungen ist der Konjunktiv II außerdem durch
Endungen gekennzeichnet, die ein *e* enthalten:

Infinitiv	Indikativ Präteritum	Konjunktiv II
nehmen	ich nahm	ich nähme
	du nahmst	du nähmest
	er/sie nahm	er/sie nähme
	wir nahmen	wir nähmen
	ihr nahmt	ihr nähmet
	sie nahmen	sie nähmen

Weitere Beispiele:

Infinitiv	Indikativ Präteritum	Konjunktiv II
geben	ich gab	ich gäbe
tragen	ich trug	ich trüge
schließen	ich schloß	ich schlösse
ziehen	ich zog	ich zöge

Bei unregelmäßigen Verben ohne t-Endungen, deren Präteritumstamm ein *i* oder *ie* enthält, unterscheidet sich der Konjunktiv II vom Indikativ Präteritum nur bei den Formen, deren Endungen ein zusätzliches *e* enthalten. Bei den anderen Formen entscheidet der Zusammenhang, ob sie als Präteritum- oder als Konjunktivformen zu lesen sind.

Infinitiv	Indikativ Präteritum	Konjunktiv II
ruf en	ich rief	ich rief e
	du rief st	du rief est
	er/sie rief	er/sie rief e
	wir rief en	wir rief en
	ihr rief t	ihr rief et
	sie rief en	sie rief en

Weitere Beispiele:

Infinitiv	Indikativ Präteritum	Konjunktiv II
lassen	ich ließ	ich ließe
reißen	ich riß	ich risse
laufen	ich lief	ich liefe
gehen	ich ging	ich ginge

57 Manche unregelmäßigen Konjunktivformen kommen allmählich außer Gebrauch. Dazu gehört ein Teil der Verbformen ohne t-Endungen mit den Vokalen *ö* oder *ü:*

ich begönne, ich hülfe, ich würfe, es schmölze.

Selten ist ferner der Konjunktiv II zu den folgenden Verben:

> rennen, brennen, kennen, nennen
> → ich rennte, es brennte, ich kennte, ich nennte.

Zu den Ersatzformen siehe ↑ 105 f.

Trennbare Verben (Verben mit Verbzusatz)

| 58 | Wenn man beim Infinitiv die Endung *-en* oder *-n* wegläßt, erhält man den *Stamm* des Verbs (↑ 31). Man kann hier die folgenden Gruppen unterscheiden:

1. Bei vielen Verben steht vor der Infinitivendung nur ein einziges (ein- oder mehrsilbiges) Element. Man spricht dann von *einfachen Verben:*

   | fall-en |, | setz-en |, | arbeit-en |.

2. Andere Verben enthalten ein *Präfix.* Man spricht dann von *Präfixbildungen:*

   | be || fall-en |, | er || setz-en |, | ver || arbeit-en |.

3. Manche Verben sind Zusammensetzungen. Man spricht von einer *festen* oder *untrennbaren Zusammensetzung,* wenn die Teile der Zusammensetzung in allen Verbformen zusammenbleiben:

   | über || bring-en | :

   > Der Kurier wollte dem Herzog eine Nachricht | über || bringen |.
   > Der Kurier hat dem Herzog eine Nachricht | über || bracht |.
   > Als der Kurier dem Herzog eine Nachricht | über || brachte |, ...
   > Der Kurier | über || bringt | dem Herzog eine Nachricht.
   > Der Kurier | über || brachte | dem Herzog eine Nachricht.
   > | Über || bringen | Sie dem Herzog eine Nachricht!

4. Daneben gibt es auch *unfeste* oder *trennbare Zusammensetzungen.* Hier trennt sich der vordere Teil der Zusammensetzung ab, wenn eine Personalform eines solchen Verbs bestimmte Positionen im Satz einnimmt. Den abtrennbaren Teil solcher Zusammensetzungen nennt man *Verbzusatz.*

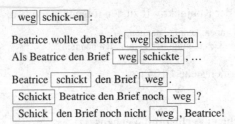

| weg | schick-en | :

Beatrice wollte den Brief | weg | schicken | .
Als Beatrice den Brief | weg | schickte | , …

Beatrice | schickt | den Brief | weg | .
| Schickt | Beatrice den Brief noch | weg | ?
| Schick | den Brief noch nicht | weg | , Beatrice!

59 ÜBUNG

Bestimme bei den folgenden Verben, ob es sich a) um einfache Verben, b) um Präfixbildungen, c) um untrennbare Zusammensetzungen oder d) um trennbare Zusammensetzungen handelt.

aufsuchen, auseinanderfallen, benehmen, bereitstellen, erstellen, fallen, gefallen, heimsuchen, herausnehmen, heraussuchen, herunterfallen, nehmen, stellen, suchen, teilnehmen, überfallen, unternehmen, untersuchen, versuchen, vornehmen, zurückstellen, zusammenstellen, zusammensuchen.

Infinitiv und Verbzusatz

60 Der Infinitiv hat in manchen Konstruktionen die Partikel *zu* bei sich. Bei trennbaren Verben tritt diese Partikel zwischen Verbzusatz und Infinitiv:

| auf | hängen | :
Ruth plante, das Poster in ihrem Zimmer | auf | *zu* | hängen | .

| heraus | finden | :
Ralf versucht, die Lösung selbst | heraus | *zu* | finden | .

Entsprechendes gilt auch für das Partizip I mit *zu*:

| ab | schreiben | :
der noch | ab | *zu* | schreibende | Text.

Bei untrennbaren Verben steht die Partikel *zu* vor dem Infinitiv bzw. dem Partizip I:

| über | bringen | :

Der Kurier beabsichtigte, eine Nachricht *zu* | über | bringen | .

| voll | enden | :

Die Künstlerin betrachtete ihr noch *zu* | voll | endendes | Werk.

---

61 | ÜBUNG

Füge bei den eingeklammerten Infinitiven an der richtigen Stelle die Partikel *zu* ein:

1. Nichts vermag mich (umstimmen). 2. Die Firma versuchte, die Außenhandelsgesetze (umgehen). 3. Zweimal klingeln bedeutet, daß ich (herunterkommen) habe. 4. Die Leiterplatten sind (austauschen). 5. Das Flugzeugunglück lädt dazu ein, das ganze hektische Urlaubsgeschäft (hinterfragen). 6. Die Regierung vermochte sich noch nicht dazu (durchringen), die Opposition (anerkennen). 7. Bist du bereit, mir den Ball (zuwerfen)? 8. Gudrun wünschte, den Streit endlich (beilegen). 9. Diese Strahlen sind imstande, sogar Beton (durchdringen). 10. Der Klub hofft, das Turnier am nächsten Wochenende (durchführen). 11. Am Schluß ist der Soße noch ein Eßlöffel Sahne (hinzufügen). 12. In seiner Wut war Rolf bereit, alle Regeln des Anstands (mißachten). 13. Der Text ist unseres Erachtens nicht (mißverstehen). 14. Der Kommissar hatte vor, den Zeugen sofort (einvernehmen).

Das Präfix *ge-* des Partizips II und der Verbzusatz

62 | Das Partizip II erhält normalerweise das Präfix *ge-*. Im einzelnen gelten die folgenden Regeln:

1. Das Partizip II wird mit dem Präfix *ge-* gebildet, wenn die Personalformen auf der *ersten Silbe betont* werden. Bei Verben mit einem *Verbzusatz* muß man von Formen ausgehen, bei denen der Verbzusatz *abgetrennt* ist, also *nach* der Personalform steht.
2. Verbzusätze stehen vor dem Präfix *ge-*.

Die folgende Zusammenstellung soll die Regeln erläutern.

Infinitiv	Personalform auf der ersten Silbe betont, ohne Verbzusatz	Partizip II mit Präfix
suchen	ich suche	ich habe ge sucht
flüstern	ich flüstere	ich habe ge flüstert
arbeiten	ich arbeite	ich habe ge arbeitet
brandmarken	ich brandmarke	ich habe ge brandmarkt

Infinitiv	Personalform auf einer nichtersten Silbe betont, ohne Verbzusatz	Partizip II ohne Präfix
prophezeien	ich prophezeie	ich habe prophezeit
rumoren	ich rumore	ich habe rumort
diskutieren	ich diskutiere	ich habe diskutiert
besuchen	ich besuche	ich habe besucht
verarbeiten	ich verarbeite	ich habe verarbeitet
unterlassen	ich unterlasse	ich habe unterlassen

Infinitiv	Personalform auf der ersten Silbe betont, mit abgetrenntem Verbzusatz	Partizip II mit Präfix; der Verbzusatz steht vor dem Präfix
aussuchen	ich suche aus	ich habe aus ge sucht
herausfinden	ich finde heraus	ich habe heraus ge funden
ausarbeiten	ich arbeite aus	ich habe aus ge arbeitet

Infinitiv	Personalform auf einer nichtersten Silbe betont, mit abgetrenntem Verbzusatz	Partizip II ohne Präfix
ausdiskutieren	ich diskutiere aus	ich habe ausdiskutiert
einbeziehen	ich beziehe ein	ich habe einbezogen
aberkennen	ich erkenne ab	ich habe aberkannt

| 63 | ÜBUNG |

Bilde zu den folgenden Infinitiven das Partizip II:

sägen, hauen, verfassen, unterscheiden, telefonieren, abkanzeln, offenhalten, vollbringen, sortieren, bestimmen, umformulieren, teilnehmen, frühstücken, ausdenken, überraschen, umstimmen, verzeihen, studieren, zermalmen, einmachen, vergessen, mißlingen, entnehmen, herunterfallen, beleidigen, verbessern, ausbessern, überanstrengen, verlassen, veranlassen.

Trennbare oder untrennbare Verben?

| 64 | Einige Verben bilden mit den Partikeln *um, unter, über* sowohl untrennbare als auch trennbare Zusammensetzungen, die sich in der Bedeutung voneinander unterscheiden. Bei den trennbaren Verben ist der Infinitiv auf der ersten Silbe betont, bei den untrennbaren nicht. Da in der Schrift die Betonung keinen Ausdruck findet, kann am Infinitiv (und an einer Reihe weiterer Verbformen) nicht abgelesen werden, welcher Typ von Zusammensetzung vorliegt; meistens führt aber der Zusammenhang zur richtigen Lesung.

In der folgenden Tabelle sind wichtige Formen von teilweise gleich geschriebenen Verben zusammengestellt:

Infinitiv	finite Verbform	Infinitiv mit *zu*	Partizip II
um<u>fah</u>ren <u>um</u>fahren	ich um<u>fah</u>re ich fahre <u>um</u>	zu um<u>fah</u>ren <u>um</u>zufahren	ich habe um<u>fah</u>ren ich habe <u>um</u>gefahren
über<u>set</u>zen <u>über</u>setzen	ich über<u>set</u>ze ich setze <u>über</u>	zu über<u>set</u>zen <u>über</u>zusetzen	ich habe über<u>setzt</u> ich habe <u>über</u>gesetzt
unter<u>stel</u>len <u>unter</u>stellen	ich unter<u>stel</u>le ich stelle <u>unter</u>	zu unter<u>stel</u>len <u>unter</u>zustellen	ich habe unter<u>stellt</u> ich habe <u>unter</u>gestellt

Die folgende Tabelle zeigt entsprechende Beispiele.

Untrennbares Verb	Trennbares Verb
Der Wagen umfuhr den Pfosten, er hat ihn umfahren. (Der Pfosten blieb unbeschädigt!)	Der Wagen fuhr den Pfosten um, er hat ihn umgefahren. (Der Pfosten wurde beschädigt!)
Die Dolmetscherin *übersetzte* die Rede ins Russische, sie *hat* sie ins Russische *übersetzt*.	Die Fähre *setzte* die Reisenden ans andere Ufer *über*. Die Reisenden *wurden* ans andere Ufer *übergesetzt*.
Die Lehrerin *unterstellte* Franziska, sie habe abgeschrieben.	Franziska *stellte* ihr Fahrrad *unter*.

---

65 | ÜBUNG

Setze die folgenden Fügungen mit einem Infinitiv a) in den Indikativ Präsens, b) ins Perfekt. Beispiel: Seine Ideen durchsetzen (Eveline). → Eveline setzt ihre Ideen durch. Eveline hat ihre Ideen durchgesetzt.

1. Mich umrennen (der Neufundländer). 2. Beim nächsten Haus sich unterstellen (wir). 3. Andreas und Sonja überstimmen (der Rest der Klasse). 4. Das brennende Haus umstellen (die Feuerwehr). 5. Unsere Pläne durchkreuzen (die anderen). 6. Meine Vorstellungen übersteigen (dieser Betrag). 7. Die Villa umgeben (ein Park). 8. Beim Wettkampf das Wäldchen dreimal umrennen (wir). 9. Den Bericht durchblättern (die Chefin). 10. Den Vorgang mit verlegenen Worten umschreiben (Jürg). 11. Den Bericht noch einmal umschreiben (Jasmin). 12. Bei der richtigen Antwort das Feld durchkreuzen (man). 13. Die Klasse noch umstimmen (Vera). 14. Auf Computer umstellen (der Betrieb). 15. Mir eine böse Absicht unterstellen (du).

Das Tempus (die grammatische Zeit)

Einfache und zusammengesetzte Tempusformen

| 66 | Es gibt *einfache* und *zusammengesetzte Tempusformen:* Auf die Bildung der einfachen Tempusformen sind wir |

↑ 38 ff. näher eingegangen. Beispiele:

Der Wecker ⃞klingelt⃞ soeben.
Die Früchte ⃞verdarben⃞ in der Hitze.

2. Die zusammengesetzten Tempusformen werden aus einer *infiniten Verbform* und *Hilfsverben* gebildet. Als Hilfsverben können *sein, haben* und *werden* gebraucht werden. Beispiele:

Der Wecker ⃞hat⃞ schon ⃞geklingelt⃞ .
Der Wecker ⃞wird⃞ schon ⃞geklingelt⃞ ⃞haben⃞ .

Die Früchte ⃞sind⃞ in der Hitze ⃞verdorben⃞ .
Die Früchte ⃞wären⃞ fast ⃞verdorben⃞ .
Die Früchte ⃞werden⃞ in der Hitze noch ⃞verderben⃞ .

| 67 | Insgesamt haben wir im Deutschen die folgenden sechs Tempusformen: |

Bezeichnung	Bestandteile der zusammengesetzten Tempusformen	Beispiele
Präsens		ich lache ich trage ich renne
Perfekt	• Präsens von *haben / sein* • Partizip II	ich habe gelacht ich habe getragen ich bin gerannt
Präteritum (Imperfekt)		ich lachte ich trug ich rannte
Plusquamperfekt	• Präteritum von *haben / sein* • Partizip II	ich hatte gelacht ich hatte getragen ich war gerannt

Futur I	• Präsens von *werden* • Infinitiv	ich werde lachen ich werde tragen ich werde rennen
Futur II	• Präsens von *werden* • Infinitiv von *haben* / *sein* • Partizip II	ich werde gelacht haben ich werde getragen haben ich werde gerannt sein

Die Tabelle zeigt die Tempusformen des *Indikativs*. Zu den Tempusformen des Konjunktivs siehe ↑ 88.

68 Eine zusammengesetzte Form ist auch der *Infinitiv Perfekt*. Bei ihm handelt es sich um die Verbindung des Partizips II mit dem Infinitiv der Hilfsverben *haben* oder *sein*. Beispiele dafür sind:

> Der Bergsteiger will im Himalaya einen Schneemenschen *gesehen haben*. Angelika müßte eigentlich schon *eingetroffen sein*. Bis morgen sollten wir den Bericht *gelesen haben*.

69 ÜBUNG

Bestimme in den folgenden Sätzen die Tempusformen der Verben:

1. Diese Blume blüht in der Nacht und verblüht am Morgen. 2. Tim wird sich verschlafen haben. 3. Er kommt sicher noch. 4. Das nasse Holz war nur unvollständig verbrannt. 5. Der kleine Kater hat die Wurmtablette nicht geschluckt. 6. Nach dem Regen fraßen die Gänse Regenwürmer. 7. Wir werden erst um zwei Uhr essen. 8. Gestern abend sind wir nicht ins Kino gegangen, obwohl wir es ursprünglich so vorgehabt hatten. 9. Das Frühstücksei hat heute besonders gut geschmeckt. 10. Es stand nichts Besonderes in der Zeitung. 11. Wenn du die Wäsche aufgehängt hast, können wir endlich spazieren gehen. 12. Nina ist schon im Keller gewesen. 13. Sie wird euch die leeren Flaschen zurückbringen. 14. Die Schokolade wird in Kürze verschwunden sein, wenn du auf die Kleinen nicht achtgibst!

Hilfsverb *haben* oder *sein?*

70   Perfekt, Plusquamperfekt und Futur II werden mit dem Hilfsverb *haben* oder *sein* gebildet. *Welches* von beiden zur Bildung herangezogen wird, hängt vom Vollverb ab. Hier gilt:

1. Das Hilfsverb *sein* steht bei *intransitiven* Verben (= Verben, die *kein Akkusativobjekt* bei sich haben; ↑ 138), die eine *Veränderung* ausdrücken:

> Die Blumen *sind verblüht*. Die Rakete *ist gestartet*. Mir *war* ein Stein vom Herzen *gefallen*. Die Vase *ist zerbrochen*. Gudrun *wird* schon *abgereist sein*.

2. Das Hilfsverb *sein* steht ferner bei den zusammengesetzten Tempusformen von *sein* und *bleiben:*

> Ich *bin* schon lange nicht mehr in Amsterdam *gewesen*. Meine Haare sind dank des Regenschirms trocken *geblieben*.

3. Alle übrigen Verben bilden die Formen mit *haben:*

> Die Katze *hat* die Vase *zerbrochen*. Ich *hatte* das Paket schon zur Post *gebracht*. Sandra *hat* ein Schwesterchen *bekommen*. Der Sturm *wird* die Wanderer *überrascht haben*.
> Thomas *hat* sich lange im Spiegel *betrachtet*. Wir *hatten* uns *beeilt*. Ruth *wird* sich wieder eine neue Platte *zugelegt haben*.
> Die Blumen haben geblüht. Wir hatten herzlich gelacht. Die Suppe hat gekocht. In den Bergen wird es geschneit haben.

Der sogenannte Ersatzinfinitiv

71   Die Verben *können, dürfen, müssen, wollen, sollen* und *mögen* können unterschiedlich gebraucht werden und bilden je nachdem verschiedene Formen:
1. Sie können *modal* gebraucht werden, das heißt, sie können den Infinitiv eines anderen Verbs bei sich haben (↑ 135). In diesem Fall bilden sie das Perfekt, das Plusquamperfekt und das Futur II nicht mit dem Partizip II, sondern mit dem Infinitiv. Da der Infinitiv das Partizip II ersetzt, spricht man von einem *Ersatzinfinitiv*.
2. In allen übrigen Fällen bilden diese Verben die genannten Tempusformen ganz normal mit dem Partizip II.

Modaler Gebrauch → Ersatzinfinitiv	Andere Gebrauchsweisen → Partizip II
Hast du die Aufgaben lösen *können?*	Hast du die Vokabeln *gekonnt?*
Ich habe eigentlich das andere Menü auswählen *wollen.*	Dieses Menü habe ich eigentlich nicht *gewollt.*
Susanne hat bis Mitternacht aufbleiben *dürfen.*	Thomas hat das nicht *gedurft.*

Tempusformen mit Ersatzinfinitiv kommen auch bei Verben wie *sehen* oder *hören* sowie bei *lassen* und *brauchen* vor, wenn sie mit einem anderen Verb verbunden werden. Bei diesen Verben kann aber ohne Unterschied auch das Partizip II gebraucht werden:

Gebrauch mit einem anderen Verb → Ersatzinfinitiv oder Partizip II	Gebrauch ohne anderes Verb → nur Partizip II
Wir haben den Zug nur noch abfahren *sehen / gesehen.*	Wir haben vom Zug nur noch das Schlußlicht *gesehen.*
Der Alte hatte den Einbrecher das Fenster einschlagen *hören / gehört.*	Der Alte hatte ein Geräusch *gehört.*
Ich hatte vor Schreck die Vase fast fallen *lassen / gelassen.*	Die Stechmücken hatten mich die ganze Nacht nicht in Ruhe *gelassen.*
Franziska hat dem Vater den Keller aufräumen *helfen / geholfen.*	Franziska hat dem Vater beim Aufräumen *geholfen.*

72 ÜBUNG

Vervollständige die folgenden Beispiele:

Susanne konnte gut schwimmen.	Sie hat es gut (…).	Sie hat gut schwimmen (…).
Simone müßte schon längst gehen.	Sie hätte das schon längst (…).	Sie hätte schon längst gehen (…).
Die Pferde konnten aus der Koppel entweichen.	Warum haben die Pferde das (…)?	Warum haben die Pferde entweichen (…)?
Wir ließen die Katze schlafen.	Wir haben sie in Ruhe (…).	Wir haben sie schlafen (…).

Genau das dürftest du auf keinen Fall machen.	Genau das hättest du auf keinen Fall (…).	Genau das hättest du auf keinen Fall machen (…).
Jan wollte die Kollegen nicht verletzen.	Jan hatte das nicht (…).	Jan hatte die Kollegen nicht verletzen (…).
Ich hörte ein Käuzchen rufen.	Ich habe es genau (…).	Ich habe das Käuzchen genau rufen (…).
Werner sah den Balken herunterfallen.	Werner hat das zum Glück noch (…).	Werner hat den Balken zum Glück noch herunterfallen (…).
Du hilfst mir nie putzen!	Du hättest mir besser beim Putzen (…).	Du hättest mir besser putzen (…).

Der Gebrauch der Tempusformen

73 Mit den Tempusformen drücken wir aus, ob das, worüber wir sprechen, zum Zeitpunkt des Sprechens gerade geschieht, ob es schon vergangen ist oder ob es erst später geschehen wird.

Oft haben wir die Wahl zwischen mehreren Tempusformen: Ein bestimmter Sachverhalt kann mit verschiedenen Tempora wiedergegeben werden. Umgekehrt sind die einzelnen Tempora nicht auf eine einzige Bedeutung festgelegt.

Schauen wir uns einmal an, wie die Tempusformen gebraucht werden können. Dabei nehmen wir vorerst nur die Indikativformen in den Blick, weil es nur hier alle sechs Tempora gibt (↑ 88).

Präsens

74 Beim Präsens kann man verschiedene Gebrauchsweisen unterscheiden:

1. Das Präsens ist das »normale« Tempus zum Ausdruck dessen, was in der *Gegenwart,* also zum Zeitpunkt des Sprechens oder Schreibens, gerade vor sich geht oder der Fall ist:

> Ich *höre,* daß die Tür *schlägt.* Peter *kommt* herein. Er *ist* müde.

Dabei spielt es keine Rolle, ob die Aussage wahr, nur angenommen, in der Phantasie ausgedacht oder sogar gelogen ist. Sprachlich ist allein wichtig, daß der Sprecher in seiner Ich-Rolle etwas *als gegenwärtig darstellt:*

> Mein Traumhaus *hat* zwanzig Zimmer und *steht* in einem riesigen Park. Der Yeti, ein affenartiger Urmensch, *lebt* im Himalaja.

Bezug auf Gegenwärtiges ist freilich nicht zu eng zu sehen: Der Zeitraum kann stark ausgedehnt werden. So kann man zum Beispiel auch sagen:

> In dieser Woche *ist* Frank mit seiner Klasse in der Jugendherberge. In unserem Jahrhundert *verbraucht* die Menschheit die meisten Bodenschätze.

2. Man kann mit dem Präsens auch Zeiträume ganz beliebiger Ausdehnung beschreiben, die den Gegenwartsaugenblick mitumfassen. Im Extremfall kann es sich hier sogar um Aussagen über *zeitlos Gültiges* handeln:

> Die Erde *dreht* sich um die Sonne. Luft *ist* leichter als Wasser.

3. Man kann das Präsens verwenden, um *Zukünftiges* auszudrükken, etwas also, was noch nicht begonnnen hat (siehe auch ↑ 79):

> Petra *geht* morgen ins Theater. Der Mechaniker *repariert* morgen den Motor. In den Ferien *fahren* wir nach Sizilien.

4. Schließlich kann man das Präsens auch verwenden, um auf *Vergangenes* Bezug zu nehmen. In diesem Gebrauch steht das Präsens neben dem Präteritum (siehe dazu genauer ↑ 76).

Präteritum

75 Mit dem Präteritum drücken wir aus, daß etwas vergangen ist. Es besteht also ein Abstand zwischen dem Zeitpunkt des Sprechens und dem Zeitpunkt des Geschehens. Das Präteritum ist daher das normale Tempus in Erzählungen oder Berichten über Vergangenes. Silvia erzählt:

Als ich gestern auf der Couch *lag* und ein Buch *las, kam* Klaus herein. Er *nahm* mir das Buch aus der Hand, *rollte* mich von der Couch
und *sagte* ganz einfach: »Guten Tag!«

Präteritum und Präsens

76 Silvia hätte ihr Erlebnis freilich auch so schildern können:

Da *liege* ich doch gestern auf der Couch und *lese* ein Buch. *Kommt*
der Klaus herein, *nimmt* mir das Buch aus der Hand, *rollt* mich von
der Couch und *sagt* ganz einfach: »Guten Tag!«

Zum Ausdruck von Vergangenem kann man also auch das Präsens
verwenden. Man tut das dann, wenn man einem Zuhörer etwas
Vergangenes so recht gegenwärtig machen will. Der Sprecher erzählt dann so, als ob er und seine Zuhörer dabei wären und das
Vergangene noch einmal erlebten.
In unserem Beispiel wird durch die Zeitangabe *gestern* deutlich,
daß von etwas Vergangenem die Rede ist. Das Präsens dient hier
als Stilmittel. Man nennt diesen Gebrauch des Präsens, da es oft
zur Vergegenwärtigung geschichtlicher Ereignisse dient, *histori-
sches Präsens.*
Das Präsens braucht man außerdem noch in Geschichtsbüchern,
geschichtlichen Zusammenfassungen oder Übersichten für Vergangenes:

1492: Christoph Kolumbus *entdeckt* Amerika.

77 ÜBUNG

Was drücken die Präsensformen in den folgenden Sätzen aus?

1. Draußen wird es dunkel. 2. Es regnet seit Stunden. 3. Ich hasse
Regen! 4. Regenwasser enthält fast keine Mineralstoffe. 5. Vor wenigen Minuten komme ich hier die Treppe hoch, und wer läuft mir
über den Weg? 6. Es ist mein Freund Tim. 7. Bei diesem starken
Dunst sieht man keinen Kilometer weit. 8. Bei schönem Wetter
sieht man von hier aus die Berge. 9. 1902 wird mit einer feierlichen

Rede des Bürgermeisters die neue Schule eröffnet. 10. Mein Kugelschreiber kleckst schon wieder. 11. Mit dem Kugelschreiber
schreibe ich schneller als mit dem Filzstift. 12. Die Saurier sterben
gegen Ende der Kreidezeit aus. 13. Wenn man Natrium ins Wasser
taucht, verbrennt es explosionsartig. 14. Wenn du den Pflanzen
regelmäßiger Wasser gibst, gehen sie nicht ein.

Futur I

78 Beim Futur I kann man zwei Gebrauchsweisen unterscheiden:

1. Man kann es verwenden, wenn man von etwas *Zukünftigem*
spricht. Es steht hier neben dem Präsens (↑ 74):

> Petra *wird* morgen ins Theater *gehen*. Der Mechaniker *wird* den
> Motor *reparieren*. In den Ferien *werden* wir nach Sizilien *fahren*.

2. Der Sprecher kann sich mit dem Futur I aber auch auf Gegenwärtiges beziehen; er drückt dann eine Vermutung aus:

> (Frank kommt nach Hause und findet die Stube leer. Er denkt:) Su-
> sanne *wird* wohl ihre Hausaufgaben *machen*. Der Vater *wird* noch im
> Büro *sein*.

Präsens und Futur I

79 Präsens und Futur I können sich gleichermaßen auf Zukünftiges beziehen. Dabei zieht man das Futur normalerweise vor, wenn man betonen will, daß das Mitgeteilte erst stattfin-
den wird:

> Ich verspreche es dir: Ich *werde* bestimmt *kommen!*

Wo Präsens und Futur im gleichen Text nebeneinander zum Ausdruck von Zukünftigem verwendet werden, gilt oft: Das Futur wird
bei Aussagen gewählt, die mit einem gewissen Maß an Unsicher-
heit behaftet sind. So werden im folgenden Beispiel, einer Pro-
grammvorschau, die fest eingeplanten Beiträge im Präsens, das nur
vermutete Ende des Programms im Futur I angekündigt:

Um 20 Uhr *sehen* Sie die Tagesschau. Anschließend *zeigen* wir Ihnen das Wirtschaftsmagazin. Um 21 Uhr *folgt* »Sport aktuell«. Sendeschluß *wird* etwa gegen 23 Uhr *sein*.

80	ÜBUNG

Was drücken die Präsens- und Futurformen aus?

1. In zwei Wochen fahren wir ins Engadin. 2. Kommst du auch mit? 3. Bis dann wird es wohl etwas Schnee geben. 4. Zoé wird im kommenden Winter auch mitfahren. 5. Es wird bestimmt eine lustige Zeit werden! 6. Der Automat gibt nichts her. 7. Er wird wohl leer sein. 8. Oder er ist defekt. 9. 1491 macht sich Kolumbus auf den Weg nach Westen. 10. Schon bald wird er einen neuen Kontinent erreichen.

Arnim Juhre: Zeitformen

Die Vergangenheit
will nicht enden,
und die Zukunft
ist schon da;
deshalb haben wir
gegenwärtig
viel zu tun.

Perfekt, Plusquamperfekt und Futur II

81	Die Zeitformen, die wir mit dem Partizip II und den Hilfsverben *sein* oder *haben* bilden, haben eine Gemeinsamkeit:

Mit ihnen drücken wir etwas *Abgeschlossenes* aus.

Beim *Perfekt* ist der Abstand zwischen der abgeschlossenen Handlung und dem Zeitpunkt des Berichts beliebig: Das Mitgeteilte kann sehr weit zurückliegen, es kann unmittelbar vorangehen, ja es kann sogar erst noch folgen, das heißt erst in der Zukunft abgeschlossen werden:

Kolumbus *hat* Amerika *entdeckt.*
In der Nacht *hat* es *geschneit.*
Susanne *hat* bis vorhin am Schreibtisch *gesessen* und einen Brief *ge-schrieben.* Jetzt hört sie Musik.
Stefan *hat* jetzt endlich mit den Hausaufgaben *angefangen.*
Bis morgen abend *hat* der Mechaniker den Motor gewiß *repariert.*

82 Das *Plusquamperfekt* gebraucht man, wenn man im Rahmen einer Erzählung, in der das *Präteritum* gebraucht wird, von etwas *Abgeschlossenem* zu berichten hat:

Den ganzen Vormittag über *hatte* es *geschneit.* Straßen, Häuser und Bäume waren schneebedeckt, und die Kinder warfen einander Schneebälle nach. Erst nachdem sie sich eine Weile *ausgetobt hatten,* kehrten sie ganz durchfroren nach Hause zurück.

83 Das *Futur II* schließlich gebraucht man bei Vorgängen oder Handlungen, deren Abschluß erst noch bevorsteht:

Ich *werde* den Motor bis morgen abend gewiß *repariert haben.* Bis zum Mittag *wird* der Schnee wieder *geschmolzen sein.*

Häufiger wird das Futur II aber verwendet, wenn man *vermutet,* daß etwas abgeschlossen ist:

Katrin *wird* jetzt in Düsseldorf eingetroffen *sein.*

Wenn man das Futur II zum Ausdruck einer *Vermutung* gebraucht, spielt es keine Rolle, ob das Vermutete gerade geschieht, schon geschehen ist oder erst noch geschehen wird. Meist wird aus dem Zusammenhang (beispielsweise an Zeitangaben wie *gestern, jetzt, demnächst*) klar, was gemeint ist.

Katrin *wird* schon gestern in Düsseldorf *eingetroffen sein.*
Katrin *wird* morgen abend in Düsseldorf *eingetroffen sein.*

Gerhard Sellin: Tempusfolge

nachdem er
in Untersuchungshaft gesessen hatte
beging er
das Verbrechen das man
von ihm erwartet hatte

| 84 | ÜBUNG |

Was drücken die Formen des Perfekts und des Futurs II in den folgenden Sätzen aus?

1. Ludwig XIV. hat Versailles erbauen lassen. 2. Er hat spitze Schuhe mit hohen Absätzen getragen. 3. Der Wind hat Blätter und Zweige von den Bäumen gerissen. 4. Viele Ziegel auf dem Dach des alten Schuppens sind zerbrochen. 5. Lena wird ihr Geld schon ausgegeben haben. 6. Wir sind letztes Jahr nach Kalabrien gereist. 7. Petra hat sich jetzt endlich dazu entschlossen, mit uns in den Zirkus zu gehen. 8. Bis Montag hat Nico das Buch gelesen. 9. Bis Dienstag werden wir Bescheid bekommen haben. 10. Webers sind schon vor Jahren weggezogen. 11. Hoffentlich hat der Film nicht schon angefangen! 12. Die kleine Margot ist friedlich eingeschlafen.

Perfekt und Präteritum

| 85 | Perfekt und Präteritum stehen in ihrer Wirkung nah beeinander:

– Was wir mit dem Präteritum als vergangen bezeichnen, ist normalerweise zugleich auch abgeschlossen.
– Was wir mit dem Perfekt als abgeschlossen kennzeichnen, ist häufig auch vergangen.

Oft können wir daher bei der Schilderung eines Sachverhaltes zwischen Präteritum und Perfekt wählen. Entscheidet man sich für das Präteritum, wird das Vergangene eher in seinem *Verlauf* als in seiner Abgeschlossenheit gesehen:

> Anja *vermißte* nach der Turnstunde ihren Schlüssel. Zu Hause *fand* sie ihn glücklicherweise wieder. Er *steckte* in einer ihrer Turnschuhe!

Mit dem Perfekt betonen wir hingegen eher das *Ergebnis* von dem, worüber wir berichten:

> Anja *hat* ihren Schlüssel *wiedergefunden*. Das freut sie natürlich!

In Erzählungen schildern wir Sachverhalte und Geschehnisse meist in ihrem Verlauf. Das *Präteritum* ist daher das eigentliche *Erzähltempus*. Sprecher und Hörer sind auf dieses Erzählen eingestellt. Das *Perfekt* verwenden wir in *Gesprächen*, in kurzen *Mitteilungen*, *Fragen* und ähnlichen Situationen.

Das Perfekt wählt der Sprecher ferner häufig, wenn er oder die Zuhörer vom Geschehenen irgendwie *betroffen* sind, wenn die Wirkung also noch *in die Gegenwart reicht:*

> Da *hast* du mich aber schön *erschreckt!*

> Beatrice *ist verschwunden.* Wo *ist* sie wohl *hingegangen?* Ihre Freundinnen *warten* seit einer halben Stunde auf sie. – Ach, da kommt sie endlich! He, Beatrice, wo *hast* du so lange *gesteckt?*

Nicht immer und überall aber werden Präteritum und Perfekt in diesem Sinne unterschieden. In Süddeutschland (Baden-Württemberg, Bayern), in Österreich und in der Schweiz wird im Gespräch meist das Perfekt gebraucht; das Präteritum wird fast nur in geschriebener Sprache benutzt. Anderseits benutzen Zeitungen sowie Rundfunk und Fernsehen in den Meldungen häufig das Präteritum, um zu betonen, daß diese Meldungen reine Tatsachen sind. Mit dem Präteritum wird angezeigt, daß der Übermittler der Meldungen von den Auswirkungen des Geschehens nicht betroffen ist.

> Der Premierminister von Sri Lanka *traf* gestern in Bonn ein. Er *wurde* vom Bundeskanzler zu einem längeren Gespräch *empfangen.* Zum Inhalt der Gespräche *gab* das Auswärtige Amt nichts bekannt.

Arnfrid Astel: Zukunft

Von unserer Grammatik
wird man berichten
wie von fremden Völkern.
Es gab da verschiedene
Formen der Vergangenheit,
wird er gesagt haben,
wenn alle den Kopf schütteln.

Überblick über den Gebrauch der Tempusformen

86 Die wichtigsten Gebrauchsweisen der Tempusformen kann man folgendermaßen zusammmenfassen:

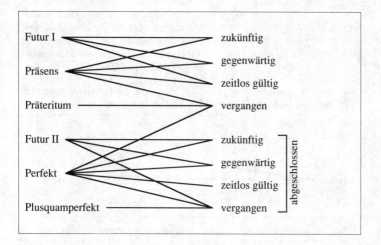

Präsens für Zukünftiges:	Petra *geht* morgen ins Theater.
Präsens für Gegenwärtiges:	Petra *kommt* ins Zimmer.
Präsens für etwas, was nicht nur für die Gegenwart, sondern für einen längeren Zeitraum oder allgemein gilt:	Petra *hat* seit dem Frühjahr ein eigenes Zimmer. Eis *ist* gefrorenes Wasser.
Präsens in lebhaften Schilderungen für etwas Vergangenes:	Da *liege* ich doch gestern auf der Couch und *lese* ein Buch. *Kommt* der Klaus herein …

Präteritum ——————————— vergangen	
Präteritum in längeren Erzählungen, vor allem wenn der Verlauf betont werden soll:	Nach dem Dienst *ging* ich zur Kasse, um mein Gehalt abzuholen. Es *standen* sehr viele Leute am Auszahlungsschalter, und ich *wartete* eine halbe Stunde, *reichte* meinen Scheck hinein und *sah*, wie der Kassierer ihn einem Mädchen mit gelber Bluse *gab*. (Heinrich Böll)
Präteritum in den Medien zur Signalisierung von Sachlichkeit:	Gestern *traf* der Premierminister von Sri Lanka in Bonn ein.

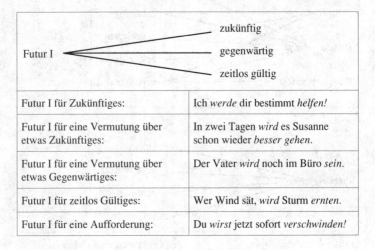

Futur I für Zukünftiges:	Ich *werde* dir bestimmt *helfen!*
Futur I für eine Vermutung über etwas Zukünftiges:	In zwei Tagen *wird* es Susanne schon wieder *besser gehen*.
Futur I für eine Vermutung über etwas Gegenwärtiges:	Der Vater *wird* noch im Büro *sein*.
Futur I für zeitlos Gültiges:	Wer Wind sät, *wird* Sturm *ernten*.
Futur I für eine Aufforderung:	Du *wirst* jetzt sofort *verschwinden!*

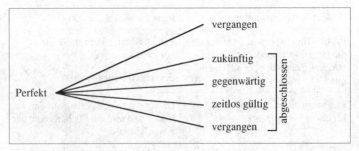

Perfekt für Abgeschlossenes, dessen Wirkung bis in die Gegenwart reicht:	Die Blüten der Orchidee *sind aufge-gangen* (und können jetzt von allen bewundert werden).
Perfekt für Abgeschlossenes, von dem man selbst (oder die Zuhörer) in der Gegenwart betroffen ist:	Da *habt* ihr mich aber schön *erschreckt!*
Perfekt für Abgeschlossenes ohne näheren Zeitbezug (allgemeine Gültigkeit):	Wer einmal schwimmen *gelernt hat,* verlernt es sein ganzes Leben nicht mehr.
Perfekt für Sachverhalte, deren Abschluß erst noch bevorsteht:	Bis morgen abend *hat* der Mechaniker den Motor *repariert.*
Perfekt für Abgeschlossenes in der Vergangenheit:	Kolumbus *hat* Amerika *entdeckt.*
Perfekt für Vergangenes, auch wenn der Abschluß des Geschehens nicht im Zentrum steht, also anstelle des Präteritums:	Nach dem Dienst *bin* ich zur Kasse *gegangen,* um mein Gehalt abzuholen.

Plusquamperfekt ──────── vergangen (abgeschlossen)	
Häufig wird das Plusquamperfekt (in einer Erzählung) in Verbindung mit dem Präteritum gebraucht und drückt dann aus, daß ein Geschehen vor einem anderen liegt. Es gibt die Vorzeitigkeit an:	Er lebte dort schon viele Jahre. Er *hatte* aber keine Freunde *gefunden.*

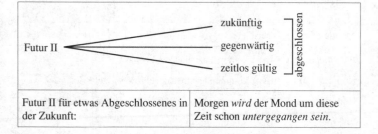

Futur II für etwas Abgeschlossenes in der Zukunft:	Morgen *wird* der Mond um diese Zeit schon *untergegangen sein.*

Futur II für Vermutungen über etwas Abgeschlossenes, das erst noch bevorsteht:	Bis morgen abend *wird* der Mechaniker den Motor wohl endlich *repariert haben.*
Futur II für Vermutungen über etwas Abgeschlossenes, dessen Wirkung in der Gegenwart noch andauert:	Der Mechaniker *wird* den Motor wohl schon *repariert haben.*
Futur II für Vermutungen über etwas Abgeschlossenes und Vergangenes:	Der Mechaniker *wird* den Motor schon gestern *repariert haben.*

Fred Viebahn: Zukunftsproblem

ich hatte nicht geschossen
ich habe nicht geschossen
ich schoß nicht
ich schieße nicht

werde ich nicht schießen
?

Der Modus

Einfache und zusammengesetzte Modusformen

87 Finite Verbformen (Personalformen) sind immer nach dem Modus (der Aussageweise) bestimmt. Im Deutschen unterscheidet man folgende Modi:

Modus	Beispiele
Indikativ	Eva ⎡kommt⎤ nachher noch vorbei.
Konjunktiv I	Eva ⎡komme⎤ nachher noch vorbei, sagt Lilo.
Konjunktiv II	Eva ⎡käme⎤ nachher noch vorbei, wenn sie Zeit hätte.
Imperativ	Eva, ⎡komm⎤ nachher noch vorbei!

| 88 | Wenn man die Tempus- und die Modusformen aufeinander bezieht, ergibt sich folgende Tabelle: |

	Indikativ	Imperativ
Präsens	du trägst	trag!
Perfekt	du hast getragen	—
Präteritum	du trugst	—
Plusquamperfekt	du hattest getragen	—
Futur I	du wirst tragen	—
Futur II	du wirst getragen haben	—
	Konjunktiv I	Konjunktiv II
Präsens	du tragest	du trügest ◄
Perfekt	du habest getragen	du hättest getragen ◄
Präteritum	—	—
Plusquamperfekt	—	—
Futur I	du werdest tragen	du würdest tragen
Futur II	du werdest getragen haben	du würdest getragen haben

Einige Bemerkungen zum Schema:

• Im Indikativ gibt es insgesamt sechs (teils einfache, teils zusammengesetzte) Tempusformen. In den übrigen Modi stehen weniger Tempusformen zur Verfügung.

• Beim Imperativ ist es eigentlich wenig sinnvoll, überhaupt von Tempus zu sprechen: Es gibt in diesem Modus keine *unterschiedlichen* Tempusformen.

• Zu beiden Konjunktiven gibt es ein Vergangenheitstempus – im Gegensatz zum Indikativ aber je nur ein einziges. Wir haben es als *Perfekt* bezeichnet, weil es in seinem Gebrauchsumfang am ehesten mit dem Indikativ Perfekt übereinstimmt.

• Bei den *würde*-Formen des Konjunktivs II handelt es sich ursprünglich um Futurformen. Sie unterscheiden sich in der Bedeutung aber kaum von den Präsens- bzw. Perfektformen.

• Zur Bildung der einfachen Modusformen siehe auch ↑ 50–57, zu den zusammengesetzten Tempusformen ↑ 66 ff.

ÜBUNG

Bestimme bei den Verbformen der folgenden Sätze die Tempus-
und Modusformen:

1. Hört einmal zu! 2. Ich dachte, sie seien schon weg. 3. Niels hatte
kaum fertig geschrieben, als es klingelte. 4. René hoffte, daß die
andern ihn auch noch fragen würden. 5. Der Deltaflieger war schon
gestartet, als wir auf dem Berg ankamen. 6. In wenigen Jahren
wirst du deinen Lebensunterhalt selbst bestreiten müssen. 7. Bitte
setzen Sie sich. 8. Wenn mehr Wasser in dem Tümpel gewesen
wäre, lebten die Kaulquappen noch. 9. Daniel hat sich beklagt,
seine Freundin arbeite zuviel. 10. Wenn du einen Helm trügest,
wärst du besser geschützt. 11. Anna sagt, sie gieße die Pflanzen
jeden Tag. 12. In wenigen Tagen wird das Gericht die Verhandlun-
gen abgeschlossen haben. 13. Die Kollegen glauben, du werdest eines Tages noch Professorin!

Der Gebrauch der Modusformen

Mit den Modusformen haben wir die Möglichkeit, der
Bedeutung eines Verbs zusätzliche Nuancen hinzuzufügen.
Damit färben wir aber immer auch die Aussage des *ganzen* Satzes
mit ein. In erster Linie zeigt der Modus unsere Einstellung. Wir
können einen Satz zum Beispiel als *neutrale Aussage,* als *vorsichtige Behauptung,* als *Vermutung,* als *nur gedachten Sachverhalt (Unwirklichkeit),* als *Wunsch* oder als *Aufforderung* kennzeichnen.

Oft haben wir die Wahl zwischen mehreren Modusformen. Eine
bestimmte Aussage kann also mit verschiedenen Modi verbunden
werden. Umgekehrt sind die einzelnen Modi nicht auf eine einzige
Bedeutung festgelegt.

Der Indikativ

| 91 | Der Indikativ ist der *neutrale* Modus des Verbs. Von ihm heben sich die anderen Modi ab. |

Wir gebrauchen ihn vor allem, um etwas ohne irgendwelche zusätzlichen Schattierungen darzustellen:

> Stockholm *ist* die Hauptstadt von Schweden. Gestern *hat* es den ganzen Tag *geregnet*. He, du *stehst* auf meinem Fuß!

Der Indikativ kann nicht nur in Aussagen, die sich auf Wirkliches beziehen, gebraucht werden. Man kann mit ihm auch Pläne oder Phantasievorstellungen möglichst neutral darstellen:

> (Plan:) Wenn die Neubaustrecke *vollendet ist, braucht* ein Intercity für diese Distanz noch 40 Minuten statt anderthalb Stunden.

> (Phantasievorstellung:) Als das Raumschiff auf dem Mars *gelandet war, stieg* die Crew bis auf den Navigator sofort aus und *stellte* die ersten Meßgeräte *auf*.

Der Indikativ kann aber auch zum Ausdruck von (eher unfreundlich gemeinten) Aufforderungen verwendet werden:

> Du *verschwindest* jetzt!

Der Imperativ

| 92 | Den Imperativ wählen wir, um eine Bitte oder eine direkte Aufforderung auszusprechen: |

2. Person Singular	2. Person Plural	Höflichkeitsform: 3. Person Plural
Nimm täglich eine Tablette!	*Nehmt* täglich eine Tablette!	*Nehmen* Sie täglich eine Tablette!
Bleib sitzen!	*Bleibt* sitzen!	*Bleiben* Sie sitzen!
Hilf mir doch!	*Helft* mir doch!	*Helfen* Sie mir doch!
Sei mir nicht böse!	*Seid* mir nicht böse!	*Seien* Sie mir nicht böse!

Wenn man eine direkte Aufforderung an eine Gruppe richtet, der man selbst angehört, kann man die *wir-Form* des Imperativs, also die 1. Person Plural, wählen:

> *Bleiben* wir doch sitzen! *Seien* wir ihnen nicht mehr böse! *Versuchen* wir es doch einmal anders! *Schauen* wir uns das einmal genauer *an!*

93	ÜBUNG

Verwandle die folgenden Fügungen mit Infinitiven in Imperativsätze. Setze den Imperativ a) in die 2. Person Singular, b) in die 3. Person Plural (Höflichkeitsform):

1. Bitte das Licht anzünden. 2. Zum nächsten Schalter gehen. 3. Für mich erledigen. 4. Den Hund zurückpfeifen. 5. Bitte mir helfen. 6. Sich hinten anstellen. 7. Mit mir kommen. 8. Mir Bescheid geben. 9. Nicht so nervös sein.

Der Konjunktiv I

94	Der Konjunktiv I wird in erster Linie in der *indirekten Rede* gebraucht (siehe dazu genauer ↑ 99 ff., 634 ff.):

> Das Radio meldete, gegen Abend *seien* Regenschauer zu erwarten. Die Zeugin sagte, sie *habe* die Nummer des flüchtenden Wagens *aufgeschrieben.* Werner behauptete, er *könne* eine Minute lang einen Handstand machen.

Daneben kommt er gelegentlich in *Wunsch-, Aufforderungs-* und *Ausrufesätzen* vor (↑ 414, 416):

> Er *ruhe* in Frieden. Man *nehme* dreimal täglich eine Tablette. Er *lebe* hoch!

Schließlich finden wir den Konjunktiv I in festen Wendungen:

> *Komme,* was da *wolle.* Das *bleibe* dahingestellt!

> Bis zum Herbst wird das Haus umgebaut sein, es *sei* denn, es kommen noch größere Altersschäden zum Vorschein.

> *Sei* es am Morgen früh oder *sei* es am Abend spät – der Pianist nebenan übt bestimmt wieder auf seinem Klavier.

Fachsprachlich in der Mathematik:

> Gegeben *sei* das Dreieck ABC. Eine Gerade g *schneide* einen Kreis k
> mit Radius r in Punkt P.

Der Konjunktiv II

95 Die Hauptfunktion des Konjunktivs II ist es, eine Aussage
ausdrücklich als *unwirklich* oder *irreal,* als nur *vorgestellt*
zu kennzeichnen. Das kann ein Vergleich der folgenden Sätze belegen:

Neutral → Indikativ	Unwirklich → Konjunktiv II
Das *tue* ich nicht.	Das *täte* ich nicht.
Thomas ist so wild gefahren, daß er beinahe das vorausfahrende Auto *gerammt hat.*	Thomas ist so wild gefahren, daß er beinahe das vorausfahrende Auto *gerammt hätte.*
So *ist* es besser *gegangen.*	So *wäre* es besser *gegangen.*
Wir *haben* ein Gummiboot.	*Hätten* wir doch ein Gummiboot!
Ich *habe* den Zug nicht *verpaßt.*	Wenn ich doch den Zug nicht *verpaßt hätte!*

Besonders häufig steht der Konjunktiv II zum Ausdruck der Unwirklichkeit in Satzgefügen mit einem Bedingungssatz (↑ 574):

Neutral → Indikativ	Unwirklich → Konjunktiv II
Susi *kommt,* wenn sie Zeit *hat.*	Susi *käme,* wenn sie Zeit *hätte.*
Wenn ich eine Betriebsanleitung *habe, komme* ich mit diesem Programm schon *zurecht.*	Wenn ich eine Betriebsanleitung *hätte, käme* ich mit diesem Programm schon *zurecht.*
Wenn ich Lehrer *bin, haben* die Schüler an jedem zweiten Tag frei.	Wenn ich Lehrer *wäre, hätten* die Schüler an jedem zweiten Tag frei.

96 Den Konjunktiv II gebraucht man auch, um einen *höflichen
Wunsch,* eine *vorsichtige Behauptung* oder eine *Vermutung*
zu kennzeichnen:

> Ich *hätte* gerne noch eine Tasse Tee. Ich *würde* gerne mit dem Chef
> sprechen. *Würden* Sie mir bitte die Zeitung *herüberreichen? Wär's*

das? Ich *würde* an deiner Stelle eher das blaue Kleid *nehmen*. Wie *wäre* es, wenn du einmal das andere Rezept *ausprobiertest*? Da *dürften* Sie sich verrechnet haben. So *müßte* die Rechnung aufgehen. Beatrice *sollte* meinen Brief schon bekommen haben.

Höfliche Floskeln:

Ich würde meinen … Ich würde sagen …

97 Schließlich verwendet man den Konjunktiv II auch in der indirekten Rede:

Die Zeugen sagten, sie *hätten* die Nummer des flüchtenden Wagens *aufgeschrieben*. Die Kinder behaupteten, sie *könnten* eine Minute lang einen Handstand machen.

Mehr zum Gebrauch des Konjunktivs in der indirekten Rede siehe im folgenden Abschnitt (↑ 99 ff.).

Jürgen Henningsen: Bedingungsformen

Ich sage
Ich würde sagen
Ich hätte gesagt
Aber man hat Frau und Kinder

---

98 ÜBUNG

Setze die folgenden Sätze (zum deutlicheren Ausdruck der Unwirklichkeit dieses Traums) in den Konjunktiv II:

Ich träume: 1. Es gibt eine Welt, in der die Menschen nicht arbeiten müssen. 2. Alle haben genug zu essen. 3. Den ganzen Tag kann man faulenzen. 4. Alle bleiben ewig jung. 5. Niemand wird krank. 6. Müdigkeit und Erschöpfung kommen nicht vor. 7. Jeden Tag scheint die Sonne. 8. Alle leben friedlich und ohne Probleme miteinander. 9. Natur und Technik sind in Einklang miteinander. 10. Ist das nicht ein Schlaraffenland?

Die indirekte Rede

| 99 | Wenn man die Aussage eines anderen wiedergeben möchte, stehen vor allem zwei Möglichkeiten zur Verfügung. |

Man unterscheidet sie als *direkte* und *indirekte Rede:*

Direkte Rede	Indirekte Rede
Bei der direkten Rede übernimmt man die Aussage eines anderen so genau wie möglich. Hinweise auf Personen, Ort und Zeit läßt man unverändert.	Bei der indirekten Rede berichtet man aus der eigenen Perspektive. Man übernimmt die Aussage des anderen so genau wie möglich, paßt aber alle Hinweise auf Personen, Ort und Zeit an die eigene Perspektive an.
Wenn man schreibt, kennzeichnet man die direkte Rede mit *Anführungszeichen,* damit der Leser genau weiß, wieviel vom anderen wörtlich übernommen worden ist.	Damit die Zuhörer oder Leser merken, daß man nicht seine eigenen Gedanken äußert, sondern diejenigen eines anderen, kennzeichnet man die indirekte Rede nach Möglichkeit mit dem *Konjunktiv.*
Rita sagte:»Ich *bin* krank.«	Rita sagte, sie *sei* krank.
Frank fragte:»*Werde* ich auch eingeladen?«	Frank fragte, ob er auch *eingeladen werde.*
Beatrice wandte ein: »Die Klasse *hat* diese Vorschläge, die schon vor einem Monat vorgebracht *worden sind, abgelehnt.*«	Beatrice wandte ein, die Klasse *habe* diese Vorschläge, die schon vor einem Monat vorgebracht *worden seien, abgelehnt.*

| 100 | Die folgenden Beispiele sollen zeigen, wie bei der indirekten Rede Hinweise auf Personen, Ort und Zeit an die Perspektive des Berichtenden angepaßt werden (DR = direkte Rede, IR = indirekte Rede): |

Andreas schreibt aus New York:

(DR:)   » Mir gefällt es ausgezeichnet hier .«

(IR:)   ... ihm gefalle es ausgezeichnet dort .

Der Arzt sagte zu Michaela:

(DR:) » Du darfst erst morgen aufstehen.«

(IR:) … sie dürfe erst am folgenden Tag aufstehen.

101 Bei Frage- und Befehlssätzen sind bei der Umwandlung einer direkten Rede in eine indirekte stärkere Änderungen nötig:

Rita fragte uns:

(DR:) » Kommt Tanja auch noch?«

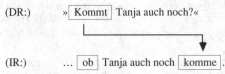

(IR:) … ob Tanja auch noch komme .

Rita forderte ihre Freundinnen auf:

(DR:) » Gebt Tanja auch Bescheid!«

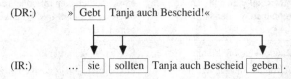

(IR:) … sie sollten Tanja auch Bescheid geben .

102 In der indirekten Rede können die finiten Verbformen (Personalformen) im Konjunktiv I oder II stehen. Ist die Wahl zwischen den beiden Konjunktiven völlig frei? Aus grammatischer Sicht muß man die Frage heute mit Ja beantworten. Es ist eine Sache des *Stils*, welcher Konjunktivform ein Sprecher oder Schreiber den Vorzug gibt. Für die geschriebene Standardsprache lassen sich die folgenden Empfehlungen aussprechen:

1. Wenn eindeutige Formen des Konjunktivs I zur Verfügung stehen, sind sie gegenüber Formen des Konjunktivs II vorzuziehen. Als eindeutig gelten alle Konjunktivformen, die sich äußerlich vom Indikativ unterscheiden. Besonders deutlich sind die folgenden:

– alle Formen des Verbs *sein:*

> Stefan hat angefragt, ob wir schon fertig *seien.* Die Siegerin sagte, sie *sei* erstaunt über die schwachen Leistungen der Gegnerinnen.

– die Singularformen (alle Personen) der Verben wollen, sollen, müssen, dürfen, können, mögen, wissen:

> Vera sagte zu mir, sie *wolle* einen zweiten Beruf erlernen. Gisela schrieb auf dem Zettel, ich *könne* sie telefonisch noch bis 22 Uhr erreichen. Andrea sagte, du *wissest* Bescheid.

– die 3. Person Singular der übrigen Verben mit der Endung *-e:*

> Inge sagt, sie *komme* morgen und *bringe* das Buch mit. In der Zeitung stand, die Maschinenfabrik *suche* noch zwei Schlosser oder Schlosserinnen. Thomas behauptete, er *habe* keine Zeit.

2. Wenn sich die Formen des Konjunktivs I nicht von denen des Indikativs unterscheiden, verwendet man den Konjunktiv II. (Zu den *würde*-Formen des Konjunktivs II siehe ↑ 105 f.)

> Inge und Sabine sagten, sie *kämen* morgen und *brächten* das Buch mit. (Statt: Inge und Sabine sagten, sie *kommen* morgen und *bringen* das Buch mit.)

> In der Zeitung stand, die Metallwerke *nähmen* noch zwei Schlosser oder Schlosserinnen auf. (Statt: In der Zeitung stand, die Metallwerke *nehmen* noch zwei Schlosser oder Schlosserinnen auf.)

> Thomas und Markus behaupteten, sie *hätten* keine Zeit. (Statt: Thomas und Markus behaupteten, sie *haben* keine Zeit.)

3. Viele Schreiber ziehen außerdem den Konjunktiv II in der 2. Person Singular und Plural vor:

> Die Großmutter glaubt, du *hättest* sie vergessen. (Statt: Die Großmutter glaubt, du *habest* sie vergessen.)

> Ich habe gehört, ihr *wäret* mit dem Beschluß der Klasse nicht einverstanden. (Statt: Ich habe gehört, ihr *seiet* mit dem Beschluß der Klasse nicht einverstanden.)

4. Wenn in der direkten Rede Formen des Konjunktivs II stehen, bleiben sie in der indirekten Rede erhalten:

Direkte Rede	Indirekte Rede
Klaus sagte: »Ich *hätte* das Fußballspiel noch *gesehen,* wenn ich eher *gekommen wäre.*«	Klaus sagte, er *hätte* das Fußballspiel noch *gesehen,* wenn er eher *gekommen wäre.*

Hinweis: Statt des Konjunktivs steht häufig der Indikativ, wenn die indirekte Rede mit den Konjunktionen »daß« und »ob« oder mit einem Fragewort (Pronomen, Adverb) eingeleitet wird:

> Die Großmutter glaubt, daß du sie *vergessen hast*. In der Zeitung stand, daß die Maschinenfabrik zwei Schlosser oder Schlosserinnen *sucht*. Der Reporter fragte die Siegerin, ob sie mit einem Sieg *gerechnet hat*.
>
> Sabine fragte, von wem sie das Päckchen ohne Absender *bekommen hat*. Boris hat sich danach erkundigt, wann die Kurse heute *beginnen*. Der Außenminister konnte nicht sagen, wie lange er sich in Genf *aufhalten wird*.

103 Zum Tempusgebrauch bei der indirekten Rede: Konjunktiv I und II haben je nur ein Vergangenheitstempus, das wir als Perfekt bezeichnen (↑ 88). Die Unterscheidung von Präteritum, Perfekt und Plusquamperfekt im Indikativ geht also bei der Umsetzung von direkter Rede in indirekte Rede verloren:

Direkte Rede	Indirekte Rede
Elisabeth erzählt:»Ich *war* schon fast *eingeschlafen*, als mich ein heftiger Knall *aufschreckte*.«	Elisabeth erzählte, sie *sei* schon fast *eingeschlafen*, als sie ein heftiger Knall *aufgeschreckt habe*.
Ralf berichtet:»Wir *saßen* noch ein bißchen *zusammen*, nachdem wir alles *abgeräumt hatten*.«	Ralf berichtet, sie *seien* noch ein bißchen *zusammengesessen*, nachdem sie alles *abgeräumt hätten*.

104 ÜBUNG

Setze die folgenden Sätze in die indirekte Rede. Beachte dabei, daß teilweise auch Personalpronomen sowie Orts- und Zeitausdrücke angepaßt werden müssen:

1. Sandra fragte mich: »Kommst du mit mir ins Kino?« 2. Die Zeugen sagten aus: »Das Auto hat dem Radfahrer den Weg abgeschnitten.« 3. Der Aufseher schrie uns an: »Kommt sofort runter!« 4. Der Wirt empfiehlt: »Ein trockener Weißwein schmeckt sehr gut zum Fisch!« 5. Sabine befürchtet: »Ich werde morgen nichts zum Anziehen haben.« 6. Die Behörden teilen mit: »Die neuen Tarife

gelten ab 1. Juni.« 7. Die Nachrichtensprecherin warnte am Tag vor unserer Wanderung: »Die Schneefallgrenze sinkt morgen auf 600 m.« 8. Fabian erzählte: »Als ich aus der Wohnung trat, sauste der Dackel meiner Nachbarin mit schleifender Leine an mir vorbei. Ich war der letzte, der den Hund gesehen hat.« 9. Karin und Daniel erklären: »Auf uns braucht niemand zu warten. Wir fahren zusammen nach Hause.« 10. Der Reporter fragte die Siegerin: »Haben Sie Ihren Sieg erwartet?« 11. Die Eltern schrieben auf den Zettel: »Wir kommen gegen 23 Uhr nach Hause!« 12. Du hast doch gesagt: »Ich weiß von gar nichts!« 13. Die Ärzte teilten gestern mit: »Dem Patienten wird es morgen schon viel besser gehen.« 14. Ich fragte Renate: »Wann bist du fertig?« 15. Der Beamte sagte freundlich zu mir: »Bitte warten Sie noch einen kurzen Moment!«

Zum Gebrauch der *würde*-Formen

105 Im Konjunktiv II können an die Stelle der einfachen Verbformen auch Fügungen mit *würde* + Infinitiv treten. Ursprünglich handelt es sich dabei um Futurformen des Konjunktivs II:

> Wenn er *gewinnen würde* (statt: *gewönne*), *wäre* er glücklich. Eva meint, wir *würden* uns *täuschen* (statt: ... wir *täuschten* uns).

106 Ob man die einfachen Konjunktivformen oder die *würde*-Formen wählt, ist eine Frage des Stils, nicht der Grammatik: Beide Formen sind grammatisch korrekt. Man kann also nur stilistische Empfehlungen für den Gebrauch geben.

1. Formen ohne *würde* gelten als eleganter, als stilistisch besser:

Ohne *würde*	Mit *würde*
Mit einer Brille *sähest* du gewiß besser.	Mit einer Brille *würdest* du gewiß besser *sehen*.
Ihr Vorschlag *brächte* uns in Schwierigkeiten.	Ihr Vorschlag *würde* uns in Schwierigkeiten *bringen*.

Ohne *würde*	Mit *würde*
Dieses Mittel *bekämest* du sicher in einer Apotheke.	Dieses Mittel *würdest* du sicher in einer Apotheke *bekommen*.
Wenn du doch nur endlich die Lösung *herausfändest!*	Wenn du doch nur endlich die Lösung *herausfinden würdest!*
An deiner Stelle *suchte* ich nicht noch lange.	An deiner Stelle *würde* ich nicht noch lange *suchen*.
Wir *wüßten* gern mehr.	Wir *würden* gern mehr *wissen*.

2. Manche einfache Formen des Konjunktivs II unterscheiden sich nicht von denen des Indikativs Präteritum (↑ 55 f.). Mit der Wahl von *würde*-Formen vermeidet man Mißverständnisse.

Mißverständlich ohne *würde*	Eindeutig mit *würde*
Ohne Dünger *blühten* unsere Geranien nicht so schön.	Ohne Dünger *würden* unsere Geranien nicht so schön *blühen*.
Wenn es *regnete, benutzte* Vera den Bus.	Wenn es *regnen würde, benutzte* Vera den Bus. (Oder:) Wenn es *regnete, würde* Vera den Bus *benutzen*.
Zur Erholung *verreiste* ich in die Berge.	Zur Erholung *würde* ich in die Berge *verreisen*.
Bei starkem Wind *hieltet* ihr es hier oben nicht lange aus.	Bei starkem Wind *würdet* ihr es hier oben nicht lange *aushalten*.

Beispiele mit indirekter Rede:

Mißverständlich ohne *würde*	Eindeutig mit *würde*
Ein Kollege erzählte mir, in diesem Gebäude *hausten* acht Personen in einer Dachkammer.	Ein Kollege erzählte mir, in diesem Gebäude *würden* acht Personen in einer Dachkammer *hausen*.
Die Zeitung schrieb, die Fans *rechneten* mit einem Sieg ihrer Mannschaft.	Die Zeitung schrieb, die Fans *würden* mit einem Sieg ihrer Mannschaft *rechnen*.

3. Bei vielen unregelmäßigen Verben ohne t-Endungen kommen die einfachen Formen des Konjunktivs II außer Gebrauch (↑ 57).

Mit der Wahl von *würde*-Formen vermeidet man auffällige Wortformen, die den Leser vom eigentlichen Inhalt ablenken könnten:

Auffällige einfache Konjunktivformen	Konjunktiv II mit *würde*
Wenn der Damm *bärste,* setzte er das ganze Tal unter Wasser.	Wenn der Damm *bersten würde,* setzte er das ganze Tal unter Wasser.
Wenn das Theaterstück erst um 20.30 Uhr *begönne (begänne),* träfen wir noch rechtzeitig ein.	Wenn das Theaterstück erst um 20.30 Uhr *beginnen würde,* träfen wir noch rechtzeitig ein.
Ich wäre froh, wenn du die Tür *schlössest.*	Ich wäre froh, wenn du die Tür *schließen würdest.*
Wenn sie Bescheid wüßte, *hülfe (hälfe)* sie dir schon.	Wenn sie Bescheid wüßte, *würde* sie dir schon *helfen.*
Diese Quittung *würfe* ich nicht weg.	Diese Quittung *würde* ich nicht *wegwerfen.*
Wenn das Polareis *schmölze,* stiege der Meeresspiegel um mehrere Dutzend Meter.	Wenn das Polareis *schmelzen würde,* stiege der Meeresspiegel um mehrere Dutzend Meter.
Ein so langweiliger Film *verdrösse* auch dich!	Ein so langweiliger Film *würde* auch dich *verdrießen!*
Ich wohne noch nicht lange genug hier, als daß ich mich schon genau *auskennte.*	Ich wohne noch nicht lange genug hier, als daß ich mich schon genau *auskennen würde.*

Beispiele mit indirekter Rede:

Auffällige einfache Konjunktivformen	Konjunktiv II mit *würde*
Es hieß, die Kurse *begännen (begonnen)* heute erst um 19 Uhr.	Es hieß, die Kurse *würden* heute erst um 19 Uhr *beginnen.*
Der Apotheker meinte, in solchen Fällen *empföhlen (empfählen)* sie meistens Kräutertee.	Der Apotheker meinte, in solchen Fällen *würden* sie meistens Kräutertee *empfehlen.*
Die Gärtnerin versprach, die Pflanzen *sprössen* sehr schnell.	Die Gärtnerin versprach, die Pflanzen *würden* sehr schnell *sprießen.*

4. Es wirkt oft unschön, wenn unmittelbar nacheinander zweimal die Wortform *würde* steht:

Mit doppeltem *würde*	Eleganter, stilistisch besser
Wenn ich mit Eva baden *gehen würde, würden* wir dort sicher Monika *treffen.*	Wenn ich mit Eva baden *ginge, würden* wir dort sicher Monika *treffen.* (Oder:) Wenn ich mit Eva baden *gehen würde, träfen* wir dort sicher Monika.
Wenn du einen Rucksack *kaufen würdest, würdest* du keine Mappe mehr *benötigen.*	Wenn du einen Rucksack *kauftest, würdest* du keine Mappe mehr *benötigen.* (Oder:) Wenn du einen Rucksack *kaufen würdest, benötigtest* du keine Mappe mehr.
Wenn mir jemand 1000 Mark auf den Tisch *legen würde, würde* ich nicht nein *sagen.*	Wenn mir jemand 1000 Mark auf den Tisch *legen würde, sagte* ich nicht nein. (Oder:) Wenn mir jemand 1000 Mark auf den Tisch *legte, würde* ich nicht nein *sagen.*
Wenn Anne nicht so viel *rauchen würde, würde* sie nicht bei jeder kleinen Steigung *keuchen.*	Wenn Anne nicht so viel *rauchte, würde* sie nicht bei jeder kleinen Steigung *keuchen.* (Oder:) Wenn Anne nicht so viel *rauchen würde, keuchte* sie nicht bei jeder kleinen Steigung.

---

107 ÜBUNG

Überprüfe in den Sätzen des folgenden Textes die (stilistischen) Möglichkeiten, die sich aus dem Nebeneinander von einfachen Konjunktivformen und *würde*-Formen des Konjunktivs II ergeben:

1. Wohin kämen wir, wenn alle die Gesetze und die Regeln fairen Umgangs miteinander mißachten würden? 2. Die ganze Welt würde aus den Fugen geraten. 3. Nichts würde mehr funktionieren. 4. Die Menschen schlügen sich gegenseitig um geringer Vorteile willen tot. 5. Es herrschte das Gesetz der Gewalt. 6. Nur wer stark wäre, hätte eine Überlebensmöglichkeit. 7. Die Schwächeren lebten von vornherein ohne irgendwelche Chancen. 8. Im Großen und im Kleinen bräche das Chaos aus. 9. Würdest du unter solchen Bedingungen leben wollen?

Aktiv und Passiv

Die Bildung der Passivformen

108 Mit dem Partizip II eines Verbs und dem Hilfsverb *werden* kann man zusammengesetzte Verbformen bilden, die man als *Passivformen* oder Verbformen im *Passiv* bezeichnet. Sie heben sich von den gewöhnlichen Verbformen ab, die man *Aktivformen* oder Verbformen im *Aktiv* nennt:

	Beispiel
Aktiv	Der Hund	biß	den Postboten.
Passiv	Der Postbote	wurde	vom Hund	gebissen |.

109 Die einzelnen Passivformen werden gebildet, indem man das Hilfsverb *werden* entsprechend flektiert. Das folgende Schema zeigt die passiven Tempusformen des Indikativs:

Tempus	Aktiv	Passiv
Präsens	Der Hund *beißt* den Postboten.	Der Postbote *wird* vom Hund *gebissen*.
Perfekt	Der Hund *hat* den Postboten *gebissen*.	Der Postbote *ist* vom Hund *gebissen worden*.
Präteritum	Der Hund *biß* den Postboten.	Der Postbote *wurde* vom Hund *gebissen*.
Plusquamperfekt	Der Hund *hatte* den Postboten *gebissen*.	Der Postbote *war* vom Hund *gebissen worden*.
Futur I	Der Hund *wird* den Postboten *beißen*.	Der Postbote *wird* vom Hund *gebissen werden*.
Futur II	Der Hund *wird* den Postboten *gebissen haben*.	Der Postbote *wird* vom Hund *gebissen worden sein*.

Das Partizip II des Passivhilfsverbs *werden* heißt *worden* (nicht: *geworden*); es fehlt ihm also das Präfix *ge-* (↑ 62). Im Futur I und II des Passivs kommt das Verb *werden* zweimal vor: einmal als Hilfsverb zum Ausdruck des Futurs (↑ 67) und einmal als Hilfsverb zum Ausdruck des Passivs.

110 Wenn das Partizip II mit dem Infinitiv von *werden* eine zusammengesetzte Verbform bildet, spricht man vom *Infinitiv Passiv*. Im folgenden Beispiel hat das Verb *wollen* den Infinitiv Passiv von *beißen* bei sich:

> Der Postbote *wollte* nicht vom Hund *gebissen werden*.

111 ÜBUNG

Bilde von den Passivformen in den folgenden Sätzen alle Tempus- und Modusformen (außer dem Imperativ):

1. Der Hammer wird vermißt. 2. Wirst du benachrichtigt? 3. Die Hühner werden gefüttert.

Der Gebrauch der Passivformen

Das Verhältnis von Aktiv und Passiv

112 Die Leistung des Passivs wird am besten deutlich, wenn man Aktivformen und Passivformen in ihrem Gebrauch einander gegenüberstellt: Aktivformen haben häufig ein Subjekt (↑ 472 f.) bei sich, das einen »Täter« oder »Urheber« nennt. »Täter« oder »Urheber« kann eine Person, aber auch eine Gruppe, ein Ding oder eine Kraft sein. Werden nun Passivformen verwendet, tritt dieser »Täter« in den Hintergrund: Man kann von einer »täterabgewandten« Darstellung sprechen:

Aktiv	Passiv
Das Gewitter *überraschte* die Wanderer.	Die Wanderer *wurden* vom Gewitter *überrascht*.
Die Passanten *halfen* der umgestürzten Radfahrerin.	Der umgestürzten Radfahrerin *wurde* *geholfen*.
Das Licht *blendete* den Hasen.	Der Hase *wurde* (vom Licht) *geblendet*.

113 Zwar haben oft auch die Sätze mit den Passivformen ein Subjekt. Dieses bezeichnet aber nicht den »Täter«, sondern eine von der Handlung betroffene Person oder Sache. Der »Täter« kann allenfalls zusätzlich genannt werden, und zwar in einer Wortgruppe, die mit der Präposition *von* (manchmal auch *durch* oder *mit*) eingeleitet wird; dies ist aber nicht unbedingt nötig.

Schematisch dargestellt sieht der Zusammenhang zwischen den Satzteilen bei Verwendung aktiver und passiver Verbformen so aus:

Aktiv

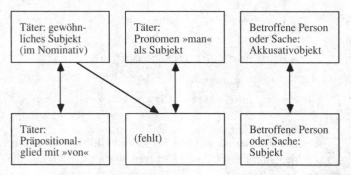

Passiv

Man sieht hier auch: Es haben nur diejenigen Passivformen ein Subjekt, denen im Aktiv eine Verbform mit einem *Akkusativobjekt* entspricht; die Passivformen der übrigen Verben sind subjektlos. Die übrigen Satzglieder haben bei aktiven und passiven Verbformen die gleiche Form und die gleiche Rolle.

An den folgenden Beispielen sollen die Zusammenhänge zwischen Sätzen mit aktiven und Sätzen mit passiven Verbformen deutlicher werden:

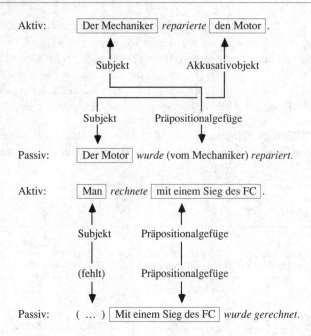

Aktiv: Der Mechaniker *reparierte* den Motor.

Subjekt   Akkusativobjekt

Subjekt   Präpositionalgefüge

Passiv: Der Motor *wurde* (vom Mechaniker) *repariert.*

Aktiv: Man *rechnete* mit einem Sieg des FC.

Subjekt   Präpositionalgefüge

(fehlt)   Präpositionalgefüge

Passiv: (…) Mit einem Sieg des FC *wurde gerechnet.*

114 Nicht alle Verben können ein Passiv bilden. Kein Passiv bilden zum Beispiel die reflexiven Verben (↑ 140) und die Verben mit *sein*-Perfekt:

Aktiv	Passiv
Martin betrachtete sich im Spiegel.	(Unmöglich:) Martin wurde von sich im Spiegel betrachtet.
Die Ziegel sind beim letzten Sturm heruntergefallen.	(Unmöglich:) Von den Ziegeln ist beim letzten Sturm heruntergefallen worden.

Nur scherzhaft möglich ist also:

Er wurde gegangen. (= Er wurde hinausbefördert.)

In Aufforderungssätzen kommen reflexive Passivformen immerhin gelegentlich vor:

Jetzt wird sich aber sofort gewaschen!

115 ÜBUNG

Konstruiere die folgenden Sätze so um, daß das Verb im Passiv steht. Achte dabei auf das richtige Tempus:

1. Irgend jemand hatte den Schlüssel gestohlen. 2. Die Leute stürmten die Lebensmittelgeschäfte. 3. Die Pfleger werden die Tiger am Abend füttern. 4. Das Dröhnen erschreckte die Rehe. 5. Die Firma wird den Apparat wohl noch einmal verbessert haben. 6. Man dachte auch an die Folgekosten. 7. Man munkelt, er habe die Reise nur zum Vergnügen unternommen. 8. Wir bedienen unsere Kunden täglich. 9. Der Lautsprecher erreichte auch den letzten Winkel des Areals. 10. Man denkt über dieses Problem zu wenig nach. 11. Die meisten Teilnehmer haben die Fragen richtig beantwortet. 12. Wir werden Ihnen die Anleitung rechtzeitig zuschicken. 13. Beton stellt man aus Zement, Kies und Wasser her.

116 ÜBUNG

Baue die folgenden Sätze so um, daß das Verb im Aktiv steht. Auch hier muß man auf das Tempus achten.

1. Der Braten ist schnell aufgegessen worden. 2. 1988 wurden in unserem Land je Einwohner 250 kg Teigwaren verzehrt. 3. Die beschmierten Mauern sind vom Hausmeister gründlich gereinigt worden. 4. Das Plakat wurde abgehängt. 5. Die Steuererklärungen müssen bis Monatsende eingereicht werden. 6. Das Haus war von einer Gruppe Jugendlicher besetzt worden. 7. Mir wurden die Spesen vom Betrieb bezahlt. 8. Der Apparat wird beim Transport beschädigt worden sein.

Aktiv, Passiv und Passivvarianten

117 Wir haben das Passiv mit dem Hilfsverb *werden* und dem Partizip II als eine Möglichkeit kennengelernt, Handlungen und Vorgänge so darzustellen, daß der »Täter« in den Hintergrund rückt oder gar nicht erwähnt wird. Nun gibt es im Deutschen noch weitere Fügungen, die das leisten. Sie werden unter der Bezeichnung *Passivvarianten* zusammengefaßt. Die folgende Tabelle führt die wichtigeren auf; an den Anfang sind zum Vergleich einige Sätze mit aktiven Verbformen gestellt.

Beschreibung	Beispiele
Aktiv	Ich *verschicke* das Paket. Der Hund *zerriß* dem Einbrecher die Hose. Das Licht *hat* den Hasen *geblendet*. Der Mechaniker *hat* die defekten Teile *ersetzt*. Man *führte* die Veranstaltung dennoch *durch*. Wir *rechnen* mit einem Sieg des FC. Die Polizei *brummte* Alice eine Strafe *auf*.
werden + Partizip II »Gewöhnliches« Passiv. Zur Abgrenzung von den folgenden Passivvarianten wird es auch als *Vorgangspassiv* oder *werden-Passiv* bezeichnet.	Das Paket *wird verschickt*. Dem Einbrecher *wurde* vom Hund die Hose *zerrissen*. Der Hase *ist* vom Licht *geblendet worden*. Die defekten Teile *wurden* vom Mechaniker *ersetzt*. Die Veranstaltung *wurde* dennoch *durchgeführt*. Mit dem Sieg des FC *wird gerechnet*. Alice *wurde* eine Strafe *aufgebrummt*.
sein + Partizip II Sogenanntes *Zustands-* oder *sein-Passiv*. Es drückt vor allem Zustände aus, die als das Ergebnis eines Vorgangs angesehen werden können.	Das Paket *ist verschickt*. Die Hose *ist zerrissen*. Der Hase *ist geblendet*. Die defekten Teile *sind ersetzt*. Die Veranstaltung *ist durchgeführt*.
bekommen + Partizip II *kriegen* + Partizip II (stark umgangssprachlich) Das Subjekt dieser Passivvariante entspricht dem Dativobjekt der entsprechenden aktiven Fügungen.	Ich *bekam* ein Paket *zugeschickt*. Wir *bekamen* die defekten Teile vom Mechaniker *ersetzt*. Alice *kriegte* eine Strafe *aufgebrummt*.

gehören + Partizip II Diese Passivvariante drückt eine Pflicht oder Notwendigkeit aus.	Dieses Paket *gehört weggeschickt.* Diese Teile *gehören ersetzt.* Alice *gehört* eine Strafe *aufgebrummt.*
sein + Infinitiv mit *zu* Diese Passivvariante drückt ein Müssen, Können oder (verneint) ein Nichtdürfen aus.	Das Paket *ist wegzuschicken.* Die defekten Teile *sind* vom Mechaniker *zu ersetzen.* Andreas *ist* nicht leicht *zu erschrecken.* Die Veranstaltung *ist durchzuführen.* Mit dem Sieg des FC *ist zu rechnen.* Alice *ist* eine Strafe *aufzubrummen.*
kommen / gelangen + Verbalnomen (= von einem Verb abgeleitetes Nomen) Man spricht hier auch von einem *Funktionsverbgefüge.*	Das Paket *kommt zum Versand.* Die Veranstaltung *gelangte zur Durchführung*

Zu den stilistischen Möglichkeiten des Passivs

118 Wir haben gesehen, daß sich Aktiv und Passiv im wesentlichen dadurch unterscheiden, daß im Aktiv das Subjekt den »Täter« oder »Urheber« des Geschehens nennt. Im Passiv hingegen kann man den Täter in den Hintergrund treten lassen oder ganz unerwähnt lassen. Dies ist in den folgenden Fällen sinnvoll:

1. Der Täter oder Urheber des Geschehens ist unbekannt, oder es ist unwichtig, wer Täter oder Urheber ist:

> Die Geschäfte *werden* um 18.30 Uhr *geschlossen.* Für Abwechslung *wurde gesorgt.* In diesem Juweliergeschäft *ist eingebrochen worden.* Die Verunglückte *ist* so schnell wie möglich ins Krankenhaus *zu bringen.* Diese Ruine *gehört abgebrochen.* Über dreihundert Preise *kamen zur Verlosung.*

2. Der Täter oder Urheber ist aus dem Zusammenhang bekannt:

> Die Polizei war sofort zur Stelle.
>
> → Aktiv: Nach einer kurzen Schießerei *führte* sie den Verbrecher *ab.*
> → Passiv: Nach einer kurzen Schießerei *wurde* der Verbrecher *abgeführt.*

3. Der Berichtende will die von der Handlung Betroffenen in den Vordergrund rücken:

> Die Wanderer *sind* von einem Gewitter *überrascht worden.* Der Hase *wurde* vom Licht *geblendet.* Ich *bekam* das Rad am Bahnhof *ausgeliehen.* Die Bauern *sind* für das zertrampelte Land *zu entschädigen.*

4. Der Berichtende will den Täter, den Verantwortlichen verschweigen (das kann die unterschiedlichsten Gründe haben):

> Die Tarifrunde *ist* erfolglos *abgebrochen worden.* (Wer hat sie abgebrochen? Die Arbeitgeber? Die Gewerkschaften?)

5. Mit Passivformen kann man Aufforderungen ausdrücken. Eine solche Form der Aufforderung wirkt allerdings eher unfreundlich:

> Jetzt *wird geschlafen!* Es *wird hiergeblieben! Geschwatzt wird* nicht!

---

119 | ÜBUNG

Der untenstehende Text stammt aus einer Information des Bundesministeriums für Arbeit und Sozialordnung. Warum werden darin so viele Passivformen gebraucht?

»Mit Hilfe des Schwerpunktprogramms kann die Aktion jetzt verwirklicht werden: Den Trägern der Maßnahme werden für Arbeitslose die vollen Lohnkosten erstattet – zwei Jahre lang. Wird ein Mitarbeiter eingestellt, der sechs Monate oder länger arbeitslos war und keine einschlägige Qualifikation aufweist, wird außerdem ein pauschalierter Zuschuß von 2000 DM gewährt. Zusätzlich wird für jeden im Bereich »Soziale Dienste« eingestellten Arbeitslosen ein Zuschuß von 1000 DM gewährt, der als Beitrag zur Finanzierung von Investitionen gilt. Auch Maßnahmen, die dem Umweltschutz und der Verbesserung des Wohnumfeldes dienen, werden gefördert. Dazu gehört alles, was nicht zu den unmittelbaren staatlichen Aufgaben zählt – es sei denn, geplante Maßnahmen werden neu aufgebaut und nach Abschluß der Förderungsphase fortgeführt. Für die Beschäftigung von Arbeitslosen in diesen Bereichen werden die Lohnkosten zu 80 % erstattet. Werden Mitarbeiter beschäftigt, die sechs Monate und länger arbeitslos waren, erhöht sich die Förderung auf 100 % der Lohnkosten.«

Die infiniten Verbformen

Der Gebrauch des Infinitivs

120 Der Infinitiv ist die *Nennform* des Verbs. Er hat die Endung *-en* oder *-n:*

> schreib-en, seh-en, bastel-n, erschütter-n.

In manchen Fügungen hat er die Partikel *zu* bei sich:

> Der Knall war weiterhum *zu hören.* Franziska versuchte, ihrer Nachbarin *zu helfen.*

Bei Verben mit einem Verbzusatz steht die Partikel *zu* zwischen dem Verbzusatz und dem eigentlichen Infinitiv (↑ 60):

> Die Mauern drohten *einzustürzen.* Das Unternehmen war bereit, die Tierversuche *einzustellen.*

Es gibt auch mehrteilige Infinitive:

> Infinitiv Perfekt (↑ 68): Diesen Zettel dürfte Harald *geschrieben haben.*
> Infinitiv Passiv (↑ 110): Der Fuchs konnte von den Gänsen nicht *gesehen werden.*
> Infinitiv Perfekt Passiv: Dieser Baum scheint vom Blitz *getroffen worden zu sein.*

121 Infinitive (mit und ohne *zu*) stehen unter anderem bei bestimmten Verben:

1. Infinitive bilden zusammen mit dem Hilfsverb *werden* die Formen des Futurs I:

> Ich *werde* dir bestimmt eine Postkarte *schicken!* Diese Zahl *wird* schon *stimmen.*

2. Die Verben *wollen, sollen, müssen, dürfen, können* und *mögen* können einen Infinitiv (ohne *zu*) bei sich haben. In diesem Gebrauch nennt man sie *Modalverben* (↑ 135):

> Das Chamäleon *kann* seine Farbe der Umgebung *anpassen.* Doris *wollte* noch den Acht-Uhr-Zug *erreichen.* Die Kartoffeln *sollten* schon längst gar *sein.*

3. Einen Infinitiv (ohne *zu*) haben auch einige weitere Verben bei sich:

> Wir *gingen einkaufen.* Zu unserem Schrecken *kam* uns Tante Elise *besuchen.* Anita *hörte* im Estrich etwas *knarren.* Wir *spürten* den Boden *zittern.* Der Spekulant *hatte* einen ganzen Wohnblock *leerstehen.* Laß das Zeug doch *liegen.*

4. Wie ein Modalverb wird *brauchen* verwendet, wenn es in verneinten oder einschränkenden Sätzen mit einem Infinitiv verbunden wird. Der Infinitiv wird mit *zu* oder – besonders in der gesprochenen Sprache – ohne *zu* angeschlossen:

> Das *braucht* niemand *zu wissen.*
> (Oder:) Das *braucht* niemand *wissen.*
>
> In diesem Geschäft *brauchst* du nicht lange *anzustehen.*
> (Oder:) In diesem Geschäft *brauchst* du nicht lange *anstehen.*

5. Auch bei den Verben *helfen, lehren* und *lernen* kann ein Infinitiv mit oder ohne *zu* stehen:

> Die Passanten *halfen* mir, den Weg zur Goliathstraße *zu finden.*
> (Oder:) Die Passanten *halfen* mir den Weg zur Goliathstraße *finden.*
>
> Die Kursteilnehmer *lernten,* aus billigem Material kleine Kunstwerke *zu schaffen.*
> (Oder:) Die Kursteilnehmer *lernten* aus billigem Material kleine Kunstwerke *schaffen.*

6. Einige weitere Verben können ähnlich wie Modalverben verwendet werden, verlangen dann aber einen Infinitiv mit *zu*. Man nennt sie in diesem Gebrauch *modifizierende Verben* (↑ 137):

> Peter *pflegt* jeden Tag auf den Sportplatz *zu gehen.* Nur wenige Schiffbrüchige *vermochten* sich *zu retten.* Renate *hat* die U-Bahn *zu nehmen.* Die Werbekampagne *verspricht* ein Erfolg *zu werden.* Das Dach *drohte* unter der Last des Schnees *einzustürzen.* Susanne *scheint* noch *zu schlafen.* Die Scheiben *sind* dringend *zu reinigen.* Plötzlich *begann* es *zu regnen.*

---

122 Infinitive können auch den Kern eines *Infinitivsatzes* (↑ 548) bilden. Sie haben dann gewöhnlich die Partikel *zu* bei sich:

Die Behörden empfehlen, *die öffentlichen Verkehrsmittel zu benutzen*. Der Zeuge bestritt, *sich mit dem Angeklagten abgesprochen zu haben*. Ich dachte nicht daran, *die Betriebsanleitung noch einmal durchzulesen*. *Ohne die Betriebsanleitung zu beachten*, klebte Inge die Teile zusammen.

Zu solchen Fügungen vgl. auch ↑ 556 ff.

| 123 | Infinitive können wie *Nomen (Substantive)* verwendet werden. Sie werden dann als *nominalisierte* oder *substantivierte Infinitive* bezeichnet und *groß* geschrieben: |

Gewöhnlicher Infinitiv	Nominalisierter (substantivierter) Infinitiv
Die militärische Anlage darf nicht *betreten* werden.	Das *Betreten* der militärischen Anlage ist verboten.
Die Mechanikerin will das Fahrrad *reparieren*.	Die Mechanikerin macht sich ans *Reparieren* des Fahrrads.
Wir mußten den ganzen Vormittag *schreiben*.	Vom *Schreiben* waren unsere Finger ganz steif.
Du mußt die Oberfläche sorgfältig *abreiben*.	Sorgfältiges *Abreiben* der Oberfläche ist nötig.
Der Alte pflegte täglich *zu schwimmen*.	Mit *Schwimmen* hielt sich der Alte fit.

| 124 | ÜBUNG |

Wandle die folgenden Sätze so um, daß in ihnen ein nominalisierter (substantivierter) Infinitiv steht. Verwende dabei die in Klammern angegebene Präposition:

1. Peter hat heute am Barren geturnt und sich dabei einen Fuß verstaucht (beim). 2. Susanne hat ihr Fahrrad geputzt und davon ganz schmutzige Hände bekommen (vom). 3. Wir sind gewandert und davon sehr müde geworden (vom). 4. Die Wäsche hängt an der Leine und soll dort trocknen (zum). 5. Frau Furter hat den Fernseher in die Werkstatt gebracht; er soll dort repariert werden (zum).

Die Partizipien

125 Es gibt zwei Partizipien: das Partizip I und das Partizip II. Das Partizip I hat die Endung *-end* oder *-nd:*

such-end, schreib-end, brenn-end, flimmer-nd.

Das Partizip II wird je nach der Flexionsklasse des Verbs mit der Endung *-t* oder *-en* gebildet (↑ 38); außerdem weist es häufig das Präfix *ge-* auf (↑ 62):

ge-such-t, ge-schrieb-en, ge-brann-t, ge-flimmer-t.

126 Für die Partizipien gibt es im Deutschen drei Gebrauchsweisen:

– Sie können wie ein Adjektiv gebraucht werden.
– Sie können den Kern eines Partizipialsatzes bilden.
– Das Partizip II kann Teil einer zusammengesetzten Verbform sein.

127 1. In den folgenden Beispielen werden das Partizip I und das Partizip II wie Adjektive gebraucht:

Die *blühenden* Büsche freuen die Passanten. Der *bröckelnde* Putz ärgert die Hausbesitzerin. Bitte schicken Sie die *beiliegende* Karte möglichst bald zurück. Für die auswärts *wohnenden* Gäste haben wir ein Hotelzimmer reserviert.

Die Gäste kamen *plaudernd* in den Speisesaal. Die Eltern fanden ihre Kinder *schlafend*. Der Mops rannte *keuchend* hinter einem Kätzchen her.

Der in unserer Stadt *gedrehte* Film kommt Anfang des nächsten Monats im Fernsehen. Peter stellte das *reparierte* Fahrrad in den Hinterhof. Der *abgebröckelte* Putz muß ersetzt werden. Die *versalzene* Suppe schmeckte mir nicht.

Der Eingang blieb *geschlossen*. Die Suppe schmeckte *versalzen*. Der Politiker zeigte sich *erstaunt*.

Wenn das adjektivisch gebrauchte Partizip I mit der Partikel *zu* verbunden wird, kommt es den Fügungen aus *sein* und Infinitiv mit *zu* nahe (↑ 117). Man kann dies zeigen, indem man das Partizip in einen Relativsatz (↑ 545) umformt:

Partizip I mit *zu*	Infinitiv mit *zu* in einem Relativsatz
Die Mechanikerin notiert sich die *zu ersetzenden* Teile.	Die Mechanikerin notiert sich die Teile, *die zu ersetzen sind (= die ersetzt werden müssen).*
Das ist eine ohne weiteres *zu lösende* Aufgabe!	Das ist eine Aufgabe, *die ohne weiteres zu lösen ist (= die ohne weiteres gelöst werden kann)!*

128 2. Partizipien können den Kern eines Partizipialsatzes (↑ 548) bilden:

> *In bester Stimmung miteinander* **plaudernd**, betraten die Gäste den Speisesaal. Der Mops rannte, *vor Anstrengung heftig* **keuchend**, hinter einem Kätzchen her.

> *Von der Mechanikerin sorgfältig* **repariert**, steht das Fahrrad Peter wieder zur Verfügung. Die Wanderer suchten, *vom Gewitter* **überrascht**, nach einem Unterstand.

129 3. Das Partizip II kann zusammen mit einem Hilfsverb eine *zusammengesetzte Verbform* bilden. In den folgenden Beispielen handelt es sich um zusammengesetzte *Tempusformen:*

> Das Fernsehen *hat* in unserer Stadt einen Krimi *gedreht*. Barbara *ist* nach Köln *gefahren*. Die Mechanikerin *hatte* die defekten Teile *ersetzt*. Die Kinder *werden* bald *eingeschlafen sein*.

In den folgenden Beispielen liegen Tempusformen des *Passivs* mit dem Hilfsverb *werden* vor (↑ 109):

> In unserer Stadt *ist* ein Krimi *gedreht worden*. Die defekten Teile *wurden* von der Mechanikerin *ersetzt*.

130 ÜBUNG

a) Bilde von den Verben, die in den folgenden Sätzen gebraucht werden, das Partizip I und stelle es neben das entsprechende Nomen. Beispiel: Die Sonne geht unter → die untergehende Sonne.

1. Die Früchte verfaulen. 2. Die Orchideen blühen. 3. Der Vulkan stößt Rauchschwaden aus. 4. Die Papageien kreischen in den Baumwipfeln. 5. Das Krokodil öffnet seinen Rachen.

b) Bilde aus den folgenden Fügungen mit einem Partizip I Sätze:

6. die laut schimpfenden Affen; 7. die seit drei Monaten am Hafen verrottenden Kisten; 8. der heulende Orkan; 9. das immer leiser werdende Heulen der Schakale; 10. die vorbeiziehende Karawane.

| 131 | ÜBUNG |

Bilde aus den folgenden Fügungen mit dem Partizip II Sätze nach dem Muster: der zerbrochene Krug → Der Krug ist zerbrochen.

1. ein von vielen vermißtes Angebot; 2. die vor längerem beschlossene Renovation; 3. die abgelaufene Frist; 4. das bedrohte Naturschutzgebiet; 5. das von unserer Klasse angefertigte Wandbild; 6. die vom Regen überraschten Fußgänger; 7. das seit langem erwartete Endspiel.

Der Gebrauch der Verben

| 132 | Bei den Verben können nach ihrer Funktion im Satz verschiedene *Gebrauchsweisen* unterschieden werden. Maßgebend sind dabei ihre Rolle im *Prädikat* (↑ 451 ff.) und die *Satzglieder,* mit denen sie verbunden werden (↑ 455 ff.). Wir gehen hier auf die folgenden Gebrauchsweisen kurz ein:

- Gebrauch als Hilfsverb;
- modal gebrauchte Verben;
- modifizierend gebrauchte Verben;
- transitiv und intransitiv gebrauchte Verben;
- reflexiv gebrauchte Verben;
- unpersönlich und subjektlos gebrauchte Verben.

Hilfsverben

| 133 | Wenn die Verben *sein, haben* und *werden* zur Bildung zusammengesetzter Verbformen dienen, bezeichnet man sie als *Hilfsverben*. |

Einfache Verbformen ohne Hilfsverben	Zusammengesetzte Verbformen mit Hilfsverben
Ein Taxi *bringt* die Reisenden zum Bahnhof.	Ein Taxi *hat* die Reisenden zum Bahnhof *gebracht*.
Ein Taxi *brachte* die Reisenden zum Bahnhof.	Ein Taxi *wird* die Reisenden zum Bahnhof *bringen*.
	Die Reisenden *sind* von einem Taxi zum Bahnhof *gebracht worden*.

Die Verben *sein, haben* und *werden* sind freilich nicht ausschließlich auf den Gebrauch als Hilfsverben festgelegt. So können sie zum Beispiel auch allein, das heißt ohne andere Verbformen, im Satz vorkommen:

> Volker *hatte* Ärger mit dem Chef. *Hast* du etwas Zeit für mich?

> Die Zuschauer *waren* zufrieden. Ihre Tante *ist* Tierärztin. Die Kleider *waren* noch im Koffer.

> Die Party *wurde* zu einem vollen Erfolg. Mir *wurde* schwindlig auf dem Aussichtsturm.

| 134 | ÜBUNG |

In welchen Sätzen werden *sein, haben* und *werden* als Hilfsverben gebraucht?

1. Sabine hatte eine Höhle entdeckt. 2. Daher würde sie sie gerne mit ihren Freunden erforschen. 3. Der Reihe nach haben sie sich durch den schmalen Eingang gezwängt. 4. Nach hinten wurde es in der Höhle immer dunkler und enger. 5. Der Boden war feucht und glitschig. 6. Jasmin ist eine Spinne über die Hand gekrochen. 7. Die Kinder hatten aber keine Angst. 8. Dieter hatte eine Ta-

schenlampe bei sich. 9. Hier ist gewiß einmal ein Schatz versteckt worden! 10. Jeder Winkel wurde gründlich untersucht. 11. Gisela hat eine rostige Schaufel gefunden. 12. Die wird jemand vor langer Zeit einmal verloren haben. 13. Vielleicht hat sie einem Schatzgräber gehört. 14. Der Ausgang war weit weg. 15. Werden ihn die Kinder wiederfinden?

Modal gebrauchte Verben

135 Die Verben *wollen, sollen, müssen, dürfen, können* und *mögen* können mit dem Infinitiv eines anderen Verbs verbunden werden. Man spricht dann vom *modalen Gebrauch* dieser Verben. Modal gebrauchte Verben werden auch kurz *Modalverben* genannt. Ihre Rolle im Satz wird am besten deutlich, wenn man von einem einfachen Satz ausgeht, zum Beispiel:

Renate *fährt* mit der U-Bahn.

Tritt hier ein Modalverb zum Verb hinzu, wird die Rolle des Subjekts näher beleuchtet:

Bedeutung des Modalverbs	Beispiele
Möglichkeit, Fähigkeit	Renate *kann* mit der U-Bahn *fahren.* (Das kann bedeuten: Renate hat die Möglichkeit, mit der U-Bahn zu fahren. Oder: Renate ist fähig, mit der U-Bahn zu fahren.)
Wunsch, Wille, Absicht	Renate *will* mit der U-Bahn *fahren.* Renate *möchte* mit der U-Bahn *fahren.* (Das kann bedeuten: Renate hat den Wunsch oder die Absicht, mit der U-Bahn zu fahren.)
Erlaubnis	Renate *darf* mit der U-Bahn *fahren.* (Das kann bedeuten: Renate hat die Erlaubnis, mit der U-Bahn zu fahren.)
Pflicht	Renate *soll* mit der U-Bahn *fahren.* (Das kann bedeuten: Renate hat die Pflicht, mit der U-Bahn zu fahren.)
Pflicht, Notwendigkeit	Renate *muß* mit der U-Bahn *fahren.* (Das kann bedeuten: Renate ist gezwungen, mit der U-Bahn zu fahren.)

Die Modalverben können aber auch ausdrücken, wie jemand seine Aussage selbst beurteilt. Sie stehen dann öfter im Konjunktiv II:

Bedeutung des Modalverbs	Beispiele
Möglichkeit	Renate *kann (könnte)* mit der U-Bahn *gefahren sein.* (Das kann bedeuten: Es ist möglich, daß Renate mit der U-Bahn gefahren ist.)
Zweifel	Renate *will* mit der U-Bahn *gefahren sein.* (Damit meint man: Renate sagt zwar, daß sie mit der U-Bahn gefahren sei – aber man zweifelt, ob sie die Wahrheit gesagt hat.)
Zwingende Vermutung	Renate *muß (müßte)* mit der U-Bahn *gefahren sein.* (Damit meint man: Die Annahme ist einigermaßen zwingend, daß Renate mit der U-Bahn gefahren ist.)
Es spricht nichts gegen eine Annahme.	Renate *dürfte* mit der U-Bahn *fahren.* (Damit meint man: Es spricht eigentlich alles dafür, daß Renate mit der U-Bahn fährt.)
Man weiß etwas nur vom Hörensagen.	Renate *soll* mit der U-Bahn *fahren.* (Damit kann man ausdrücken, daß man nur die Meinung eines anderen wiedergibt: Man sagt, Renate fahre mit der U-Bahn.)
Zugeständnis an einen anderen	Renate *mag* mit der U-Bahn *gefahren sein,* aber vielleicht nimmt sie ein Taxi. (Damit meint man: Du hast vielleicht recht, daß Renate mit der U-Bahn fährt – aber das ist nicht die einzig mögliche Annahme.)

Die Verben *wollen, sollen, müssen, dürfen, können* und *mögen* können auch allein das Prädikat eines Satzes bilden. Oft kann man sich dann einen Infinitiv hinzudenken:

Robert *muß* leider schon nach Hause.
(Robert *muß* leider schon nach Hause *fahren.*)

Warum *darf* ich heute abend nicht ins Kino?
(Warum *darf* ich heute abend nicht ins Kino *gehen?*)

Kannst du gut Englisch?
(*Kannst* du gut Englisch *sprechen?*)

Tante Olivia *will* noch ein Stück Sachertorte.
(Tante Olivia *will* noch ein Stück Sachertorte *haben.*)

Franz Mon: execution der excusion

man soll
man sollte
man sollte mal
man sollte doch mal
man sollte doch noch mal
man sollte doch noch einmal
man sollte doch noch einmal wieder

jeder soll ein mann

man sollte
man hat gesollt
man hatte gesollt
man hatte gesollt zu haben
man hatte gesollt haben müssen
man wird gesollt haben müssen

gedanken sind sollfrei

jeder soll es sollen
jeder soll es selbst sollen
jeder soll es selbst wieder sollen
jeder soll es selbst wieder gesollt haben
jeder soll es selbst wieder gesollt haben müssen

| 136 | ÜBUNG |

Was drücken die Modalverben in den folgenden Sätzen aus?

1. Jemand sollte noch die Post holen. 2. Der Forscher will im Himalaya einen Schneemenschen gesehen haben. 3. Gabi muß um 22 Uhr zu Hause sein. 4. Kerstin will wieder einmal in den Zoo gehen. 5. Ich mag nicht so früh aufstehen! 6. Der graue Papagei kann sprechen. 7. Der Plan mag ja stimmen – übersichtlich ist er nicht!

8. Eigentlich dürfte ich Ihnen das gar nicht sagen. 9. Rafael muß den Schlüssel in der Garderobe vergessen haben. 10. Werner konnte nicht früher kommen. 11. Ich möchte dich etwas fragen. 12. Die Farbe müßte jetzt eigentlich trocken sein. 13. Die Band soll recht gut sein. 14. Kannst du auf diesen Baum klettern? 15. Diese Lösung könnte stimmen.

Ludwig Verbeek: sagen

sagen muß man
können dürfen

sagen was man
wollen möchte

sagen nicht was
sagen müssen

sagen nicht was
soll & haben

& vermögen
vorschreibt aber

sagen was die
sager ändert

Modifizierend gebrauchte Verben

137 Einige weitere Verben stehen in ihrem Gebrauch den Modalverben nahe. Sie haben im Gegensatz zu diesen aber einen Infinitiv mit der Partikel *zu* bei sich. Man nennt sie *modifizierende Verben*. In den folgenden Beispielen beschreibt das modifizierende Verb die Rolle des Subjekts näher:

Nur wenige der Schiffbrüchigen *vermochten* sich *zu retten*. (Nur wenige der Schiffbrüchigen konnten sich retten.)

Renate *hat* die U-Bahn *zu nehmen*. (Renate muß die U-Bahn nehmen.)

Peter *pflegt* jeden Tag auf den Sportplatz *zu gehen*. (Peter hat die Gewohnheit, jeden Tag auf den Sportplatz zu gehen.)

Wie die Modalverben können die modifizierenden Verben auch die Einstellung des Berichtenden zum Ausdruck bringen:

Susanne *scheint* noch *zu schlafen*. (Allem Anschein nach schläft Susanne noch.)

Die Werbekampagne *verspricht* ein Erfolg *zu werden*. (Es deutet alles darauf hin, daß die Werbekampagne ein Erfolg wird.)

Das Dach *droht* unter der Last des Schnees *einzustürzen*. (Es ist zu befürchten, daß das Dach unter der Last des Schnees einstürzt.)

Das Verb *brauchen* kann in verneinenden oder einschränkenden Sätzen mit einem Infinitiv verwendet werden. Der Infinitiv wird mit *zu* oder – besonders in der gesprochenen Sprache – ohne *zu* angeschlossen (↑ 121). Das Verb ist also je nach seinem Gebrauch als Modalverb oder als modifizierendes Verb zu betrachten:

Modaler Gebrauch (Infinitiv ohne *zu*)	Modifizierender Gebrauch (Infinitiv mit *zu*)
Das *braucht* niemand *wissen*.	Das *braucht* niemand *zu wissen*.
In diesem Geschäft *brauchst* du nicht lange *anstehen*.	In diesem Geschäft *brauchst* du nicht lange *anzustehen*.

Transitiv und intransitiv gebrauchte Verben

138 Wenn Verben ein *Akkusativobjekt* bei sich haben, spricht man von *transitivem* Gebrauch oder von *transitiven Verben*. Das Akkusativobjekt ist ein Satzglied, dessen Kern ein Nomen oder ein Pronomen im Akkusativ bildet (↑ 491 f.). Es kann mit »Wen (oder was)?« erfragt werden:

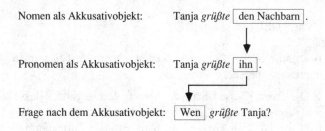

Nomen als Akkusativobjekt: Tanja *grüßte* den Nachbarn.

Pronomen als Akkusativobjekt: Tanja *grüßte* ihn.

Frage nach dem Akkusativobjekt: Wen *grüßte* Tanja?

Verben, die *kein* Akkusativobjekt bei sich haben, nennt man *intransitiv*. Dazu gehören alle Verben, deren Objekt in einem anderen Kasus als dem Akkusativ steht oder deren Objekt von einer Präposition eingeleitet wird:

Mit Akkusativobjekt = transitiver Gebrauch	Ohne Akkusativobjekt = intransitiver Gebrauch
Eveline *pflegte* den Igel.	Eva *half* dem Igel.
	Eva *nahm* sich des Igels an.
	Eva kümmerte sich um den Igel.
	Eva *sorgte* für den Igel.

Von intransitivem Gebrauch spricht man aber auch, wenn ein Verb gar kein Objekt bei sich hat:

> Der Igel *zitterte*. Der Igel *rannte* schnell.

Viele Verben können mit oder ohne Akkusativobjekt, also transitiv oder intransitiv gebraucht werden:

Mit Akkusativobjekt = transitiver Gebrauch	Ohne Akkusativobjekt = intransitiver Gebrauch
Thomas kaufte *Milch und Brot* ein.	Thomas kaufte ein.
Von hier aus sieht man *die Berge*.	Regina sah in die Ferne.
Manfred kocht *Reis*.	Manfred kocht gern.
Claudia schreibt *einen Brief*.	Claudia schreibt mit der linken Hand.

| 139 | ÜBUNG |

Bestimme in den folgenden Sätzen, ob die Verben transitiv oder intransitiv gebraucht werden:

1. Die ganze Klasse suchte die Lösung. 2. Die ganze Klasse suchte nach einer Lösung. 3. Josiane gibt dem Pferd Hafer. 4. Das Pferd frißt gierig. 5. In kurzer Zeit hatte es alles Futter aufgefressen. 6. Die Pastorin sprach über den Hunger in der Welt. 7. Gregor lernt das Stück von Chopin auswendig. 8. Mich interessieren vor allem naturwissenschaftliche Sendungen. 9. Unterhaltungssendungen gefallen mir meist weniger. 10. Die Sonne schmolz den Schnee schnell weg. 11. In nur drei Stunden schmolz der ganze Schnee weg. 12. Ein Licht nach dem anderen erlosch. 13. Lösch bitte das Licht aus! 14. Daniela bastelt an einem Modellflugzeug. 15. Daniela bastelt ein Modellflugzeug. 16. Michael kocht eine Suppe. 17. Die Suppe kocht. 18. Michael kocht.

Reflexive Verben

| 140 | Viele Verben können mit einem *Reflexivpronomen* verbunden werden (↑ 210). Man spricht dann vom *reflexiven Gebrauch* dieser Verben oder kurz von *reflexiven Verben*. Reflexivpronomen beziehen sich auf das Subjekt des Satzes zurück:

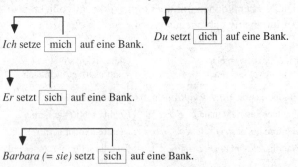

Ich setze | mich | auf eine Bank.   *Du* setzt | dich | auf eine Bank.

Er setzt | sich | auf eine Bank.

Barbara (= sie) setzt | sich | auf eine Bank.

Das Reflexivpronomen steht entweder im Dativ oder im Akkusativ. Der Kasus kann erkannt werden, wenn man als Subjekt die 1. Person Singular *ich* oder die 2. Person Singular *du* wählt: *mich* und *dich* = Akkusativ, *mir* und *dir* = Dativ.

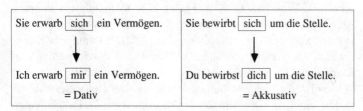

Sie erwarb sich ein Vermögen.	Sie bewirbt sich um die Stelle.
Ich erwarb mir ein Vermögen.	Du bewirbst dich um die Stelle.
= Dativ	= Akkusativ

Bei manchen Verben kann das Reflexivpronomen nicht durch ein Nomen ersetzt oder weggelassen werden, ohne daß das Verb eine andere Bedeutung bekommt oder der Satz sinnlos oder falsch wird. Man spricht dann vom *echt reflexiven Gebrauch* eines Verbs:

> Echt reflexiv: Die Schüler beeilten sich .
>
> Unmöglich: Die Schüler beeilten ihre Klassenkameraden .
>
> Unmöglich: Die Schüler beeilten.
>
> Echt reflexiv: Walter entfernte sich .
>
> Anderer Sinn: Walter entfernte den Deckel .

Demgegenüber spricht man von unecht reflexivem Gebrauch, wo das Reflexivpronomen durch ein Nomen ersetzt werden kann:

> Ich wasche mich .
>
> Ich wasche den Hund .

141 ÜBUNG

Welche Verben sind reflexiv gebraucht? In welchem Kasus stehen die Reflexivpronomen?

1. Die Passagiere mußten sich im Chaos auf dem Flughafen selbst helfen. 2. Die Kinder kämpften um den Ball. 3. Der Kaminfeger wäscht sich gründlich vom Scheitel bis zur Sohle. 4. Besonders gründlich wäscht er sich die Haare. 5. Die Expedition kämpfte sich

durch den Regenwald. 6. Warum ärgerst du mich ständig mit deinen Sticheleien? 7. Ich wundere mich wieder einmal über deinen Appetit. 8. Der Schuldirektor stellte uns den neuen Turnlehrer vor. 9. Wir ärgerten uns über die rücksichtslosen Autofahrer. 10. Rita schob alle Einwände beiseite. 11. Ich habe mich an meinem neuen Arbeitsplatz schon vorgestellt. 12. Wir haben uns vorgestellt, daß wir uns zuerst in die Altstadt begeben. 13. Ein Drittel der Klasse hat sich der Stimme enthalten. 14. Der Falke stürzte sich auf das Kaninchen. 15. Der Bericht hat wenig Neues enthalten. 16. Der Wagen ist über die Böschung gestürzt. 17. Der Reitlehrer half mir in den Sattel. 18. Der Alte schob sich nach vorn. 19. Plötzlich legte mir jemand von hinten seine Hand auf die Schulter. 20. Stell dich bitte hinten an!

Persönliche, unpersönliche und subjektlose Verben

| 142 |

Verben können als Subjekt (↑ 472) normalerweise ein Nomen oder ein Pronomen bei sich haben, insbesondere eine Form des *Personalpronomens*. Das Personalpronomen der 3. Person verweist dann auf eine vorher erwähnte Person oder Sache (↑ 203). Wenn Verben mit einem solchen Subjekt verbunden sind, spricht man von *persönlichem* Gebrauch:

> *Ich* gehe in die Stadt.
> *Er (= Werner)* geht in die Stadt.
> *Sie (= Sandra)* geht in die Stadt.
> *Es (= das Kind)* geht in die Stadt.

Bei manchen Verben sind die 1. und die 2. Person vom Sinn her ausgeschlossen; man spricht aber gleichwohl von persönlichem Gebrauch, wenn wenigstens alle drei Genusformen des Personalpronomens möglich sind:

> *Er (= der Motor)* rattert.
> *Sie (= die Maschine)* rattert.
> *Es (= das Getriebe)* rattert.

Unpersönlicher Gebrauch liegt bei Verben vor, wenn sie mit dem Pronomen *es* verbunden sind und das Pronomen nicht auf ein vorangegangenes Nomen verweist, sondern mehr oder weniger inhaltsleer ist:

Persönlicher Gebrauch:	*Es (= das Kind)* rannte nach Hause. *Es (= das Getriebe)* rattert.
Unpersönlicher Gebrauch:	*Es (= ???)* regnete die ganze Nacht. *Es (= ???)* geht mir gut.

Vornehmlich unpersönlichen Gebrauch zeigen vor allem viele Witterungsverben:

> Es regnet. Es schneit. Es hagelt. Es friert. Es taut.
>
> (Nur in übertragenem Sinn:) Plötzlich *schneite* Kathrin zur Tür herein!

Andere Verben können sowohl persönlich als auch unpersönlich gebraucht werden. Ihre Bedeutung ändert sich aber mit den unterschiedlichen Gebrauchsweisen teilweise erheblich:

Persönlicher Gebrauch	Unpersönlicher Gebrauch
Ein Unbekannter *klopfte* an die Tür.	Es *klopfte* an die Tür.
Der Wecker *trieb* mich aus dem Bett.	Es *trieb* mich aus dem Bett.
Der Wärter *gibt* den Eisbären Futter.	Es *gibt* keine Eisbären am Südpol.
Sie *handelte* mit Lederwaren.	Es *handelt* sich um Kunstleder.
Großmutter (wer?) *geht* wieder besser.	Großmutter (wem?) *geht* es wieder besser.

Einige wenige Verben können überhaupt ohne Subjekt gebraucht werden. Man spricht dann vom *subjektlosen Gebrauch* dieser Verben.

Mit Subjekt	Ohne Subjekt (subjektloser Gebrauch)
Der Morgen *graut*.	Dem Patienten *graut* vor der Operation.
Der Patient *wurde* gesund.	Dem Patienten *wurde* übel.
Im Zimmer *war* es heiß.	Den Schülern *war* heiß.
Ich *friere* an den Füßen.	Mich *friert* an den Füßen.

Subjektlos sind insbesondere auch die Passivformen zu intransitiv gebrauchten Verben (↑ 138):

Aktiv mit intransitivem Gebrauch	Subjektloses Passiv
Man *half* der alten Dame.	Der alten Dame *wurde geholfen*.
Man *tanzte* bis in die frühen Morgenstunden.	Bis in die frühen Morgenstunden *wurde getanzt*.
Man *rechnete* nicht mehr mit Walters Erscheinen.	Mit Walters Erscheinen *wurde* nicht mehr *gerechnet*.

Anmerkung: Nicht zum subjektlosen Gebrauch zählt man Imperativformen. Hier fehlen zwar die Pronomen *du* und *ihr* normalerweise, sie sind aber hinzuzudenken:

> *Lies* (du) das vor! *Versucht* doch (ihr) das einmal!

143 ÜBUNG

Ordne die Verben in den folgenden Sätzen nach ihrem Gebrauch in drei Gruppen: Verben mit persönlichem Gebrauch, mit unpersönlichem Gebrauch und mit subjektlosem Gebrauch.

1. Die Kinder laufen zum Kiosk. 2. Die Arbeit läuft gut. 3. Es läuft zur Zeit ganz gut. 4. Ihn fröstelt, wenn wir nur schon vom Übernachten im Freien sprechen. 5. Mich schaudert, sobald ich das Geräusch höre. 6. Mir gefällt dieser Raum nicht. 7. Brauchst du noch mehr Papier? 8. In den nächsten Tagen soll es schneien. 9. Alle meine Freunde sammeln Briefmarken. 10. Mich wundert dein großes Engagement. 11. Werner gefiel es in Stockholm. 12. Für dieses Spiel braucht es viel Geduld. 13. Den Kindern war im Schloßturm nicht ganz geheuer. 14. In Liselotte kochte es, als wir ihr das Ganze erzählten. 15. Bis zum Schloß dauert es eine halbe Stunde. 16. Mir ist in diesem Raum nicht recht wohl. 17. Beim Dessert wurde eifrig nach dem Kuchen gegriffen.

144 | ÜBUNG

Wir haben wiederholt gesehen, daß viele Verben nicht auf eine Gebrauchsweise festgelegt sind. Versuche, den Gebrauch der kursiv
(schräg) gesetzten Verben in den folgenden Sätzen zu bestimmen.
Dabei sind die folgenden Gebrauchsweisen zu berücksichtigen:
– Gebrauch als Hilfsverb;
– modaler oder modifizierender Gebrauch;
– transitiver Gebrauch;
– reflexiver Gebrauch;
– unpersönlicher oder subjektloser Gebrauch.
Bei manchen Verben trifft mehr als eine Gebrauchsweise zu. Wenn
sich zu einem Verb nichts weiter sagen läßt, bezeichnen wir es als
intransitiv.

1. Der Film *hat* schon angefangen. 2. Susi *hat* eine rote Mappe.
3. Stefan *hat* noch aufzuräumen. 4. Ich *legte* mir eine neue Platte
zu. 5. Yvonne *kann* mit der Maschine schreiben. 6. Erwin *kann* gut
Französisch. 7. Eine alte Dame *pflegt* hier täglich die Tauben zu
füttern. 8. Anita *pflegte* die Taube mit dem gebrochenen Flügel.
9. Ich habe mir in den Finger *geschnitten*. 10. Der Stürmer hat den
Torwart am Schienbein *verletzt*. 11. Im Zimmer *war* es eisig.
12. Peter *wurde* trotz seines Pullovers immer kälter. 13. Die Reisenden *wurden* vom Gewitter überrascht. 14. Ich *brauche* noch
mehr Bretter. 15. Um die Bretter *brauchst* du dich nicht zu kümmern. 16. Für dieses Zusammensetzspiel *braucht* es viel Geduld.
17. Ein dickes Buch *ist* vom Regal gestürzt. 18. Zum Glück *ist* es
nur wenig beschädigt. 19. Diese Vorschrift *gilt* es sorgfältig zu
beachten. 20. Sie *gilt* von November an. 21. Ich *möchte* lieber Reis
statt Teigwaren, bitte. 22. Gerd *möchte* noch etwas sagen. 23. Die
Sonne *scheint*. 24. Die Sonne *scheint* hinter den Wolken zu ver-
schwinden.

Tabellen

Übersicht über die Flexionsformen des Verbs

145 In den folgenden Tabellen sind alle Flexionsformen des Verbs *suchen* zusammengestellt. Dieses Verb hat die folgenden formalen Besonderheiten:

– Es wird regelmäßig flektiert, das heißt, es bildet die einfachen Formen des Präteritums, des Konjunktivs II und des Partizips II nur mit t-Endungen (↑ 38 ff., 55 ff.).

– Es bildet Perfekt, Plusquamperfekt und Futur II mit dem Hilfsverb *haben*. Zum Gebrauch der Hilfsverben *haben* und *sein* siehe Abschnitt ↑ 70.

– Es bildet ein vollständiges Passiv. Zu den Möglichkeiten der Passivbildung siehe Abschnitte ↑ 112–114.

Infinite Formen

Infinite Formen	
Infinitiv	suchen
Infinitiv Perfekt	gesucht haben
Infinitiv Passiv	gesucht werden
Infinitiv Perfekt Passiv	gesucht worden sein
Partizip I	suchend
Partizip II	gesucht

Imperativ (Präsens Aktiv)

Imperativ	
2. Person Singular	such[e]!
1. Person Plural	suchen wir!
2. Person Plural	sucht!
3. Person Plural	suchen Sie!

Aktiv: Präsens, Futur I und Präteritum

	Indikativ	Konjunktiv I	Konjunktiv II
Präsens	ich suche du suchst er/sie sucht wir suchen ihr sucht sie suchen	(ich suche) du suchest er/sie suche (wir suchen) ihr suchet (sie suchen)	ich suchte du suchtest er/sie suchte wir suchten ihr suchtet sie suchten
	Indikativ	Konjunktiv I	Konjunktiv II
Futur I	ich werde suchen du wirst suchen er/sie wird suchen wir werden suchen ihr werdet suchen sie werden suchen	(ich werde suchen) du werdest suchen er/sie werde suchen (wir werden suchen) (ihr werdet suchen) (sie werden suchen)	ich würde suchen du würdest suchen er/sie würde suchen wir würden suchen ihr würdet suchen sie würden suchen
	Indikativ		
Präteritum	ich suchte du suchtest er/sie suchte wir suchten ihr suchtet sie suchten		

Aktiv: Perfekt, Futur II und Plusquamperfekt

	Indikativ	Konjunktiv I	Konjunktiv II
Perfekt	ich habe gesucht du hast gesucht er/sie hat gesucht wir haben gesucht ihr habt gesucht sie haben gesucht	(ich habe gesucht) du habest gesucht er/sie habe gesucht (wir haben gesucht) ihr habet gesucht (sie haben gesucht)	ich hätte gesucht du hättest gesucht er/sie hätte gesucht wir hätten gesucht ihr hättet gesucht sie hätten gesucht
	Indikativ	Konjunktiv I	Konjunktiv II
Futur II	ich werde gesucht haben du wirst gesucht haben er/sie wird gesucht haben wir werden gesucht haben ihr werdet gesucht haben sie werden gesucht haben	(ich werde gesucht haben) du werdest gesucht haben er/sie werde gesucht haben (wir werden gesucht haben) (ihr werdet gesucht haben) (sie werden gesucht haben)	ich würde gesucht haben du würdest gesucht haben er/sie würde gesucht haben wir würden gesucht haben ihr würdet gesucht haben sie würden gesucht haben
	Indikativ		
Plusquam-perfekt	ich hatte gesucht du hattest gesucht er/sie hatte gesucht wir hatten gesucht ihr hattet gesucht sie hatten gesucht		

Passiv: Präsens, Futur I und Präteritum

	Indikativ	Konjunktiv I	Konjunktiv II
Präsens	ich werde gesucht du wirst gesucht er wird gesucht wir werden gesucht ihr werdet gesucht sie werden gesucht	(ich werde gesucht) du werdest gesucht er/sie werde gesucht (wir werden gesucht) (ihr werdet gesucht) (sie werden gesucht)	ich würde gesucht du würdest gesucht er/sie würde gesucht wir würden gesucht ihr würdet gesucht sie würden gesucht
	Indikativ	Konjunktiv I	Konjunktiv II
Futur I	ich werde gesucht werden du wirst gesucht werden er/sie wird gesucht werden wir werden gesucht werden ihr werdet gesucht werden sie werden gesucht werden	(ich werde gesucht werden) du werdest gesucht werden er/sie werde gesucht werden (wir werden gesucht werden) (ihr werdet gesucht werden) (sie werden gesucht werden)	ich würde gesucht werden du würdest gesucht werden er/sie würde gesucht werden wir würden gesucht werden ihr würdet gesucht werden sie würden gesucht werden
	Indikativ		
Präteritum	ich wurde gesucht du wurdest gesucht er/sie wurde gesucht wir wurden gesucht ihr wurdet gesucht sie wurden gesucht		

Passiv: Perfekt, Futur II und Plusquamperfekt

	Indikativ	Konjunktiv I	Konjunktiv II
Perfekt	ich bin gesucht worden du bist gesucht worden er/sie ist gesucht worden wir sind gesucht worden ihr seid gesucht worden sie sind gesucht worden	ich sei gesucht worden du seiest gesucht worden er/sie sei gesucht worden wir seien gesucht worden ihr seiet gesucht worden sie seien gesucht worden	ich wäre gesucht worden du wärest gesucht worden er/sie wäre gesucht worden wir wären gesucht worden ihr wäret gesucht worden sie wären gesucht worden
	Indikativ	Konjunktiv I	Konjunktiv II
Futur II	ich werde gesucht worden sein du wirst gesucht worden sein er/sie wird gesucht worden sein wir werden gesucht worden sein ihr werdet gesucht worden sein sie werden gesucht worden sein	(ich werde gesucht worden sein) du werdest gesucht worden sein er/sie werde gesucht worden sein (wir werden gesucht worden sein) (ihr werdet gesucht worden sein) (sie werden gesucht worden sein)	ich würde gesucht worden sein du würdest gesucht worden sein er/sie würde gesucht worden sein wir würden gesucht worden sein ihr würdet gesucht worden sein sie würden gesucht worden sein
	Indikativ		
Plusquamperfekt	ich war gesucht worden du warst gesucht worden er/sie war gesucht worden wir waren gesucht worden ihr wart gesucht worden sie waren gesucht worden		

Liste der unregelmäßigen Verben

146 In der folgenden Tabelle sind die wichtigsten einfachen Formen der unregelmäßigen Verben zusammengestellt. Außerdem haben wir einige regelmäßige Verben aufgenommen, die leicht mit unregelmäßigen verwechselt werden. Bei Verben mit Verbzusatz oder Präfix (↑ 58 ff.) ist unter dem einfachen Verb nachzusehen.

Ablesbar: Umlaut in der 2./3. Person Singular des Indikativs Präsens (↑ 49); e/i-Wechsel in der 2./3. Person Singular des Indikativs Präsens und im Singular des Imperativs (↑ 48, 51); Kurzform auf -t statt -(e)st bei Verben, deren Stamm auf einen s-Laut ausgeht (↑ 53).

Ablesbar: Bildung des Präteritums: t-Endung und / oder innere Stammänderung (↑ 38 ff.).

Ablesbar: Allfälliger Umlaut im Konjunktiv II (↑ 56 f.).

Infinitiv	2. (3.) Pers. Indikativ Präsens	3. Pers. Indikativ Präteritum	3. Pers. Konjunktiv II Präsens	Partizip II
backen (↑ 43)	backst bäckst	backte (buk)	backte (büke)	gebacken
befehlen	befiehlst	befahl	beföhle befähle (↑ 57)	befohlen
beginnen	beginnst	begann	begönne begänne (↑ 57)	begonnen
beißen	beißt	biß	bisse	gebissen
bergen	birgst	barg	bärge (↑ 57)	geborgen
bersten	du birst es birst	barst	bärste (↑ 57)	geborsten
beten	betest	betete	betete	gebetet
bewegen bewegen (↑ 44)	bewegst bewegst	bewog bewegte	bewöge bewegte	bewogen bewegt
bieten	bietest	bot	böte	geboten
binden	bindest	band	bände	gebunden
bitten	bittest	bat	bäte	gebeten

Infinitiv	2. (3.) Pers. Indikativ Präsens	3. Pers. Indikativ Präteritum	3. Pers. Konjunktiv II Präsens	Partizip II
blasen	bläst	blies	bliese	geblasen
bleiben	bleibst	blieb	bliebe	geblieben
bleichen	bleichst	blich	bliche	geblichen
bleichen (↑ 44)	bleichst	bleichte	bleichte	gebleicht
braten	brätst brät	briet	briete	gebraten
brauchen	brauchst	brauchte	brauchte (umgangssprachlich auch: bräuchte)	gebraucht brauchen (↑ 71)
brechen	brichst	brach	bräche	gebrochen
brennen	brennst	brannte	brennte (↑ 57)	gebrannt
bringen	bringst	brachte	brächte	gebracht
denken	denkst	dachte	dächte	gedacht
dreschen	drischst	drosch (drasch)	drösche (dräsche)	gedroschen
dringen	dringst	drang	dränge	gedrungen
dünken	dünkst dünkt (deucht)	dünkte (deuchte)	dünkte (deuchte)	gedünkt (gedeucht)
dürfen	darfst darf	durfte	dürfte	gedurft dürfen (↑ 71)
empfangen	empfängst	empfing	empfinge	empfangen
empfehlen	empfiehlst	empfahl	empföhle empfähle (↑ 57)	empfohlen
empfinden	empfindest	empfand	empfände	empfunden
erlöschen (vgl. löschen)	erlischst	erlosch	erlösche (↑ 57)	erloschen
erschrecken	erschrickst	erschrak	erschräke	erschrocken
erschrecken (↑ 44)	erschreckst	erschreckte	erschreckte	erschreckt
essen	ißt	aß	äße	gegessen
fahren	fährst	fuhr	führe	gefahren
fallen	fällst	fiel	fiele	gefallen
fällen	fällst	fällte	fällte	gefällt
fangen	fängst	fing	finge	gefangen

Infinitiv	2. (3.) Pers. Indikativ Präsens	3. Pers. Indikativ Präteritum	3. Pers. Konjunktiv II Präsens	Partizip II
fechten	du fichtst er ficht	focht	föchte	gefochten
finden	findest	fand	fände	gefunden
flechten	du flichtst er flicht	flocht	flöchte	geflochten
fliegen	fliegst	flog	flöge	geflogen
fliehen	fliehst	floh	flöhe	geflohen
fließen	fließt	floß	flösse	geflossen
fragen	fragst	fragte	fragte	gefragt
fressen	frißt	fraß	fräße	gefressen
frieren	frierst	fror	fröre	gefroren
gären (↑ 43)[1]	gärst	gor gärte	göre gärte	gegoren gegärt
gebären	gebierst gebärst	gebar	gebäre (↑ 57)	geboren
geben	gibst	gab	gäbe	gegeben
gedeihen	gedeihst	gedieh	gediehe	gediehen
gehen	gehst	ging	ginge	gegangen
gelingen	es gelingt	gelang	gelänge	gelungen
gelten	giltst	galt	gölte gälte (↑ 57)	gegolten
genesen	genest	genas	genäse	genesen
genießen	genießt	genoß	genösse	genossen
geschehen	es geschieht	geschah	geschähe	geschehen
gewinnen	gewinnst	gewann	gewönne gewänne (↑ 57)	gewonnen
gießen	gießt	goß	gösse	gegossen
gleichen	gleichst	glich	gliche	geglichen
gleiten	gleitest	glitt	glitte	geglitten
glimmen (↑ 43)	glimmst	glomm glimmte	glömme glimmte	gelommen geglimmt
graben	gräbst	grub	grübe	gegraben
greifen	greifst	griff	griffe	gegriffen

---

[1]   Regelmäßige Formen vor allem in übertragener Bedeutung.

Infinitiv	2. (3.) Pers. Indikativ Präsens	3. Pers. Indikativ Präteritum	3. Pers. Konjunktiv II Präsens	Partizip II
haben	hast, hat	hatte	hätte	gehabt
halten	hältst, hält	hielt	hielte	gehalten
hängen	hängst	hing	hinge	gehangen
hängen (↑ 44)	hängst	hängte	hängte	gehängt
hauen (↑ 43)	haust	haute hieb	haute hiebe	gehauen
heben	hebst	hob	höbe	gehoben
heißen	heißt	hieß	hieße	geheißen
helfen	hilfst	half	hülfe hälfe (↑ 57)	geholfen helfen (↑ 71)
kennen	kennst	kannte	kennte (↑ 57)	gekannt
klimmen (↑ 43)	klimmst	klomm klimmte	klömme klimmte	geklommen
klingen	klingst	klang	klänge	geklungen
kneifen	kneifst	kniff	kniffe	gekniffen
kommen	kommst	kam	käme	gekommen
können	kannst kann	konnte	könnte	gekonnt können (↑ 71)
kriechen	kriechst	kroch	kröche	gekrochen
laden	lädst lädt	lud	lüde	geladen
lassen	läßt	ließ	ließe	gelassen lassen (↑ 71)
laufen	läufst	lief	liefe	gelaufen
leiden	leidest	litt	litte	gelitten
leihen	leihst	lieh	liehe	geliehen
lesen	liest	las	läse	gelesen
liegen	liegst	lag	läge	gelegen
löschen[2]	löschst	löschte	löschte	gelöscht
löschen[3]	lischst	losch	lösche (↑ 57)	geloschen

---

[2] Regelmäßige Formen bei transitivem Gebrauch (§ 138): Er löschte das Feuer, er hat das Feuer gelöscht.
[3] Unregelmäßige Formen bei intransitivem Gebrauch (§ 138), meist in Präfixbildungen und Zusammensetzungen: Das Licht erlosch, ist erloschen.

Infinitiv	2. (3.) Pers. Indikativ Präsens	3. Pers. Indikativ Präteritum	3. Pers. Konjunktiv II Präsens	Partizip II
lügen	lügst	log	löge	gelogen
mahlen	mahlst	mahlte	mahlte	gemahlen
malen	malst	malte	malte	gemalt
meiden	meidest	mied	miede	gemieden
melken (↑ 43)	(milkst) melkst	molk melkte	mölke melkte	gemolken gemelkt
messen	mißt	maß	mäße	gemessen
mißlingen	es mißlingt	mißlang	mißlänge	mißlungen
mögen	magst mag	mochte	möchte	gemocht mögen (↑ 71)
müssen	mußt muß	mußte	müßte	gemußt müssen (↑ 71)
nehmen	nimmst	nahm	nähme	genommen
nennen	nennst	nannte	nennte (↑ 57)	genannt
pfeifen	pfeifst	pfiff	pfiffe	gepfiffen
pflegen[4] pflegen[5]	pflegst pflegst	pflog pflegte	pflöge pflegte	gepflogen gepflegt
preisen	preist	pries	priese	gepriesen
quellen quellen (↑ 44)	quillst quellst	quoll quellte	quölle quellte	gequollen gequellt
raten	rätst rät	riet	riete	geraten
reiben	reibst	rieb	riebe	gerieben
reißen	reißt	riß	risse	gerissen
reiten	reitest	ritt	ritte	geritten
rennen	rennst	rannte	rennte (↑ 57)	gerannt
riechen	riechst	roch	röche	gerochen
ringen	ringst	rang	ränge	gerungen
rinnen	rinnst	rann	rönne ränne (↑ 57)	geronnen

---

[4] Nur noch in festen Wendungen wie *der Ruhe pflegen:* Sie pflog der Ruhe, hat der Ruhe gepflogen.

[5] Regelmäßige Formen sowohl in der Bedeutung »Kranke betreuen« als auch »die Gewohnheit haben«.

Infinitiv	2. (3.) Pers. Indikativ Präsens	3. Pers. Indikativ Präteritum	3. Pers. Konjunktiv II Präsens	Partizip II
rufen	rufst	rief	riefe	gerufen
salzen (↑ 43)	salzt	salzte	salzte	gesalzen gesalzt (selten)
saufen	säufst	soff	söffe	gesoffen
saugen (↑ 43)	saugst	sog saugte	söge saugte	gesogen gesaugt
schaffen schaffen (↑ 44)	schaffst schaffst	schuf schaffte	schüfe schaffte	geschaffen geschafft
schallen (↑ 43)	schallst	schallte scholl	schallte schölle	geschallt
scheiden	scheidest	schied	schiede	geschieden
scheinen	scheinst	schien	schiene	geschienen
scheißen	scheißt	schiß	schisse	geschissen
schelten	schiltst schilt	schalt	schölte	gescholten
scheren scheren (↑ 44)	scherst scherst	schor scherte	schöre scherte	geschoren geschert
schieben	schiebst	schob	schöbe	geschoben
schießen	schießt	schoß	schösse	geschossen
schimpfen	schimpfst	schimpfte	schimpfte	geschimpft
schinden (↑ 43)	schindest	schindete (schund)	schindete (schünde)	(geschindet) geschunden
schlafen	schläfst	schlief	schliefe	geschlafen
schlagen	schlägst	schlug	schlüge	geschlagen
schleichen	schleichst	schlich	schliche	geschlichen
schleifen schleifen (↑ 44)	schleifst schleifst	schliff schleifte	schliffe schleifte	geschliffen geschleift
schließen	schließt	schloß	schlösse	geschlossen
schlingen	schlingst	schlang	schlänge	geschlungen
schmeißen	schmeißt	schmiß	schmisse	geschmissen
schmelzen schmelzen (↑ 44)	schmilzt schmilzt (schmelzt)	schmolz schmolz (schmelzte)	schmölze schmölze (schmelzte)	geschmolzen geschmolzen (geschmelzt)

Infinitiv	2. (3.) Pers. Indikativ Präsens	3. Pers. Indikativ Präteritum	3. Pers. Konjunktiv II Präsens	Partizip II
schneiden	schneidest	schnitt	schnitte	geschnitten
schrecken	schrickst	schrak	schräke	geschrocken
schrecken (vgl. erschrecken, ↑ 44)	schreckst	schreckte	schreckte	geschreckt
schreiben	schreibst	schrieb	schriebe	geschrieben
schreien	schreist	schrie	schriee	geschrieen
schreiten	schreitest	schritt	schritte	geschritten
schweigen	schweigst	schwieg	schwiege	geschwiegen
schwellen	schwillst	schwoll	schwölle	geschwollen
schwellen (↑ 44)	schwellst	schwellte	schwellte	geschwellt
schwimmen	schwimmst	schwamm	schwömme schwämme	geschwommen
schwinden	schwindest	schwand	schwände	geschwunden
schwingen	schwingst	schwang	schwänge	geschwungen
schwören	schwörst	schwor (schwur)	(schwöre) schwüre (↑ 57)	geschworen
sehen	siehst	sah	sähe	gesehen sehen (↑ 71)
sein	ich bin du bist er ist	war	wäre	gewesen
senden	sendest	sendete	sendete	gesendet
senden (↑ 44)	sendest	sendete sandte	sendete	gesendet gesandt
sieden (↑ 43)	siedest	sott siedete	sötte siedete	gesotten gesiedet
singen	singst	sang	sänge	gesungen
sinken	sinkst	sank	sänke	gesunken
sinnen	sinnst	sann	sönne sänne (↑ 57)	gesonnen
sitzen	sitzt	saß	säße	gesessen
sollen	sollst soll	sollte	sollte	gesollt sollen (↑ 71)
spalten (↑ 43)	spaltest	spaltete	spaltete	gespalten gespaltet
speien	speist	spie	spiee	gespien

Infinitiv	2. (3.) Pers. Indikativ Präsens	3. Pers. Indikativ Präteritum	3. Pers. Konjunktiv II Präsens	Partizip II
speisen	speist	speiste	speiste	gespeist
spinnen	spinnst	spann	spönne spänne (↑ 57)	gesponnen
sprechen	sprichst	sprach	spräche	gesprochen
sprießen	sprießt	sproß	sprösse	gesprossen
springen	springst	sprang	spränge	gesprungen
stechen	stichst	stach	stäche	gestochen
stecken (↑ 43)[6]	steckst	steckte stak	steckte stäke	gesteckt
stehen	stehst	stand	stände stünde	gestanden
stehlen	stiehlst	stahl	stöhle stähle (↑ 57)	gestohlen
steigen	steigst	stieg	stiege	gestiegen
sterben	stirbst	starb	stürbe	gestorben
stieben (↑ 43)	stiebst	stob (stiebte)	stöbe (stiebte)	gestoben (gestiebt)
stinken	stinkst	stank	stänke	gestunken
stoßen	stößt	stieß	stieße	gestoßen
streichen	streichst	strich	striche	gestrichen
streiten	streitest	stritt	stritte	gestritten
tragen	trägst	trug	trüge	getragen
treffen	triffst	traf	träfe	getroffen
treiben	treibst	trieb	triebe	getrieben
treten	trittst tritt	trat	träte	getreten
triefen (↑ 43)	triefst	troff triefte	tröffe triefte	getroffen getrieft
trinken	trinkst	trank	tränke	getrunken
trügen	trügst	trog	tröge	getrogen
tun	tust	tat	täte	getan

---

6 In der Bedeutung »festhaften« werden nur die regelmäßigen Formen gebraucht.

Infinitiv	2. (3.) Pers. Indikativ Präsens	3. Pers. Indikativ Präteritum	3. Pers. Konjunktiv II Präsens	Partizip II
verderben (↑ 43)	verdirbst	verdarb	verdürbe	verdorben (verderbt)[7]
verdrießen	verdrießt	verdroß	verdrösse	verdrossen
vergessen	vergißt	vergaß	vergäße	vergessen
verlieren	verlierst	verlor	verlöre	verloren
verlöschen (vgl. löschen)	verlischst	verlosch	verlösche (↑ 57)	verloschen
verzeihen	verzeihst	verzieh	verziehe	verziehen
wachsen[8] wachsen[9]	wächst wachst	wuchs wachste	wüchse wachste	gewachsen gewachst
wägen (vgl. wiegen)	wiegst wägst	wog wägte	wöge wägte	gewogen
waschen	wäschst	wusch	wüsche	gewaschen
weben (↑ 43)	webst	wob webte	wöbe webte	gewoben gewebt
weichen weichen (↑ 44)	weichst weichst	wich weichte	wiche weichte	gewichen geweicht
weisen	weist	wies	wiese	gewiesen
wenden wenden (↑ 44)	wendest wendest	wendete wendete wandte	wendete wendete	gewendet gewendet gewandt
werben	wirbst	warb	würbe	geworben
werden	wirst wird	wurde (ward)	würde	geworden worden[10]
werfen	wirfst	warf	würfe	geworfen
wiegen wiegen (↑ 44; vgl. auch wägen)	wiegst wiegst	wog wiegte	wöge wiegte	gewogen gewiegt
winden	windest	wand	wände	gewunden
winken	winkst	winkte	winkte	gewinkt

---

[7] Die Form »verderbt« wird nur noch adjektivisch gebraucht.
[8] Bedeutung: »größer werden, zunehmen«.
[9] Bedeutung: »mit Wachs einstreichen«.
[10] Die Form ohne Präfix *ge-* beim Gebrauch als Hilfsverb beim Passiv (↑ 109 ff.).

Infinitiv	2. (3.) Pers. Indikativ Präsens	3. Pers. Indikativ Präteritum	3. Pers. Konjunktiv II Präsens	Partizip II
wissen	weißt weiß	wußte	wüßte	gewußt
wollen	willst will	wollte	wollte	gewollt wollen (↑ 71)
zeihen	zeihst	zieh	ziehe	geziehen
ziehen	ziehst	zog	zöge	gezogen
zwingen	zwingst	zwang	zwänge	gezwungen

Curt Goetz:
Das Haus in Montevideo oder Traugotts Versuchung
(Ausschnitt aus dem 3. Akt)

PROFESSOR: Also, Atlanta erbt … stell erst die Tasse hin, damit du sie nicht verschluckst … Atlanta erbt siebenhundertfünfzigtausend Dollar …
MUTTER: Siebenhundertfünfzig Dollar!
PROFESSOR *brüllt:* Tausend! *Mutter verschüttet vor Freudenschreck ihren Kaffee auf den Tisch.*
MUTTER: Ach Gott, Hermann, hast du mich jetzt erschrocken!
PROFESSOR: Erschreckt!
MUTTER: Ach Traugott, sei doch nicht immer gleich so eklig! Ob es nun erschreckt oder erschrocken heißt! Du siehst doch, daß ich erschreckt bin!
PROFESSOR: Erschrocken! Diesmal heißt es erschrocken! Also: Atlanta erbt siebenhundertfünfzigtausend Dollar, wenn sie bis zu ihrem siebzehnten Lebensjahr ein uneheliches Kind kriegt … *Mutter stellt ihre Tasse so heftig auf die Untertasse, daß beide in Trümmer gehen.* Ich habe dir doch gesagt, du sollst die Tasse aus der Hand stellen!

Das Nomen

Übersicht

147 Nomen oder Substantive sind Wörter mit folgenden grammatischen Eigenschaften:

1. Sie haben ein festes *Genus* (grammatisches Geschlecht); ein Nomen ist also entweder ein *Maskulinum,* ein *Femininum* oder ein *Neutrum:*

Genus	Maskulinum	Femininum	Neutrum
Beispiel	der Stamm	die Pflanze	das Blatt
	der Löffel	die Gabel	das Messer
	der Raum	die Kammer	das Zimmer

2. Sie sind nach dem *Numerus* (der grammatischen Zahl) bestimmt, das heißt, sie stehen entweder im *Singular* (in der Einzahl) oder im *Plural* (in der Mehrzahl):

Numerus	Singular	Plural
Beispiel	der Baum	die Bäume
	die Pflanze	die Pflanzen
	das Blatt	die Blätter

3. Sie sind nach dem *Kasus* (dem Fall) bestimmt, das heißt, sie stehen im *Nominativ*, im *Genitiv*, im *Dativ* oder im *Akkusativ:*

Kasus	Beispiel
Nominativ	der Baum
Genitiv	des Baumes
Dativ	dem Baum[e]
Akkusativ	den Baum

Nomen und *Substantiv* sind Bezeichnungen, die heute in Grammatiken und Übungsbüchern gleich häufig vorkommen. Daneben findet man gelegentlich: *Nennwort, Namenwort, Dingwort* und *Hauptwort*. Es handelt sich dabei um ältere Namen für dieselbe Wortart.

Das Genus (das grammatische Geschlecht)

148 Jedes Nomen hat ein festes *grammatisches Geschlecht* oder *Genus*, das heißt, es ist entweder ein *Maskulinum*, ein *Femininum* oder ein *Neutrum*. Das grammatische Geschlecht (Genus) darf nicht mit dem natürlichen Geschlecht (Sexus) verwechselt werden: Ein Wort wie *das Kind* ist seinem grammatischen Geschlecht nach ein Neutrum; jedes Kind aber ist seinem natürlichen Geschlecht nach entweder männlich oder weiblich. Genauer dazu siehe ↑ 155 f.

149 Das Genus des Nomens bestimmt das Genus und die Form von Artikeln, Pronomen und Adjektiven, die vor dem Nomen stehen oder das Nomen ersetzen. Diese Wortarten haben besondere Formen für jedes Genus. Besonders deutlich sind diese Formen bei *der, die, das* und bei *er, sie, es:*

Maskulinum	Femininum	Neutrum
d er Löffel	d ie Gabel	d as Messer
jen er große Löffel	jen e große Gabel	jen es große Messer
er	s ie	es
heiß er Kaffee	heiß e Suppe	heiß es Wasser
d er Kaffee	d ie Suppe	d as Wasser
dies er Kaffee	dies e Suppe	dies es Wasser
er	s ie	es

Dem Nomen selbst sieht man das Genus nicht an. So unterscheiden sich ähnlich aussehende Nomen oft gerade im Genus:

Ohne Artikel	Mit bestimmtem Artikel
Land, Rand, Wand	→ das Land, der Rand, die Wand
Bein, Pein, Stein	→ das Bein, die Pein, der Stein
Pegel, Regel, Segel	→ der Pegel, die Regel, das Segel
Mahl, Stahl, Zahl	→ das Mahl, der Stahl, die Zahl

Übrigens: Im Rechtschreibe-Duden wird das Genus eines jeden Nomens über die Form des bestimmten Artikels *der, die, das* angegeben (↑ 196).

150 Eine Einschränkung ist noch zu beachten: Artikel, Pronomen und Adjektive haben im *Plural* keine besonderen Formen für jedes Genus. Die folgende Tabelle zeigt das am Beispiel des bestimmten Artikels *der, die, das:*

Singular	Plural
der Mann	die Männer
der Löffel	die Löffel
die Frau	die Frauen
die Gabel	die Gabeln
das Kind	die Kinder
das Messer	die Messer

Das bedeutet: Wenn man für ein Nomen das Genus angeben will, muß man immer von der Singularform ausgehen. Bei Nomen, die nur im Plural vorkommen (↑ 174), läßt sich kein Genus bestimmen:

die Leute, die Ferien, die Spesen, die Einkünfte, die Masern.

151 ÜBUNG

Ordne die folgenden Nomen nach ihrem Genus. Ordne ihnen dabei eine Artikelform (*der, die, das*) zu. Hinweis: Bei Pluralformen (Mehrzahlformen) muß zuvor die Singularform (Einzahlform) gebildet werden!

Affe, Apparat, Armut, Auto, Bäume, Berg, Betten, Bleistift, Blüte, Bretter, Brot, Buch, Butter, Eid, Einkünfte, Fähren, Ferien, Fleiß, Gelächter, Haar, Hochmut, Holz, Kartoffeln, Kastanie, Länge, Möbel, Nacken, Neid, Pinsel, Preise, Rätsel, Reis, Reise, Reisig, Ritt, Schirm, Schubfach, Schublade, Schuhe, Sessel, Süßigkeiten, Tisch,

Tochter, Trümmer, Tür, Unzufriedenheit, Vermutung, Zähne, Zange, Zebra, Zukunft, Zwillinge.

152 Bei zusammengesetzten Nomen bestimmt immer der am weitesten rechts stehende Wortteil, das sogenannte *Grundwort,* das Genus der Zusammensetzung (↑ 381):

die Wand + der Schrank → der Wand schrank

das Glas + die Kugel → die Glas kugel

der Garten + das Tor → das Garten tor

153 Wie bei Zusammensetzungen, so bestimmt auch bei Ableitungen der am weitesten rechts stehende Wortteil das Genus. Dieser Wortteil ist das *Ableitungssuffix* (↑ 390). So ist zum Beispiel ein Nomen mit dem Ableitungssuffix *-chen* oder *-lein* immer ein Neutrum:

der Turm + -chen → das Türm chen

die Gabel + -chen → das Gäbel chen

die Kirche + -lein → das Kirch lein

der Weg + -lein → das Weg lein

Wir stellen im folgenden wichtige Ableitungssuffixe zusammen, geordnet nach ihrem Genus. Zu einem guten Teil stammen sie (oder die damit gebildeten Wörter) übrigens aus anderen Sprachen:

Maskulina		Feminina	
-ling	der Flüchtling der Feigling der Neuling der Engerling	-heit / -keit	die Blindheit die Einheit die Heiterkeit die Vergangenheit
-ar	der Kommissar der Bibliothekar der Jubilar	-ung	die Rechnung die Sammlung die Verteidigung

Maskulina		Feminina	
-and	der Konfirmand der Doktorand der Proband	-ade	die Marmelade die Schokolade die Ballade
-ant	der Musikant der Lieferant der Demonstrant	-age	die Garage die Blamage die Reportage
-ent	der Student der Kontinent der Patient	-ei	die Bücherei die Ziegelei die Partei
-eur	der Regisseur der Dekorateur der Ingenieur	-ie	die Industrie die Kopie die Sympathie
-rich	der Gänserich der Fähnrich der Wüterich	-in	die Löwin die Chefin die Schriftstellerin
-ist	der Pianist der Alpinist der Drogist	-ine	die Maschine die Turbine die Lawine
-or	der Motor der Professor der Direktor	-ion	die Explosion die Million die Direktion
-et	der Planet der Magnet der Prophet	-schaft	die Eigenschaft die Gesellschaft die Mutterschaft
-ismus	der Organismus der Egoismus der Fanatismus der Liberalismus	-tät	die Elektrizität die Sexualität die Spezialität die Universität

Neutra		Neutra	
-um	das Album das Maximum das Studium das Medium	-ma	das Aroma das Thema das Klima das Komma

---

| 154 | ÜBUNG |

Suche je drei Nomen mit dem bestimmten Artikel *der, die, das,* welche mit Hilfe der Ableitungssuffixe *-ei, -in, -heit, -or* und *-tät* gebildet sind.

Grammatisches und natürliches Geschlecht

| 155 | Grammatisches und natürliches Geschlecht sind nicht dasselbe. Allenfalls bei Bezeichnungen von *Lebewesen* stimmen sie einigermaßen zusammen. Das gilt zum Beispiel für viele *Personenbezeichnungen:*

Männliche Person → maskulines Genus	Weibliche Person → feminines Genus
der Mann der Vater der Lehrer der Prinz der Schüler	die Frau die Mutter die Lehrerin die Prinzessin die Schülerin

Aber es gibt hier viele Ausnahmen. So ist eine Personenbezeichnung mit dem Ableitungssuffix *-chen* oder *-lein* ein Neutrum, unabhängig vom natürlichen Geschlecht der bezeichneten Person (siehe dazu auch ↑ 153):

der Mann → | das | Männ chen

der Bube → | das | Büb chen

die Frau → | das | Fräu lein

(Ohne Grundwort:) | das | Mäd chen

Andere Nomen wiederum bezeichnen Menschen ohne jeden Bezug auf ihr natürliches Geschlecht: Sie können sich gleichermaßen auf männliche oder weibliche Personen beziehen. Bei diesen Nomen

kann man daher vom Genus nicht auf das natürliche Geschlecht
schließen:

der Neuling	die Waise	das Kind
der Gast	die Geisel	das Mündel
der Mensch	die Person	das Individuum
der Engel	die Fachkraft	das Mitglied

156 Ein Genus haben schließlich auch Sachbezeichnungen, obwohl die Gegenstände, die sie bezeichnen, ja überhaupt
kein natürliches Geschlecht haben:

der Löffel	der Stuhl	der Balken	der Rock
die Gabel	die Bank	die Bohle	die Hose
das Messer	das Sofa	das Brett	das Kleid

Nomen mit schwankendem Genus

157 Es gibt einige Nomen, die nicht auf ein einziges Genus
festgelegt sind. Mit anderen Worten: Sie dürfen in mehr als
einem Genus gebraucht werden, ihr Genus schwankt. Einige (häufiger vorkommende) Nomen dieses Typs stellt die folgende Liste
zusammen:

der / das Bonbon	der / das Gelee	der / das Liter
der / das Häcksel	der / das Radar	der / die Spachtel
der / das Meter	der / das Lasso	der / die Quader
der / das Joghurt	der / das Viadukt	der / das Virus

Die folgenden Nomen haben je nach Genus einen etwas anderen
Wortausgang:

die Knolle	die Zehe	die Socke
der Knollen	der Zehen	der Socken
die Backe	die Ritze	die Spalte
der Backen	der Ritz	der Spalt

Nomen mit verschiedenem Genus je nach Bedeutung

158 Neben den Nomen mit schwankendem Genus gibt es Nomen, bei denen mit dem unterschiedlichen Genus auch ein Unterschied in der Bedeutung einhergeht. Es handelt sich also um gleichlautende Wörter (Homonyme), die anhand des Genus auseinandergehalten werden können:

Wort mit Genus und Bedeutung	Beispiel
der Band (Buch) das Band (Stoffstreifen)	Sie blätterte in einem dicken Band. Sie befestigte das Band im Haar.
der Bauer (Landwirt) das Bauer (Käfig)	Der Bauer geht auf das Feld. Der Papagei flog ins Bauer zurück.
der Ekel (ekliges Gefühl) das Ekel (eklige Person)	Jasmin hat einen Ekel vor fettem Fleisch. Sabine nannte Robert ein Ekel.
der Erbe (Person, die erbt) das Erbe (vererbtes Gut)	Er ist der Erbe des Vermögens. Er hat das Erbe in zwei Jahren verpraßt.
der Gehalt (Inhalt, Anteil) das Gehalt (Lohn, Besoldung)	Er lobt den hohen Eisengehalt von Spinat. Sie strebte ein höheres Gehalt an.
der Heide (Nichtchrist) die Heide (sandiges Land)	Die Germanen waren Heiden. Wir wanderten durch die blühende Heide.
der Hut (Kopfbedeckung) die Hut (Bewachung, Obhut)	Sie trug einen schwarzen Hut. Das Kind ist bei ihr in bester Hut.
der Kiefer (Teil des Kopfes) die Kiefer (Baumart)	Er schlug mit dem Kiefer auf das Brett. Die Kiefer hat lange Nadeln.
der Leiter (Chef, Anführer) die Leiter (Klettergerät)	Der Leiter des Verlags liest den Text. Wir stellten eine Leiter auf.
der Mangel (Fehler) die Mangel (Wäscherolle)	Die Maschine weist einen Mangel auf. Ich ließ die Wäsche durch die Mangel.
die Mark (Währung) die Mark (Grenzgebiet) das Mark (Kern des Knochens)	Wir bezahlten in deutscher Mark. Sie stammt aus der Mark Brandenburg. Es traf uns bis ins Mark.
der Mast (Stange) die Mast (Aufzucht)	Der Wagen fuhr gegen einen Telefonmast. Er besorgte die Mast der Schweine.
der Schild (Schutz) das Schild (Tafel)	Die Polizisten trugen einen Plastikschild. Sie las das Schild an der Tür.

Wort mit Genus und Bedeutung	Beispiel
der See (Binnengewässer)	Wir fuhren mit dem Rad um den See.
die See (Meer)	Er fährt im Urlaub an die See.
die Steuer (Abgabe)	Niemand bezahlt gern Steuern.
das Steuer (Lenkung, Lenkrad)	Er warf das Steuer herum.
der Tau (Niederschlag)	Der Tau auf den Wiesen glitzerte.
das Tau (Seil)	Das Tau war gerissen.
der Tor (Dummkopf)	Sei kein Tor!
das Tor (große Tür)	Der Wagen fuhr durch das Tor.
der Verdienst (Lohn)	Sie ärgert sich über den Verdienst.
das Verdienst (Leistung)	Das war sein größtes Verdienst.

159 ÜBUNG

In den folgenden Sätzen haben einige Nomen das falsche Genus:

1. Auf der Heide weiden Schafe. 2. Der Verkehrsverbund umfaßt verschiedene Betriebe des öffentlichen Verkehrs. 3. Der Bauer ist von der Leiter gestürzt. 4. Die Mast bekommt den Schweinen nicht gut, sie werden zu fett. 5. Die meuternden Matrosen haben einen Tau genommen und den Kapitän an den Mast gefesselt. 6. Die Waldarbeiter haben den hohen Kiefer bei der Lichtung gefällt. 7. Dieser Ekel von Turnlehrer hat uns die ganze Stunde herumgejagt. 8. Dieses Erz hat ein hohes Gehalt an Silber. 9. Es ist angenehm, frühmorgens durch das Tau auf der Wiese zu laufen. 10. Kurt empfindet entsetzlichen Ekel vor Grießbrei. 11. Lisa trägt ein breites Band im Haar. 12. Der Knochenmark verfeinert den Geschmack der Suppe. 13. Weil mir die linke Kiefer wehtut, gehe ich morgen zum Zahnarzt. 14. Weil wir umgezogen sind, müssen wir uns ein neues Schild für die Haustür besorgen. 15. Brigitte verlangte von der Chefin einen höheren Gehalt. 16. Zur Abwehr der Feinde trug jeder Eingeborene einen Schutzschild. 17. Das Pflegeheim ist der Verdienst einiger spendefreudiger Bürger. 18. Der letzte Band dieses Nachschlagewerks enthält ein Stichwortverzeichnis. 19. Das linke Tor stand weit offen.

Der Numerus (Singular und Plural)

Die Bildung der Pluralformen

160 Nomen stehen entweder im *Singular* (in der Einzahl) oder im *Plural* (in der Mehrzahl). Singular und Plural faßt man zusammen als *Numerus* oder grammatische Zahl.

161 Für den Singular des Nomens gibt es im Deutschen keine besondere Kennzeichnung. Zur Bildung des Plurals stehen folgende Mittel zur Verfügung:
– besondere Endungen: *-e, -n, -en, -er, -s*
– Umlaut, das heißt Wechsel von *a, o, u, au* zu *ä, ö, ü, äu*

Diese Mittel können auch miteinander kombiniert werden, das heißt, Nomen können auch Endung und Umlaut zugleich aufweisen. Schließlich unterscheidet sich der Plural manchmal überhaupt nicht vom Singular. Daß ein Plural vorliegt, ist dann nur aus dem Zusammenhang erkennbar, etwa an der Form des bestimmten Artikels. Insgesamt ergeben sich so vier Bildungsweisen:

	Mit Pluralendung	Ohne Pluralendung
ohne Umlaut	der Tag / die Tage das Feld / die Felder die Glut / die Gluten die Feder / die Federn das Radio / die Radios	das Gebirge / die Gebirge das Rudel / die Rudel der Balken / die Balken das Messer / die Messer der Bohrer / die Bohrer
mit Umlaut	der Stab / die Stäbe der Turm / die Türme die Not / die Nöte der Wald / die Wälder das Haus / die Häuser	der Garten / die Gärten der Nagel / die Nägel die Tochter / die Töchter der Boden / die Böden der Bruder / die Brüder

162 In der folgenden Tabelle sind die wichtigsten Varianten der Pluralbildung zusammengestellt:

Pluraltyp	Besondere Eigenschaften	Beispiele
endungslos, ohne Umlaut	vor allem maskuline und neutrale Nomen mit Wortausgang auf *-el, -er* oder *-en:*	der Giebel / die Giebel das Segel / die Segel der Lehrer / die Lehrer das Muster / die Muster der Brunnen / die Brunnen das Zeichen / die Zeichen
	einziges Maskulinum mit Wortausgang auf *-e:*	der Käse / die Käse
	neutrale Nomen mit Präfix *Ge-* und Wortausgang *-e:*	das Getriebe / die Getriebe das Gelübde / die Gelübde das Gebilde / die Gebilde
	neutrale Nomen mit den Suffixen *-chen* oder *-lein:*	das Mäuschen / die Mäuschen das Kirchlein / die Kirchlein das Mädchen / die Mädchen
endungslos, mit Umlaut	viele maskuline Nomen mit Wortausgang auf *-el, -er* oder *-en:*	der Nagel / die Nägel der Bruder / die Brüder der Garten / die Gärten
	einziges Neutrum:	das Kloster / die Klöster
	einzige zwei feminine Nomen:	die Mutter / die Mütter die Tochter / die Töchter
Pluralendung *-e*, ohne Umlaut	viele maskuline und neutrale Nomen:	der Brief / die Briefe der Tag / die Tage der Hund / die Hunde das Bein / die Beine das Schaf / die Schafe
	Neutrale und feminine Nomen mit dem Ableitungssuffix *-nis* verdoppeln das *s* vor Endungen:	das Zeugnis / die Zeugnisse das Hindernis / die Hindernisse das Wagnis / die Wagnisse die Wirrnis / die Wirrnisse
	Nomen mit Wortausgang auf *-is, -as, -os* oder *-us* verdoppeln das *s* vor einer Endung:	der Kürbis / die Kürbisse der Atlas / die Atlasse (↑ 168) das As / die Asse der Albatros / die Albatrosse der Zirkus / die Zirkusse der Bus / die Busse

Pluraltyp	Besondere Eigenschaften	Beispiele
Pluralendung -e, mit Umlaut	viele maskuline Nomen:	der Ball / die Bälle der Klotz / die Klötze der Altar / die Altäre
	feminine Nomen:	die Hand / die Hände die Maus / die Mäuse die Wurst / die Würste
	einziges Neutrum:	das Floß / die Flöße
Pluralendung -er, mit Umlaut, sofern möglich	viele maskuline und neutrale (aber keine femininen) Nomen:	der Geist / die Geister der Wald / die Wälder das Feld / die Felder das Buch / die Bücher
Pluralendung -en, ohne Umlaut	maskuline Nomen:	der Mensch / die Menschen der Strahl / die Strahlen der Staat / die Staaten
	neutrale Nomen:	das Ohr / die Ohren das Bett / die Betten das Hemd / die Hemden
	sehr viele feminine Nomen:	die Frau / die Frauen die Glut / die Gluten die Meinung / die Meinungen
	Bei der feminen Endung -in wird das n vor der Pluralendung verdoppelt:	die Wirtin / die Wirtinnen die Chefin / die Chefinnen die Löwin / die Löwinnen
	Bei vielen Fremdwörtern wird der Wortausgang vor der Pluralendung -en verkürzt:	der Rhythmus / die Rhythmen der Radius / die Radien das Zentrum / die Zentren das Museum / die Museen die Firma / die Firmen
	Bei einigen Fremdwörtern wird vor der Pluralendung -en ein i eingeschoben:	das Prinzip / die Prinzipien das Indiz / die Indizien das Adverb / die Adverbien
	Bei vielen Fremdwörtern auf -or ändert sich im Plural die Betonung:	der Direktor / die Direktoren der Autor / die Autoren der Professor / die Professoren

Pluraltyp	Besondere Eigenschaften	Beispiele
Pluralendung -*n*, ohne Umlaut	alle femininen, viele maskuline und einige wenige neutrale Nomen auf -*e*:	die Tasche / die Taschen die Wüste / die Wüsten der Bote / die Boten der Buchstabe / die Buchstaben das Auge / die Augen das Ende / die Enden
	alle femininen und einige wenige maskuline Nomen auf -*el*:	die Regel / die Regeln die Kartoffel / die Kartoffeln die Gabel / die Gabeln der Muskel / die Muskeln der Stachel / die Stacheln der Pantoffel / die Pantoffeln
	alle femininen und einige wenige maskuline Nomen auf -*er*:	die Feder / die Federn die Ader / die Adern die Kiefer / die Kiefern der Vetter / die Vettern
	einige maskuline Einzelfälle:	der Nachbar / die Nachbarn der Ungar / die Ungarn der Konsul / die Konsuln
Pluralendung -*s*, ohne Umlaut	viele Wörter, die auf einen vollen Vokal enden:	der Uhu / die Uhus die Kamera / die Kameras das Radio / die Radios
	einige Wörter, die aus dem Niederdeutschen stammen:	das Deck / die Decks das Wrack / die Wracks
	viele Fremdwörter:	das Hotel / die Hotels das Bonbon / die Bonbons die Bar / die Bars der Klub / die Klubs
	viele Kürzel (↑ 405):	die Lok / die Loks der Akku / die Akkus das Auto / die Autos die Uni / die Unis
	Initialwörter (↑ 404) (bei maskulinen und neutralen darf das -*s* auch fehlen):	die GmbH / die GmbHs der Pkw / die Pkw[s] das EKG / die EKG[s]

163 | ÜBUNG

Bilde den Plural zu den folgenden Nomen mit Wortausgang auf -*el*. Wie verteilen sich die Pluraltypen auf die einzelnen Nomen? Welches könnten die Gründe dafür sein?

Angel, Engel, Fabel, Gabel, Hantel, Hebel, Löffel, Kabel, Kugel, Mandel, Mantel, Möbel, Nebel, Regel, Riegel, Segel, Säbel, Schnabel, Stengel, Tafel, Übel, Vehikel, Ziegel, Zwiebel.

164 | ÜBUNG

Bilde zu den folgenden Nomen die Pluralform:

Abbildung, Anzug, Arm, Art, Arzt, Bad, Beule, Bock, Büffel, Fabel, Fahrzeug, Gang, Garbe, Gefahr, Hafen, Haupt, Hirsch, Kalb, Kampf, Koffer, Leck, Magen, Mund, Rand, Sarg, Satz, Schuß, Vogel, Wand, Wanne.

165 | Bei einigen Fremdwörtern werden schließlich noch Pluralformen aus der Herkunftssprache gebraucht. Solche Fremdwörter gehören meist Fachsprachen an. In der folgenden Liste finden sich auch einige grammatische Ausdrücke:

das Genus / die Genera	das Minimum / die Minima
das Tempus / die Tempora	das Maximum / die Maxima
der Terminus / die Termini	das Visum / die Visa
der Numerus / die Numeri	der Kasus / die Kasus (langes u)

An fremde Pluralformen darf man nicht noch zusätzlich ein Plural-s hängen. Es heißt also:

die Visa, die Spaghetti (und nicht: die Visas, die Spaghettis).

Schwankungen in der Pluralbildung

166 | Normalerweise folgen Nomen jeweils einer bestimmten Pluralbildung. Nur bei einer kleinen Gruppe von ihnen ist

mehr als eine Bildung gebräuchlich. Dabei hängt die Wahl der Pluralvariante manchmal von der Region oder auch von einer Fachsprache ab. In der Kaufmannssprache heißt es zum Beispiel gewöhnlich *die Läger* (statt: *die Lager*), Fachleute sagen meist *die Krane* (statt: *die Kräne*), und im Süden des deutschen Sprachraums bevorzugt man zum Beispiel *die Bögen* (statt: *die Bogen*). In der Umgangssprache – vor allem im Norden des deutschen Sprachraums – verwendet man Pluralvarianten mit der Endung -s: *die Kumpels, die Onkels, die Jungs / Jungens, die Fräuleins* (statt: *die Kumpel, die Onkel, die Jungen, die Fräulein*).

| **167** | Pluralvarianten findet man auch bei Fremdwörtern. So finden sich bei einigen nebeneinander Pluralformen mit der Endung -e und der Endung -s: |

> der Balkon → die Balkone, die Balkons
> der Ballon → die Ballone, die Ballons
> das Karussell → die Karusselle, die Karussells
> das Klosett → die Klosette, die Klosetts
> der Lift → die Lifte, die Lifts
> der Test → die Teste, die Tests

| **168** | Einige weitere Fälle von Fremdwörtern mit Pluralvarianten zeigt die folgende Tabelle (dabei sind die weniger gebräuchlichen Formen eingeklammert): |

Singular	fremde Pluralbildung	Endung *-en* mit Änderung des Wortausgangs	Pluralendung *-e* oder *-s*
das Thema	die Themata	die Themen	die Themas
das Schema	die Schemata	(die Schemen)	die Schemas
der Atlas	—	die Atlanten	die Atlasse
der Kaktus	—	die Kakteen	die Kaktusse
der Globus	—	die Globen	die Globusse
das Album	—	die Alben	(die Albums)
das Konto	die Konti	die Konten	die Kontos
das Risiko	—	die Risiken	die Risikos

Auch hier muß man aufpassen, daß man an die fremden Pluralendungen nicht noch ein überflüssiges -*s* anhängt. Es heißt entweder *die Schemata* oder *die Schemas* (und nicht: *die Schematas*).

Erich Fried:

Beim Lesen der Gesammelten Werke Bertolt Brechts

Die Paletoten

Ein Gedicht über seine Schulzeit fängt an
»Die ärmeren Mitschüler in ihren dünnen Paletoten«
Kopfschüttelnd vermerkte ich hier eine falsche Mehrzahl
denn ich wußte
das heißt doch Paletots

Als ich dann in dem Gedicht las was aus der Mehrzahl
seiner ärmeren Mitschüler geworden ist
»In den flandrischen Massengräbern,
für die sie vorgesehen waren«
radierte ich kopfschüttelnd meinen Vermerk wieder aus

Verschiedene Pluralbildung je nach Bedeutung

169 Von den Nomen mit schwankender Pluralbildung sind Nomen zu unterscheiden, bei denen mit der unterschiedlichen
Pluralbildung auch ein Unterschied in der Bedeutung einhergeht.
Es handelt sich um Wörter, die zwar im Singular gleich lauten,
aber im Plural auseinanderzuhalten sind:

Singular (mit Bedeutungsangabe)	Pluralform	Beispiele
das Wort (Einzelwort)	die Wörter	Ich habe die wichtigsten Wörter unterstrichen.
das Wort (Aussage)	die Worte	Der Pfarrer sprach einige besinnliche Worte.

Singular (mit Bedeutungsangabe)	Pluralform	Beispiele
die Mutter (Frau)	die Mütter	Die Mütter beschlossen, den Spielplatz zu verschönern.
die Mutter (Schraubenteil)	die Muttern	Die Monteurin schraubte die Muttern fest.
die Bank (Sitzgelegenheit)	die Bänke	Auf den Bänken im Stadtpark saßen viele Rentner.
die Bank (Finanzinstitut)	die Banken	Die Banken versprachen, mehr Zins zu geben.

170 ÜBUNG

Bilde zu den eingeklammerten Nomen die richtigen Pluralformen:

1. Das neue Lexikon hat sieben (Band). 2. Der Bäckerlehrling holt die (Brot) aus dem Ofen. 3. Der Maibaum ist mit bunten (Band) geschmückt. 4. Der Onkel bringt dauernd seine (Album) mit den langweiligen Urlaubsbildern. 5. Der Politiker sprach zur Einweihung nur ein paar (Wort). 6. Die (Bett) waren schon gemacht, als wir in der Herberge ankamen. 7. Die (Brett) müssen noch gehobelt werden. 8. Die (Jubilar) bekamen vom Direktor einen Früchtekorb. 9. Die (Kartoffel) waren noch nicht gar. 10. Die (Koffer) können Sie am nächsten Schalter aufgeben. 11. Die (Kurvenradius) dieser Bergbahn sind sehr eng. 12. Die (Strudel) machen das Kanufahren auf diesem Flußabschnitt sehr gefährlich. 13. Die (Villa) an dieser Straße stammen aus dem letzten Jahrhundert. 14. Die (Omnibus) der Linie 46 halten gegenüber. 15. Die Indianer legten ihre (Schild) und Lanzen bereit. 16. Die kleine Packung enthält zehn (Farbstift), die große zweiundzwanzig. 17. Die letzten (Wochenende) verbrachte Heinz im Bett, so erschöpft war er von der neuen Arbeit. 18. Die sieben (Schild) an diesem Wegweiser sind verwirrend. 19. Diese (Bengel) spielen schon wieder Fußball im Hof! 20. Familie Ramer hat drei (Tochter). 21. Gute Freunde hüten ihre (Geheimnis). 22. In der Lösung entdeckte die Biologin unbekannte

(Organismus). 23. In meinem Kreuzworträtsel fehlen mir noch sechs (Wort). 24. Markus ziert sich immer, wenn er seine (Hemd) zusammenlegen soll. 25. Nachdem wir den Aufsatz geschrieben haben, legen wir die (Heft) aufs Lehrerpult. 26. Während der Erntezeit haben die (Bauer) viel Arbeit. 27. Wegen der ewigen (Stau) in den Alpen nehmen wir diesmal den Zug nach Italien. 28. Weihnachten fahren wir in die (Berg) zum Skilaufen. 29. Weil unsere Kanarienvögel brüten, müssen wir neue (Bauer) anschaffen. 30. Wenn wir einen Aufsatz schreiben müssen, haben wir jeweils zwei (Thema) zur Wahl.

Maß-, Mengen- und Währungsbezeichnungen

171 Wenn Nomen im Maskulinum oder Neutrum als Maß-, Mengen- oder Währungsbezeichnungen gebraucht werden, haben sie im Plural dieselbe Form wie im Singular:

> In der Truhe waren noch zehn *Kilogramm* Mehl. Am Schluß gab sie zwei *Deziliter* Wasser zu. Die Temperatur betrug genau achtzehn *Grad*. Der Spalt war zwei *Fuß* breit. Nur fünfzehn *Prozent* der Befragten haben geantwortet. Diese Zeitschrift kostet 50 *Schilling*. Für diese Backwaren haben wir zwei *Dutzend* Eier gebraucht. Zum Glück hatte ich zwei *Paar* Schuhe mit. Der Karton enthält zwölf *Stück* Seife. Die Arbeiter luden dreißig *Sack* Zement vom Lastwagen. Jedes der Kinder trank drei *Glas* Apfelsaft.

Wenn die Funktion einer Maß- oder Mengenbezeichnung in den Hintergrund rückt, haben sie normale Pluralformen:

> Die Arbeiter luden dreißig *Säcke* Zement vom Lastwagen. Jedes der Kinder trank drei *Gläser* Apfelsaft. *Dutzende* von Büchern türmten sich auf dem Schreibtisch. Zehn leere *Fässer* lagen im Hof.

172 Feminine Maß-, Mengen- und Währungsbezeichnungen erhalten immer Pluralendungen:

> Die Tante brachte zwei *Tafeln* Schokolade mit. Susanne verbrauchte drei *Packungen* Halswehtabletten. Der Lastwagen war mit vierzig *Tonnen* Kies beladen. Das Kännchen faßt zwei *Tassen* Kaffee.

Eine Ausnahme ohne Pluralendung bildet die Währungsbezeichnung *Mark:*

> Diese Zeitschrift kostet drei *Mark.*

173 Manchmal verhalten sich gewöhnliche Nomen, als ob sie nach einer Maß- oder Mengenbezeichnung stünden:

> Die Kinder bestellten drei *Eis* (= drei *Portionen Eis*). Der nervöse Reporter hat schon acht *Kaffee* (= acht *Tassen Kaffee*) getrunken.

Nomen, die nur im Plural vorkommen

174 Einige Nomen kommen nur im Plural vor. Man nennt sie *Pluraliatantum* (Singular: *das Pluraletantum*):

> die Leute, die Eltern, die Gliedmaßen, die Trümmer, die Spaghetti, die Finanzen, die Personalien, die Ferien, die Wirren, die Masern.

> (Geographische Eigennamen:) die Niederlande, die Vereinigten Staaten, die Karpaten (ein Gebirge), die Azoren (eine Inselgruppe).

Bei Pluraliatantum kann man kein Genus feststellen (↑ 150).

Die Kasusformen

Die Bestimmung des Kasus

175 Nomen treten, wenn sie im Satz verwendet werden, in verschiedenen *Kasus* oder *Fällen* auf. Man kann auch sagen: Sie werden nach dem Kasus flektiert oder dekliniert. Es gibt vier Kasus:

1. Nominativ (Werfall, 1. Fall);
2. Genitiv (Wesfall, 2. Fall);
3. Dativ (Wemfall, 3. Fall);
4. Akkusativ (Wenfall, 4. Fall).

> *Josef Reding: casus belli*
>
> beim
> nächsten krieg
> gibt's als
> ersten fall
> einen sonderfall
> und als
> zweiten fall
> einen zwischenfall
> und als
> dritten fall
> einen überfall
> und auf
> jeden fall
> einen feldmarschall
> und als
> letzten fall
> einen feuerball

176 Der Kasus kann teilweise an besonderen Endungen abgelesen werden. Die meisten Nomen haben allerdings nur für einen Teil der Kasus besondere Endungen. Nicht immer ist daher der Kasus am Nomen selbst erkennbar. Hingegen wird er normalerweise an Artikel, Pronomen und Adjektiven sichtbar, die vor dem Nomen stehen: Sie passen sich ja dem Nomen im Kasus (wie im Numerus und im Genus) an (↑ 149).

Kasus	Beispiel	
Nominativ	d|er| Kaffee	heiß|er| Kaffee
Genitiv	d|es| Kaffee|s	heiß|en| Kaffee|s
Dativ	d|em| Kaffee	heiß|em| Kaffee
Akkusativ	d|en| Kaffee	heiß|en| Kaffee

177 Manchmal kann man den Kasus allerdings weder am Nomen noch an einem vorangehenden Pronomen oder Adjektiv eindeutig erkennen. Um ihn trotzdem herauszufinden, kann man zwei Proben einsetzen: die *Frageprobe* und die *Ersatzprobe*.

1. Bei der *Frageprobe* fragt man nach dem Wort, dessen Kasus man herausfinden möchte. An der Form des Fragepronomens (Interrogativpronomens) erkennt man den Kasus:

Kasus	Kasusformen
Nominativ	wer / was
Genitiv	wessen
Dativ	wem
Akkusativ	wen / was

Beispiele:

Gisela zerschnitt die Schnur mit einem Messer.

→ Wer zerschnitt die Schnur mit einem Messer?

→ Nominativ

Giselas Freundin brauchte ein Stück Schnur.

→ Wessen Freundin brauchte ein Stück Schnur?

→ Genitiv

Gisela gab die Schnur ihrer Freundin.

→ Wem gab Gisela die Schnur?

→ Dativ

Die Schnur ist für Astrid bestimmt.

→ Für wen ist die Schnur bestimmt?

→ Akkusativ

Achtung: Da mit der Frage »Was?« sowohl nach dem Nominativ als auch nach dem Akkusativ gefragt werden kann, muß man, um Klarheit zu erzielen, nötigenfalls etwas umständlicher fragen:

Die Schnur liegt auf dem Tisch.

→ Wer oder was liegt auf dem Tisch?

→ Nominativ

Gisela legte | die Schnur | auf den Tisch.

→ | Wen oder was | legte Gisela auf den Tisch?

→ Akkusativ

Christian Morgenstern: Der Werwolf

Ein Werwolf eines Nachts entwich
von Weib und Kind und sich begab
an eines Dorfschullehrers Grab
und bat ihn: »Bitte, beuge mich!«

Der Dorfschulmeister stieg hinauf
auf seines Blechschilds Messingknauf
und sprach zum Wolf, der seine Pfoten
geduldig kreuzte vor dem Toten:

»Der Werwolf«, sprach der gute Mann,
»des Weswolfs, Genitiv sodann,
dem Wemwolf, Dativ, wie man's nennt,
den Wenwolf – damit hat's ein End.«

Dem Werwolf schmeichelten die Fälle,
er rollte seine Augenbälle.
»Indessen«, bat er, »füge doch
zur Einzahl auch die Mehrzahl noch.«

Der Dorfschulmeister aber mußte
gestehn, daß er von ihr nichts wußte.
Zwar Wölfe gäb's in großer Schar,
doch »Wer« gäb's nur im Singular.

Der Wolf erhob sich tränenblind –
er hatte ja doch Weib und Kind!!
Doch da er kein Gelehrter eben,
so schied er dankend und ergeben.

---

2. Wenn die Frageprobe nicht zu einem deutlichen Ergebnis führt, hilft die *Ersatzprobe* weiter. Bei der Ersatzprobe ersetzt man das Nomen, dessen Kasus man herausfinden möchte, durch ein *masku-*

lines Nomen im *Singular* mit *Artikel*. Der bestimmte und der unbestimmte Artikel hat im Maskulinum für jeden Kasus eine besondere Form. Wenn einem kein geeignetes Ersatzwort einfällt, kann man es auch mit einem Unsinnswort versuchen, beispielsweise mit *der Quark:*

Kasus	Flexion im Maskulinum Singular	
	bestimmter Artikel	unbestimmter Artikel
Nominativ	d er Quark	ein Quark
Genitiv	d es Quarks	ein es Quarks
Dativ	d em Quark	ein em Quark
Akkusativ	d en Quark	ein en Quark

Ein Beispiel:

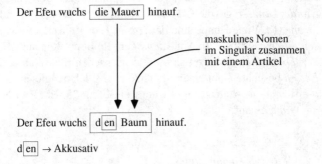

Der Efeu wuchs die Mauer hinauf.

maskulines Nomen
im Singular zusammen
mit einem Artikel

Der Efeu wuchs d en Baum hinauf.

d en → Akkusativ

ernst jandl

der tod
des todes
dem tod
den tod

der tod des todes
dem tod den tod

---

178 ÜBUNG

Die kursiv gesetzten Wortgruppen haben alle ein Nomen als Kern.
In welchem Kasus stehen sie?

1. *Viele Leute* lesen nie eine Zeitung. 2. Unser Zeuge konnte *den
Vorfall* genau beobachten. 3. Unser Reporter sprach mit *dem Sieger*
ein paar Worte. 4. Petra ist *ihres Freundes* überdrüssig. 5. Wir betrachten diese Erfindung als *einen großen Fortschritt*. 6. Der Apfel
fällt nicht weit vom *Stamm*. 7. Margrit will *Schriftsetzerin* werden.
8. Der Großvater erzählt von *der guten alten Zeit*. 9. Wegen *des
schlechten Wetters* wird das Spiel verschoben. 10. Die Vorführun-
gen finden *jeden Tag* statt. 11. Den Kranken ärgert *die Fliege* an
der Wand. 12. Die neue Straße soll *zwölf Meter* breit werden.
13. Reden ist Silber, Schweigen ist *Gold*. 14. Der Lärm auf der
Straße hat mich um *den Schlaf* gebracht. 15. In Mitteleuropa gibt
es *keine wilden Bären* mehr. 16. Der Oppositionsführer wurde zum
Bundeskanzler gewählt. 17. Das Geld liegt nicht mehr auf *der
Straße*. 18. Viele Hunde sind *des Hasen* Tod. 19. Karl verdient sich
seine Ferien selbst. 20. Am *Abend* geht Philipp selten aus. 21. Vor
der Dunkelheit fürchten sich viele Menschen. 22. Während *der
Ferien* besuchte Gabi einen Sprachkurs. 23. Ich hängte ein Bild an
die Wand. 24. An *der Wand* wuchs ein Efeu. 25. Ein Efeu wuchs
die Wand hinauf.

Josef Reding: denunziation

früher oder
später
verrät
der verräter
des verräters
dem verräter
den verräter
früher oder
später.

Die Kasusendungen im einzelnen

| 179 | Nicht alle Nomen haben die gleichen Kasusendungen. Vielmehr gibt es einige typische »Muster« oder »Formenreihen«. Sie hängen weitgehend mit dem Genus und dem Numerus (der grammatischen Zahl: Singular und Plural) zusammen. Eine Sondergruppe bilden die artikellosen Eigennamen. |

Nomen ohne Kasusendungen

| 180 | Die *femininen* Nomen sind im Singular immer endungslos, haben also keine Kasusendungen: |

Kasus	Beispiele		
Nominativ	die Frau	die Woche	die Firma
Genitiv	der Frau	der Woche	der Firma
Dativ	der Frau	der Woche	der Firma
Akkusativ	die Frau	die Woche	die Firma

Nomen mit s-Genitiv

| 181 | Alle *neutralen* Nomen und die große Mehrheit der *maskulinen* Nomen bekommen im Genitiv die Endung *-s* oder *-es* (= s-Genitiv). Im Dativ findet sich manchmal noch die Endung *-e*. |

Kasus	Beispiele		
Nominativ	das Bein	das Gitter	das Glas
Genitiv	des Bein[e]s	des Gitters	des Glases
Dativ	dem Bein[e]	dem Gitter	dem Glas[e]
Akkusativ	das Bein	das Gitter	das Glas
Nominativ	der Tag	der Balken	der Preis
Genitiv	des Tag[e]s	des Balkens	des Preises
Dativ	dem Tag[e]	dem Balken	dem Preis[e]
Akkusativ	den Tag	den Balken	den Preis

182 Viele Nomen können im Genitiv sowohl die kurze Endung -*s* als auch die lange Endung -*es* haben. Nur die lange Endung -*es* steht bei Nomen, die im Nominativ auf einen s-Laut (-*s*, -*ß*, -*z*, -*tz*, -*x*) ausgehen. Bei Nomen mit dem Ableitungssuffix -*nis* und bei einigen Wörtern auf -*is*, -*as* und -*us* wird das *s* vor der Genitivendung verdoppelt:

das Glas → des Glases	das Erlebnis → des Erlebnisses
das Faß → des Fasses	der Kürbis → des Kürbisses
der Geiz → des Geizes	das As → des Asses
der Satz → des Satzes	der Bus → des Busses
der Komplex → des Komplexes	der Zirkus → des Zirkusses

Viele Fremdwörter, die auf -*us* oder -*os* ausgehen, haben allerdings keine Genitivendung:

der Rhythmus → des Rhythmus	der Radius → des Radius
das Rhinozeros → des Rhinozeros	der Mythos → des Mythos

Hellmut Walters: Rechtsbeugung

Das Recht wird so gebeugt:

Das Recht
des Rechtes
dem Rechte
das Unrecht.

---

183 Bei bestimmten Sondergruppen von Nomen darf das Genitiv-s fehlen.

Beschreibung	Beispiele
fremde Namen oder Titel mit Artikel:	des Kongos / des Kongo, des Himalayas / des Himalaya, des Kremls / des Kreml
Sachbezeichnungen, die von Personennamen abgeleitet sind:	des Diesels / des Diesel, des Dudens / des Duden

Beschreibung	Beispiele
Monats- und Wochentags-namen:	in der Mitte des letzten Januars / des letzten Januar; am Abend jenes verhängnisvollen Mittwochs / jenes verhängnisvollen Mittwoch
Sprachbezeichnungen:	des heutigen Deutsch / des heutigen Deutschs
Farbnomen:	die Wirkung des leuchtenden Rots / des leuchtenden Rot
Bezeichnungen von Kunst-stilen:	die schönsten Kirchen des Barocks / des Barock
Fremdwörter, deren Lau-tung oder Schreibung erheblich vom Deutschen abweicht:	des Knowhows / des Knowhow des Horsd'œuvres / des Horsd'œuvre
Initialwörter (↑ 404):	des Pkws / des Pkw, des EKGs / des EKG

184 Die Endung *-e* des Dativs (= Dativ-e) steht heute fast nur noch in festen Verbindungen:

nach Hause gehen; zu Rate ziehen, zu Tode erschrocken; bei Tage besehen; in diesem Falle, im Jahre des Herrn; aus gutem Grunde.

Nomen mit Kasusendung *-en*

185 Einige *maskuline* Nomen werden nicht nach dem obenstehenden Muster (↑ 181) flektiert. Es handelt sich im wesentlichen um Personen- und Tierbezeichnungen sowie um Fremdwörter mit bestimmten Ableitungssuffixen; die beiden Gruppen überlappen sich teilweise. Bei diesen Nomen wird im Genitiv, Dativ und Akkusativ die Endung *-en* oder *-n* angefügt:

Kasus	Beispiele		
Nominativ	der Fürst	der Rabe	der Herr
Genitiv	des Fürsten	des Raben	des Herrn
Dativ	dem Fürsten	dem Raben	dem Herrn
Akkusativ	den Fürsten	den Raben	den Herrn

186 Bei Wörtern mit den folgenden Ableitungssuffixen wird normalerweise im Genitiv, Dativ und Akkusativ die Endung -*en* angefügt:

Suffix	Beispiele
-it	der Bandit → des Banditen, dem Banditen, den Banditen
-ist	der Tourist → des Touristen, dem Touristen, den Touristen
-et	der Planet → des Planeten, dem Planeten, den Planeten
-ent	der Student → des Studenten (usw.)
-at	der Automat → des Automaten (usw.)
-and	der Konfirmand → des Konfirmanden (usw.)
-ant	der Fabrikant → des Fabrikanten (usw.)
-ot	der Patriot → des Patrioten (usw.)

Beispiele:

Kasus	Beispiele		
Nominativ	der Lieferant	der Quotient	der Satellit
Genitiv	des Lieferanten	des Quotienten	des Satelliten
Dativ	dem Lieferanten	dem Quotienten	dem Satelliten
Akkusaativ	den Lieferanten	den Quotienten	den Satelliten

Es gibt hier allerdings auch Ausnahmen, die wie die maskulinen Nomen mit s-Genitiv flektiert werden:

> der Profit (→ des Profits, dem Profit, den Profit), der Kontinent (→ des Kontinents), der Apparat (→ des Apparats), der Leutnant (→ des Leutnants).

187 Bei einigen Nomen schwankt die Bildung der Kasusformen:

> der Nachbar → des Nachbarn / des Nachbars (entsprechend: dem Nachbar[n], den Nachbar[n])
> der Vetter → des Vettern / des Vetters
> der Oberst → des Obersten / des Obersts
> der Magnet → des Magneten / des Magnets

188 Bei einigen maskulinen Nomen, die im Nominativ auf *-e* ausgehen, werden der Genitiv mit der Endung *-ns,* der Dativ und der Akkusativ mit der Endung *-n* gebildet. Ein Einzelfall mit teilweise ähnlichen Kasusendungen ist das Neutrum *Herz:*

Kasus	Beispiele		
Nominativ	der Glaube	der Buchstabe	das Herz
Genitiv	des Glaubens	des Buchstabens	des Herzens
Dativ	dem Glauben	dem Buchstaben	dem Herzen
Akkusaativ	den Glauben	den Buchstaben	das Herz

Wie *Glaube* werden außerdem die folgenden Nomen flektiert: *der Aberglaube, der Friede, der Funke, der Name, der Gedanke, der Haufe, der Same, der Wille.*

Bei den meisten dieser Nomen ist auch eine Nominativform gebräuchlich, die auf *-en* ausgeht: *der Frieden, der Haufen* usw.

189 Die Kasusendungen *-en* und *-n* können in bestimmten Fügungen weggelassen werden, sofern dem Nomen weder ein Artikel noch ein Pronomen noch ein Adjektiv vorangeht.

Nach Präpositionen:

Ohne Artikel, Pronomen oder Adjektiv → keine Kasusendung	Mit Artikel, Pronomen oder Adjektiv → Kasusendung *-en*
eine mittels *Satellit* übermittelte Fernsehsendung	eine mittels eines amerikanischen *Satelliten* übermittelte Fernsehsendung
eine Schafherde ohne *Hirt*	eine Schafherde ohne einen *Hirten*
eine Seele von *Mensch*	eine Seele von einem *Menschen*
am Wortende nach *Konsonant*	am Wortende nach einem *Konsonanten*
eine Lehrerin mit *Herz*	eine Lehrerin mit einem guten *Herzen*
(Zeitungsmeldung:) Alte Frau von *Bandit* überfallen	(Zeitungsmeldung:) Alte Frau von hinterhältigem *Banditen* überfallen

In Paarformeln:

Ohne Artikel, Pronomen oder Adjektiv → keine Kasusendung	Mit Artikel, Pronomen oder Adjektiv → Kasusendung *-en*
Bitte geben Sie *Name* und Adresse an.	Bitte geben Sie Ihren *Namen* und Ihre Adresse an.
Das war eine unangenehme Überraschung für *Architekt* und *Bauherr*.	Das war eine unangenehme Überraschung für den *Architekten* und den *Bauherrn*.
Die neue Regelung dient Arzt und *Patient*.	Die neue Regelung dient dem Arzt und dem *Patienten*.

In Nachträgen (Appositionen):

Ohne Artikel, Pronomen oder Adjektiv → keine Kasusendung	Mit Artikel, Pronomen oder Adjektiv → Kasusendung *-en*
ein Brief für Georg Werthmüller, *Assistent* am Physikalischen Institut	ein Brief für Georg Werthmüller, den neuen *Assistenten* am Physikalischen Institut

Bei Nomen, die als Titel gebraucht werden:

Ohne Artikel, Pronomen oder Adjektiv → keine Kasusendung	Mit Artikel, Pronomen oder Adjektiv → Kasusendung *-en*
die Pläne von *Architekt* Bleuler	die Pläne des *Architekten* Bleuler
das Konzert mit *Hofdirigent* Elias Richter	das Konzert mit dem *Hofdirigenten* Elias Richter

Eine Ausnahme bildet das Nomen *Herr,* das normalerweise auch ohne Artikel flektiert wird:

> ein Brief für *Herrn* Reimann (unüblich: für *Herr* Reimann), Herrn Zublers Bestellung (unüblich: *Herr* Zublers Bestellung).

Schwankend ist die Flexion bei den Titeln *Kollege* und *Genosse:*

> der Rapport von *Kollege* Aßler (oder: von *Kollegen* Aßler), ein Interview mit *Genosse* Grundmann (oder: mit *Genossen* Grundmann).

| 190 | ÜBUNG |

Bilde zu den folgenden Nomen alle Kasusformen des Singulars:

1. Wand; 2. Laub; 3. Gast; 4. Netz; 5. Fürst; 6. Wespe; 7. Name;
8. Kollege; 9. Kollegin; 10. Brunnen.

Eigennamen ohne Artikel

| 191 | Personennamen und viele geographische Eigennamen werden normalerweise ohne Artikel gebraucht. Solche Nomen bilden den Genitiv immer mit der kurzen Endung -s; sonst haben sie keine Kasusendungen:

Kasus	Beispiele			
Nominativ	Peter	Petra	Köln	Frankreich
Genitiv	Peters	Petras	Kölns	Frankreichs
Dativ	Peter	Petra	Köln	Frankreich
Akkusativ	Peter	Petra	Köln	Frankreich

Beispiele für die Genitivformen:

> *Peters* Zimmer, *Petras* Pläne, in *Kölns* Umgebung, die Küsten *Frankreichs*.

Artikellose Eigennamen, die im Nominativ auf einen s-Laut (*-s, -ß, -z, -tz, -x*) enden, bekommen kein Genitiv-s; statt dessen steht der Apostroph (das Auslassungszeichen):

> *Klaus'* Zimmer, *Beatrix'* Pläne, in *Neustrelitz'* Umgebung, an *Buenos Aires'* Stränden.

Bei mehrteiligen Namen bekommt nur der letzte Namenteil das Genitiv-s:

> *Werner Ritzmanns* Pläne, *Johann Sebastian Bachs* Werk, *New Yorks* Wolkenkratzer.

> (Mit Apostroph statt Genitiv-s:) Die Schüler lasen *Hans Sachs'* Gedichte. Die Weihnachtszeit verbrachten wir auf *Sankt Moritz'* Skipisten.

192 Wenn solche Eigennamen mit dem Artikel gebraucht werden (beispielsweise, wenn sie ein Adjektiv bei sich haben),
bleiben sie auch im Genitiv ohne Kasusendung. Das Genitiv-s fehlt
auch, wenn ihnen sonst irgendein Pronomen vorangeht:

> die Pläne der tatendurstigen *Petra;* das Geschäft des geizigen *Benno
> Pfennigspalter;* der Namenstag unseres *Lothar;* die Feldzüge des
> *Julius Cäsar;* die Innenstadt des heutigen *Köln;* die Industriestädte
> des nördlichen *Frankreich.*

Die Kasusendungen im Plural

193 Im Plural hat nur der Dativ eine eigene Endung, und auch
das nur bei Nomen, deren Nominativ Plural auf *-e, -er* oder
-el ausgeht. Diesen Nomen wird im Dativ die Endung *-n* (= Dativ-n) angefügt:

Kasus	Beispiele		
Nominativ	die Tage	die Kinder	die Vögel
Genitiv	der Tage	der Kinder	der Vögel
Dativ	den Tagen	den Kindern	den Vögeln
Akkusativ	die Tage	die Kinder	die Vögel

Alle übrigen Nomen haben keine besondere Endung für den Dativ
Plural:

Kasus	Beispiele		
Nominativ	die Balken	die Regeln	die Kameras
Genitiv	der Balken	der Regeln	der Kameras
Dativ	den Balken	den Regeln	den Kameras
Akkusativ	die Balken	die Regeln	die Kameras

194 Bei Maßbezeichnungen, die auf *-er* oder *-el* ausgehen, darf
das Dativ-n fehlen, vor allem wenn sie vor einem weiteren
Nomen stehen:

auf 500 *Meter[n]* Höhe, eine Flasche mit zwei *Liter[n]* Sirup, eine Straße von vier *Kilometer[n]* Länge, ein Schwein von vier *Zentner[n]* Gewicht, mit nur drei tausendstel *Millimeter[n]* Abstand.

Vergleiche auch:

innerhalb von vier *Kilometer[n]*, in zwei *Drittel[n]* aller Fälle.

| 195 | ÜBUNG |

Die folgenden Sätze enthalten Nomen mit falschen Flexionsformen (falsche Pluralformen oder falsche Kasusformen); berichtige sie.

1. Auf Roms Dächer bleibt der Schnee nicht lange liegen. 2. Das Parlament änderte den umstrittenen Paragraphen doch noch ab. 3. Der Brief an Herr Osterwalder ist wegen eines Irrtums des Briefträger in unserem Briefkasten gelandet. 4. Der Fuchs wagte sich in die Höhle des Löwens. 5. Die Jubilaren erhielten an der Jubiläumsfeier einen Früchtekorb. 6. Die Latte war mit drei Nägel an der Unterseite des Querbalken befestigt. 7. Die Räder des Omnibus drehten auf der glitschigen Fahrbahn durch. 8. Die Sendungen des Satellits können mittels eines Parabolspiegel empfangen werden. 9. Die Spaghettis schmeckten uns ausgezeichnet. 10. Die ständige Wiederholung desselben Rhythmus brachte die Zuhörer in Trance. 11. Die Vorschläge des Ausschuß liegen schon ein Monat in der Schublade, ohne daß etwas geschehen wäre. 12. Für den Direktoren wurde ein Telegramm abgegeben. 13. Gestern nacht ist eine alte Frau in der Straßenunterführung von einem brutalen Banditen überfallen worden. 14. In Deutschlands Wälder gibt es keine wilden Bären mehr. 15. Petrus wartet an der Pforte des Paradieses auf alle, die in den Himmel wollen. 16. Visas in die USA müssen rechtzeitig beantragt werden. 17. Das Angebot dieses Getränkeautomats ist nicht gerade reichhaltig. 18. Die Reparatur des Apparats war teuer.

Das Nomen im Rechtschreibe-Duden

196 Häufig ist man nicht ganz sicher, welches die richtigen Kasus- oder Pluralformen eines Nomens sind. In diesem Fall hilft ein Blick in den Rechtschreibe-Duden. Hier sind nämlich bei den meisten Nomen Angaben zum Genus und zur Flexion beigefügt. Nach dem eigentlichen Stichwort stehen die folgenden Angaben:

– der *bestimmte Artikel,* da an ihm das *Genus* besonders gut abgelesen werden kann (↑ 149, 253);

– die *Endung* des *Genitivs Singular,* von der auch die Kasusendungen des Dativs und des Akkusativs abgeleitet werden können (↑ 179 ff.);

– die *Endung* des *Nominativs Plural,* die auch für den Genitiv Plural und den Akkusativ Plural gilt. Im Dativ Plural muß nötigenfalls noch die Endung *-n* angefügt werden (↑ 193).

Beispiele:

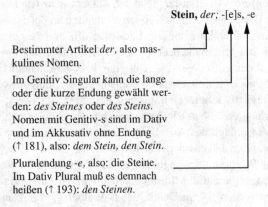

Stein, *der;* -[e]s, -e

Bestimmter Artikel *der,* also maskulines Nomen.

Im Genitiv Singular kann die lange oder die kurze Endung gewählt werden: *des Steines* oder *des Steins.* Nomen mit Genitiv-s sind im Dativ und im Akkusativ ohne Endung (↑ 181), also: *dem Stein, den Stein.*

Pluralendung *-e,* also: die Steine. Im Dativ Plural muß es demnach heißen (↑ 193): *den Steinen.*

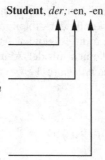

Student, *der;* -en, -en

Bestimmter Artikel *der,* also maskulines Nomen.

Genitivendung *-en,* also: *des Studenten.* Nomen mit der Endung *-en*
im Genitiv haben diese Endung
auch im Dativ und im Akkusativ
(↑ 185): *dem Studenten, den Studenten.*

Pluralendung -en, also: *die Studenten.*

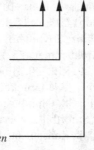

Kraft, *die; –,* Kräfte

Bestimmter Artikel *die,* also femi-
nines Nomen.

Ein Strich bedeutet Endungslosig-
keit, Genitiv also: *der Kraft.*

Pluralformen mit Umlaut oder
sonstigen Stammänderungen
werden ganz oder teilweise aus-
geschrieben. Die Form des Dativs
Plural läßt sich ableiten (↑ 193): *den
Kräften.*

---

197 Bei zusammengesetzten Nomen finden sich keine Angaben
zu Genus und Flexion. Statt dessen muß man beim Grundwort nachsehen, da zusammengesetzte Nomen immer dessen
Genus und dessen Flexionsmerkmale übernehmen (↑ 152, 381). Die
Eigenheiten des Nomens *Dachfenster* lassen sich also von denjenigen des Grundworts *Fenster* ableiten, ebenso diejenigen des Nomens *Marktplatz* von *Platz,* die von *Büchergestell* von *Gestell* usw.

Bei Nomen mit bestimmten Ableitungsendungen muß man im vor-
deren Teil des Rechtschreibe-Duden nachschlagen, nämlich bei
den »Hinweisen für den Benutzer«. Hier findet man die Angaben
zu Genus und Flexion für die folgenden Ableitungsendungen:

-chen, -lein, -ei, -er, -heit, -keit, -ling, -schaft, -tum, -ung.

Abgeleitete Nomen übernehmen immer das Genus und die Flexionsmerkmale der Ableitungsendung (↑ 153). Zur Endung *-ung* finden sich die folgenden Angaben: *die, –, -en*. Diese gelten also für alle Nomen mit der Ableitungsendung *-ung: Änderung, Meinung, Untersuchung, Verbesserung* ...

| 198 | ÜBUNG |

Wie müßten im Rechtschreibe-Duden die folgenden Nomen aufgeführt sein?

1. Hund; 2. Narr; 3. Herr; 4. Auge; 5. Äuglein; 6. Flasche; 7. Rechnung; 8. Muster; 9. Rabe; 10. Bilderrahmen; 11. Kunst; 12. Süßigkeit; 13. Fuß; 14. Fluß; 15. Insel; 16. Kloster; 17. Staat; 18. Schiebetür; 19. Prinz; 20. Studio; 21. Wand; 22. Blättchen; 23. Gewinner; 24. Büroklammer; 25. Rhinozeros; 26. Album; 27. Mineral; 28. Fossil; 29. Riß; 30. Hindernis; 31. Erschwernis; 32. Planet; 33. Schlucht; 34. Druckerei; 35. Wissenschaft; 36. Turm; 37. Türmlein; 38. Omnibus; 39. Zyklus; 40. Maler; 41. Malerin; 42. As; 43. Sofortbildkamera; 44. Villa; 45. Prinzip; 46. Protest; 47. Tourist; 48. Konsument; 49. Hobby; 50. Gemeinheit.

Werner Finck: Beugung

Der Mut
des Mutes
Demut

Die Begleiter und Stellvertreter des Nomens: Pronomen und Artikel

Übersicht

199 *Begleiter* oder *Stellvertreter* des Nomens sind Wörter mit folgenden grammatischen Eigenschaften:

1. Sie sind meist nach dem *Genus* (dem grammatischen Geschlecht) flektierbar. Anders als die Nomen haben sie aber kein *festes* Genus: Sie können in allen drei Genera vorkommen (Maskulinum, Femininum oder Neutrum). *Welches* Genus steht, bestimmt sich nach dem Nomen, das sie begleiten oder vertreten (↑ 149).

2. Sie sind grundsätzlich nach dem *Numerus* (der grammatischen Zahl) bestimmt, stehen also im *Singular* oder im *Plural*.

3. Sie können nach dem Kasus (dem Fall) flektiert werden, stehen also im *Nominativ, Genitiv, Dativ* oder *Akkusativ*.

Die Begleiter und Stellvertreter des Nomens bilden eine geschlossene Gruppe: Es gibt hier nicht wie bei anderen Wortarten ständig Neubildungen. Nach ihrer Bedeutung und nach der Aufgabe, die sie im Satz erfüllen, werden sie in Untergruppen eingeteilt. Der am häufigsten vorkommende Begleiter des Nomens ist der *Artikel*.

Friedel Thiekötter: Öffentliche Meinung

Ich und du,
Müllers Kuh,
Müllers Esel,
das sind die anderen.

---

200 Die Tabelle auf der folgenden Seite zeigt die in unserer Sprache vorkommenden Begleiter und Stellvertreter des Nomens im Überblick:

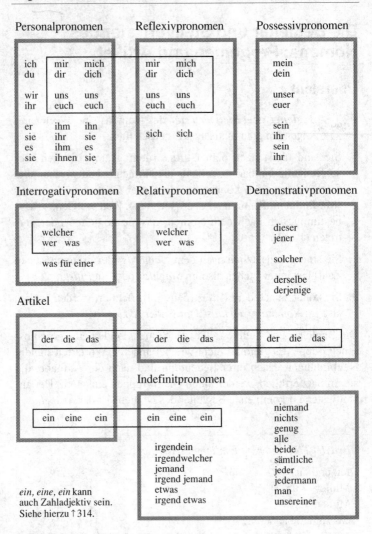

Personalpronomen

ich	mir	mich
du	dir	dich
wir	uns	uns
ihr	euch	euch
er	ihm	ihn
sie	ihr	sie
es	ihm	es
sie	ihnen	sie

Reflexivpronomen

mir	mich
dir	dich
uns	uns
euch	euch
sich	sich

Possessivpronomen

mein
dein

unser
euer

sein
ihr
sein
ihr

Interrogativpronomen

welcher
wer was

was für einer

Relativpronomen

welcher
wer was

Demonstrativpronomen

dieser
jener

solcher

derselbe
derjenige

Artikel

der die das

der die das

der die das

Indefinitpronomen

ein eine ein

ein eine ein

irgendein
irgendwelcher
jemand
irgend jemand
etwas
irgend etwas

niemand
nichts
genug
alle
beide
sämtliche
jeder
jedermann
man
unsereiner

ein, eine, ein kann
auch Zahladjektiv sein.
Siehe hierzu ↑ 314.

In einigen Unterarten gibt es Pronomen, die mit denen anderer Unterarten formgleich sind. Pronomen dieser Art sind in der obenstehenden Tabelle besonders gekennzeichnet.

201 Begleiter stehen *vor* einem Nomen:

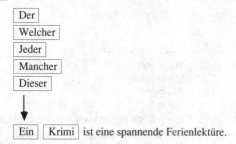

Zwischen Begleiter und Nomen können Adjektive (auch erweiterte) stehen (↑ 529):

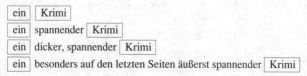

Als *Stellvertreter* ersetzen Pronomen ein Nomen bzw. eine Wortgruppe mit einem Nomen als Kern:

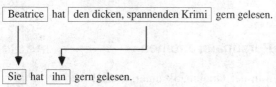

202 Wenn Pronomen *Stellvertreter* sind, richten sie sich im Numerus und im Genus nach dem Nomen, das sie vertreten:

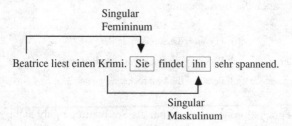

Begleiter eines Nomens richten sich nicht nur im Numerus und im Genus, sondern auch im *Kasus* nach dem Nomen:

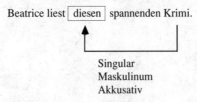

Beatrice liest │ diesen │ spannenden Krimi.

Singular
Maskulinum
Akkusativ

Numerus, Genus und Kasus können bei vielen Begleitern und Stellvertretern an den Flexionsendungen abgelesen werden:

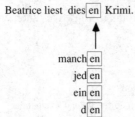

Beatrice liest dies│en│ Krimi.

manch│en│
jed│en│
ein│en│
d│en│

Das Personalpronomen

203 In der Grammatik unterscheidet man drei *Personen:* die *sprechende,* die *angesprochene* und die *besprochene* Person. Alle drei kommen im Singular und im Plural vor. Auf die *Person* bezieht sich das *Personalpronomen* oder *persönliche Fürwort* (daher auch die Bezeichnung):

ich, wir	1. Person = die sprechende Person
du, ihr	2. Person = die angesprochene Person
er, sie, es; sie	3. Person = die besprochene Person

Das Personalpronomen wird nur als Stellvertreter gebraucht.

| **204** | Das Personalpronomen bildet folgende Formen: |

	1. Person	2. Person	3. Person		
			maskulin	feminin	neutral
Singular					
Nominativ	ich	du	er	sie	es
Genitiv	meiner	deiner	seiner	ihrer	seiner
Dativ	mir	dir	ihm	ihr	ihm
Akkusativ	mich	dich	ihn	sie	es
Plural					
Nominativ	wir	ihr	sie		
Genitiv	unser	euer	ihrer		
Dativ	uns	euch	ihnen		
Akkusativ	uns	euch	sie		

| **205** | Die 3. Person wird vor allem verwendet, um auf etwas zu verweisen, was schon erwähnt worden ist. Das können |

Menschen oder andere Lebewesen sein, aber auch Dinge, Handlungen, Vorgänge oder Zustände:

Dort kommt Angelika . Sie kommt vom Sportplatz.

Das ist ein Kaktus . Im Winter hat er rote Blüten.

Dieses Bild ist sehr bekannt. Es stammt von Rembrandt.

Eliane hat einen Einfall . Er gefällt allen.

Auf Vorerwähntes kann man auch mit anderen Pronomen verweisen, zum Beispiel mit einem Demonstrativpronomen (↑ 220):

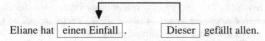

Eliane hat einen Einfall . Dieser gefällt allen.

206	ÜBUNG

In den folgenden Sätzen wirkt die ständige Wiederholung von Nomen unschön, manchmal geradezu falsch. Korrigiere hier, indem du Nomen durch Pronomen ersetzt:

1. Der Kühlschrank steht in der Küche. Sandra öffnet den Kühlschrank, um zu sehen, ob der Kühlschrank noch mit genug Lebensmitteln gefüllt ist. Doch der Kühlschrank ist leer. Sandra ärgert sich, denn jetzt muß Sandra noch rasch einkaufen gehen.

2. Karin ist wütend auf Jürg. Jürg hat Karin nicht rechtzeitig mitgeteilt, daß Jürg nicht kommen kann. Karin findet, daß Jürg sich dafür entschuldigen soll, daß Karin eine Stunde auf Jürg gewartet hat.

3. Stefanie liest mit Wonne einen Krimi. Der Krimi ist so spannend, daß Stefanie den Krimi nicht weglegen kann. Stefanie muß den Krimi unbedingt zu Ende lesen. Stefanie hat darum erst gegen drei Uhr morgens den Krimi zugeklappt. Und einschlafen kann Stefanie gar erst gegen vier Uhr, so lange geht Stefanie der Krimi noch durch den Kopf.

207	Die Pronomen der 2. Person *(du, dir, dich; ihr, euch …)* verwendet man nur gegenüber Personen, mit denen man

vertraut ist oder die der gleichen Gemeinschaft oder Gruppe (Schule, Verein, Betrieb, Partei usw.) angehören:

> Anita sagte zu Karin: »Gestern habe ich *dich* in der Stadt gesehen. *Du* bist mit Peter in ein Schallplattengeschäft gegangen. Habt *ihr* eine Schallplatte gekauft? Ich konnte *euch* nicht guten Tag sagen, weil ich *euch* nur von weitem gesehen habe.«

In geschriebener Sprache schreibt man diese Pronomen groß, wenn man mit ihnen den Leser anspricht, also beispielsweise in einem *Brief:*

> Liebe Karin!
>
> Ich schicke *Dir* und Peter den Krimi per Post, damit *Ihr* ihn in die Ferien mitnehmen könnt. Ich habe diese Woche so viel zu tun, daß ich bei *Euch* nicht selber vorbeikommen kann.

208 Für die *förmliche Anrede* verwendet man im Deutschen nicht – wie man eigentlich erwarten könnte – ein Pronomen der 2. Person, sondern die *3. Person Plural* des Personalpronomens, *Höflichkeitsform* genannt. Das gilt unabhängig davon, ob man sich nur an eine einzige Person wendet oder an mehrere. Das Pronomen wird in diesem Fall immer *groß geschrieben:*

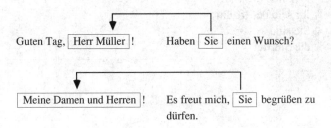

209 ÜBUNG

Ersetze im folgenden Brief die Pronomen der 2. Person durch die Höflichkeitsform:

Liebes Vereinsmitglied!

Du hast sicher schon gehört, daß unser Verein wieder ein Sommernachtsfest veranstaltet. Als Mitglied bist Du selbstverständlich ohnehin herzlich eingeladen; die Einladung gilt aber auch für Deine Kollegen und Kolleginnen. Erfreulich wäre es, wenn Du Dich an den Vorbereitungen beteiligtest – und besonders erfreulich, wenn Du noch weitere Leute dazu gewinnen könntest. Ihr könnt Euch dafür an einem besonderen Helferfest verwöhnen lassen, das wir für Euch auf Anfang September planen und für das wir Euch dann besondere Einladungen zukommen lassen.

Wir freuen uns auf Dich und Deine Bekannten.

Der Vereinsvorstand

Erich Fried: Einzahl

Deine Rede sei
ICH DU ER SIE ES
was darüber ist
das ist von Übel

Wir sind die Wirrnis
Ihr seid der Irrtum
Sie sind
die Sintflut

Das Reflexivpronomen

210 Nah zum Personalpronomen gehört das *Reflexivpronomen* oder *rückbezügliche Fürwort*. Es hat die gleichen Wortformen wie das Personalpronomen – einzig im Dativ und Akkusativ der 3. Person gibt es eine besondere Wortform: *sich*.

Das Reflexivpronomen bezieht sich normalerweise auf das *Subjekt* des Satzes (diesem Bezug verdankt es auch seinen Namen). Dieses kann ein Personalpronomen im Nominativ oder eine Wortgruppe mit einem Nomen im Nominativ sein (↑ 472):

Nicht Reflexivpronomen, sondern Personalpronomen liegen daher in folgenden Fällen vor (die Pronomen beziehen sich nicht auf das Subjekt):

Ich sah **dich** im Spiegel.

Ich sah **ihn** im Spiegel.

Du sahst **mich** im Spiegel.

Er sah **ihn** im Spiegel.

(usw.)

| 211 | ÜBUNG |

Flektiere die folgenden reflexiven Verben in allen Personen des Indikativs Präsens. Steht das Reflexivpronomen im Dativ oder im Akkusativ?

1. sich über etwas freuen; 2. sich etwas vornehmen; 3. sich darum kümmern; 4. sich beeilen.

Burckhard Garbe: für sorge

ich für mich
du für dich
er für sich
wir für uns
ihr für euch
jeder für sich

| 212 | Bei einer wechselseitigen Beziehung wählt man oft statt des Reflexivpronomens das Pronomen *einander*. Man bezeichnet es als *reziprokes Pronomen:*

Mit Reflexivpronomen	Mit reziprokem Pronomen
Susanne und Gabi rieben *sich* (gegenseitig) den Rücken mit Sonnenschutzcreme ein.	Susanne und Gabi rieben *einander* den Rücken mit Sonnenschutzcreme ein.
Thomas und Walter haben (gegenseitig) Photos von *sich* gemacht.	Thomas und Walter haben Photos *voneinander* gemacht.

Das reziproke Pronomen wirkt freilich etwas gehoben und wird daher in der Alltagssprache eher gemieden. Übrigens: Es wird mit Präpositionen immer zusammengeschrieben: *voneinander, miteinander, auseinander* ...

Das Possessivpronomen

213 Zu jedem Personalpronomen gibt es ein *Possessivpronomen* oder *besitzanzeigendes Fürwort:*

	Personalpronomen	Possessivpronomen
1. Person	ich wir	mein unser
2. Person	du ihr	dein euer
3. Person	er sie es sie (Sie)	sein ihr sein ihr (Ihr)

Das Possessivpronomen zur Höflichkeitsform *Sie* wird wie diese immer groß geschrieben; hingegen werden die Possessivpronomen *dein* und *euer* wie die entsprechenden Personalpronomen *du* und *ihr* nur in Briefen groß geschrieben.

214 Durch das Possessivpronomen wird häufig ein Besitz- oder Zugehörigkeitsverhältnis ausgedrückt. (Diesem Umstand verdankt das Pronomen seinen Namen: lat. possessivus = besitzanzeigend.)

> Das ist *mein* Buch: Es gehört mir.
> Das ist *meine* Familie: Sie gehört zu mir, wir gehören zueinander.
> Das ist *meine* Heimat: Sie gehört zu mir, ich gehöre zu ihr.

Possessivpronomen stehen aber auch bei Verhältnissen, die mit »Besitz« oder »Zugehörigkeit« nur schlecht erfaßt werden können:

> Ich muß gehen, *mein* Zug fährt um 9.38 Uhr. *Ihre* Beschreibung war für uns sehr hilfreich. *Seine* Verhaftung steht unmittelbar bevor.

Liselotte Rauner

Mein Arbeitsplatz
ist nicht mein Arbeitsplatz
denn mein
ist ein besitzanzeigendes Fürwort

---

215 Das Possessivpronomen stimmt mit dem »Besitzer« in einer Reihe von grammatischen Merkmalen überein: in der Person, im Numerus und (in der 3. Person) auch im Genus:

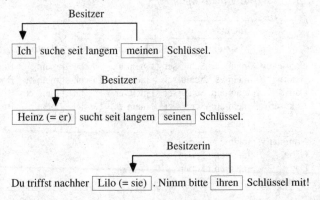

Besitzer

Ich suche seit langem meinen Schlüssel.

Besitzer

Heinz (= er) sucht seit langem seinen Schlüssel.

Besitzerin

Du triffst nachher Lilo (= sie). Nimm bitte ihren Schlüssel mit!

| 216 | ÜBUNG |

In der folgenden Übung gehören immer zwei Sätze zusammen. In beiden Sätzen wird dasselbe Nomen gebraucht – auf eine sehr umständliche Weise. Verbessere mit Hilfe von Possessivpronomen:

1. Daniela hat heute einen kranken Kollegen im Krankenhaus besucht. Der Zustand des Kollegen hat sich gebessert. 2. Erich hat ein neues Buch gekauft. Der Titel des Buches ist »Der schielende Löwe«. 3. Barbara hat einen Wellensittich bekommen. Die Farbe des Wellensittichs ist blau. 4. Müllers haben zwei Töchter. Die Namen der Töchter lauten Eveline und Lydia. 5. Die Handwerker haben ein neues Rohr verlegt. Der Durchmesser des Rohrs beträgt 30 Zentimeter. 6. Erwin zog nach Reutlingen. Erwins Nachbarn sind Norweger.

| 217 | Das Possessivpronomen stimmt mit dem Nomen, dessen Begleiter es ist, in Numerus, Genus und Kasus überein (siehe auch ↑ 202). Dies zeigt sich an seinen Flexionsendungen:

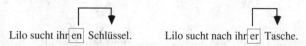

Lilo sucht ihr|en| Schlüssel.   Lilo sucht nach ihr|er| Tasche.

| 218 | Die folgende Tabelle zeigt die Flexionsformen des Possessivpronomens *mein*:

	Singular		
	Maskulinum	Femininum	Neutrum
Nominativ	mein Schlüssel	mein-e Tasche	mein Buch
Genitiv	mein-es Schlüssels	mein-er Tasche	mein-es Buches
Dativ	mein-em Schlüssel	mein-er Tasche	mein-em Buch
Akkusativ	mein-en Schlüssel	mein-e Tasche	mein Buch
	Plural		
Nominativ	mein-e Ferien		
Genitiv	mein-er Ferien		
Dativ	mein-en Ferien		
Akkusativ	mein-e Ferien		

Die übrigen Possessivpronomen haben die gleichen Flexionsendungen.

| 219 | Wenn das Possessivpronomen als Stellvertreter gebraucht wird, werden die endungslosen Formen durch solche mit Flexionsendungen ersetzt: |

> Das ist nicht dein Schlüssel, sondern *meiner*.

> Das linke Bild ist von Eva, das rechte von Rolf: Welches gefällt dir besser, *seines* oder *ihres?*

Genau wie das Possessivpronomen *mein* werden außerdem *kein*, *ein* und *irgendein* flektiert. Wenn sie als Stellvertreter gebraucht werden, haben sie statt der endungslosen Formen ebenfalls solche mit Endungen:

> Das konnte *kein* Mensch ahnen. – Das konnte *keiner* ahnen.

> Wähl dir *irgendein* Bild aus! – Wähl dir von diesen Bildern *irgendeines* aus!

Burckhard Garbe: seelsorge

meiner	seel
deiner	seel
seiner	seel
ihrer	seel
seiner	seel
unser	seel
euer	seel
ihrer	seel
aller	seelen

Das Demonstrativpronomen

220 Als *Demonstrativpronomen* faßt man die folgenden Pronomen zusammen, mit denen man auf etwas zeigen oder hinweisen kann; sie heißen daher auch *hinweisende Fürwörter*:

der, die, das	derselbe, dieselbe, dasselbe
dieser, diese, dieses	derjenige, diejenige, dasjenige
jener, jene, jenes	solcher, solche, solches

Demonstrativpronomen können als Begleiter und als Stellvertreter des Nomens gebraucht werden.

dieser, diese, dieses – jener, jene, jenes

221 Mit dem Demonstrativpronomen *dieser* kann ein Sprecher auf eine Person oder eine Sache hinweisen, die ihm räumlich oder zeitlich nahe ist; mit *jener* verweist man auf Entfernteres:

> In *diesem* Haus wohnt Gabi, in *jenem* Haus Jürg. (Das Haus von Gabi, auf das ich mit »diesem« verweise, ist räumlich näher als das Haus von Jürg, auf das ich mit »jenem« verweise.)
>
> (Ebenso für zeitliches Verweisen:) dieser Tag – jener Tag.

Beide Pronomen können sowohl als Begleiter wie auch als Stellvertreter gebraucht werden:

Cécile hat sich zwei Bücher gekauft.

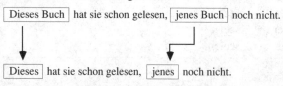

222 Die Demonstrativpronomen *dieser* und *jener* passen sich dem Nomen, das sie begleiten oder vertreten, im Numerus und im Genus an; als Begleiter stimmen sie mit ihm außerdem im Kasus überein (siehe dazu auch ↑ 202). Dies wird an ihren Fle-

xionsformen sichtbar. Die folgende Tabelle zeigt dies anhand der
Flexionsformen von *dieser:*

	Singular					
	Maskulinum		Femininum		Neutrum	
Nominativ	dies-er	Schlüssel	dies-e	Tasche	dies-es	Buch
Genitiv	dies-es	Schlüssels	dies-er	Tasche	dies-es	Buches
Dativ	dies-em	Schlüssel	dies-er	Tasche	dies-em	Buch
Akkusativ	dies-en	Schlüssel	dies-e	Tasche	dies-es	Buch
	Plural					
Nominativ	dies-e	Leute				
Genitiv	dies-er	Leute				
Dativ	dies-en	Leuten				
Akkusativ	dies-e	Leute				

In Stellvertreterposition wird statt *dieses* meist die Kurzform *dies*
gebraucht:

> Hast du *dies* schon gesehen? *Dies* stimmt nicht. Ich habe noch *dies*
> und das zu besorgen.

Das Pronomen *jener* wird wie *dieser* flektiert.

223 Wie *dieser* und *jener* werden noch die folgenden Pronomen flektiert: *alle, jeder, welcher, irgendwelcher.* Diese
Pronomen können (im Gegensatz zu *dieser* und *jener*) im Genitiv
Singular Maskulinum und Neutrum statt auf *-es* auch auf *-en* ausgehen, wenn ein Nomen mit s-Genitiv (Endung *-s* oder *-es*) folgt:

Nomen (oder Nominalisierung) mit s-Genitiv → Pronomen mit Endung *-es* oder *-en*	Nomen (oder Nominalisierung) mit anderer Endung → Pronomen nur mit Endung *-es*
Prüfungen sind die Plage *jedes* Schülers (oder: *jeden* Schülers).	Prüfungen sind die Plage *jedes* Studenten.
Welches Ereignisses (oder: *Welchen* Ereignisses) entsinnst du dich?	*Welches* Menschen entsinnst du dich?
Das ist die Wurzel *alles* Übels (oder: *allen* Übels).	Das ist die Wurzel *alles* Bösen.

224 Einige weitere Indefinitpronomen werden ebenfalls wie *dieser* flektiert, haben aber im Genitiv Singular Maskulinum und Neutrum nur noch die Endung *-en*. Ihre Endungen stimmen so ganz mit den starken Endungen des Adjektivs überein (↑ 272):

> Trotz *einigen* Ärgers blieben wir. Sie entbehrten *sämtlichen* Materials.

der, die, das

225 Wenn *der, die, das* Demonstrativpronomen ist, so ist es – anders als der bestimmte Artikel (↑ 252 ff.) – betont:

> So eine dünne Brühe! *Den* Kaffee habe ich nicht gekocht!
> Was, *der* Hund soll bissig sein?
> *Der* Junge? Nein, *den* kenne ich nicht.
> Auf *das* Schiff passen wir bestimmt nicht alle drauf!

Als Demonstrativpronomen kann *der, die, das* Begleiter oder Stellvertreter sein:

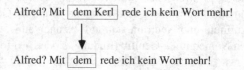

In Stellvertreterposition steht es also da, wo häufiger ein Personalpronomen steht; das Personalpronomen bietet die neutralere und in der Regel höflichere Formulierung:

> Alfred? Mit ⎡ ihm ⎤ rede ich kein Wort mehr!

Besonders häufig wird die Form *das* als Stellvertreter gebraucht:

> Siehst du jene Frau dort? *Das* ist meine Chefin.
> Wie *das* blitzt und donnert!

Wenn *der, die, das* Begleiter eines Nomens ist, kann der Gebrauch
als Demonstrativpronomen und der Gebrauch als bestimmter Artikel nicht immer eindeutig voneinander unterschieden werden.

Manfred Eichhorn: Der da

Der da
Der lehrling
Da
Der soll die straße kehren
Der da
Wenn der da
Der lehrling da
Nicht pariert
Schmeiß ich den da
Den lehrling da
Raus

226 Die folgende Tabelle zeigt die Flexionsformen von *der,
die, das* beim Gebrauch als *Begleiter:*

	Singular		
	Maskulinum	Femininum	Neutrum
Nominativ	der Schlüssel	die Tasche	das Buch
Genitiv	des Schlüssels	der Tasche	des Buches
Dativ	dem Schlüssel	der Tasche	dem Buch
Akkusativ	den Schlüssel	die Tasche	das Buch
	Plural		
Nominativ	die Leute		
Genitiv	der Leute		
Dativ	den Leuten		
Akkusativ	die Leute		

Beim Gebrauch als *Stellvertreter* hat *der, die, das* teilweise andere
(längere) Flexionsformen als beim Gebrauch als *Begleiter:*

	Singular		
	Maskulinum	Femininum	Neutrum
Nominativ	der	die	das
Genitiv	dessen	deren / derer	dessen
Dativ	dem	der	dem
Akkusativ	den	die	das
	Plural		
Nominativ	die		
Genitiv	deren / derer		
Dativ	denen		
Akkusativ	die		

227 Die Formen *dessen* und *deren* können oft in den gleichen Positionen gebraucht werden wie das Possessivpronomen (↑ 213):

> (Possessivpronomen:) Da kommt Thomas und *sein* Freund.
> (Demonstrativpronomen:) Da kommt Thomas und *dessen* Freund.

Manchmal lassen sich durch den Einsatz von *dessen* oder *deren* Mehrdeutigkeiten vermeiden:

> Sabine begrüßte ihre Schwester und *ihren* Freund.

Wer ist mit *ihren Freund* gemeint? In Frage kommt: 1. der Freund von Sabine und 2. der Freund von Sabines Schwester. Durch die Verwendung von *deren* wird diese Mehrdeutigkeit beseitigt:

> Sabine begrüßte ihre Schwester und *deren* Freund.

Ebenso:

> (Unklar:) Alex begrüßte Thomas und *seinen* Freund.
> (Eindeutig:) Alex begrüßte Thomas und *dessen* Freund.

Anders als die Possessivpronomen passen sich die Formen *dessen* und *deren* im Kasus nicht weiter an das Nomen an, bei dem sie stehen:

> Alex kam mit Thomas und *seinem neuen* Freund.

> Alex kam mit Thomas und *dessen neuem* Freund (falsch: *dessem neuen* Freund).

Zur Flexion des Adjektivs nach *dessen* und *deren* siehe ↑ 279.

---

228 Der Genitiv *derer* wird nur vorausweisend gebraucht:

> Der König lebte auf Kosten *derer*, die er verachtete.
> Der Pfarrer gedachte *derer*, die im letzten Jahr verstorben sind.
> Diese Burg war der Sitz *derer* von Schrundenstein.

---

229 ÜBUNG

Ersetze die kursiv (schräg) gesetzten Nomen durch *dessen, deren* oder *derer*. (Unter Umständen muß dabei die Wortstellung etwas angepaßt werden.)

1. Norbert sah Marcel und *Marcels* Schwester im Schwimmbad. 2. Die Archäologin suchte bei der Grabkammer und der näheren Umgebung *der Grabkammer* nach weiteren Funden. 3. Dickleibigkeit ist der Feind *der Leute,* die gern reichlich essen. 4. Abends wollten die Katze, die Hündin und die putzigen Jungen *der Hündin* immer ins Haus kommen. 5. Uli hat den Architekten und den Bauführer *des Architekten* um einen Terminvorschlag gebeten. 6. Martin hat Tobias im Auftrag *von Tobias* einen Verstärker besorgt. 7. Das Schloß *der Grafen* von Teuffengrund ist heute eine Jugendherberge.

Andere Demonstrativpronomen

230 Zu den Demonstrativpronomen rechnet man auch *derselbe, dieselbe, dasselbe.* Auch dieses Pronomen wird als Begleiter und als Stellvertreter gebraucht:

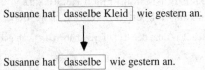

Susanne hat ⎡ dasselbe Kleid ⎤ wie gestern an.

Susanne hat ⎡ dasselbe ⎤ wie gestern an.

Weitere Beispiele finden sich auf der folgenden Seite.

(Gebrauch als Begleiter:) Erich und Sonja haben *denselben* Heimweg. Das ist doch *derselbe* Film, der schon vor einem halben Jahr in diesem Kino gelaufen ist! Anita hat *dieselben* Freunde wie Ingrid.

(Gebrauch als Stellvertreter:) Alle Zeugen haben *dasselbe* ausgesagt. Yvonne ärgert sich über *dasselbe* wie Ulla.

231 Bei *derselbe* handelt es sich um eine Verbindung von *der, die, das* und *selb*. Das wird noch daran deutlich, daß beide Bestandteile flektiert werden:

	Singular		
	Maskulinum	Femininum	Neutrum
Nominativ	derselbe Weg	dieselbe Tasche	dasselbe Buch
Genitiv	desselben Weges	derselben Tasche	desselben Buches
Dativ	demselben Weg	derselben Tasche	demselben Buch
Akkusativ	denselben Weg	dieselbe Tasche	dasselbe Buch
	Plural		
Nominativ	dieselben Leute		
Genitiv	derselben Leute		
Dativ	denselben Leuten		
Akkusativ	dieselben Leute		

Der Bestandteil *der, die, das* kann wie der bestimmte Artikel mit einer Präposition verschmelzen (↑ 256):

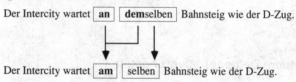

Der Intercity wartet an demselben Bahnsteig wie der D-Zug.

Der Intercity wartet am selben Bahnsteig wie der D-Zug.

232 Ähnlich wie *derselbe* ist *derjenige* eine Verbindung, und zwar aus *der, die, das* und *jenig*. Dieses Pronomen weist meistens vorwärts, zum Beispiel auf einen Relativsatz (↑ 545). Es kann als Begleiter und als Stellvertreter gebraucht werden:

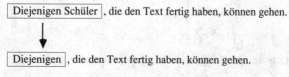

Diejenigen Schüler, die den Text fertig haben, können gehen.

Diejenigen, die den Text fertig haben, können gehen.

233 ÜBUNG

Setze die passenden Formen des Pronomens *derselbe* ein:

1. Onkel Fritz trägt sommers und winters (…). 2. Gestern ist Edi an genau (…) Stelle die Einkaufstüte geplatzt wie vorgestern. 3. An / Am (…) Ort habe ich auch schon eine Panne erlebt. 4. Rita pfeift immer (…) Melodie. 5. Stellen Sie die restlichen Kisten in / ins (…) Zimmer! 6. Auf der Wanderung tranken meine Freundin und ich aus (…) Becher.

Das Relativpronomen

234 Zu den *Relativpronomen* gehören die folgenden Pronomen:

der, die, das
welcher, welche, welches
wer, was

Ihre Hauptaufgabe besteht darin, eine bestimmte Art von Nebensätzen einzuleiten: die sogenannten Relativsätze (↑ 545). Relativsätze beziehen sich auf eine Stelle im übergeordneten Satz, an der oft ein Nomen oder ein Pronomen steht. Das Relativpronomen macht diesen Bezug deutlich; deswegen heißen Relativpronomen auch *bezügliche Fürworter*.

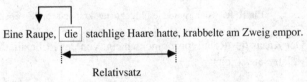

Eine Raupe, die stachlige Haare hatte, krabbelte am Zweig empor.

Relativsatz

235 ÜBUNG

In den folgenden Satzpaaren kommt jeweils ein Nomen doppelt vor. Ersetze es im jeweils zweiten Satz durch ein Relativpronomen und füge den entstandenen Relativsatz in den ersten Satz ein! Beispiel:

> Der Käfer heißt Skarabäus. *Der Käfer krabbelt dort.*
> → Der Käfer, *der dort krabbelt,* heißt Skarabäus.

1. Die Wohnung ist leider schon vermietet. Wir haben uns die Wohnung gestern angeschaut. 2. Das Pferd trabt allein weiter. Der Reiter des Pferds ist aus dem Sattel gerutscht. 3. Ich kenne die Leute ziemlich genau. Du hast von den Leuten erzählt. 4. Versuch doch mal den Käse. Ich habe dir den Käse mitgebracht. 5. Barbara ist mit ihrer kleinen Schwester allein im Haus. Sie soll auf die kleine Schwester aufpassen. 6. Herrn Klooß paßt die Kleidung nicht mehr. Er hat die Kleidung vor zehn Jahren gekauft. 7. Rita hat den Nachbarn gedankt. Sie hat mit Hilfe der Nachbarn den Schrank in ihre Wohnung gebracht. 8. Die Touristen kennen die Gegend. Die Touristen kommen immer wieder hierher.

236 Wir haben gesehen: Die Verbindung zwischen übergeordnetem Satz und Relativsatz stellt das Relativpronomen her. Das Relativpronomen paßt sich dabei in Numerus und Genus an das Nomen an, auf das es sich bezieht:

Eine Raupe, die stachlige Haare hatte, krabbelte am Zweig empor.

Ein Käfer, der goldene Flügel hatte, krabbelte am Zweig empor.

Der Kasus des Relativpronomens hängt von der Rolle ab, die es im Relativsatz spielt:

Der Käfer, *der goldene Flügel hatte,* krabbelte am Zweig empor.

Der Käfer, *dessen Flügel glänzten,* krabbelte am Zweig empor.

Der Käfer, *dem die Fühler zitterten,* krabbelte am Zweig empor.

Der Käfer, *auf den eine Meise lauerte,* krabbelte am Zweig empor.

| 237 | ÜBUNG |

Bestimme die folgenden grammatischen Merkmale der kursiv (schräg) gesetzten Relativpronomen: 1. Kasus, 2. Numerus (Singular und Plural), 3. Genus (nur im Singular):

1. Das Musikstück der Gruppe »Cat«, *das* mir am besten gefällt, wird häufig im Radio gespielt. 2. Der Karpfen, *dem* ich das Brot zugeworfen habe, ist mitsamt seiner Beute getaucht. 3. Die Hose, *die* du meinst, ist wohl schon verkauft. 4. Den Computer, *dessen* Elektronik Fehler aufwies, hat die Firma abgeholt. 5. Die Schraube, *die* am Ende der Vorhangstange anzuschrauben wäre, ist leider verschwunden. 6. Auf dem Boden liegen Nußschalen, *die* die Siebenschläfer zurückgelassen haben. 7. Die junge Frau, *deren* Bein bei dem Unfall schwer verletzt wurde, kann sich jetzt endlich wieder ohne Krücken bewegen. 8. Wenn schon Salat, dann habe ich am liebsten den, *der* schon ein Weilchen in seiner Sauce lag. 9. Die Krokodile, *denen* der Magen knurrte, warteten auf ahnungslose Touristen. 10. Gestern bin ich der Person, *der* ich immer aus dem Weg zu gehen suche, doch noch in die Arme gelaufen. 11. Das Kind, *dem* die Schildkröte entlaufen ist, hat eine Zeichnung von dem Tier in der Post aufgehängt.

| 238 | Das gebräuchlichste Relativpronomen ist *der, die, das*. An seiner Stelle steht in geschriebener Sprache auch das Pronomen *welcher, welche, welches*:

> Die Raupe, *die* stachlige Haare hatte, krabbelte am Zweig empor.
> Die Raupe, *welche* stachlige Haare hatte, krabbelte am Zweig empor.

Das Relativpronomen *welcher* wird vor allem aus stilistischen Gründen gebraucht, wenn man eine Häufung gleichlautender Formen vermeiden will. Auf der anderen Seite wird *welcher* heute oft als schwerfällig empfunden. So bleibt das Abwägen in jedem Einzelfall:

> Die Raupe, *der* der Magen knurrte, suchte saftige Blätter.
> Die Raupe, *welcher* der Magen knurrte, suchte saftige Blätter.

peter k. kirchhof

der der der zeit sein zeichen einbrannte
der der das mittelmäßige zum maß aller dinge erhob
der der die das fürchten lehrte
die die die köpfe dafür hinhielten
die die der verführung erlagen
die die das geschäft dabei machten
die die das gar nicht gewußt haben
das das das alles ermöglichte
das das die als entschuldigung bringen

---

239 | In den folgenden Fällen steht als Relativpronomen *was:*

nach Pronomen und Zahladjektiven mit Genus Neutrum:	Die Raupe fraß *alles, was* ihr in den Weg kam. Die Made fraß nur *das, was* ihr schmeckte. Steht in diesem Buch zur Insektenkunde *dasselbe, was* auch im anderen steht? Das *einzige, was* diese Raupe frißt, sind Brennesselblätter.
nach dem Superlativ eines nominalisierten (substantivierten) Adjektivs:	Die Schnecken fressen nur vom *Besten, was* wir im Garten anbauen. Maulwürfe sind das *Schlimmste, was* man in einem Fußballplatz haben kann.
in weiterführenden Nebensätzen, die sich auf den ganzen vorausgehenden Teilsatz beziehen (↑ 553):	Er steckte heimlich den Schlüssel ein, *was* niemand bemerkte. Die Tür stand weit offen, *was* dem Nachtwächter sofort auffiel.

Nach Nomen und nach sonstigen nominalisierten Adjektiven mit Genus Neutrum steht das Relativpronomen *das:*

> Das *Buch, das* ich mir gekauft habe, führt in die Insektenkunde ein. Wir versteckten das *Süße,* an *das* die Wespen so gern gehen.

240 Die Relativpronomen *wer* und *was* übernehmen oft noch zusätzlich die Rolle eines Stellvertreters im übergeordneten Satz:

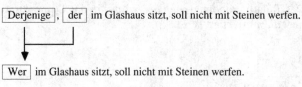

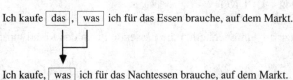

Ich kaufe, was ich für das Nachtessen brauche, auf dem Markt.

Hildegard Wohlgemuth: Haben & Geben

Wer	hat, dem wird gegeben
Wessen	Gewinn
Wem	genommen
Wen	kümmert's

---

241 Das Relativpronomen *der, die, das* hat die folgenden Flexionsformen:

	Singular			Plural
	Maskulinum	Femininum	Neutrum	
Nominativ	der	die	das	die
Genitiv	dessen	deren	dessen	deren
Dativ	dem	der	dem	denen
Akkusativ	den	die	das	die

Die folgende Tabelle zeigt die Formen von *wer, was*:

	Bezug auf Personen	Bezug auf Sachen
Nominativ	wer	was
Genitiv	wessen	wessen
Dativ	wem	(was)
Akkusativ	wen	was

Das Relativpronomen *welcher* wird wie das Demonstrativpronomen *dieser* flektiert (↑ 222 f.).

242 ÜBUNG

Setze an den Leerstellen die passende Form des Relativpronomens ein:

1. Das Bild, (…) ihr hier seht, zeigt einen Airbus. 2. Kannst du mir das Tonband, (…) ich dir geliehen habe, zurückgeben? 3. Es gibt nichts, (…) ihr mehr Spaß machen würde als Dein Besuch. 4. Das erste, (…) ich heute abend tun werde, ist ausgiebig duschen. 5. Lauft das Weglein runter, (…) dort vorn abzweigt, und schon seht ihr das Museum. 6. Nora ißt alles gern, (…) Markus kocht. 7. Das Elefantenbaby Moa, (…) dieses Jahr im Zoo geboren wurde, frißt am liebsten Tutti frutti. 8. Ich kann kaum glauben, (…) du mir erzählt hast. 9. Lena sagt, (…) sie denkt. 10. Erinnerst du dich an die Leute, (…) im Konzert neben uns gesessen haben? 11. Das einzige, (…) Erika am neuen Ort fehlt, sind ihre alten Freunde. 12. Die Kassetten, (…) ich verbilligt bekommen habe, sind nichts wert. 13. Das Gespenst, (…) in der Burg oben umgeht, soll die verlorene Seele von Ritter Adalbert sein. 14. Ich kenne das, (…) er uns sagen wird, schon auswendig.

Das Interrogativpronomen

243 *Interrogativpronomen* (Fragepronomen) leiten Frage- und Ausrufesätze ein. Zu diesen Pronomen gehören:

> wer, was
> welcher, welche, welches
> was für [ein]

244 Das Pronomen *wer, was* wird als Stellvertreter gebraucht:

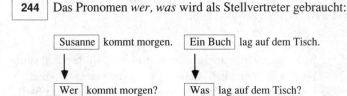

Es wird folgendermaßen flektiert:

	Bezug auf Personen	Bezug auf Sachen
Nominativ	wer	was
Genitiv	wessen	wessen
Dativ	wem	(was)
Akkusativ	wen	was

Das Pronomen *wer* kann sich auf weibliche oder männliche Personen beziehen. Von seinem grammatischen Geschlecht her ist es ein Maskulinum. Das Pronomen *was* ist ein Neutrum. Beide Formen stehen immer im Singular, auch wenn man nach mehreren Personen oder Sachen fragt:

> *Wer* ist gekommen? (Mögliche Antwort: Anita, Beate, Thomas, Stefan und Corinne, also fünf Personen.)
>
> *Was* hast du gekauft? (Mögliche Antwort: 1 kg Äpfel, eine Flasche Orangensaft und 1 Tafel Schokolade.)

245 ÜBUNG

Ersetze die kursiv (schräg) gesetzten Nomen oder nominalen Wortgruppen durch ein Interrogativpronomen. (Die Wortstellung muß dabei teilweise geändert werden.)

1. *Sabines* Heft ist liegengeblieben. 2. Alice hat in den Ferien *»Momo«* gelesen. 3. So ein Wind! Dort vorn fliegt *mein Hut*. 4. Marianne traut *ihrem Zahnarzt* nicht. 5. In der Stadt hat Denise zufälligerweise *unseren Onkel* getroffen. 6. Viktor spricht schon dreiviertel

Stunden mit *seiner Freundin*. 7. Die Ganoven haben die Tramper *ihres wenigen Bargeldes* beraubt.

246 Mit dem Interrogativpronomen *welcher* will der Fragende Auskunft über eine Auswahl unter mehreren möglichen Personen oder Sachen erhalten. Es wird als Begleiter und als Stellvertreter gebraucht:

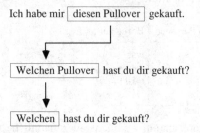

Die Flexionsformen von *welcher* entsprechen denjenigen von *dieser* (↑ 222 f.).

247 Mit dem Pronomen *was für ein* wünscht der Fragende Auskunft über die Beschaffenheit, die Eigenschaft einer Person oder Sache:

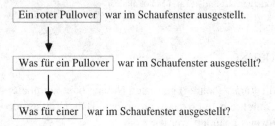

Die Gruppe *was für* bleibt immer unverändert. Der Bestandteil *ein* kommt (wie der unbestimmte Artikel *ein*) nur im Singular vor (↑ 255) und wird genau gleich wie das Possessivpronomen flektiert (↑ 218).

248 Interrogativpronomen können auch Nebensätze einleiten, sogenannte *indirekte Fragesätze* (siehe auch ↑ 640):

Direkter Fragesatz: Tom fragte mich: » Wen hast du getroffen?«
Indirekter Fragesatz:Tom fragte mich, wen ich getroffen habe.

249 Interrogativpronomen kommen schließlich auch in *Ausrufesätzen* vor (↑ 416):

Wer hätte das gedacht! *Was* du nicht sagst! *Was für eine* Überraschung!

Das Indefinitpronomen

250 Wir verwenden *Indefinitpronomen* (unbestimmte Fürwörter), wenn wir Angaben über Personen oder Sachverhalte machen, deren Menge, Umfang, Bedeutung, Größe usw. wir nicht genau benennen können oder wollen. In der folgenden Tabelle sind die wichtigeren Indefinitpronomen zusammengestellt:

Indefinit-pronomen	Bemerkungen zur Flexion und zum Gebrauch	Beispiele
jemand	Nur als Stellvertreter gebraucht. Flexion: Nominativ jemand Genitiv jemandes Dativ jemand[em] Akkusativ jemand[en]	*Jemand* hat an die Tür geklopft. Damit verletzt du *jemandes* Rechte. Ich muß noch mit *jemand (jemandem)* sprechen. Ich muß noch *jemand (jemanden)* anrufen.
niemand	Verneinung von *jemand*. Nur als Stellvertreter gebraucht. Flexion: Nominativ niemand Genitiv niemandes Dativ niemand[em] Akkusativ niemand[en]	*Niemand* hat an die Tür geklopft. Damit verletzt du *niemandes* Rechte. Ich muß mit *niemand (niemandem)* sprechen. Ich muß *niemand (niemanden)* anrufen.

etwas irgend etwas	Als Stellvertreter sowie als Begleiter in Verbindung mit nominalisierten (substantivierten) Adjektiven und Stoffbezeichnungen gebraucht. Flexion: unveränderlich.	*Etwas* stimmt hier nicht. Hier stimmt *irgend etwas* nicht. Mit so *etwas* haben wir rechnen müssen. Ich habe *etwas* darüber gelesen. Steht in der Zeitung *irgend etwas* Neues? Ich bin auf *etwas* Klebriges getreten. Hast du noch *etwas* Brot für mich? Du hast noch *etwas* Farbe am Finger.
nichts	Verneinung von *etwas*. Als Stellvertreter sowie als Begleiter in Verbindung mit nominalisierten (substantivierten) Adjektiven gebraucht. Flexion: unveränderlich.	Mir ist zum Glück *nichts* geschehen. Hast du *nichts* von Erika gehört? Aus *nichts* wird *nichts*. In der Zeitung steht *nichts* Neues.
alle	Als Begleiter und als Stellvertreter gebraucht. Flexion wie *dieser* (↑ 222 f.).	Zum Schluß bekamen *alle* Kinder ein Buch. In kurzer Zeit war *alles* Fleisch weggegessen. *Aller* Ärger war vergebens. Es gab genug Platz für *alle*. Nach kurzer Zeit hatte sie *alles* wieder vergessen. *Alles* rannte zum Ausgang.
	Wenn dieses Pronomen *vor* einem anderen Pronomen oder dem bestimmten Artikel steht, kommen auch endungslose Formen vor.	Sie trug *all* ihre (oder: *alle* ihre) Habseligkeiten mit sich. *All* der Ärger war vergebens. Sie wollte mit *all* diesen Leuten nichts mehr zu tun haben. *All* das weiß sie doch!
sämtliche	Als Begleiter, selten als Stellvertreter gebraucht. Flexion wie *dieser* (↑ 222 f.).	In kurzer Zeit war *sämtlicher* Abfall weggeräumt. *Sämtliche* Schüler waren da. Sie hat seither *sämtliches* wieder vergessen.

jeder	Als Begleiter und als Stellvertreter gebraucht. Flexion wie *dieser* (↑ 222 f.).	*Jeder* Spieler der siegreichen Mannschaft bekam eine Prämie. Das weiß doch *jeder!*
jedermann	Nur als Stellvertreter gebraucht. Flexion: Nominativ jedermann Genitiv jedermanns Dativ jedermann Akkusativ jedermann	In kürzester Zeit bekommt Ernst mit *jedermann* Streit. Das ist nicht *jedermanns* Geschmack.
man	Nur als Stellvertreter gebraucht. Der Dativ und der Akkusativ werden durch die Formen von *einer* (also *einem, einen*) ersetzt.	*Man* ärgert sich über so etwas. So etwas ärgert *einen.* Wenn *man* ihn einmal braucht, läßt er *einen* nie im Stich. *Man* konnte wählen, was *einem* gefiel.
irgendwelche	Gewöhnlich nur als Begleiter gebraucht. Flexion wie *dieser* (↑ 222 f.).	Der Chef mäkelte an *irgendwelchen* Details herum.
welche	Bezug auf ein vorgenanntes Nomen. Gewöhnlich nur als Stellvertreter gebraucht. Flexion wie *dieser* (↑ 222 f.).	Ich habe keine Blätter mehr – hast du noch *welche?*
irgendein irgendeiner	Gebrauch als Begleiter und als Stellvertreter. Flexion wie das Possessivpronomen (↑ 218 f.).	Ich brauche *irgendeinen* Zettel, um das aufzuschreiben. *Irgendeiner* wird schon eine Lösung finden.
einer	Gebrauch nur als Stellvertreter; als Begleiter entspricht diesem Pronomen der unbestimmte Artikel *ein* (↑ 252). Flexion wie das Possessivpronomen im Gebrauch als Stellvertreter (↑ 219).	(Unbestimmter Artikel:) Heute war *ein* Mann vom Gaswerk da. (Indefinitpronomen:) Heute war *einer* vom Gaswerk da. (Ebenso:) Hast du mal *ein* Taschentuch für mich? – Hier ist *eines!*

kein keiner	Verneinung von *ein* und *irgendein*. Gebrauch als Begleiter und als Stellvertreter. Flexion wie das Possessivpronomen (↑ 218 f.).	Es war schon spät, und wir hatten immer noch *kein* Zimmer. *Keiner* weiß, daß ich hier bin.
mancher	Gebrauch als Begleiter und Stellvertreter. Flexion wie *dieser* (↑ 222 f.).	Die Straße ist an *manchen* Stellen beschädigt. *Manches* neuere Gerät ist nicht so zuverlässig. *Manche* lernen das offenbar nie! Er hat schon *manches* wieder vergessen.
	Gelegentlich kommen auch endungslose Formen vor, besonders in Verbindung mit dem Indefinitpronomen *einer*.	Sie hat *manch* klugen Gedanken geäußert. Von den Lawinenforschern ist schon *manch einer* unter den weißen Massen umgekommen.
einige etliche mehrere	Als Begleiter und als Stellvertreter gebraucht.. Flexion wie *dieser* (↑ 222 f.).	Dort drüben, in *einiger* Höhe, stand der Friedhof. Wir mußten *einige (etliche, mehrere)* Minuten warten. Leider wußten *einige (etliche, mehrere)* nichts davon. Wir hatten *einigen (etlichen)* Ärger. Ich habe heute noch *einiges (etliches, mehreres)* zu erledigen.
ein bißchen ein wenig ein paar	Diese Verbindungen mit *ein* werden grammatisch als Einheiten betrachtet. Flexion: unveränderlich.	Es fielen *ein paar* Regentropfen. Kannst du mir *ein bißchen* Brot geben? Susi möchte noch *ein bißchen* haben. Mit *ein wenig* Geduld hätte Martin den Bausatz zusammengebracht.
genug	Als Begleiter oder Stellvertreter gebraucht. Flexion: unveränderlich.	Für einen Kuchen habe ich nicht mehr *genug* Milch. Im Kühlschrank gab es noch *genug*. Wir haben *genug* Zeit (auch umgekehrte Stellung: Zeit *genug*).

| 251 | ÜBUNG |

Ersetze in den folgenden Sätzen die kursiv (schräg) gesetzten Wörter oder Wortgruppen durch die Indefinitpronomen *jemand* oder *etwas:*

1. Kennst du *irgendeinen Menschen,* der mir beim Umziehen helfen würde? 2. In dem Korb liegt *ein undefinierbarer Gegenstand.* 3. Wenn du einen Moment Zeit hast, erzähle ich dir noch *eine Geschichte.* 4. *Ein Passant* überquerte die Straße. 5. Ich muß dringend mit *einer Person* reden. 6. Anna ißt *irgendwelche belegten Brote.* 7. Der Schal *von einer Person* hängt seit einer Woche an dem Haken dort. 8. Jürgen hat noch *ein Weilchen* gewartet.

Johann P. Tammen: Denunzianten

Jemand hat niemandem von jemandem erzählt.
Einer hat jemanden niemandem etwas erzählen
hören. Einer hat keinem davon erzählt, daß
jemand niemandem von jemandem erzählt hat.
Jemand wurde von niemandem belauscht, und
dennoch hat einer davon erzählt. Einer hat
jemanden mit niemandem belauscht und keinem
davon erzählt. Jemand hat jemandem etwas
von keinem erzählt. Niemand hat etwas davon
gewußt, doch alle reden davon.

Der Artikel

| 252 | Als *Artikel* bezeichnet man die beiden geläufigsten Begleiter des Nomens. Das sind:

1. der bestimmte Artikel *der, die, das;*
2. der unbestimmte Artikel *ein, eine, ein.*

Als Artikel sind *der, die, das* und *ein, eine, ein* nicht betont. Beispiele:

der Tisch	die Platte	das Buch
ein Tisch	eine Platte	ein Buch

Die Formen des Artikels

253 Die Artikel stimmen mit dem Nomen, bei dem sie stehen, im Kasus, im Numerus und im Genus überein:

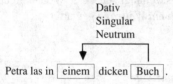

Petra las in einem dicken Buch.

Diese grammatischen Merkmale lassen sich an den Formen des Artikels ablesen. Normalerweise kommen sie an den Artikelformen deutlicher zum Ausdruck als am Nomen selbst.

254 Die folgenden Tabelle zeigt die Formen des bestimmten Artikels:

	Singular		
	Maskulinum	Femininum	Neutrum
Nominativ	der Schlüssel	die Tasche	das Buch
Genitiv	des Schlüssels	der Tasche	des Buches
Dativ	dem Schlüssel	der Tasche	dem Buch
Akkusativ	den Schlüssel	die Tasche	das Buch
	Plural		
Nominativ	die Leute		
Genitiv	der Leute		
Dativ	den Leuten		
Akkusativ	die Leute		

Der bestimmte Artikel hat im Plural keine besonderen Formen für jedes Genus (↑ 150).

---

255 Der unbestimmte Artikel wird wie das Possessivpronomen flektiert (↑ 218). Er kommt allerdings nur im Singular vor.

	Singular		
	Maskulinum	Femininum	Neutrum
Nominativ	ein Schlüssel	ein-e Tasche	ein Buch
Genitiv	ein-es Schlüssels	ein-er Tasche	ein-es Buches
Dativ	ein-em Schlüssel	ein-er Tasche	ein-em Buch
Akkusativ	ein-en Schlüssel	ein-e Tasche	ein Buch

256 Manche Präpositionen (↑ 322) verschmelzen mit dem bestimmten Artikel. In der Schriftsprache werden hauptsächlich die folgenden Verschmelzungen gebraucht:

Verschmelzung	Beispiele
an + dem = am	*am* Freitag, *am* Rhein, *am* Leben bleiben; Antje rennt *am* schnellsten.
bei + dem = beim	jemanden *beim* Wort nehmen, eine Gelegenheit *beim* Schopf packen, *beim* Theater sein; sie ist *beim* Arbeiten.
in + dem = im	*im* Vertrauen, *im* Sommer, *im* Kommen sein, *im* allgemeinen.
von + dem = vom	*vom* Braten etwas abschneiden, *vom* Sturm überrascht.
zu + dem = zum	*zum* Fenster hinausschauen, *zum* Lachen bringen, *zum* besten geben.
zu + der = zur	*zur* Schule gehen, *zur* Zeit, zur Not, *zur* Warnung dienen.
an + das = ans	*ans* Werk gehen, etwas *ans* Herz legen, *ans* Ufer gehen.
auf + das = aufs	*aufs* Land reisen, Hand *aufs* Herz, jemanden *aufs* herzlichste begrüßen.
in + das = ins	*ins* Haus treten, jemandem *ins* Gewissen reden, *ins* Wanken bringen, *ins* Stocken geraten, *ins* reine schreiben.

257 Häufig können neben der Verschmelzung auch die getrennten Formen gebraucht werden. Die getrennten Formen werden vor allem gebraucht, wenn das Nomen eine nähere Bestimmung bei sich hat.

Getrennte Formen	Verschmelzungen
Der Jockey schwingt sich *auf das* schwarze Pferd.	Der Jockey schwingt sich *aufs* Pferd.
Oma war *bei dem* Arzt, der auch den Bürgermeister behandelt.	Oma war *beim* Arzt (und nicht beim Friseur).
An dem Abend, als die Schule abbrannte, waren wir im Kino.	*Am* Abend gehen wir oft ins Kino.
Wir gingen *in das* Kino, das auf Horrorfilme spezialisiert ist.	Wir gingen *ins* Kino.

Der Gebrauch des Artikels

258 Wie der Name *bestimmter* und *unbestimmter Artikel* sagt, kennzeichnen die Artikel ihr Nomen als bestimmt oder unbestimmt:

Unbestimmtheit:	Bestimmtheit:
Mit dem unbestimmten Artikel kann man anzeigen, daß man ein Nomen gebraucht, mit dem man auf etwas bisher noch nicht Genanntes, etwas Unbestimmtes hinweist.	Mit dem bestimmten Artikel kann man deutlich machen, daß man ein Nomen gebraucht, von dem schon die Rede war.

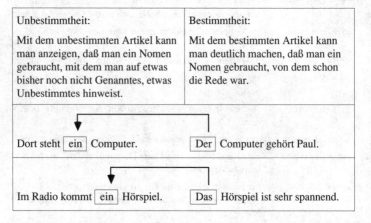

Dort steht ein Computer.   Der Computer gehört Paul.

Im Radio kommt ein Hörspiel.   Das Hörspiel ist sehr spannend.

Manchmal verwendet man ein Nomen, das auf etwas verweist, was dem Gesprächspartner schon bekannt ist oder was er sich aus dem Zusammenhang erschließen kann. In solchen Fällen setzt man ebenfalls den bestimmten Artikel, selbst wenn das Nomen vorher noch nicht gebraucht worden ist:

Susi kam strahlend nach Hause: »*Die* Exkursion findet nun doch statt!«

Morgen beginnt die Schule wieder. *Die* Lehrerin ist schrecklich streng.

Gestern ist hier ein Unfall passiert. *Der* Krankenwagen war sofort zur Stelle.

---

259 ÜBUNG

Setze in die Lücken des folgenden Textes die passenden Formen des bestimmten oder des unbestimmten Artikels ein:

1. Jedes Jahr essen wir am Weihnachtstag (…) Gans. 2. Diesmal war (…) Gans etwas zu fett. 3. Zehn Personen könnten sich an (…) Braten satt essen. 4. (…) Gänsebraten wurde auf (…) ovalen Platte serviert. 5. Beim Abtragen brach (…) Platte in zwei Stücke. 6. Sie hatte offenbar seit längerem (…) unsichtbaren Sprung gehabt. 7. Vermutlich rührte (…) Sprung vo… (…) Alter und vo… (…) häufigen Gebrauch (…) Geschirrstücks her. 8. Bei (…) Mißgeschick waren (…) Bratenreste und (…) Garnitur auf (…) Teppich gefallen. 9. Dies freute nur (…) Hund. 10. (…) Hunde lieben (…) Bratenreste, auch wenn sie auf (…) Boden liegen!

---

260 In den bisher gewählten Beispielen stehen die Artikel jeweils vor Nomen, die *einzelne* Exemplare oder Individuen einer Gattung bezeichnen. Einen solchen Gebrauch des Artikels nennt man *individualisierend*. Man kann die Artikel aber auch vor Nomen setzen, mit denen *alle* Exemplare einer Gattung gemeint sind. In diesem Fall spricht man von einem *generalisierenden* Gebrauch des Artikels:

Individualisierung	Generalisierung
Im Stall steht *eine* Kuh.	*Eine* Kuh ist *ein* Wiederkäuer.
Die Kuh heißt Flora.	*Die* Kuh ist *ein* Wiederkäuer.
Im Stall stehen Kühe.	Kühe sind Wiederkäuer.
Die Kühe im Stall tragen Glocken.	*Die* Kühe sind Wiederkäuer.

261	ÜBUNG

Begründe, warum bei den kursiv (schräg) gesetzten Nomen in den folgenden Sätzen teils der bestimmte, teils der unbestimmte, teils gar kein Artikel gebraucht wird:

1. Am Hafen trifft man *Matrosen*. 2. *Die Matrosen* nutzen den Landurlaub, um Einkäufe zu machen und ihre Familien zu besuchen. 3. *Die Kaufleute* am Hafen wissen, was *Matrosen* kaufen wollen.

262	Manchmal werden Nomen ohne Artikel gebraucht. Das kann vor allem folgende Gründe haben:

1. Der unbestimmte Artikel kommt nur im Singular vor, die Pluralformen fehlen also. Wenn ein Nomen im Plural als unbestimmt gekennzeichnet werden soll, dann steht kein Artikel:

	Singular	Plural
unbestimmt	Im Garten steht *ein Baum*.	Im Garten stehen *Bäume*.
bestimmt	*Der Baum* trägt Früchte.	*Die Bäume* tragen Früchte.

2. Der unbestimmte Artikel kann nur bei Nomen stehen, die etwas bezeichnen, was man zählen kann. Wo das nicht der Fall ist, fehlt der unbestimmte Artikel, beispielsweise bei Stoffbezeichnungen:

> *Beton* ist eine Mischung aus *Zement, Kies* und *Wasser*. Gewöhnlicher *Leim* haftet schlecht auf *Glas*. Das Essen bestand aus *Suppe, Reis, Gemüse* und *Rindsbraten*.

Ähnlich verhalten sich viele Nomen, die etwas Ungegenständliches bezeichnen, zum Beispiel Eigenschaften, Zustände, Vorgänge oder Handlungen:

> Tropische Pflanzen ertragen *Trockenheit* schlecht. Vielen Menschen fällt *Reden* leichter als *Schreiben*. Die Kolleginnen warfen Gisela egoistisches *Verhalten* vor. Anhaltender *Lärm* erzeugt bei vielen Personen *Kopfweh*. Regelmäßiges *Training* hält fit.

3. Manche Eigennamen, nämlich Personennamen und ein Teil der geographischen Eigennamen, werden immer als bestimmt angesehen. Der bestimmte Artikel ist daher zum Verständnis nicht notwendig und wird normalerweise weggelassen:

> *Roberta* ist Kunstturnerin. Dort kommt *Erich Tobler. Jacob Grimm* lebte im 19. Jahrhundert. *Aristoteles* war ein griechischer Philosoph.

> *Madrid* ist die Hauptstadt von *Spanien.* Viele kennen *Wuppertal* wegen seiner Schwebebahn. *New York* ist die größte Stadt *Nordamerikas.* (Aber mit Artikel:) *Der Rhein* entspringt in *der Schweiz. Die Donau* fließt über *den Balkan dem Schwarzen Meer* zu.

Wenn solche Eigennamen irgendwie näher bestimmt sind, bekommen auch sie den bestimmten Artikel:

> *Die drahtige Roberta* ist Kunstturnerin. Dort kommt *der immer etwas nervöse Erich Tobler. Der Sprachwissenschaftler Jacob Grimm* lebte im 19. Jahrhundert.

> Dieser Roman bringt uns *das Frankreich Ludwigs XIV.* näher. *Das für seine Schwebebahn bekannte Wuppertal* beherbergt große Textil- und Chemiebetriebe.

Verwandtschaftsbezeichnungen werden in der Umgangssprache oft wie Personennamen gebraucht; sie haben dann keinen Artikel bei sich:

> *Vater* haßt Krawatten. Gib *Tante* das schöne Händchen! *Großvater* raucht eine Zigarre, und *Großmutter* löst ein anspruchsvolles Kreuzworträtsel.

Wenn Personennamen zu Produktbezeichnungen geworden sind, haben sie den Artikel bei sich:

> *Der Diesel* von Müllers qualmt wie ein mittlerer Industriebetrieb. *Der Zeppelin* trug eine riesige Firmenaufschrift.

4. In vielen festen Wendungen, vor allem in Präpositionalgruppen und in Wortpaaren, fehlt der Artikel:

> zu Wasser und zu Land, zu Hause, in Frage stellen, in Betrieb nehmen, außer Kraft setzen, bei Tage, von Herzen, von Kopf bis Fuß, gegen Morgen, auf Anordnung der Behörde, hinter verschlossener Tür.

> Schritt um Schritt vorgehen, ein Nachteil für Industrie und Gewerbe, Tag für Tag auf ein Lebenszeichen warten, in Regen und Sturm geraten.

Widerstand leisten, Fuß fassen, Feuer fangen, Atem holen, Verdacht schöpfen, schnellen Schrittes gehen, guter Laune sein.

Verbindungen aus Nomen und Grundzahl oder Buchstabe: Der Intercity nach München wartet auf *Gleis 8.* Wir betraten *Halle C.* Die Lösung steht auf *Seite 57.*

5. In Schlagzeilen, Anzeigen, Telegrammen und ähnlichem wird der Artikel oft weggelassen, damit man einen möglichst kurzen Text erhält. Damit kann man Platz und (zum Beispiel bei Anzeigen oder Telegrammen) auch Geld sparen.

(Zeitungstitel:) Juweliergeschäft von maskiertem Räuber überfallen. Umweltskandal in Chemiebetrieb. Unerwarteter Sieg von FC Kaffhausen.

(Anzeigen:) Wohngemeinschaft (3 Personen) sucht 4-Zimmer-Wohnung. Wegen Geschäftsaufgabe günstig abzugeben: elektr. Schreibmaschine, Telefonbeantworter (neuw.), repräsentativer Schreibtisch.

(Telegramm:) UNTERREDUNG MIT GESCHÄFTSLEITUNG GÜNSTIG VERLAUFEN STOP ERBITTE WEISUNG FÜR VERTRAGSABSCHLUSS.

263	ÜBUNG

a) Fasse die folgenden Texte zu Telegrammen zusammen; laß dabei Unwesentliches weg:

Ich bin gestern abend um 18 Uhr in New York angekommen. Schon um 20 Uhr habe ich mit einem Vertreter der Firma Supercomp zu Abend gegessen. Die Aussichten für einen Geschäftsabschluß sind günstig. Ich sollte aber wissen, wieviel Rabatt ich gewähren kann. Teilt es mir bitte telegrafisch mit!

Lieber Max! Ich habe festgestellt, daß Du vergessen hast, deinen Pyjama und die Zahnbürste in den Koffer zu packen. Da ich denke, daß du die Sachen spätestens heute abend – fern von zu Hause – vermissen wirst, habe ich schnell Deinen Lieblingspyjama, eine neue Zahnbürste und eine Reservetube Zahnpasta für alle Fälle per Eilbote abgeschickt. Du wirst also schon morgen abend wieder im eigenen Pyjama schlafen können! Liebe Grüße, Dein Moritz.

b) Formuliere die folgenden Texte in eine Kleinanzeige um! Auch hier ist darauf zu achten, daß Unwesentliches weggelassen wird:

Wir vermieten eine 3-Zimmer-Wohnung in der Neurietstraße 17. Die Wohnung verfügt über einen Balkon. Die Wohnküche mißt 18 Quadratmeter. Geheizt wird mit Gas. Die Wohnungsmiete beträgt DM 420.– pro Monat. Bitte wenden Sie sich an Gertrud Winkler, Telefon 35 46 67, und zwar abends von 18 bis 21 Uhr.

Ich brauche für meine Hütte im Grünen ein Windrad und einen Dynamo, um damit Elektrizität zur Beleuchtung meiner Hütte zu gewinnen. Wer könnte mir ein nicht allzu großes Windrad inklusive Dynamo – oder auch nur eins von beidem – günstig abgeben? Wendet euch an Christiane Richle, Schreberweg 34, 5623 Villigen.

264 | ÜBUNG

Suche in den folgenden Sätzen alle Begleiter und Stellvertreter heraus und bestimme sie genauer:

1. Das sind Gerüchte, deren Herkunft niemand kennt. 2. Es ist nicht alles Gold, was glänzt. 3. Welcher von euch Lausbuben hat sich diesen Streich geleistet? 4. Jeder sieht durch seine eigene Brille. 5. Wenn einer eine Reise tut, so kann er was erzählen. 6. Wenn zwei das gleiche tun, ist es nicht immer dasselbe. 7. Er hat von seiner Schwester ohne deren Einwilligung das Fahrrad ausgeliehen. 8. Und willst du nicht mein Bruder sein, so schlag ich dir den Schädel ein. 9. Manch einer rauft den toten Löwen am Bart, der ihn lebend nicht anzusehen wagte. 10. Keiner ist blinder als derjenige, der nicht sehen will. 11. Enthaltsamkeit ist das Vergnügen an Sachen, welche wir nicht kriegen (Wilhelm Busch). 12. Ist der Ruf erst ruiniert, lebt es sich ganz ungeniert. 13. Ein jedes Tierchen hat sein Pläsierchen. 14. Er denkt zuviel; solche Leute sind gefährlich (Shakespeare). 15. An ihren Früchten sollt ihr sie erkennen. 16. Wer einmal lügt, dem glaubt man nicht, und wenn er auch die Wahrheit spricht. 17. Wenn endlich einmal Gras über eine Sache gewachsen ist, so kommt sicher irgendein Kamel und frißt es wieder weg!

Das Adjektiv

Übersicht

265 Adjektive sind Wörter mit folgenden grammatischen Eigenschaften:

1. Sie können dekliniert werden, das heißt, sie können nach dem *Kasus* (dem Fall), dem *Numerus* (der grammatischen Zahl) und dem *Genus* (dem grammatischen Geschlecht) flektiert werden. Wie die Pronomen (und anders als die Nomen) haben sie kein festes Genus; sie kommen vielmehr in allen drei Genera vor. Daneben gibt es unflektierte Adjektivformen.

2. Für die Flexion stehen bei jedem Adjektiv zwei Typen von Endungen zur Verfügung: *starke* und *schwache*.

> Stark: ein heiß[er] Kaffee.
> Schwach: der heiß[e] Kaffee.

3. Zu den meisten Adjektiven können Vergleichsformen (Komparationsformen) gebildet werden. Man unterscheidet drei Stufen:

Bezeichnung	Beispiele	
Positiv (Grundstufe)	zäh	heiß
Komparativ (Höherstufe)	zäher	heißer
Superlativ (Höchststufe)	am zähesten	am heißesten

4. Adjektive können im Satz unterschiedlich gebraucht werden und stehen dann in unterschiedlicher Beziehung zu anderen Teilen des Satzes. Man unterscheidet drei Gebrauchsweisen des Adjektivs: *attributiv, prädikativ* und *adverbial*:

Gebrauch	Beispiele	
attributiver Gebrauch	das *harte* Leben	der *genaue* Bericht
prädikativer Gebrauch	Das Leben ist *hart*.	Der Bericht ist *genau*.
adverbialer Gebrauch	Sie arbeiteten *hart*.	Sie zeichnet *genau*.

Außerdem können Adjektive *wie Nomen* verwendet werden; man spricht dann von *nominalisierten* oder *substantivierten Adjektiven:*

> Sie mußte *Hartes* durchmachen. Ich prallte gegen etwas *Hartes.*

| 266 | Unter den Wörtern mit den genannten grammatischen Merkmalen finden sich viele, die *inhaltlich* eine *Eigenschaft* bezeichnen. Man nennt Adjektive deshalb auch *Eigenschaftswörter:* |

> lang, kurz, alt, jung, breit, schmal, hoch, schräg, krumm, gerade, schön, fleißig, einsam, traurig, laut, voll, rund, viereckig, siebenteilig, schreckhaft, tot, lebendig, natürlich, brauchbar, schriftlich.

Aber durchaus nicht alle Adjektive beziehen sich auf Eigenschaften. Oft bezeichnen Adjektive auch einen bestimmten *Bereich,* einen *Urheber* oder sonst einen *Bezugspunkt.* So sind etwa *rechtschreibliche Fähigkeiten* Fähigkeiten im Bereich der Rechtschreibung, *staatliche Eingriffe* sind Eingriffe durch den Staat und die *gegenwärtige Situation* ist die Situation in der Gegenwart.

| 267 | Schließlich ordnet man hier auch die *bestimmten* und die *unbestimmten Zahladjektive* ein. |

> Bestimmte Zahladjektive: eins, zwei, drei …; erster, zweiter …
> Unbestimmte Zahladjektive: viel, wenig, einzelne, einzige, andere …

Mehr zu den Zahladjektiven siehe ↑ 305 ff.

| 268 | Wie Adjektive werden Partizipien gebraucht, wenn sie nicht Teile zusammengesetzter Verbformen sind (↑ 126). |

Adjektivisch gebrauchtes Partizip	Partizip als Teil einer zusammengesetzten Verbform
Der Versicherungsvertreter stieg *keuchend* die Treppe hinauf. Der *keuchende* Vertreter fragte nach Familie Kremer.	Der Vertreter *hat* heftig *gekeucht.*
Die Vase lag *zerbrochen* auf dem Boden. Die *zerbrochene* Vase kann zum Glück wieder gekittet werden.	Philipp *hat* die Vase aus Unachtsamkeit *zerbrochen.*

Die Formen des Adjektivs

| 269 | Man unterscheidet beim Adjektiv *unflektierte* und *flektierte* Formen. Unflektierte Formen sind endungslos; flektierte

Formen haben Endungen, an denen sich Kasus, Numerus und Genus des Adjektivs ablesen lassen.

Unflektierte Formen

| 270 | Unflektierte Adjektivformen sind weder nach dem Kasus noch nach dem Numerus oder dem Genus bestimmt:

> breit, groß, dick, schräg, farbig, bequem, spitzig, laut, auffällig, unsichtbar, brauchbar, natürlich, schreckhaft, amerikanisch; schwatzend, gesucht, getroffen.

Manche Adjektive haben zwei unflektierte Formen, eine kürzere und eine längere; letztere geht dann auf *-e* aus. Längere Formen auf *-e* gibt es vor allem neben Kurzformen, die auf *-b, -d, -g* oder *-s* ausgehen. Manchmal ist die längere, manchmal die kürzere Form gebräuchlicher:

> Die Eltern betraten *leise* (seltener: *leis*) das Zimmer. Das eine Auge des Piraten funkelte *böse* (oder: *bös*). Der Nagel steckte *lose* (oder: *los*) im Balken. Die Schüler waren nach der Turnstunde recht *müde* (seltener: *müd*). Die beiden Katzen saßen nach ihrem Mittagsschmaus *träge* (oder: *träg*) auf dem Sofa. Das Wasser war recht *trübe* (oder: *trüb*). Familie Steiner lebte *lange* (oder: *lang*) im Ausland.

Sonst gehören Formen auf *-e* eher der (norddeutschen) Umgangssprache an:

> Das ist ja *irre!* (Aber: Er starrte wie *irr* auf die geschlossene Tür.) Dieses 3 : 2 war *dicke* verdient. (Aber: Der Kater saß *dick* und zufrieden auf dem Sofa.) *Sachte, sachte!* (Aber: Wir gingen ganz *sacht* vor.)

Flektierte Formen

271   Wenn ein Adjektiv vor einem Nomen steht (= attributiver Gebrauch, ↑ 297 f.), stimmt es mit ihm normalerweise in Kasus, Numerus und Genus überein. Diese grammatischen Merkmale werden dann – allerdings nicht immer in gleicher Deutlichkeit – durch besondere Flexionsendungen angezeigt:

Die starken und die schwachen Flexionsendungen

272   Bei jedem Adjektiv können zwei Arten von Endungen unterschieden werden, *starke* und *schwache*.

Die *starken* Endungen des Adjektivs stimmen weitgehend mit den Endungen der *Pronomen* überein, die als Begleiter gebraucht werden können, zum Beispiel *dieser, diese, dieses* (↑ 222). Als Endungen kommen *-e, -en, -em, -er* und *-es* vor:

	Singular		
	Maskulinum	Femininum	Neutrum
Nominativ	heiß-er Kaffee	heiß-e Milch	heiß-es Wasser
Genitiv	heiß-en Kaffees	heiß-er Milch	heiß-en Wassers
Dativ	heiß-em Kaffee	heiß-er Milch	heiß-em Wasser
Akkusativ	heiß-en Kaffee	heiß-e Milch	heiß-es Wasser
	Plural		
Nominativ	heiß-e Ferien		
Genitiv	heiß-er Ferien		
Dativ	heiß-en Ferien		
Akkusativ	heiß-e Ferien		

Anders als bei den Pronomen wird der Genitiv Singular Maskulinum und Neutrum nur mit der Endung *-en* gebildet (↑ 223).

| **273** | Bei den schwachen Formen gibt es nur die Endungen *-e* und *-en:* |

	Singular		
	Maskulinum	Femininum	Neutrum
Nom.	der heiß-e Kaffee	die heiß-e Milch	das heiß-e Wasser
Gen.	des heiß-en Kaffees	der heiß-en Milch	des heiß-en Wassers
Dat.	dem heiß-en Kaffee	der heiß-en Milch	dem heiß-en Wasser
Akk.	den heiß-en Kaffee	die heiß-e Milch	das heiß-e Wasser
	Plural		
Nom.	die heiß-en Ferien		
Gen.	der heiß-en Ferien		
Dat.	den heiß-en Ferien		
Akk.	die heiß-en Ferien		

| **274** | Wie bei den Pronomen, so gibt es auch bei den Adjektiven im Plural nur *eine* Form für alle drei Genera. Das gilt bei |

den starken Formen ebenso wie bei den schwachen.

Starke oder schwache Flexionsendungen?

| **275** | Jedes Adjektiv kann starke *oder* schwache Flexionsendungen haben. *Welche* es im Einzelfall hat, hängt davon ab, |

was dem Adjektiv vorangeht:

| Das Adjektiv bekommt eine schwache Flexionsendung, wenn ein Begleiter mit Flexionsendung vorausgeht. | d er heiß e Kaffee dies er heiß e Kaffee all er heiß e Kaffee |
| In allen übrigen Fällen bekommt das Adjektiv eine starke Flexionsendung. Dies ist der Fall, wenn gar kein Begleiter oder einer ohne Flexionsendung vorausgeht. | heiß er Kaffee ein heiß er Kaffee etwas heiß er Kaffee |

Die Regel gilt auch für Verschmelzungen aus Präposition und Artikel (↑ 256): Nach einer solchen Verschmelzung hat das Adjektiv eine schwache Endung:

Bloße Präposition (ohne Begleiter) → starke Adjektivendung	Verschmelzung aus Präposition und Artikel → schwache Adjektivendung
in kalt es Wasser	ins (= in das) kalt e Wasser
in kalt em Wasser	im (= in dem) kalt en Wasser
zu kalt er Milch	zur (= zu der) kalt en Milch

276 Wenn mehrere Adjektive vor einem Nomen stehen, haben sie die gleichen Endungen: entweder beide eine starke oder beide eine schwache:

Starke Endungen	Schwache Endungen
ein heiß er, stark er Kaffee	der heiß e, stark e Kaffee
mit gut em französisch em Wein	mit einem gut en französisch en Wein
aus rein er chinesisch er Seide	aus dieser rein en chinesisch en Seide

277 ÜBUNG

Setze in die folgenden Beispiele die fehlenden Endungen ein. Bestimme, ob die Adjektive stark oder schwach flektiert sind:

1. Sie trug ein hübsch__ Kleid aus gelb__ Stoff. 2. Sie schnitt sich das hübsch__ Kleid aus diesem gelb__ Stoff. 3. Statt warm__ Milch gab es einen kalt__ Saft. 4. Statt der warm__ Milch gab es kalt__ Saft. 5. Die Katze schlich mit schlecht__ Gewissen davon. 6. Die Katze schlich mit einem schlecht__ Gewissen davon. 7. Werner mag keine frisch__ Heringe. 8. Wanda liebt frisch__ Heringe. 9. Mit seinem laut__ Bellen verscheuchte der Hund den Einbrecher. 10. Mit laut__ Bellen verscheuchte der Hund den Ein-

brecher. 11. Wegen der stark__ Zahnschmerzen konnte ich nicht einschlafen. 12. Wegen stark__ Zahnschmerzen konnte ich nicht einschlafen.

Problemfälle

278 Nach *Indefinitpronomen* (*alle, manche* usw., ↑ 250) und *unbestimmten Zahladjektiven* (*viele, wenige* usw., ↑ 307 ff.) schwankt die Flexion des nachfolgenden Adjektivs teilweise:

– Nach einigen Indefinitpronomen haben Adjektive teilweise starke Endungen, obwohl (nach ↑ 275) schwache zu erwarten sind;
– und umgekehrt haben nach einigen Zahladjektiven mit starken Endungen die folgenden Adjektive teilweise schwache Endungen, obwohl (nach ↑ 276) starke Endungen zu erwarten sind.

In der folgenden Tabelle haben wir die Endungstypen genannt, die in der Standardsprache am gebräuchlichsten sind und daher vorgezogen werden sollten. Abweichende Formen sind deswegen aber nicht unbedingt falsch. Im Einzelfall schlage man im Duden-Band 9, »Richtiges und gutes Deutsch«, nach.

Pronomen oder Zahladjektiv	Flexion der folgenden Adjektive	Beispiele
alle	schwach	Alle *guten* Freunde sind gekommen. Alles *neue* Material kommt in den rechten Schrank. Bei allem *guten* Willen hatte es doch nicht geklappt.
andere	stark	Der Kommissar nannte noch anderes *belastendes* Material. Die Stühle bestanden aus anderem *einheimischem* Holz. Das können auch andere *fähige* Leute.
beide	schwach	Beide *neuen* Kollegen wußten schon Bescheid. Die Vorsitzenden beider *großen* Parteien gaben eine Erklärung ab.

Pronomen oder Zahladjektiv	Flexion der folgenden Adjektive	Beispiele
einige	stark	Auf dem Hof lag einiges *rostiges* Material. Einige *wichtige* Punkte müssen noch besprochen werden.
etliche	stark	Unter dem Dach lag etliches *altes* Gerümpel. Der Betrieb sucht noch etliche *neue* Mitarbeiter.
folgende	im Singular schwach, im Plural stark	Die Maschine arbeitet nach folgendem *einfachen* Prinzip. Der Kommissar nannte folgende *neue* Indizien.
irgendwelche	stark oder schwach	Auf dem Teller lag irgendwelches *ungenießbare* Zeug (oder: irgendwelches *ungenießbares* Zeug). Sie nannte irgendwelche *unglaubwürdigen* Ausreden (oder: irgendwelche *unglaubwürdige* Ausreden).
manche	schwach, im Plural gelegentlich auch stark	Schon mancher *unerfahrene* Tourist hat sich hier verirrt. Evi hat mir schon in manchem *schwierigen* Fall geholfen. Für manche *älteren* Leute (oder: für manche *ältere* Leute) ist dieser Weg zu steil.
mehrere	stark	Im Bausatz fehlen mehrere *wichtige* Teile. Er steht wegen mehrerer *kleiner* Vergehen vor Gericht.
sämtliche	schwach	Wir schafften sämtliches *herumliegende* Material ins Trockene. Wir haben sämtliche *alten* Freunde eingeladen.
solche	schwach	Die Großmutter kann solches *zähe* Fleisch nicht mehr essen. Er sagt immer solche *merkwürdigen* Sachen.
viele	stark	Wegen vieler *längerer* Umleitungen kamen wir mit großer Verspätung an. Susi hat viele *neue* Freunde gewonnen.
wenige	stark	Die Flüsse führten nur noch weniges *trübes* Wasser. Sie hat nur wenige *gute* Freunde.

Wenn Zahladjektive schwache Endungen haben, weil sie nach einem Begleiter mit Flexionsendungen stehen, haben nachfolgende Adjektive – wie zu erwarten (↑ 276) – ebenfalls schwache Endungen:

> Der folgende *neue* Gesichtspunkt ist noch wichtig. Der Kommissar nannte die folgenden *neuen* Erkenntnisse. Der viele *überschüssige* Klebstoff trocknete ein. Er lud seine vielen *neuen* Freunde ein. In der wenigen *verbleibenden* Zeit können wir nicht mehr alles erledigen.

Nach endungslosen Pronomen und Zahladjektiven haben Adjektive nach der allgemeinen Regel (↑ 275) starke Endungen:

> Manch *unerfahrener* Tourist hat sich hier schon verirrt. Solch *zähes* Fleisch kann die Großmutter nicht mehr essen. Dafür braucht es viel *warmes* Wasser. Er würzte den Reis mit viel *scharfem* Paprika.

279 Nach den Genitiven *dessen* und *deren* des Demonstrativ- und des Relativpronomens haben Adjektive starke Flexionsendungen:

> Der Direktor stellte den Chefkonstrukteur und dessen *neueste* Projekte vor. Erika kam mit Sandra und deren *neuem* Freund. Der Hürdenläufer, auf dessen *erschöpftem* Gesicht der Schweiß glänzte, wankte zu seinem Trainer. Eveline möchte Gabi einmal in deren *neuer* Wohnung besuchen.

Nominalisierte (substantivierte) Adjektive

280 Die meisten Adjektive (und Partizipien) können wie Nomen gebraucht werden. Man nennt sie dann *nominalisierte* oder *substantivierte Adjektive* und schreibt sie groß:

Gebrauch mit einem Nomen (= attributives Adjektiv, ↑ 297 f.)	Gebrauch ohne Nomen (= nominalisiertes Adjektiv)
Ein *fremder* Mann stand vor dem Hauseingang.	Ein *Fremder* stand vor dem Hauseingang.
An der Unfallstelle standen viele *neugierige* Leute.	An der Unfallstelle standen viele *Neugierige*.

Gebrauch mit einem Nomen (= attributives Adjektiv, ↑ 297 f.)	Gebrauch ohne Nomen (= nominalisiertes Adjektiv)
Wir beseitigten alles *überflüssige* Material.	Wir beseitigten alles *Überflüssige*.
Ernst liebt *süßes* Gebäck.	Ernst liebt *Süßes*.
Die *eintretenden* Gäste wurden mit einem Geschenk überrascht.	Die *Eintretenden* wurden mit einem Geschenk überrascht.
Das *gesuchte* Ding lag in einer Schublade.	Das *Gesuchte* lag in einer Schublade.

Für die Flexionsendungen der nominalisierten Adjektive gelten dieselben Regeln wie für Adjektive, die vor einem Nomen stehen (= attributive Adjektive):

Begleiter ohne Flexionsendung oder gar kein Begleiter → starke Adjektivendung	Begleiter mit Flexionsendung → schwache Adjektivendung
Ein *Blinder* wollte die Straße überqueren.	Der *Blinde* hatte einen Hund bei sich.
Der Prozeß lockte *Neugierige* aus allen Schichten an.	Die Polizei mußte die *Neugierigen* zurückhalten.
Die Großmutter kann *Zähes* nicht mehr essen.	Die Großmutter schob alles *Zähe* an den Tellerrand.
Den Vortrag hielt ein international anerkannter dänischer *Gelehrter*.	Den Vortrag hielt der international anerkannte dänische *Gelehrte* Vilsen.
Reisende ohne Gepäck bitte zu Schalter 3.	Die *Reisenden* nach Hongkong bitte zur Abfertigung.
Konstruiere den Schnittpunkt von *Gerader g* und Tangente *t*.	Die Tangente *t* wird von der *Geraden g* geschnitten.

281   Zu den Adjektiven werden auch einige Wörter gerechnet, die ihre Form nicht verändern, aber wie gewöhnliche Adjektive zwischen einem Begleiter und einem Nomen stehen können.

Viele Farbadjektive aus fremden Sprachen:	Sie packte das Geschenk in *rosa* Papier ein und band ein *lila* Band darum.
Grundzahlen ab *zwei* (siehe aber auch ↑ 312):	Das Geschäft bleibt während *fünf* Wochen geschlossen.
Ableitungen auf *-er* von Einwohnerbezeichnungen und Grundzahlen:	In den *neunziger* Jahren wird der *Hamburger* Hafen umfassend modernisiert. Wir sahen die Türme des *Kölner* Doms schon von weitem. Zum Imbiß gab es *Frankfurter* Würstchen.
Einige nur umgangssprachlich gebrauchte bewertende Adjektive:	Das ist eine *prima* Idee! Brigitte und Tom zauberten ein *super* Essen her. Tanja brachte ein *klasse* Zeugnis nach Hause.

Umgangssprachlich kommen bei den genannten Farbadjektiven auch flektierte Formen vor:

> Der *lilane* Schal steht dir nicht, nimm lieber den *orangen*.

Oft behilft man sich mit zusammengesetzten Formen:

> Diese *cremefarbene* Tasche würde sehr gut zu Ihrem *olivgrünen* Mantel passen.

---

282 ÜBUNG

Füge in den folgenden Sätzen den Adjektiven die passenden Flexionsendungen an:

1. Unserer neuest__ Idee zufolge gehen wir am kommend__ Wochenende während zweier ganz__ Tage picknicken und zelten. 2. Wir laden alle alt__ und neu__ Freunde sowie deren eigen__ Kollegen und Kolleginnen ein. 3. Mehrere Abtrünnig__ zögern schmählicherweise. 4. Gestern riefen beide neu__ Kolleginnen von Christiane an, sie müßten sich alles erst noch überlegen. 5. Dafür rechnet Robert mit Werner und dessen neu__ Freundin. 6. Auf jeden Fall wollen wir vom hart__ Kern nicht unnötig schwer__ Hunger leiden. 7. Sämtliche erschwinglich__ Lieblingsnahrungsmittel müssen her. 8. Christof schwört auf seine Schnitzel in scharf__ mexikanisch__ Marinade. 9. Erika will Folienkartoffeln

mit frisch__, mit Petersilie und Schnittlauch gewürzt__ Quark
zubereiten. 10. Sonjas liebst__ Picknickgericht sind knackig__
Grillwürste mit mild__ französisch__ Senf. 11. Robert will sich
etwas neu__ Schmackhaft__ ausdenken. 12. Er denkt an gegrillt__
Tomaten mit dreierlei frisch__ Gewürzen. 13. Allerlei erfri-
schend__ Getränke müssen auch mit. 14. Wer wird eine solche um-
fangreich__ Ladung auf die Burg hinaufschleppen? 15. Irgendein
lieb__ Wesen sollte sich bitte melden. 16. Diesmal müssen wir
dringend vermeiden, irgendwelche wichtig__ Dinge zu vergessen,
zum Beispiel so etwas Selbstverständlich__ wie genügend viel__
Streichhölzer. 17. Sonst sind sämtliche ander__ kraftraubend__
Anstrengungen zuviel.

Die Vergleichsformen

283 Zu den meisten Adjektiven kann man Vergleichsformen
(Komparationsformen) bilden. Man unterscheidet drei Stufen:

Bezeichnung	Beispiel
Positiv (Grundstufe)	heiß (wie in der Wüste)
Komparativ (Höherstufe)	heißer (als in der Wüste)
Superlativ (Höchststufe)	am heißesten (von allen Gegenden)

Die Bildung der Vergleichs- oder Komparationsformen bezeichnet
man als *Komparation* oder *Steigerung*. Statt von *Vergleichs-* oder
Komparationsformen spricht man auch von *Steigerungsformen*.

Die Bildung der Vergleichsformen

284 Die Grundform des Adjektivs ist der Positiv. Von ihm
heben sich Komparativ und Superlativ ab. Zeichen des

Komparativs ist die Endung *-er*, Zeichen des Superlativs die Endung *-st:*

Positiv	Komparativ	Superlativ
frech	frecher	am frechsten
dick	dicker	am dicksten
froh	froher	am frohsten
langweilig	langweiliger	am langweiligsten
seltsam	seltsamer	am seltsamsten

Bei Adjektiven, die auf eine betonte Silbe mit *-d, -t, -s, -ß, -z, -tz, -x* oder *-sch* ausgehen, wird vor der Superlativendung *-st* ein *e* eingeschoben:

Positiv	Komparativ	Superlativ
breit	breiter	am breitesten
blöd	blöder	am blödesten
nervös	nervöser	am nervösesten
weiß	weißer	am weißesten
frisch	frischer	am frischesten

Nach unbetonten Silben wird aber kein *e* eingeschoben:

Positiv	Komparativ	Superlativ
erbittert	erbitterter	am erbittertsten
passend	passender	am passendsten
kindisch	kindischer	am kindischsten

285 Einige Adjektive bilden den Komparativ und den Superlativ mit Umlaut:

Positiv	Komparativ	Superlativ
klug	klüger	am klügsten
alt	älter	am ältesten
grob	gröber	am gröbsten
arm	ärmer	am ärmsten

Bei manchen Adjektiven gibt es Formen mit und ohne Umlaut:

Positiv	Komparativ	Superlativ
schmal	schmaler	am schmalsten
	schmäler	am schmälsten
fromm	frommer	am frommsten
	frömmer	am frömmsten
gesund	gesunder	am gesundesten
	gesünder	am gesündesten

286 Mehr oder weniger unregelmäßige Vergleichsformen haben die folgenden Adjektive:

Positiv	Komparativ	Superlativ
groß	größer	am größten
hoch (der hohe)	höher	am höchsten
nah	näher	am nächsten
gut	besser	am besten
viel	mehr	am meisten

287 Bei Wörtern, die aus zwei Adjektiven (oder Partizipien) zusammengesetzt sind, wird manchmal der erste, manchmal der zweite Bestandteil gesteigert:

Der erste Bestandteil wird gesteigert:	ein leichtverständliches Buch ein leichter verständliches Buch das am leichtesten verständliche Buch
Der zweite Bestandteil wird gesteigert:	hochtrabende Gefühle hochtrabendere Gefühle die hochtrabendsten Gefühle
Schwankend:	schwerwiegende Bedenken schwerer wiegende / schwerwiegendere Bedenken die am schwersten wiegenden / schwerwiegendsten Bedenken

Auf keinen Fall korrekt ist es, beide Bestandteile zu steigern:

> in *größtmöglicher* Eile (falsch: in *größtmöglichster* Eile), das *besteingerichtete* Geschäft (falsch: das *besteingerichtetste* Geschäft).

Fred Viebahn

laut verlangen die demonstranten ihr recht
lauter unterdrückte arbeiter fragen
wie lauter
sind die maßnahmen der regierung
am lautesten dröhnen
die salven der miliz

---

288 Komparativ und Superlativ können genau wie der Positiv nach Kasus, Numerus und Genus flektiert werden. Auch hier gibt es starke und schwache Flexionsendungen (↑ 272 f.):

Begleiter ohne Flexionsendung oder gar kein Begleiter → starke Adjektivendung	Begleiter mit Flexionsendung → schwache Adjektivendung
zähes Leder	das zähe Leder
zäheres Leder	das zähere Leder
zähestes Leder	das zäheste Leder
aus dickem Karton	aus einem dicken Karton
aus dickerem Karton	aus einem dickeren Karton
aus dickstem Karton	aus dem dicksten Karton

Beim Komparativ gibt es auch eine Form ohne eine solche Flexionsendung, also nur mit der Komparativendung *-er:*

> Dieses Leder ist *zäh,* jenes ist aber *zäher.*
> Sein Widerwillen war *stark,* aber meiner noch *stärker.*
> Der D-Zug fährt *schneller* als der Eilzug.

Beim Superlativ der meisten Adjektive gibt es keine Form ohne zusätzliche Flexionsendung (das heißt nur mit der Superlativendung -*st*). Statt dessen verwendet man Verbindungen mit *am:*

> Dieses Leder ist sehr *zäh,* aber jenes ist *am zähesten.* Ruths Widerwillen war *stark,* aber Reginas Widerwillen *am stärksten.* Der Intercity fährt sehr *schnell;* er fährt *am schnellsten* von allen Zügen.

| 289 | ÜBUNG |

Bilde zu den folgenden Positiven den Komparativ und den Superlativ:

abgelegen, alt, bedeutend, blaß, blau, brav, breit, bunt, dumm, dunkel, erbittert, falsch, famos, flach, flexibel, freundlich, froh, genau, gerade, gesittet, gesund, glatt, heiter, hoch, hohl, jung, kalt, kindisch, klar, krank, kraß, krumm, kurz, lang, leise, mager, makaber, nahe, närrisch, nervös, plastisch, plump, rasch, rot, rund, scharf, schlank, schlau, spannend, stolz, stumpf, tapfer, toll, traumhaft, trocken, vergammelt, verlogen, warm, witzig, zahm, zart.

Eckart Bücken: Steigerungen

Groß	Großist	Großkotzig
Klein	Kleinlich	Kleinkariert
Alt	Alter	Altersheim
Mann	Mannbar	Mannschaftsbar
Hitze	Hitzig	Hitzkopf
Liebe	Lieber	Liebster
Herr	Herrlich	Herrschaftlich

Zum Gebrauch der Vergleichsformen

| 290 | Positiv, Komparativ und Superlativ werden besonders dort gebraucht, wo es um den Ausdruck von Gleichheit, Ver-

schiedenheit oder Andersartigkeit geht, also in Vergleichskonstruktionen:

> Heute war es fast so *heiß* wie in der Wüste.
> Gabi ist anderer Meinung: »Es war noch *heißer* als in der Sahara!«
> Es war wohl der *heißeste* Tag in diesem Sommer.

Der Positiv

291 Mit dem Positiv, der Grundstufe, wird einmal eine Eigenschaft, ein bestimmtes Merkmal bezeichnet:

> Die Strecke a ist 3 cm *lang*. Der Zug fährt *schnell*. Der Bleistift ist
> *spitz*. Kork ist *hart*.

Zum andern wird damit ausgedrückt, daß zwischen zwei Dingen oder Wesen in irgendeiner Hinsicht Gleichheit bzw. Vergleichbarkeit besteht. Vor dem Positiv steht dann oft *so;* die Formulierung, die das Verglichene angibt, wird mit *wie* eingeleitet:

> Die Strecke a ist *so lang wie* die Strecke b. Der Intercity fährt *so
> schnell wie* der D-Zug. Ein Bleistift ist *so spitz wie* der andere.

> In festen Verbindungen findet sich neben *wie* die Partikel *als:* Der
> D-Zug wartet auf den Anschluß *so lang als* möglich. Kurt machte
> den Kreis *so groß wie* möglich.

Wenn kein genau gleicher Grad vorliegt, kann man abtönende Wörter vor den Positiv setzen:

> Die Strecke a ist *fast* so lang wie die Strecke b. Der Intercity fährt
> *ungefähr* so schnell wie der D-Zug.

Der Komparativ

292 Mit dem Komparativ wird ausgedrückt, daß zwei Dinge oder Wesen in bestimmter Hinsicht ungleich sind (Ungleichheit, ungleicher Grad). Die Formulierung, die das Verglichene angibt, wird mit *als* eingeleitet:

> Strecke a ist *länger als* Strecke b. Der Intercity fährt *schneller* als der
> Eilzug. Holz ist *härter als* Kork. Holz ist ein *härterer* Stoff *als* Kork.
> Die Bleistifte waren einer *spitzer als* der andere.

Manchmal wird nach einem Komparativ gar keine Vergleichsgröße angegeben. Sie kann dann oft aus dem Zusammenhang erschlossen werden:

> Das ist etwas für *ältere* Leute (= für Leute, die älter sind als wir).
> Hoffe nicht auf *bessere* Zeiten (= auf Zeiten, die besser sind, als die gegenwärtigen).

Oft drückt in solchen Fällen übrigens der Komparativ gegenüber dem Positiv gar nicht ein Mehr, sondern ein Weniger aus:

> eine *ältere* Dame (= eine Dame, die gewiß jünger ist als eine alte Dame, aber wieder älter als eine junge Dame), ein *größerer* Geldbetrag (= ein Geldbetrag, der kleiner ist als ein großer Betrag, aber größer als ein kleiner Geldbetrag). Wir führten ein *längeres* Gespräch miteinander.

Wenn der ungleiche Grad zweier Eigenschaften ein und desselben Wesens oder Dings gekennzeichnet werden soll, verwendet man gewöhnlich statt des Komparativs die Formen *mehr, eher* oder *weniger* zusammen mit dem Positiv:

> Dieses Bild ist *eher anregend als beruhigend*. Sabine ist *eher unkonzentriert als ungeschickt*.

Der Grad der Ungleichheit kann bei Komparativen durch besondere Wörter oder Wortgruppen ausgedrückt werden:

> Fritz ist *etwas* größer als Thilo. Dieser Tisch ist *dreimal* länger als jener. Ein Intercity ist *bei weitem (weitaus, wesentlich)* schneller als ein Nahverkehrszug. Mit dem Intercity sind wir *drei Stunden* früher in Hamburg als mit dem Eilzug. Der Intercity wurde *immer* schneller. Der Intercity fuhr *schneller und schneller*.

---

293 | ÜBUNG

Setze in den folgenden Vergleichskonstruktionen *als* oder *wie* ein:

1. Das Dritte Programm ist populärer (…) das Zweite. 2. Der Zahnarztbesuch ging weniger lang, (…) ich dachte. 3. Diese Platte gefällt mir mindestens so gut (…) jene. 4. Keiner schreit so laut (…) unser Trainer. 5. Hamster sind eher in der Nacht wach (…) am Tag. 6. Sabine ist wütend auf ihre Schwester, weil diese länger aufbleiben darf (…) sie. 7. Schneller (…) Gudrun rennt keine in

unserer Klasse. 8. Ich bin fast so naß (…) du, obwohl ich nur kurz draußen war. 9. Am Südpol soll es kälter sein (…) am Nordpol. 10. Krokodile leben fast so lang (…) Menschen. 11. Die Kinder schwatzten eines lauter (…) das andere. 12. So schlechtgelaunt (…) unser Hausmeister möchte ich den Tag nicht beginnen! 13. Der Nachmittag verlief so langweilig, (…) ich vermutet hatte. 14. Erschöpft, (…) er von der langen Reise war, schlief Stefan sofort ein. 15. Dieses Schnitzel ist zäher (…) eine Schuhsohle, Herr Ober!

Der Superlativ

294 Mit dem Superlativ wird ausgedrückt, daß eine Sache oder ein Wesen sich in einer Eigenschaft oder einem Merkmal von allen anderen vergleichbaren Sachen oder Wesen abhebt (höchster Grad):

> Von allen vier Strecken ist Strecke a *am längsten (die längste)*. Dies ist der *spitzeste* Bleistift von allen. Der Intercity fährt *am schnellsten* von allen Zügen.

Mit ihm kann auch ohne einen direkten Vergleich ein *sehr hoher Grad* ausgedrückt werden. Man spricht dann von einem *absoluten Superlativ* oder *Elativ:*

> Beim *leisesten* Geräusch wachte er auf. Die Bank legte *größten* Wert auf völlige Verschwiegenheit. Der Trainer hat nicht die *geringste* Ahnung. Wir hatten den Ausflug *aufs genaueste (= ganz genau)* vorausgeplant.

Superlative werden häufig zum Zeichen der Hochschätzung gegenüber einem Gesprächs- oder Briefpartner verwendet:

> mit *besten* Grüßen, *freundlichst* Ihr …, *herzlichst* Ihr …

Beschränkungen in der Komparation

295 Keine Vergleichsformen können normalerweise Adjektive bilden, die von ihrer Bedeutung her kein Mehr oder Weni-

ger zulassen und bei denen daher die Möglichkeit eines Vergleichs
nicht besteht:

»absolute« Adjektive	tot, lebendig, sterblich, stumm, blind, nackt
Adjektive, die bereits einen höchsten Grad ausdrücken	maximal, minimal, optimal, total, ideal, erstklassig
viele Formadjektive	dreieckig, quadratisch, kegelförmig
Beziehungsadjektive (↑ 266)	amerikanisch, staatlich, dortig, heutig
Adjektive, deren Vorderglied schon einen Vergleich ausdrückt	steinreich, mordsschwer, knochentrocken, blitzschnell, butterweich
Zahladjektive (↑ 305 ff.)	drei, halb, siebenfach, ganz, einzig

Es heißt also:

> Sie arbeiteten mit *totalem* (falsch: *totalstem*) Einsatz. Das ist die
> *einzige* (falsch: *einzigste*) Möglichkeit, die ich sehe.

Der Gebrauch des Adjektivs

296 Im Satz kann das Adjektiv auf unterschiedliche Weise gebraucht werden. Man unterscheidet drei Gebrauchsweisen:

1. attributiver Gebrauch,
2. prädikativer Gebrauch,
3. adverbialer Gebrauch.

Attributiver Gebrauch

297 Adjektive (und adjektivisch gebrauchte Partizipien) können zu einem Nomen treten und mit ihm zusammen eine Einheit bilden. Man spricht dann von *attributivem* Gebrauch.

Meistens stehen attributive Adjektive *vor* dem zugehörigen Nomen. Sie werden dann normalerweise flektiert, das heißt, sie stimmen mit dem Nomen in Kasus, Numerus und Genus überein
(↑ 272 f.):

> Die Mappe war aus *zähem* Leder gefertigt. Der Fischer zog einen
> Autoreifen aus der *schmutzigen* Brühe. Philipp zeigte dem *keuchen-
> den* Vertreter den Weg.

Manche Adjektive können nur attributiv gebraucht werden. Sie
haben dann keine unflektierten Formen. Dazu gehören zum Beispiel Adjektive, die eine räumliche oder zeitliche Lage angeben:

> der *vordere* Eingang, das *obere* Fenster, ihr *damaliger* Freund.

Nur ausnahmsweise bleiben vorangestellte attributive Adjektive
unflektiert:

> In festen Verbindungen: etwas auf *gut* Glück versuchen, ein *gehörig*
> Stück Brot abschneiden. *Gut* Ding will Weile haben (Sprichwort).
>
> In Verbindung mit artikellosen Eigennamen: *Klein* Erna; in *halb*
> Deutschland, von *ganz* England.

Manchmal werden attributive Adjektive einem Nomen auch *nachgestellt*. In diesem Fall erscheint das Adjektiv normalerweise in der
unflektierten Form:

> Feste Wendungen (ohne Komma): mein Onkel *selig,* Forelle *blau,*
> Henkell *trocken.*
>
> Als Nachtrag (mit Komma am Anfang und am Schluß des Nach-
> trags): Das Hotel, *schmutzig* und *verfallen,* lud nicht gerade zu einer
> Übernachtung ein. Die Ruine, bei den Einheimischen als
> Tummelplatz von Geistern *bekannt,* wirkte unheimlich.

298 Unflektiert erscheint das Adjektiv auch, wenn es attributiv
auf ein anderes *Adjektiv* oder eine *Partikel* zu beziehen ist.

Bezug auf ein anderes *Adjektiv:*

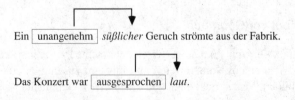

Ein ⌐unangenehm⌐ *süßlicher* Geruch strömte aus der Fabrik.

Das Konzert war ⌐ausgesprochen⌐ *laut.*

Bezug auf eine *Partikel* (ein Adverb, eine Präposition oder eine Konjunktion):

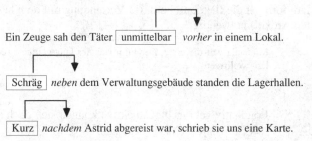

Ein Zeuge sah den Täter | unmittelbar | *vorher* in einem Lokal.

| Schräg | *neben* dem Verwaltungsgebäude standen die Lagerhallen.

| Kurz | *nachdem* Astrid abgereist war, schrieb sie uns eine Karte.

Prädikativ und adverbial gebrauchte Adjektive

299 *Prädikativer* oder *adverbialer* Gebrauch des Adjektivs liegt dort vor, wo ein Adjektiv (allein oder als Kern zusammen mit anderen Wörtern) ein eigenes Satzglied bildet (↑ 455). Es ist dann normalerweise unflektiert.

Man unterscheidet genauer: Wenn sich ein Adjektiv auf das *Verb* im Satz beziehen läßt, spricht man von *adverbialem* Gebrauch. Besteht Bezug zum *Subjekt* oder zu einem *Objekt,* liegt *prädikativer* Gebrauch vor.

300 Eindeutig *prädikativer* Gebrauch liegt dort vor, wo ein Adjektiv bei den Verben *sein, werden* und *bleiben* steht. In diesem Fall besteht Bezug auf das *Subjekt* des Satzes:

Der *Fußboden* war / wurde / blieb | naß |.

Der *Film* war | langweilig |. Der *Film* blieb | langweilig | bis zuletzt.

Die *Musik* wurde immer | leiser |.

Das Adjektiv erscheint hier normalerweise in der unflektierten Form. Nur bei Ordnungszahlen und bei Adjektiven in der Superlativform ist die flektierte Form (in Verbindung mit dem bestimmten Artikel) notwendig:

> Michaela war die erste. Der Film war der langweiligste (oder: am langweiligsten).

301 Prädikativ gebrauchte Adjektive können sich auch auf das *Akkusativobjekt* (↑ 491) beziehen:

Der Hund machte den *Fußboden* naß .

Walter drehte das *Radio* leiser .

Heinz schlug den *Nagel* krumm .

Norbert fand den *Film* langweilig .

302 Von *adverbialem* Gebrauch spricht man dort, wo deutlich Bezug des Adjektivs zum *Verb* im Satz besteht:

Der Spion *verhielt* sich unauffällig .

Die Kinder *rannten* schnell davon.

Der Autobus *wartete* nur kurz .

Die Frau *lächelte* geheimnisvoll .

| 303 | Nicht mehr ganz eindeutig ist der Bezug im folgenden Beispiel: |

Walter drehte | zornig | das Radio ab.

Man kann hier das Adjektiv *zornig* auf das Subjekt *Walter* beziehen und damit prädikativen Gebrauch ansetzen. Man kann aber auch *zornig* auf *abdrehen* beziehen; in diesem Fall würde man adverbialen Gebrauch annehmen. Beides läßt sich vertreten. Wir sind im Deutschen nicht gezwungen, die eine oder die andere Entscheidung zu fällen.

Ähnliche Fälle bilden die folgenden Beispiele:

Die Eltern betraten | leise | das Kinderzimmer.

Der Hund kam völlig | naß | nach Hause.

Die Lava wälzte sich | glühend | über die Abhänge des Vulkans.

| 304 | ÜBUNG |

Der folgende Text enthält viele Adjektive und adjektivisch gebrauchte Partizipien. Bestimme, ob sie attributiv, prädikativ oder adverbial gebraucht werden. Suche ferner die nominalisierten (substantivierten) Adjektive und Partizipien heraus:

1. Die ausgezeichnete Inszenierung von Büchners «Woyzeck» hatte ein zahlreiches Publikum ins Theater gelockt. 2. Beinahe ebenso spannend wie das gespielte Stück kamen mir die Auftritte der meisten Zuschauerinnen und Zuschauer während der reichlich langen Pause vor. 3. In konventioneller oder origineller festlicher Aufmachung oder in bewußt alltäglicher Kleidung standen und spazierten die Leute mit gelassener Miene und musternden Blicken in der Halle herum. 4. Bekannte grüßten sich freundlich, sprachen über irgend etwas Unverbindliches, aber doch nicht völlig Uninteressantes, und manch einer suchte angestrengt den Kontakt mit einer stadtbekannten Persönlichkeit. 5. Wenn sich Gleichgesinnte trafen, verloren sie gelegentlich sogar ein paar etwas tiefer gehende

Worte über das Theaterstück. 6. Alle fanden es sehr anregend. 7. Aber die meisten Gespräche blieben oberflächlich. 8. Als wir dann später aus dem Theater kamen, regnete es stark, und es war ziemlich kalt. 9. Die zahlreichen Besucherinnen und Besucher standen etwas ratlos unter dem Vordach gedrängt. 10. Einige von denen, die nicht in der exklusiven Lage waren, sich direkt in ein Auto setzen zu können, entschieden sich zu einem gewagten Spurt unter das nächste Vordach, während andere unschlüssig weiter warteten.

Zahladjektive

305 Die Zahladjektive weisen eine Reihe von Besonderheiten auf. Dies rechtfertigt es, sie in einem eigenen Abschnitt zu behandeln.

Zahladjektive sind Zahlwörter, die grammatisch gesehen Adjektive sind. Dies zeigt sich unter anderem daran, daß sie wie gewöhnliche Adjektive zwischen Artikel und Nomen stehen können:

Nicht alle Zahlwörter sind Adjektive. Es gibt auch Zahlwörter, die anderen Wortarten angehören. Zahlnomen sind zum Beispiel Wörter wie *Million* und *Milliarde,* Zahladverbien (also Partikeln) Wörter wie *einmal, zweimal, dreimal* oder *erstens, zweitens, drittens* usw.

306 Man unterschiedet zwei Gruppen von Zahladjektiven: *bestimmte* und *unbestimmte.*

Unbestimmte Zahladjektive

307 Unbestimmte Zahladjektive bezeichnen eine Menge oder Anzahl, die nur ungefähr geschätzt, also nicht genau angegeben wird. Dazu gehören unter anderem die folgenden Wörter:

> andere (der eine – der andere), einzelne, (der) einzige, sonstige, übrige, ungezählte, unzählige, vereinzelte, verschiedene, viel (mehr, am meisten, die meisten), weitere, wenig (weniger, am wenigsten, die wenigsten), zahllose, zahlreiche.

Einen unbestimmten Zahlbegriff können auch manche *Indefinitpronomen* ausdrücken; solche Pronomen kann man daher auch als *unbestimmte Zahlpronomen* bezeichnen. Wir haben gesagt: Zahladjektive können wie gewöhnliche Adjektive zwischen Artikel und Nomen stehen. Diese Beobachtung können wir ausnützen, um in Zweifelsfällen *Zahladjektive* und *Indefinitpronomen* voneinander abzugrenzen: Wenn man vor ein fragliches Wort den Artikel setzen kann, bestimmt man es als Adjektiv, andernfalls als Indefinitpronomen:

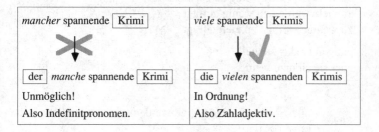

mancher spannende | Krimi |	*viele* spannende | Krimis |
| der | *manche* spannende | Krimi |	| die | *vielen* spannenden | Krimis |
Unmöglich!	In Ordnung!
Also Indefinitpronomen.	Also Zahladjektiv.

308 ÜBUNG

Handelt es sich bei den kursiv (schräg) gesetzten Wörtern um Indefinitpronomen oder um Zahladjektive? Wende die Artikelprobe an:

1. *Andere* Kaugummiarten gab es hier früher gar nicht zu kaufen. 2. Es bleibt *genug* Zeit, um die Haare zu waschen. 3. *Einige* Leute lernen nie, daß *aller* organische Abfall kompostierbar ist. 4. Nur *wenige* Leute fahren im Jahr dreimal in Urlaub. 5. Meine Freunde

haben mir *keine einzige* Scheibe Wurst zurückgelassen. 6. *Jedes einzelne* Blatt war mit *unzähligen* winzigen Illustrationen verziert. 7. *Sämtliche* Kinder mußten unverzüglich geimpft werden. 8. Am Weg warteten *zahllose* Zuschauer auf die Radrennfahrer. 9. *Irgendeinen* Ausweg werden wir schon finden. 10. Der Maler hat die Lauge mit *etwas* Wasser verdünnt. 11. *Mehrere* Stühle sind defekt. 12. *Alles übrige* erledige ich morgen!

Kurt Küther: zu viel und zu wenig

über wenige dinge
wird zu viel geredet
über viele dinge
wird zu wenig gesprochen

wenige dürfen viel wissen
viele wissen zu wenig

wenige haben zu viel zu bestimmen
zu viele haben zu wenig zu bestimmen
zu viele werden zu wenig gefragt
zu wenige werden zu viel gefragt

einigen ist das zu viel
aber sie sind zu wenig

---

309 Unbestimmte Zahladjektive werden wie gewöhnliche Adjektive flektiert:

Begleiter ohne Flexionsendung oder gar kein Begleiter → starke Adjektivendung	Begleiter mit Flexionsendung → schwache Adjektivendung
ein ander|es| Buch	das ander|e| Buch
(Vgl. gewöhnliche Adjektive:)	(Vgl. gewöhnliche Adjektive:)
ein gut|es| Buch	das gut|e| Buch
ein besser|es| Buch	das besser|e| Buch

Begleiter ohne Flexionsendung oder gar kein Begleiter → starke Adjektivendung	Begleiter mit Flexionsendung → schwache Adjektivendung
kein einzig er Tourist	der einzig e Tourist
(Vgl. gewöhnliche Adjektive:)	(Vgl. gewöhnliche Adjektive:)
kein neugierig er Tourist	der neugierig e Tourist
kein verirrt er Tourist	der verirrt e Tourist

Sie werden im Gegensatz zu den gewöhnlichen Adjektiven (aber gleich wie die Indefinitpronomen) klein geschrieben, auch wenn sie kein Nomen bei sich haben:

> Die *einen* gehen lieber in die Berge, die *anderen* lieber an die See. Der *einzelne* fühlte sich in der Masse der Zuschauer verloren. Alles *übrige* sage ich dir morgen. Heinz muß noch *verschiedenes* erledigen. Wir haben doch nichts *anderes* abgemacht, oder?

Bestimmte Zahladjektive

310 Bestimmte Zahladjektive drücken einen exakten Zahlbegriff aus, den man auch in *Ziffern* (= Zahlzeichen: 0, 1, 2, ..., 9) schreiben kann (↑ 17). Man unterscheidet die folgenden Untergruppen:

Grundzahlen	eins, zwei, drei, siebzehn, vierundzwanzig, hundert, tausend
Ordnungszahlen	erster, zweiter, dritter, siebzehnter, vierundzwanzigster, hundertster, tausendster, zehnmillionster
Bruchzahlen	drittel, viertel, zwanzigstel, hundertstel
Vervielfältigungszahlen	dreifach, fünffach, tausendfach

Grundzahlen

311 Die *Grundzahlen* (oder *Kardinalzahlen*) benennen eine genaue Anzahl oder eine genaue Menge. Sie sagen, *wie viele* Personen, Lebewesen, Dinge oder Sachverhalte gemeint sind:

> Sarah hatte *null* Fehler im Aufsatz. Der Wagen wurde von *zwei* Pferden gezogen. *Eines* der Pferde lahmt. Der Tag hat *vierundzwanzig* Stunden, die Stunde *sechzig* Minuten.

Zahladjektive können auch ohne Nomen gebraucht werden. Im Gegensatz zu den gewöhnlichen Adjektiven werden sie dann klein geschrieben:

> Nur *einer* von *zehn* konnte die Frage beantworten. Was *drei* wissen, wissen bald *dreißig*. Bis um halb *acht* sind wir zurück.

Aber als feminine Nominalisierungen (meist im Singular!):

> Die *Dreizehn* soll ihre Unglückszahl sein. Er malte eine *Acht* in die Luft.

312 Die folgende Liste enthält die wichtigsten Grundzahlen:

0	null	10	zehn				
1	eins	11	elf	10	zehn	100	[ein]hundert
2	zwei	12	zwölf	20	zwanzig	200	zweihundert
3	drei	13	dreizehn	30	dreißig	300	dreihundert
4	vier	14	vierzehn	40	vierzig	400	vierhundert
5	fünf	15	fünfzehn	50	fünfzig	500	fünfhundert
6	sechs	16	sechzehn	60	sechzig	600	sechshundert
7	sieben	17	siebzehn	70	siebzig	700	siebenhundert
8	acht	18	achtzehn	80	achtzig	800	achthundert
9	neun	19	neunzehn	90	neunzig	900	neunhundert

Zusammengesetzte Grundzahlen:

> ein + und + zwanzig = einundzwanzig (21), zwei + und + zwanzig = zweiundzwanzig (22), fünf + und + achtzig = fünfundachtzig (85) usw.

hundert [+ und] + eins = hundert[und]eins (101), vierhundert [+ und] + fünfundachtzig = vierhundert[und]fünfundachtzig (485) usw.

[ein]tausend (1000), zwei + tausend = zweitausend (2000), zehntausend (10 000), vierzehntausend (14 000), fünfzigtausend (50 000), hunderttausend (100 000).

Die Grundzahlen über 999 999 sind Nomen; sie werden mit kleineren Grundzahlen nicht zusammengeschrieben:

die Million, die Milliarde, die Billion usw.

sieben Millionen dreihundertfünfzigtausend.

Zahlnomen sind ferner Wörter wie: *das Paar* (= Zweiheit), *das Dutzend*.

Burckhard Garbe: lujasogi

ein luja
zwei luja
drei luja
vier luja
fünf luja

alle luja

---

313 ÜBUNG

Schreibe die mit Ziffern geschriebenen Zahlwörter in Buchstaben: 12, 21, 87, 895, 1354, 489357.

314 Die Grundzahl *eins* wird wie das Possessivpronomen *mein* flektiert; ihre Bedeutung schließt allerdings die Bildung von Pluralformen aus:

	Maskulinum	Femininum	Neutrum
Nominativ	ein Schlüssel	ein-e Tasche	ein Buch
Genitiv	ein-es Schlüssels	ein-er Tasche	ein-es Buches
Dativ	ein-em Schlüssel	ein-er Tasche	ein-em Buch
Akkusativ	ein-en Schlüssel	ein-e Tasche	ein Buch

Beim Gebrauch ohne Nomen werden die endungslosen Formen wie beim Possessivpronomen (↑ 219) durch solche mit Endungen ersetzt:

> Von den zwei Kartenspielen war nur noch *eines* (auch: *eins*) vollständig. Sie hat zwei Brüder; *einer* lebt in Amerika.

Wenn der Grundzahl *eins* ein Begleiter (ein Artikel oder ein Pronomen) vorangeht, wird sie aber wie ein gewöhnliches Adjektiv flektiert:

> Ich habe mit dem *einen* schweren Gepäckstück schon genug zu tragen! Im Laufe dieses *einen* Jahres war alles Geld aufgebraucht. Seit dem Unfall ist sein *eines* Bein steif.

Beim Zählen und im prädikativen Gebrauch verwendet man die Form *eins:*

> eins – zwei – eins – zwei ...

> Als wir in den Sternenhimmel schauten, waren wir *eins* mit der Natur.

315 | *Zwei* und *drei* bekommen im Genitiv die Endung *-er,* wenn ihnen kein Begleiter vorangeht:

> die Aussage *zweier* zuverlässiger Zeugen; innerhalb *dreier* banger Minuten.

> (Aber:) die Aussage der *zwei* zuverlässigen Zeugen; innerhalb dieser *drei* bangen Minuten.

Die Zahlwörter von *zwei* bis *zwölf* können im Dativ die Endung *-en* haben, wenn sie als Stellvertreter gebraucht werden:

> Was *zweien* zu weit, ist *dreien* zu eng. Die Höhlenforscherin mußte sich auf allen *vieren* durch den engen Schlund zwängen.

Außerhalb fester Wendungen kann die Endung *-en* aber auch fehlen:

> Mit *acht* Kamelen ist die Karawane gestartet, mit nur noch *vier(en)* ist sie zurückgekehrt.

Die übrigen Grundzahlen von 13 bis 999 999 haben keine Flexionsendungen.

| **316** | Anmerkung: Wenn *hundert* und *tausend* nur eine ungefäh- |

re Anzahl angeben, können sie *Flexionsendungen* erhalten. Sie gelten dann allerdings als *Zahlnomen* und werden darum groß geschrieben:

> (Zahladjektive:) Viele *tausend* Besucher haben das Konzert besucht. Mehrere *hundert* haben keine Karten mehr bekommen.

> (Zahlnomen:) Viele *Tausende* von Besuchern haben das Konzert besucht. *Hunderte* davon haben keine Karten mehr bekommen.

Ordnungszahlen

| **317** | Ordnungszahlen sind Adjektive, die eine Stelle oder einen |

Rang in einer Reihe bezeichnen. Die meisten sind von den Grundzahlen abgeleitet:

> erster, zweiter, dritter, zehnter, einundzwanzigster, fünfhundertster, millionster …

Beispiele:

> Neil Armstrong war der *erste* Mensch, der einen Schritt auf den Mond setzte. Die *dritte* Tür führt in die Garderobe. Jeder *tausendste* Besucher bekam einen Gutschein.

Als eine Art unbestimmte Ordnungszahlen können *nächster* und *letzter* angesehen werden:

> Am *ersten* Posten war Linda sehr rasch eingetroffen, aber zwischen dem *vierten* und dem *letzten* Posten hatte sie sehr viel Zeit verloren.

Ordnungszahlen werden wie gewöhnliche Adjektive flektiert.

| **318** | Ordnungszahlen können auch ohne Nomen gebraucht wer- |

den. Wenn sie einen Rang oder eine Wertschätzung be- zeichnen, werden sie groß geschrieben, sonst klein:

> (Bloße Reihenfolge:) Walter startete als *erster,* Erika als *zweite,* Simon als *dritter.* Jeder *dritte* wählte die Opposition.

> (Rang:) Walter ist *Erster* geworden, Erika *Zweite* und Simon *Dritter.* Wenn zwei sich streiten, freut sich der *Dritte.*

ernst jandl: fünfter sein

tür auf
einer raus
einer rein
vierter sein

tür auf
einer raus
einer rein
dritter sein

tür auf
einer raus
einer rein
zweiter sein

tür auf
einer raus
einer rein
nächster sein

tür auf
einer raus
selber rein
tagherrdoktor

Bruchzahlen

319 Bruchzahlen mit den Endungen *-tel* und *-stel* sind je nach Verwendungsweise (groß geschriebene) Nomen oder (klein geschriebene) Adjektive. Als Adjektive bleiben sie immer endungslos.

Adjektivischer Gebrauch liegt in Verbindung mit Maßangaben vor:

Ich brauche noch ein *viertel* Kilogramm Mehl. Zum Schluß geben Sie noch ein *fünftel* Liter Rotwein an die Sauce.

Gebräuchliche Verbindungen mit Maßangaben können zusammengeschrieben werden:

> Die Operation dauerte nur eine *Viertelstunde*. Die Siegerin hatte nur
> drei *Tausendstelsekunden* Vorsprung.

Sonst gelten diese Bruchzahlen als Nomen:

> Für eine gute Salatsauce braucht man drei *Fünftel* Öl und zwei
> *Fünftel* Essig. Jedes Kind bekam ein *Sechstel* Kuchen. Ein *Viertel*
> des Wegs war noch zurückzulegen. In zwei *Drittel[n]* aller Fälle
> löste die Substanz einen Hautausschlag aus (↑ 194).

Die Bruchzahl *Hälfte* ist immer ein Nomen, *halb* ein Adjektiv:

> Heinz hat die *Hälfte* des Kuchens / den *halben* Kuchen allein aufge-
> gessen.

Vervielfältigungszahlen

320   Vervielfältigungszahlen sind Adjektive, die mit dem Element *-fach* gebildet werden. Sie geben an, wie oft etwas
vorkommt oder vorhanden ist. Ihre Flexion entspricht derjenigen
der gewöhnlichen Adjektive:

> Gerry Robener ist *vierfacher* Weltmeister im Hürdenlauf. Für den
> Rückweg brauchten wir die *zweifache* (oder: die *doppelte*) Zeit. In
> kurzer Zeit ist der Wasserstand auf das *Siebenfache* gestiegen.

Die Partikel

Übersicht

321 Partikeln sind Wörter, die nicht flektiert (also weder konjugiert noch dekliniert) werden können. Die Wörter dieser Wortart erfüllen in unserer Sprache unterschiedliche Aufgaben. Man unterscheidet vier Gruppen:

1. Präpositionen: *an, auf, neben, für, durch, mit, ohne, wegen, mangels, zwischen* ...
2. Konjunktionen: *und, oder, aber, denn, als, wie, daß, ob, wenn, nachdem, weil* ...
3. Interjektionen: *hallo, aua, pfui, ach, oh* ...
4. Adverbien: *oben, links, rückwärts, gestern, deshalb, umsonst, leider, vielleicht* ...

---

kurt leitner: belehrung

nachundnach
ist es gelungen
ihm
mit viel achundkrach
ein xfüreinuvorzumachen
seither
gibt es kein wennundaber

Die Präposition

322 Präpositionen stehen bei einem Wort oder bei einer Wortgruppe und weisen ihr einen Kasus zu: den *Akkusativ*, den *Genitiv* oder den *Dativ* (nie den Nominativ). Man sagt auch: Sie *regieren* einen bestimmten Kasus. Daher spricht man auch von der *Rektion* der Präpositionen.

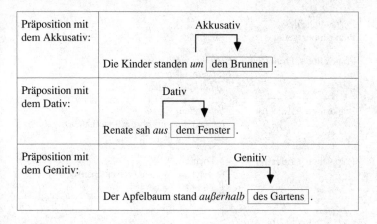

Präposition mit dem Akkusativ:	Akkusativ Die Kinder standen *um* den Brunnen .
Präposition mit dem Dativ:	Dativ Renate sah *aus* dem Fenster .
Präposition mit dem Genitiv:	Genitiv Der Apfelbaum stand *außerhalb* des Gartens .

323 Eine Präposition wird immer in Verbindung mit einem anderen Wort gebraucht. Bei diesem Wort kann es sich um ein *einzelnes Wort* handeln oder um ein Wort, das den Kern einer *Wortgruppe* aus zwei oder mehr Wörtern bildet. Das Wort oder die Wortgruppe bildet zusammen mit der Präposition ein *Präpositionalgefüge:*

| Präpositionalgefüge mit einem einzelnen Nomen: | eine Figur *aus* Holz . |
| Präpositionalgefüge mit einer Wortgruppe mit einem Nomen als Kern: | eine Figur *aus* hellem tropischem Holz . |

Das Wort, das mit der Präposition zusammen das Präpositionalgefüge bildet, kann unterschiedlichen Wortarten angehören:

Bestandteile des Präpositionalgefüges	Beispiele
Präposition + Nomen	*mit* den Freunden (diskutieren) *für* eine Person (sorgen) *auf* die Stufen (achten)

Bestandteile des Präpositionalgefüges	Beispiele
Präposition + Pronomen	*mit* ihnen (diskutieren) *für* jemanden (sorgen) *auf* etwas (achten)
Präposition + Adjektiv	*bei* weitem (etwas) *für* ganz vortrefflich (halten) (etwas) *auf* deutsch (sagen)
Präposition + Adverb	*bis* heute (etwas) *auf* morgen (verschieben) *nach* unten (gehen)

Die Stellung der Präpositionen

324 Die meisten Präpositionen stehen *vor* einem Wort oder einer Wortgruppe:

Sandra blickt *aus* | dem Fenster |.

Wir werden *mit* | dem Fahrrad | kommen.

Andreas mußte sich *ohne* | Portemonnaie | durchschlagen.

Seit | dem letzten Donnerstag | ist Eveline erkältet.

Es gibt aber auch *nachgestellte* Präpositionen:

| Ihren Freundinnen | *zuliebe* hat Sandra darauf verzichtet.

Ich habe | der guten Ordnung | *halber* darauf hingewiesen.

Manche Präpositionen können *vor*- oder *nachgestellt* werden:

Wegen | starker Böen | wurde der Ballonflug abgesagt.

| Starker Böen | *wegen* wurde der Ballonflug abgesagt.

Gegenüber | seinen Kollegen | fühlte sich Manfred im Nachteil.

| Seinen Kollegen | *gegenüber* fühlte sich Manfred im Nachteil.

Gemäß | den neuen Richtlinien | beginnt der Unterricht um 9.05 Uhr.

| Den neuen Richtlinien | *gemäß* beginnt der Unterricht um 9.05 Uhr.

Schließlich gibt es Präpositionen, die ihre Wortgruppe umklammern:

> *Um* │ des lieben Friedens │ *willen* beharrte ich nicht auf meiner Idee.
>
> *Von* │ Anfang │ *an* lag der französische Fahrer in Führung.

---

325 │ ÜBUNG

Bestimme im folgenden Text die Präpositionalgefüge, und ordne sie nach der Stellung der Präposition (vorangestellt, nachgestellt, umklammernd):

1. Dem Polizeigebäude gegenüber hatte die Bande ihr Hauptquartier. 2. Von Anfang an hatte der Kommissar den Waffenhändler Norbert B. im Verdacht. 3. Rund um das Haus wurde um der guten Ordnung willen geputzt und sauber gemacht. 4. Den Igeln zuliebe streuen wir keine Giftkörner gegen die Schnecken. 5. Doris tauschte ihre feuchte, dunkle Kammer gegen ein freundlicheres Zimmer. 6. Die Möwen flogen über die Bucht. 7. Den Tag über tat Armin der Arm nicht weh, aber während der ganzen Nacht schmerzte er ihn höllisch. 8. Bitte zahlen Sie den Betrag mittels des beigelegten Einzahlungsscheins ein. 9. Der Rückwand entlang stapelten sich leere Kartons und Kisten. 10. Vom Fenster aus konnte Rita die Lichter des Flughafens sehen. 11. Beate lehnt sich aus dem Fenster – hoffentlich verliert sie nicht ihr Gleichgewicht!

Die inhaltliche Leistung der Präposition

326 │ Durch die Präposition wird das Wort, das im Präpositionalgefüge steht, an ein anderes Wort angeknüpft, und zwar:

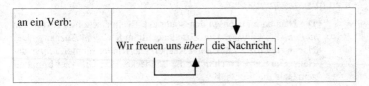

an ein Verb:	
	Wir freuen uns *über* │ die Nachricht │ .

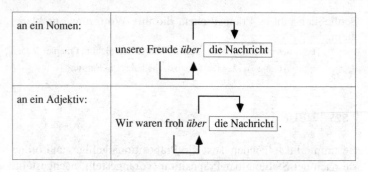

Durch die Präposition wird die *Beziehung* oder das *Verhältnis* gekennzeichnet, das zwischen diesen beiden Wörtern besteht. Präpositionen werden deshalb auch *Verhältniswörter* genannt.

Man kann die Präpositionen nach dem *Verhältnis*, das sie ausdrücken, vier Gruppen zuordnen:

1. lokale Präpositionen;
2. temporale Präpositionen;
3. modale Präpositionen;
4. kausale Präpositionen.

327 Lokale Präpositionen kennzeichnen eine *räumliche* Beziehung: eine *Lage* oder eine *Richtung*.

Die folgenden Präpositionen beschreiben eine *Lage* näher:

> Das Grundstück lag *am* Stadtrand. Das Altenheim befindet sich *neben* dem Stadtpark. *Um* den Marktstand standen viele Kauflustige. *Bei* der Brücke zweigt ein kleines Sträßchen ab. Die Kinder tuschelten *hinter* dem Rücken der Lehrerin. Die Kaufhäuser lagen *außerhalb* des eigentlichen Stadtzentrums. Die Akten lagen *unter* einer dicken Staubschicht. Frau Stolle arbeitet *auf* einer Bank.

Die folgenden Präpositionen geben eine *Richtung* (einen *Zielpunkt*, einen *Ausgangspunkt*) an:

> Die Nachbarn zogen *an* den Stadtrand. Eveline schob das Kästchen *neben* das Fenster. Die Zuschauer drängten *zum* Ausgang. Der Nachtschnellzug fährt *nach* Neapel. Die Kinder rannten *hinter* das Haus. Die Katze kroch *unter* die Bettdecke. Herr Gründler bringt all sein Geld *auf* die Bank.

Ein langer Güterzug fuhr *über* die Brücke. Ein schmales Bächlein
schlängelte sich *durch* das Tal.

Werner nahm einen Bleistift und einen Radiergummi *aus* dem
Kistchen. Die Blätter fallen *von* den Bäumen.

Wie man an den Beispielen sieht, können manche Präpositionen
sowohl eine Lage als auch eine Richtung kennzeichnen. Teilweise
verlangen sie dann nicht denselben Kasus. Siehe dazu ↑ 338.

| 328 | ÜBUNG |

Ergänze in den folgenden Sätzen dort, wo sie fehlen, die Präpositionen:

1. Der Betrunkene torkelte (…) einen Beleuchtungsmast. 2. (…)
dem Kachelofen lag ein riesiger Kater. 3. Nur wenige Stockenten
schwammen (…) Wasser. 4. Die Hecke rings (…) das Haus setzte
sich aus einheimischen Sträuchern zusammen. 5. (…) dem Lautsprecher tönte laute Musik. 6. Das Flugzeug flog hoch oben (…)
den Wolken. 7. Anja schaute sehnsüchtig (…) dem Eisverkäufer
hinüber. 8. (…) dem Schalter bildete sich eine lange Schlange.
9. Edgar hatte seinen Schlafanzug schon (…) den Koffer gelegt.
10. Bitte schreib doch deine glänzende Idee (…) die Tafel. 11. (…)
der Straße war ausnahmsweise einmal nur wenig Verkehr. 12. Das
Warenhaus (…) Bahnhof hat die größte Auswahl. 13. Fatima fand
den Schlüssel (…) der Garderobe.

| 329 | Temporale Präpositionen kennzeichnen eine *zeitliche* Be-
ziehung: einen *Zeitpunkt* oder einen *Zeitabschnitt*. |

(Zeitpunkt:) Der 100-m-Lauf startet *um* 17 Uhr (*am* Nachmittag, *vor*
dem Hürdenlauf, *nach* dem Weitsprung …). Diese Orchidee blüht
nur *am* Abend (*in* der Nacht).

(Zeitliche Erstreckung:) Auf Sommerkleider gewähren wir Ihnen
10 Prozent Rabatt schon *seit* dem 1. Juli (noch *bis zum* 15. August,
während der Sommermonate …).

| 330 | Modale Präpositionen kennzeichnen eine Beziehung der
Art und Weise. |

Peter verschlang die Spaghetti *mit* Tomatensauce (*ohne* Tomatensauce). Dieser Koffer ist *aus* Aluminium. Die unerwünschten Gäste verabschiedeten sich *unter* lauten Flüchen. Die Agentin reiste *in* geheimem Auftrag in den Nahen Osten. Wir unterhielten uns *auf* französisch.

---

331 Kausale Präpositionen kennzeichnen eine Begründung (im weitesten Sinn):

(Grund:) *Wegen* ihrer Meniskusoperation nahm Ursula am Rennen nicht teil. Der Zug kam *infolge* einer Fahrleitungsstörung etwa zwanzig Minuten zu spät an. Die Läufer hatten *vor* Anstrengung geschwitzt. Wolfgang hat die Datei *aus* Unachtsamkeit gelöscht.
(Unzureichender Gegengrund:) *Trotz* ihrer Meniskusoperation nahm Ursula am Rennen teil.
(Folge:) Der Film war *zum* Gähnen langweilig.
(Zweck, Absicht:) Doris hat *für* die Party bunte Girlanden gekauft. Sie fuhren *zur* Erholung an die See.
(Bedingung:) *Bei* länger anhaltenden Regenfällen droht das Getreide zu verfaulen. *Unter* diesen Umständen kann ich nicht am Kurs teilnehmen.
(Mittel, Werkzeug:) Erich zwängte den Deckel *mit* einem Schraubenzieher auf. Das Schloß wurde *durch* Feuer zerstört.
(Urheber:) Die Brücke ist *von* Freiwilligen erstellt worden. Die Wanderer wurden *von* einem Gewitter überrascht.

---

332 Manchmal verlangt ein Verb, ein Adjektiv oder ein Nomen ein Gefüge mit einer ganz bestimmten Präposition:

Hannelore ärgert sich ... *über* [   ].

Hannelores Ärger ... *über* [   ].

Hannelore ist ärgerlich ... *über* [   ].

↑

über [den Brief].

über [das Fernsehprogramm].

über [die Niederlage].

über [den Regen].

über [die Mitschülerinnen].

Die Präposition ist dann inhaltlich meist unwichtig und läßt sich nicht in eine der vier vorgenannten Gruppen (lokal, temporal, modal und kausal) einordnen. Sie hat hier eigentlich nur die Aufgabe, *grammatisch* zu verknüpfen. Das gilt auch für Fälle wie die folgenden:

> warten *auf* …
>
> → Walter wartet *auf* den Bus (*auf* seine Freunde, *auf* das Pausenzeichen, *auf* die Ferienzeit).

> zufrieden *mit* …
>
> → Daniela ist zufrieden *mit* ihrem Aufsatz (*mit* dem schönen Wetter, *mit* ihrem Fußballklub).

> Angst *vor* …
>
> → Direktor Müller hat Angst *vor* Verlusten (*vor* Streiks, *vor* der Konkurrenz, *vor* Bankräubern).

---

333 Eine Reihe von Präpositionen ist uns auf den letzten Seiten schon mehrfach begegnet. In der Tat haben die meisten Präpositionen mehr als eine Gebrauchsweise. *Welche* Gebrauchsweise oder Bedeutung eine Präposition (und das von ihr bestimmte Präpositionalgefüge) in einem bestimmten Satz hat, kann aber normalerweise aus dem Zusammenhang erkannt werden.

Sehen wir uns daraufhin einmal die Gebrauchsweisen der Präposition *in* an:

> Kennzeichnung einer lokalen Beziehung: *Im* Industriemuseum können wir die Erfindungen des 19. Jahrhunderts bewundern.

> Kennzeichnung einer temporalen Beziehung: *Im* November macht mich das Wetter oft trübsinnig.

> Kennzeichnung einer modalen Beziehung: Du sprichst wieder einmal *in* Rätseln! Das Kleid der Diplomatin war *in* einem unauffälligen Grau gehalten.

> Kennzeichnung einer kausalen Beziehung: *Im* Auftrag der Umweltschutzbehörde kontrollierten Fachleute die Abwässer des Industriebetriebs.

> Präpositionalgefüge mit festgelegter Präposition: Carola verliebte sich *in* dieses Bild. Wir willigten *in* den Kompromißvorschlag ein.

| 334 | ÜBUNG |

Bestimme in den folgenden Sätzen, ob die kursiv (schräg) gesetzten Präpositionen eine lokale, eine temporale, eine modale oder eine kausale Beziehung kennzeichnen. In welchen Sätzen lassen sie sich nur sehr schwer einer der genannten Bedeutungsgruppen zuordnen?

1. Der Wegweiser steht etwa 100 Meter *nach* der Tankstelle. 2. Der Abgeordnete reist morgen wieder *nach* Bonn. 3. *Nach* dem Fest war der Boden mit Konfetti, Pappbechern und Zigarettenkippen übersät. 4. Diesen Eintopf habe ich *nach* einem französischen Rezept zubereitet. 5. Im Krater roch es *nach* Schwefel. 6. Der Nachtwächter fragte *nach* meinem Ausweis.

7. *Aus* Wut hat Annelies die Flöte in die Ecke geknallt. 8. Der Verkäufer nahm schließlich ein originalverpacktes Set *aus* dem Schrank. 9. Tante Waltraut erzählte Geschichten *aus* der Jugend. 10. Die Prinzessin trug ein Kleid *aus* Seide.

11. Wir standen unschlüssig *vor* dem verschlossenen Eingang. 12. *Vor* der Hauptprobe waren die Jugendlichen etwas nervös. 13. Der Hund hat *vor* Kälte gezittert. 14. Die Straßenpredigerin warnte alle Passanten *vor* dem Weltuntergang.

15. Eine Kolonne schwarzer Limousinen ist *über* die Brücke gefahren. 16. Unsere Katze ist *über* Nacht weggeblieben. 17. Der Flohmarkt war *über* alle Erwartungen erfolgreich. 18. Der Vortrag *über* gesunde Ernährung findet eine Stunde später statt. 19. *Über* kurz oder lang erfährt sie es doch.

20. Der Penner schläft *unter* einer Brücke. 21. *Unter* diesen Voraussetzungen kann unsere Firma den Vertrag nicht unterzeichnen. 22. Der Gips wird hier *unter* Tag abgebaut.

23. *Zum* Schwimmbad geht es hier gleich nebenan. 24. Frösche können sich *zu* Wasser und *zu* Land fortbewegen. 25. Toni fügte einen halben Liter Ananassaft *zur* Bowle. 26. Der linke Knopf dient *zur* Einstellung der Tonhöhe. 27. Er warf die leeren Kartons *zum* Fenster hinaus. 28. *Zum* Baukasten gehören auch vier Zahnräder. 29 Der Fanklub entwickelte sich *zu* einem Verein von Radaubrüdern.

Die Rektion (Kasuszuweisung) der Präpositionen

335 Wir haben gesehen: Präpositionen weisen der Wortgruppe, bei der sie stehen, einen bestimmten Kasus zu. Das kann der *Akkusativ*, der *Dativ* oder der *Genitiv* sein. Die folgenden Tabellen geben eine Auflistung der wichtigsten Präpositionen des Deutschen nach ihrer Rektion (Kasuszuweisung):

Präpositionen mit dem Akkusativ

336 Die folgenden Präpositionen stehen mit dem Akkusativ:

Präposition	Beispiele
für	Die Großmutter dankte *für den Brief*.
gegen	Alfred kämpfte *gegen seinen großen Hunger*.
ohne	Wir blieben einen Tag *ohne elektrischen Strom*.
durch	Die Nilpferde wateten *durch den Sumpf*.
um	Die Jugendlichen saßen *um den großen Brunnen*.
bis	Die Disco bleibt *bis nächsten Freitag* geschlossen.

Die Partikel *bis* kann auch vor eine andere Präposition gestellt werden. Der Kasus des folgenden Wortes wird dann von dieser Präposition bestimmt:

> Die Disco bleibt *bis zum nächsten Freitag* geschlossen. Die Touristen traten *bis vor den Abgrund*. Es traf mich *bis ins Mark*.

Präpositionen mit dem Dativ

337 Die folgenden Präpositionen stehen mit dem Dativ:

Präposition	Beispiele
mit	Ich fügte die beiden Flächen *mit einem Zweikomponentenkleber* zusammen.

aus	Die beiden Verbrecher konnten *aus dem Gefängnis* fliehen.
bei	*Bei diesem starken Lärm* kann ich nicht einschlafen.
nach	Es roch verführerisch *nach frischem Kaffee*.
von	Die Ministerin wurde *von ihrem Sekretär* begleitet.
zu	Dieses Plastikteil gehört *zu einem Baukasten*.
zuliebe	(Nachgestellt:) *Den Kolleginnen zuliebe* verzichtete Anna auf ihren freien Nachmittag.
seit	Die Schloßstraße ist *seit dem 1. Juli* für den Gegenverkehr gesperrt.
dank	*Dank dem heißen Wetter* trocknete die Farbe rasch. (Auch mit dem Genitiv: *Dank des heißen Wetters* trocknete die Farbe rasch.)
trotz	*Trotz dichtem Nebel* landete die Maschine pünktlich. (Auch mit dem Genitiv: *Trotz dichten Nebels* landete die Maschine pünktlich.)
zufolge	Nachgestellt: *Ihrem Wunsch zufolge* fuhren wir einen Tag später. (Vorangestellt mit dem Genitiv: *Zufolge ihres Wunsches* fuhren wir einen Tag später.)
außer	Niemand wußte davon *außer dem Lehrer*. (Auch als Konjunktion ohne Kasuszuweisung: Niemand wußte davon *außer der Lehrer*.)

Präpositionen mit dem Akkusativ oder dem Dativ

338 Einige sehr häufig gebrauchte *lokale* Präpositionen regieren den Dativ oder den Akkusativ. Der *Akkusativ* steht, wenn sie eine *Richtung* kennzeichnen (Frage: wohin?), der *Dativ,* wenn sie eine *Lage* (Frage: wo?) kennzeichnen. Oft kann man nur am Kasus erkennen, ob ein Ort oder eine Richtung gemeint ist.

Präposition	Richtung (wohin?) → Akkusativ	Lage (wo?) → Dativ
in	Die Kinder sprangen *ins Wasser*.	Die Kinder vergnügten sich *im Wasser*.
an	Ich hänge das Poster *an die Wand*.	Dort hängen zwei Poster *an der Wand*.

auf	Das Kätzchen sprang *auf den Tisch.*	*Auf dem Tisch* lag ein Wollknäuel.
neben	Ich stelle den Sessel *neben das Bett.*	Der Sessel steht *neben dem Bett.*
vor	Der Metzger trat *vor seinen Laden.*	Der Metzger stand *vor seinem Laden.*
hinter	Die Wirtin trat *hinter den Tresen.*	Die Wirtin stand *hinter dem Tresen.*
über	Der Ballon schwebte *über die Stadt.*	Der Ballon schwebte *über der Stadt.*
unter	Der Politiker mischte sich *unter die Zuschauer.*	Der Politiker saß *unter den Zuschauern.*
zwischen	Der Ringrichter trat *zwischen die beiden Boxer.*	Der Ringrichter stand *zwischen den beiden Boxern.*

Ähnlich verhalten sich diese Präpositionen auch, wenn sie eine *temporale* (zeitliche) Beziehung kennzeichnen:

Präposition	Akkusativ	Dativ
in	Unsere Planungen reichen oft *in das 21. Jahrhundert.*	Wir leben *im 20. Jahrhundert.*
vor	Der Hundertmeterlauf wurde *vor den Hürdenlauf* verlegt.	Der Hundertmeterlauf beginnt *vor dem Hürdenlauf.*

339 ÜBUNG

Setze in den folgenden Sätzen die passenden Kasusformen des Artikels ein, und begründe deine Wahl:

1. Spieglein, Spieglein an d__ Wand, wer ist die Schönste im ganzen Land? 2. Die Hexe kniete vor d__ Ofen und blies in d__ Glut. 3. Vater Bär klopfte an d__ Tür und trat ein. 4. Es regnete, und der Däumling setzte sich unter ei__ Grashalm. 5. König Drosselbart schlug auf d__ Tisch. 6. Der Froschkönig saß auf ein__ Seerosenblatt. 7. Dornröschen lag neben d__ Koch. 8. Ein Geißlein verbarg sich hinter d__ groß__ Wanduhr. 9. Der Wolf legte sich in d__ Bett

der Großmutter. 10. Hänsel und Gretel standen vor d__ Hexenhaus.
11. Rapunzel ließ ihr Haar an d__ Turmwand herunter.

Präpositionen mit dem Genitiv

340 Eine Reihe von Präpositionen verlangt den Genitiv. Einige
von ihnen werden allerdings vorwiegend in der geschriebenen Sprache gebraucht:

Präposition	Beispiele
außerhalb	*Außerhalb des Dorfes* gab es nichts als Wiesen und Getreidefelder.
innerhalb	*Innerhalb der Burgmauern* herrschte ein fröhliches Treiben.
oberhalb	*Oberhalb des Siedepunkts* existiert Wasser nur noch als Dampf.
unterhalb	400 Meter *unterhalb des Gipfels* rasteten wir ein letztes Mal.
halber	(Nachgestellt:) *Besonderer Umstände halber* bleibt das Geschäft heute geschlossen.
mangels	*Mangels eines eigenen Büros* arbeitete er im Wohnzimmer.
mittels	Der Dieb öffnete das Schloß *mittels eines dicken Drahtes*.
dank	*Dank des Einflusses des Golfstroms* ist es in Nordeuropa vergleichsweise mild. (Auch mit dem Dativ: *Dank dem Einfluß des Golfstroms* ist es in Nordeuropa vergleichsweise mild.)
trotz	*Trotz des starken Straßenlärms* schlief ich sofort ein. (Auch mit dem Dativ: *Trotz dem starken Straßenlärm* schlief ich sofort ein.)
laut	Der Prinzessin soll es *laut eines ärztlichen Kommuniqués* gutgehen. (Auch mit dem Dativ: Der Prinzessin soll es *laut einem ärztlichen Kommuniqué* gutgehen.)
längs	*Längs des Gartenzauns* wuchsen wilde Brombeeren. (Auch mit dem Dativ: *Längs dem Gartenzaun* wuchsen wilde Brombeeren.)

während	*Während des Winters* müssen die Palmen in ein Gewächshaus gestellt werden. (Umgangssprachlich auch mit dem Dativ: *Während dem Winter* müssen die Palmen in ein Gewächshaus gestellt werden.)
wegen	*Wegen seines dicken Bauchs* verzichtete Onkel Fritz auf ein drittes Stück Kuchen. Wir konnten den Paß *wegen starken Schneefalls* nicht mehr überqueren. (Umgangssprachlich häufig auch mit dem Dativ: *Wegen seinem dicken Bauch* verzichtete Onkel Fritz auf ein drittes Stück Kuchen. Wir konnten den Paß *wegen starkem Schneefall* nicht mehr überqueren. Karola möchte dich *wegen etwas Wichtigem* sprechen.)
statt, anstatt	Er traf *statt des Tors* den Linienrichter. (Auch als Konjunktion ohne Kasuszuweisung: Er traf *statt das Tor* den Linienrichter.)

341 Der Genitiv steht bei diesen Präpositionen normalerweise nur dann, wenn dem Nomen ein Artikel, ein Pronomen und/oder ein Adjektiv *mit Kasusendung* vorangeht. Sonst wird der Dativ gewählt, oder man fügt die Präposition *von* ein, die ebenfalls den Dativ regiert.

Dem Nomen geht ein Artikel, ein Pronomen und/oder ein Adjektiv mit Kasusendung voraus → Genitiv	Dem Nomen geht kein Artikel, Pronomen und/oder Adjektiv mit Kasusendung voraus → Dativ bzw. Anschluß mit *von*
abzüglich der Getränke wegen starker Regenfälle während jener Jahre mangels ausreichender Vorräte	abzüglich Getränken wegen Regenfällen während fünf Jahren mangels Vorräten
abseits der Touristenorte infolge irgendwelcher Fehler aufgrund heftiger Proteste	abseits *von* Touristenorten infolge *von* Fehlern aufgrund *von* Protesten

Im Singular wird bei maskulinen und neutralen Nomen die Genitivform mit der Endung *-s* schon oft durch die endungslose Dativform ersetzt:

Dem Nomen geht ein Artikel, ein Pronomen und/oder ein Adjektiv mit Kasusendung voraus	Dem Nomen geht kein Artikel, Pronomen und/oder Adjektiv mit Kasusendung voraus
→ Genitiv (mit Endung -*s*)	→ Dativ (endungslos) bzw. Anschluß mit *von*, seltener Genitiv (mit Endung -*s*)
abzüglich eines erheblichen Rabatts	abzüglich Rabatt
einschließlich des Portos	einschließlich Porto
laut des letztjährigen Vertrags	laut Vertrag
mittels eines dicken Drahtes	mittels Draht
mangels heißen Wassers	mangels Wasser
wegen eines Todesfalls geschlossen	wegen Todesfall geschlossen (auch: wegen Todesfalls geschlossen)
wegen deines Bruders	wegen Stefan
abseits des Lärms und des Rummels	abseits *von* Lärm und Rummel
außerhalb des Stadtzentrums	außerhalb *von* London (auch: außerhalb Londons)

Allgemein steht der Dativ, wenn zwischen Präposition und Nomen ein Nomen im Genitiv (Genitivattribut, ↑ 528) tritt:

> laut Meiers grundlegendem Werk, wegen Sabines neuem Freund, während Astrids letzten Ferien, mittels Vaters neuem Rasierapparat.

342	ÜBUNG

Setze die eingeklammerten Wortgruppen in den folgenden Sätzen in den passenden Fall:

1. Außerhalb (England) kennt man diesen Brauch nicht. 2. Das Krokodil trieb geruhsam längs (das Ufer) dahin. 3. Die neue Zigarettenmarke konnte sich trotz (großer Werbeaufwand) nicht durchsetzen. 4. Die Touristen durften die Hotels während (Tage) wegen (die drohenden Lawinen) nicht verlassen. 5. Die Übernachtung in Catania kostet einschließlich (Frühstück) 20 000 Lire. 6. Es war doch schon immer so, daß wir wegen (der Jahrmarkt) möglichst

wenig Aufgaben hatten. 7. Eveline trug heute einen Hosenanzug statt (ihr gewohntes Kleid). 8. Ist euch aufgefallen: Herr Munkel hat statt (das Aktenköfferchen) nur sein Pfeifentäschen unter dem Arm getragen. 9. Laut (die Spielregeln) hättest du nicht zweimal würfeln dürfen. 10. Lilo hat trotz (ihr verstauchter Daumen) am Barren phantastisch geturnt. 11. Markus sagt, er habe den Rasenmäher mittels (ein Draht) reparieren können. 12. Mein Bruder verfügt abzüglich (die wöchentlichen Ausgaben) noch über ein ansehnliches Guthaben von DM —,45. 13. Michael Jackson trat hier innerhalb (die letzten drei Monate) viermal auf. 14. Nur dank (hartes Training) hat Lisa den 100-m-Lauf gewinnen können. 15. Ruth und Gabi mußten mangels (Geld) in einem Park übernachten. 16. Seitlich (der Kanal) verlief ein Radweg. 17. Während (das ganze Essen) hat Nina kein einziges Wort gesprochen. 18. Trotz (Einwände) ihrer Eltern fuhren Martin und Rebekka nach Süditalien. 19. Wegen (Straßenunterbrüche) infolge (der Monsunregen) können die meisten kleineren Orte auf dem Landweg nicht erreicht werden. 20. Während Harrys (reichlich langer Vortrag) haben Manfred und Monika dauernd getuschelt.

Mehrere Präpositionen vor einem Nomen

343 Zwei Präpositionen können vor ein Nomen gesetzt werden, ohne daß dieses wiederholt werden muß:

> vor dem Haus und hinter dem Haus → vor und hinter dem Haus.
> mit Frank oder ohne Frank → mit oder ohne Frank.

Wenn die Präpositionen verschiedene Kasus zuweisen, richtet sich das Nomen nach der zweiten Präposition:

> mit Büchern (Dativ) oder ohne Bücher (Akkusativ) → mit oder ohne Bücher (Akkusativ);
>
> mit ihrem Willen (Dativ) oder gegen ihren Willen (Akkusativ) → mit oder gegen ihren Willen (Akkusativ);
>
> gegen ihren Willen (Akkusativ) oder mit ihrem Willen (Dativ) → gegen oder mit ihrem Willen (Dativ).

Die Konjunktion

344 Konjunktionen sind Partikeln, die Sätze und Teile von Sätzen miteinander verbinden. Sie heißen daher auch Bindewörter. Man unterscheidet zwei Gruppen: *nebenordnende* und *unterordnende Konjunktionen.*

1. *Nebenordnend* sind Konjunktionen dann, wenn sie gleichartige Wörter, Wortgruppen, Teilsätze oder Sätze miteinander verbinden:

> Petra *und* Franziska spielen Schach. Petra spielt Computerschach, *und* Franziska liest ein Buch. Petra möchte mit Franziska Schach spielen, *doch* Franziska liest lieber in ihrem Buch.

Zu den nebenordnenden Konjunktionen zählt man auch *als* und *wie,* wenn sie bei einem einzelnen Wort oder einer Wortgruppe stehen. Man nennt sie dann *Satzteilkonjunktionen:*

> Frau Körner arbeitet *als* Prokuristin in einer Bank. Im Winter fährt Rolf Reimann *wie* alle seine Kollegen mit dem Bus zur Arbeit.

2. *Unterordnend* sind Konjunktionen dann, wenn sie Nebensätze einleiten:

> Frau Körner muß früh aufstehen, *weil* sie einen langen Arbeitsweg hat. *Als* Frank die Tür öffnete, gab es einen gewaltigen Durchzug.

Nebenordnende Konjunktionen

345 Die *nebenordnenden* (oder *beiordnenden*) Konjunktionen verbinden Wörter, Wortgruppen, Teilsätze und Sätze, die *grammatisch* gleichrangig nebeneinanderstehen:

> | Daniel | *und* | Vera | keuchen vor Anstrengung.

> Daniel | keucht vor Anstrengung | *und* | hat einen roten Kopf |.

> | Weil es steil bergauf ging | *und* | weil die Sonne so sehr brannte |, schwitzten sie heftig.

> | Daniel hat einen roten Kopf |, *und* | Vera schwitzt aus allen Poren |.

346 *Inhaltlich* können die Einheiten, die durch nebenordnende Konjunktionen verbunden werden, zueinander in ganz unterschiedlicher Beziehung stehen. Welche Beziehung gelten soll, das wird durch die Konjunktion vermittelt: An ihr kann die Art der Beziehung abgelesen werden. Nach Gruppen geordnet, sind die wichtigsten nebenordnenden Konjunktionen die folgenden:

1. Anreihende (kopulative) Konjunktionen:

Konjunktion	Bemerkungen zum Gebrauch, Beispiele
und	Dieter vertilgte einen Hamburger *und* zwei Portionen Pommes frites. Vera keucht *und* schwitzt.
sowie	Zur Anreihung eines Nachtrags (Bedeutung: *und auch*): Zur Abkühlung wünscht sich Vera ein kühles Bad *sowie* eine Riesenportion Eis.
	Zur Gliederung komplizierterer Reihungen: Für mein Lieblingsdessert braucht man Eis und Sahne *sowie* Früchte und Walnüsse.
wie	Zur Anreihung eines Nachtrags (Bedeutung: *und auch*): Kinder *wie* Erwachsene waren vom Spiel begeistert.
sowohl – als [auch] sowohl – wie [auch]	Diese Verbindungen von Konjunktionen werden als eine Art nachdrückliches *und* gebraucht: In diesem Restaurant gibt es *sowohl* preiswerte Menüs *als auch* teure Spezialitäten.
weder – noch	Bei diesen Konjunktionen handelt es sich um eine Kombination von Verneinung und Aneinanderreihung: Bei diesem heißen Wetter löscht *weder* eine klebrige Limonade *noch* ein lauwarmer Tee den Durst.

2. Ausschließende (disjunktive) Konjunktionen:

Konjunktion	Bemerkungen zum Gebrauch, Beispiele
oder	Mit dieser Konjunktion kann ausgedrückt werden, daß von zwei Möglichkeiten nur eine in Betracht kommt (ausschließendes *oder*): Da ich wenig Appetit habe, nehme ich einen Salatteller *oder* eine kleine Portion Pommes frites.

oder (Fortsetzung)	Die Konjunktion steht aber auch, wenn von zwei Möglichkeiten nicht nur die eine oder die andere, sondern auch beide zugleich in Betracht kommen können (einschließendes *oder*): Wenn ich noch weiter rennen muß, bekomme ich gewiß Seitenstechen *oder* einen Krampf in den Beinen (… und schlimmstenfalls beides zugleich!).
entweder – oder	Diese Verbindung ist ein verstärktes ausschließendes *oder:* Ich nehme *entweder* einen Salatteller *oder* eine kleine Portion Pommes frites.
beziehungsweise (abgekürzt: bzw.)	Diese Konjunktion dient vor allem der Präzisierung: Der Vertrag ist vom Versicherungsnehmer *bzw.* seinem gesetzlichen Vertreter im Doppel zu unterzeichnen.

3. Einschränkende (adversative bzw. restriktive) Konjunktionen:

Konjunktion	Bemerkungen zum Gebrauch, Beispiele
aber	Eveline trug einen langen, *aber* luftigen Rock. Die Sonne brannte heiß, *aber* Susi wollte nicht ins Schwimmbad gehen. Häufig in Verbindung mit dem Adverb *zwar:* Das Eis war *zwar* recht teuer, *aber* dafür auch ausgezeichnet.
doch	Die Sonne brannte heiß, *doch* Susi wollte nicht ins Schwimmbad gehen.
jedoch	Ich nehme auch ein Eis, *jedoch* ohne Sahne.
sondern	Nach *nicht* oder einer anderen Verneinung: Das Schwimmbad ist samstags *nicht* bis 19 Uhr, *sondern* nur bis 17 Uhr geöffnet. Ich nehme *kein* Eis, *sondern* einen Fruchtsalat.

4. Begründende (kausale) Konjunktionen:

Konjunktion	Bemerkungen zum Gebrauch, Beispiele
denn	Wir gingen in den Schatten, *denn* es war draußen sehr heiß geworden.
nämlich	Diese Partikel steht nie am Anfang des Satzes: Wir gingen in den Schatten, es war *nämlich* draußen sehr heiß geworden.

| 347 | ÜBUNG |

Fasse die folgenden Satzpaare zu jeweils einem Satz zusammen, und verwende dabei passende nebenordnende Konjunktionen:

1. Wir sind gestern nicht ins Theater gegangen. Wir sind gestern ins Kino gegangen. 2. Peter hatte keine Mütze bei sich. Er hatte auch keinen Schal bei sich. 3. Der graue Papagei kann pfeifen. Er kann auch sprechen. 4. Franz hat viele Reisepläne. Franz hat leider kein Geld. 5. Das Spiel findet am Samstag statt. Vielleicht findet es aber auch am Sonntag statt. 6. Felix hat Hunger. Und Astrid hat Hunger.

| 348 | ÜBUNG |

Setze in den folgenden Sätzen passende Konjunktionen ein. Was für eine Beziehung drücken sie aus?

1. Hinter dem Haus sah man einen Teich, einen Kiesweg (…) eine Hecke. 2. Die Treppe führte in völliger Dunkelheit nach oben, es gab (…) ein Fenster (…) elektrisches Licht. 3. Den Karpfen im Teich zuzusehen mochte ein Vergnügen sein, (…) für mich war es das nicht an jenem Tag. 4. Ich warf einen Blick ins Wohnzimmer, (…) es war leer. 5. Bei Sonnenschein saßen sie (…) alle im Garten. 6. An diesem Abend nahmen wir das Essen nicht in dem düsteren Eßzimmer, (…) auf der Terrasse ein. 7. Die älteren Gäste (…) unsere Eltern hatten sich schlafen gelegt. 8. Plötzlich nahmen wir einen Schatten (…) auch einen kühlen Wind wahr. 9. Ich hatte den Schatten (…) genau gesehen (…) konnte ich irgendeinen Laut (…) Geruch wahrnehmen. 10. Ein Schauer lief mir über den Rücken, (…) man erzählte sich unheimliche Geschichten über diesen Ort. 11. War es ein Gespenst (…) nur eine Fledermaus?

| 349 | In ähnlicher Bedeutung wie die aufgeführten Konjunktionen gibt es auch Adverbien. Oft sind Konjunktionen und Adverbien nicht einfach auseinanderzuhalten. Am einfachsten er-

kennt man an der Wortstellung, ob das eine oder das andere vorliegt: Adverbien können in einem einfachen Satz allein vor das finite Verb treten, Konjunktionen nicht. Das kann man mit einer Verschiebeprobe testen:

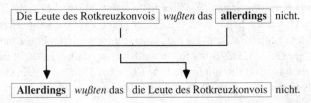

Wenn das Adverb *allerdings* an die Spitze des Satzes gestellt wird, muß das Satzglied, das bisher dort gestanden hatte, nach hinten rücken. Dies ist nicht der Fall bei der Konjunktion *aber*. Sie kann im Gegenteil nur zusammen mit einem Satzglied an der Spitze stehen, sie bildet für sich also kein Satzglied:

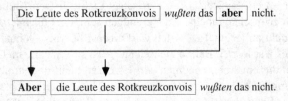

Unmöglich:

| Aber | *wußten* | die Leute des Rotkreuzkonvois | das nicht.

Die Grenze zwischen Konjunktion und Adverb ist allerdings nicht immer so scharf. Dies zeigen Partikeln, die mit praktisch gleicher Bedeutung sowohl als Konjunktion wie auch als Adverb gebraucht werden können:

Wir hatten Netze, | **doch** | *fanden* | die Moskitos | überall Löcher.

Wir hatten Netze, | **doch** | die Moskitos | *fanden* überall Löcher.

---

350 Zu den nebenordnenden Konjunktionen zählt man auch *als* und *wie,* wenn sie vor einem Wort oder einer Wortgruppe stehen und damit eine Einheit bilden; *als* und *wie* sind dann Satzteilkonjunktionen:

Frau Loser arbeitet | *als* | Narkoseärztin | in einem Krankenhaus.

Felix verhielt sich | *wie* | ein Gentleman | .

Anita rannte weniger schnell | *als* | Christine | .

Anita rannte fast so schnell | *wie* | ihre ältere Schwester | .

Diese Kritikerin gilt | *als* | unbequem | .

Anita rannte schneller | *als* | vorhin | .

Die Satzteilkonjunktionen werden häufig zum Ausdruck eines Vergleichs gebraucht. Zum Gebrauch von *als* und *wie* bei Adjektiven siehe auch ↑ 291 f.

---

351 Anders als Präpositionen weisen Satzteilkonjunktionen keinen Kasus zu. Das mit *als* oder *wie* angeschlossene Nomen bzw. Pronomen richtet sich im Kasus vielmehr nach dem Wort oder der Wortgruppe, auf die es sich bezieht.

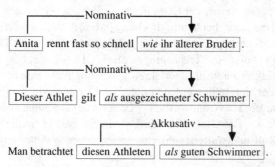

┌──────Nominativ──────┐

| Anita | rennt fast so schnell | *wie* ihr älterer Bruder | .

┌──────Nominativ──────┐

| Dieser Athlet | gilt | *als* ausgezeichneter Schwimmer | .

┌──────Akkusativ──────┐

Man betrachtet | diesen Athleten | *als* guten Schwimmer | .

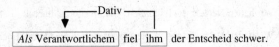

Bei reflexiven Verben kann man die Konjunktionalgruppe oft auf das Subjekt (↑ 472) oder auf das Reflexivpronomen (↑ 210) beziehen:

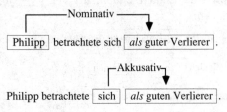

352 ÜBUNG

Setze in den folgenden Wortgruppen mit *als* und *wie* die passenden Flexionsendungen ein:

1. Nina möchte wie d__ Romanfigur Robinson Crusoe auf einer einsamen Insel wohnen. 2. Wie d__ meist__ Managerinnen fehlt Claudia Schöb die Muße, ein paar Tage auszuspannen. 3. Astrid betrachtet ihre Berufserfahrung als ein__ groß__ Vorteil bei der Bewerbung um die Stelle. 4. Der Trainer setzte Michael als zurückgesetzt__ Flügelspieler ein. 5. Wird Peter als d__ einzig__ Sohn des Bauern den Betrieb weiterführen? 6. Sie haben sich wie aufgeregt__ Hühner verhalten. 7. Als leidenschaftlich__ Schachspieler paßte Werner der Lärm in seiner Stammkneipe nicht. 8. Der Schraubenzieher diente mir als klein__ Meißel. 9. Das ganze Team hat Michael als d__ zuverlässigst__ Mitspieler gelobt. 10. Die Ansagerin kündigte die Trapezgruppe als d__ Höhepunkt des Abends an. 11. Jakob wußte als unerfahren__ Neuling nicht, wie der Apparat wieder abgestellt werden konnte. 12. Der gewagte Abstieg war der Lehrerin als verantwortlich__ Leiterin der Bergtour nicht recht geheuer. 13. Die Geschäftsleitung stellte unseren ehemaligen Kollegen Rolf unerwarteterweise als unser__ neu__ Abteilungsleiter vor.

Unterordnende Konjunktionen

| 353 | Unterordnende Konjunktionen leiten einen Nebensatz ein, den sogenannten Konjunktionalsatz (↑ 544); sie binden ihn |

an einen übergeordneten Teilsatz (↑ 425) an. In aller Regel läßt sich dabei an der Konjunktion ablesen, in was für einem Verhältnis der Nebensatz zum übergeordneten Satz steht:

> Müller schwitzte im Büro, *weil es draußen dreißig Grad heiß war.*
> Müller schwitzte im Büro, *zumal er beim Direktor vorgeladen war.*
> Müller schwitzte im Büro, *obwohl die Klimaanlage lief.*
> Müller schwitzte im Büro, *sobald mehr als eine Akte vor ihm lag.*

> Die Karawane wußte nicht, *daß das Wasserloch ausgetrocknet war.*
> Die Karawane wußte nicht, *ob das Wasserloch ausgetrocknet war.*

Genauer dazu ↑ 424 ff., 556 ff.

| 354 | ÜBUNG

Markiere die unterordnenden Konjunktionen:

1. Wir mußten das Wasser am Dorfbrunnen holen, weil keine Wasserleitung in die Hütte führte. 2. Die Sonne schien in den Bergen, obwohl es mitten im Februar war, so heiß vom Himmel, als wäre es Mitte Juni. 3. Es gab keinen einzigen Laden in der Nähe, so daß wir ins nächste Dorf fahren mußten, damit wir unsere Vorräte ergänzen konnten. 4. Die Gegend eignete sich, da es keine Abfahrtspisten gab, nur für Skiwanderungen. 5. Wenn wir Abfahrten machen wollten, mußten wir auf die gegenüberliegende Talseite wechseln. 6. Es war das erklärte Ziel der Behörden, daß die Natur nicht durch den Tourismus Schaden leidet. 7. Die Dorfbewohner fragten sich aber, ob der abgelegene Ort mit seinem bescheidenen touristischen Angebot konkurrenzfähig sei. 8. Seit wir jeden Winter in die Hütte zurückkehrten, hatten wir schon mit einigen Bauern Bekanntschaft gemacht. 9. Sie grüßten uns jedesmal freundlich, wenn wir sie unten im Dorf oder vor ihren Höfen trafen, oder winkten uns schon von weitem zu. 10. Wir konnten Milch und Eier bei ihnen kaufen, so daß wir nur noch selten ins Dorf hinab mußten.

355 Das gleiche wie Nebensätze leisten oft Infinitivgruppen. Man nennt sie daher auch Infinitivsätze (↑ 548):

Ausgebildeter Nebensatz
(mit finiter Verbform)

Der Reiseleiter versprach, | daß er uns bis an den Kraterrand *führt* | .

Der Reiseleiter versprach, | uns bis an den Kraterrand *zu führen* | .

Infinitivsatz
(nur mit Infinitiv)

Solche Infinitivgruppen werden zum Teil wie Nebensätze durch eine Konjunktion eingeleitet. Konjunktionen als Einleitewörter von Infinitivgruppen werden auch Infinitivkonjunktionen genannt. Die Konjunktion gibt dabei an, in welchem Verhältnis die Infinitivgruppe zum übergeordneten Satz steht:

Albert drehte das Radio auf, *um sich mit Musik zu berieseln.*
Albert drehte das Radio auf, *ohne auf die Lautstärke zu achten.*
Albert drehte das Radio auf, *statt sich auf seine Arbeit zu konzentrieren.*

In Fügungen mit Infinitivkonjunktionen hat der Infinitiv immer die Partikel *zu* bei sich. Mehr zu dieser Partikel siehe ↑ 60, 121, zu den Infinitivsätzen ↑ 548.

Die Interjektion

356 Mit einer kleinen Gruppe von Wörtern, die vor allem in der gesprochenen Sprache vorkommen, können wir besonders gut bestimmte Empfindungen ausdrücken. Man nennt diese Wörter *Interjektionen, Empfindungswörter* oder *Ausrufewörter*.

Interjektionen sind unveränderliche (nicht flektierbare) Wörter, also Partikeln. Sie stehen außerhalb ausgebildeter Sätze und bilden oft eigene satzwertige Einheiten (= Satzäquivalente, ↑ 429). Meist werden sie deshalb von einem nachfolgenden Satz durch Ausrufezeichen oder Komma abgetrennt.

> Schmerz: *Aua!* Das tut weh!
> Freude: *Hurra!* Wir haben hitzefrei!
> Erstaunen: *Oh,* das ist aber schön!
> Nachdenken, Zweifel: *Hm!* Ob das stimmt?
> Schaudern: *Brr,* ist das kalt!
> Ekel: *Pfui,* das fasse ich nicht an!
> Bedauern: *Tja,* das kann ich auch nicht mehr ändern.

Mit bestimmten Interjektionen können wir die Aufmerksamkeit eines anderen auf uns lenken oder jemanden zu etwas auffordern:

> *Hallo?* Wer ist da?
> *He!* Was machst du da?
> *Pst!* Seid leise!
> *Halt!* Bleiben Sie stehen!

357 Viele Interjektionen sind gar keine ausgebildeten Wörter, und nicht wenige weisen Lautkombinationen auf, die in anderen deutschen Wörtern nicht üblich sind:

> *Brr! Pfui! Pst!*

Dies gilt für besonders viele Interjektionen, die ein Geräusch nachahmen:

> *Miau! Wuff, wuff! Bäh, bäh! Iah, iah!*
> *Wumm!* Da schlug die Tür zu. *Peng* – ein Schuß knallte.

358 ÜBUNG

Was drücken die folgenden Interjektionen aus?

Huch, autsch, ätsch, igitt, au weia, miau, juhui, hau ruck, brr, hui, oink, oho, hü, klirr, pst.

Das Adverb

359 In der Gruppe der Adverbien faßt man verschiedene Partikeln zusammen; im Grunde gehören hierher alle nicht flektierbaren Wörter, die sich weder den Präpositionen noch den Konjunktionen noch den Interjektionen zuordnen lassen.

360 Den Kern dieser Gruppe bilden die Partikeln, die in einem einfachen Satz allein vor das finite Verb (die Personalform) treten können, also ein *Satzglied* sind (↑ 456):

Rebekka *sprang* | kopfüber | ins Wasser.

→ | Kopfüber | *sprang* Rebekka ins Wasser.

Du solltest die anderen | vielleicht | fragen.

→ | Vielleicht | solltest du die anderen fragen.

Solche Adverbien beziehen sich sehr oft auf das Verb (wie oben *kopfüber*) oder auf den ganzen Satz (wie *vielleicht*). Adverbien können sich aber auch auf andere Wörter beziehen:

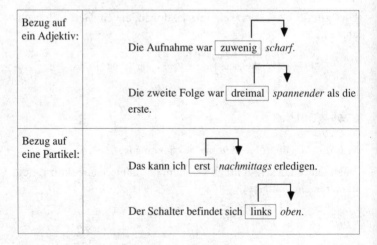

Bezug auf ein Adjektiv:	Die Aufnahme war	zuwenig	*scharf.*
	Die zweite Folge war	dreimal	*spannender* als die erste.
Bezug auf eine Partikel:	Das kann ich	erst	*nachmittags* erledigen.
	Der Schalter befindet sich	links	*oben.*

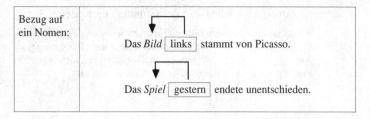

| Bezug auf ein Nomen: | Das *Bild* links stammt von Picasso.

Das *Spiel* gestern endete unentschieden. |

Wenn sich Adverbien auf ein Nomen beziehen, stehen sie normalerweise *hinter* diesem (↑ 529).

Die Einteilung der Adverbien

361 Unter inhaltlichem Gesichtspunkt lassen sich die Adverbien in vier Gruppen einteilen:

1. *Lokale* Adverbien (Adverbien des Ortes):

> *Überall* lagen Wrackteile der abgestürzten Maschine. Du solltest noch mit dem Hund nach *draußen* gehen. Tamara las den Krimi in einem Zug von *vorn* nach *hinten*. *Zuoberst* auf der Torte stand ein Löwe aus Marzipan. *Links* stand das Orchester, *rechts* der Showmaster. Christoph wohnt *nebenan*.

2. *Temporale* Adverbien (Adverbien der Zeit):

> *Freitags* gibt es in der Mensa *oft* Fisch. Unser Torwart ist zwar *wieder* gesund, aber *morgen* muß er *nochmals* zum Arzt. Das Opernhaus wird *derzeit* umgebaut. Ich gehe *zwischendurch* gern *einmal* ins Kino. Selbstverständlich führen wir Ihre Aufträge *sofort* aus. Nach dem Training wasche ich mir *immer* die Haare. Der Dicke vor mir lachte *jedesmal* an der falschen Stelle.

3. *Modale* Adverbien (Adverbien der Art und Weise):

> Stefan rannte *blindlings* in den Laternenpfahl. Sie erhalten bei einem Kauf *gratis* einen Kugelschreiber dazu. Die Tante war bei ihrem letzten Besuch *einigermaßen* erträglich. Das habe ich mir *anders* vorgestellt. Der Fahrer behauptete, *überhaupt* nichts gesehen zu haben. Es kamen *ungefähr* zweihundert Leute. Die Kinder turnten *barfuß*. Auf dem Mars gibt es *wahrscheinlich* kein Leben. *Hoffentlich* landet die Venussonde ohne Probleme.

4. *Kausale* Adverbien (Adverbien des Grundes) im weiteren Sinn:

> Wir haben die Nachbarn *anstandshalber* von unserer Fete unterrichtet. Das Geld ist uns schon am fünften Tag unserer Reise ausgegangen, *folglich* mußten wir umkehren. *Notfalls* verschieben wir die Sendung auf etwa 22 Uhr. Rainer hat *dennoch* abgesagt.

---

362 ÜBUNG

a) Suche aus den folgenden Adverbien des Ortes dasjenige aus, das in den jeweiligen Satz paßt:

auswärts, draußen, drinnen, links, oben, unten, vorn.

1. (…) auf dem Schrank lag eine dicke Staubschicht. 2. (…) in der Berghütte saßen die Bergsteiger um den glühenden Ofen, während (…) der Wind um die Hütte heulte. 3. Zur Feier des Tages gehen wir (…) essen. 4. Im Keller (…) stehen noch einige Flaschen Apfelsaft. 5. Wenn du noch einen Schritt nach (…) machst, stürzt du hinunter! 6. Hoch (…) sahen wir einen Heißluftballon. 7. Manuela schreibt (…).

b) Welche der folgenden Adverbien der Zeit kann man in den ersten Satz einsetzen, welche in den zweiten?

dann, demnächst, gestern, kürzlich, letzthin, morgen, nachher, neulich, unlängst.

1. (…) wird Petra hier eintreffen. 2. (…) war Claudia in München.

---

363 Zu den Adverbien gehören auch Wörter wie die, die in den nachfolgenden Beispielsätzen kursiv (schräg) gesetzt sind. Sie lassen sich nur schwer einer der vier inhaltlich bestimmten Gruppen zuordnen. Oft bezeichnen sie einen *Grad,* ein *Maß,* eine *Einschränkung,* einen *Gegensatz* oder dergleichen:

> Herbert mag feucht-warmes Wetter *nicht.* Die Traglast war mir *zu* schwer. Dieser Weg ist *allzu* beschwerlich. Die Indianer bemühten sich *sehr* um ihre Gäste. *Je* weiter die Expedition nach Westen vorstieß, *desto (um so)* undurchdringlicher wurde der Urwald. *Auch* die

Affen bemerkten die Eindringlinge. *Sogar* die Faultiere zogen sich
erschreckt zurück. Die Papageien wollten *ebenfalls* nichts von den
fremden Menschen wissen. *Nur* die Krokodile lagen träg im Wasser.
Fast wäre ich auf eine Schlange getreten. Hast du *etwa* vergessen,
ein Moskitonetz einzupacken?

Besondere Gruppen von Adverbien

Adverb und Zahlwort

| 364 | Die Partikeln *an, gegen, über, um, unter* werden zu den
       Adverbien gerechnet, wenn sie bei einer Mengenangabe

stehen. Diese Partikeln können auch als Präpositionen gebraucht
werden (↑ 322 ff.). Aber nur als Adverbien können sie durch andere
Adverbien wie *fast, ungefähr, etwa* ersetzt oder sogar ganz weggelassen werden:

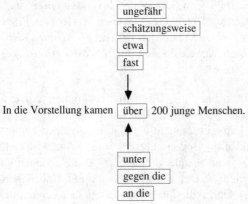

Daß es sich bei diesen Partikeln nicht um Präpositionen handelt,
sieht man auch daran, daß sie keinen Kasus zuweisen. Sie können
daher sogar vor einer Wortgruppe im Nominativ stehen. Wir erinnern uns: Präpositionen können nie den Nominativ zuweisen
(↑ 322).

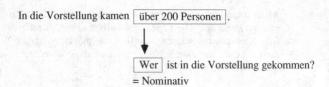

In die Vorstellung kamen über 200 Personen .

Wer ist in die Vorstellung gekommen?
= Nominativ

In ähnlicher Weise werden *zwischen* und *bis* als Adverbien bei der Angabe eines Zahlenbereichs gebraucht:

> In die Schlußvorstellung sind *zwischen* 200 *und* 250 junge Menschen gekommen.
>
> Es sind 200 *bis* 250 junge Menschen gekommen.

---

365 ÜBUNG

Setze in den folgenden Sätzen die Flexionsendungen ein. Handelt es sich bei den kursiv (schräg) gesetzten Wörtern um Präpositionen oder um Adverbien? (Zur Unterstützung: Wenn es sich um Adverbien handelt, lassen sie sich durch Wörter wie *ungefähr, fast, etwa* u.ä. ersetzen!)

1. *Über* 2000 neugierig__ Gäste sind gekommen. 2. Deine Chefin wird so *um* d__ 40 sein. 3. Tina fühlte sich *unter* d__ 200 ausgelassen__ Partygästen nicht wohl. 4. Robin Hood kämpfte *gegen* 20 heimtückisch__ Bogenschützen. 5. Frau Jost wird sich *um* d__ 15 folgend__ Kursabende kümmern. 6. Das Handbuch umfaßt *an* d__ 350 Seiten. 7. Der Betrüger dachte mit Unbehagen *an* d__ 30 wütend__ Opfer, die ihn bei der ersten Gelegenheit der Polizei melden würden. 8. *Bis zu* 10 glitzernd__ Diamantenketten trägt die Fürstin jeweils am Staatsempfang. 9. Die Siegerin hat *gegen* 500 begeistert__ Fans die Hände geschüttelt. 10. Gestern abend sind *um* d__ 20 Verletzt__ geborgen worden. 11. Der Journalist berichtete *über* d__ 30 aufregend__ Tag__, die er in Beirut erlebt hatte.

Adverb und Verbzusatz

| **366** | Manche Adverbien kommen fast nur in Verbindung mit bestimmten Verben vor. Praktisch kommen sie dann den |

Manche Adverbien kommen fast nur in Verbindung mit bestimmten Verben vor. Praktisch kommen sie dann den Verbzusätzen (↑ 58) nahe:

abhanden kommen	Mir ist ein Schlüssel *abhanden* gekommen. Was soll man tun, wenn einem ein Schlüssel *abhanden* kommt?
	Schlüssel können nur allzu schnell *abhanden* kommen.
	Der Schlüssel kam mir vermutlich im Kino *abhanden*. Kommt dir auch immer wieder etwas *abhanden?*
beiseite schieben	Die Firma hat die Einwände der Kunden *beiseite* geschoben. Diese Einwände sollte sie besser nicht *beiseite* schieben. Es ist falsch, wenn sie diese Einwände *beiseite* schiebt.
	Schieben Sie diese Einwände bitte nicht *beiseite*! Diese Firma schiebt alle Einwände *beiseite*.

Von Verbzusätzen unterscheiden sich diese Adverbien in der geschriebenen Sprache fast nur durch die Rechtschreibung: Verbzusätze werden mit einer unmittelbar folgenden Verbform zusammengeschrieben (↑ 58), Adverbien nicht:

zurechtlegen	Yvonne hatte sich eine Ausrede *zurecht*gelegt. Sie muß sich noch eine Ausrede *zurecht*legen.
	Leg dir eine bessere Ausrede *zurecht!*
entgegenstellen	Die Polizisten mußten sich den Fans *entgegen*stellen. Die Polizisten haben sich den Fans *entgegen*gestellt.
	Die Polizisten stellten sich den Fans *entgegen*.

Wie fließend der Übergang zwischen Adverb und Verbzusatz ist, mögen die folgenden Beispiele zeigen, wo dasselbe Element in wörtlicher Bedeutung als Adverb, in übertragener Bedeutung als Verbzusatz angesehen wird:

Wörtlich → Adverb	Übertragen → Verbzusatz
Würden Sie bitte noch zwei Schritte *vorwärts* gehen?	Es muß mit unserem Projekt endlich *vorwärts*gehen.
Die Lehrerin hat die beiden Streithammel *auseinander* gesetzt.	Die Klasse hat sich mit dem Film *auseinander*gesetzt.

Wenn man beim Schreiben im Zweifel ist, ob ein Adverb oder ein Verbzusatz vorliegt, schaut man am besten im Rechtschreibe-Duden nach; dort sind alle wichtigen Verbindungen aufgeführt.

Adverb und Pronomen

| 367 | Eine besondere Gruppe von Adverbien steht bestimmten Pronomen nahe. So gibt es neben den mit *w* anlautenden Interrogativ- und Relativpronomen (↑ 243 ff., 234 ff.) entsprechende Adverbien, die ebenfalls mit *w* anlauten: |

	Pronomen	Adverb
Interrogativer Gebrauch	*Wer* kommt zur Party?	*Wann* beginnt die Party?
	Wem hast du eine Einladung geschickt?	*Wo* stehen die Gläser?
	Wessen Glas ist denn das?	*Warum* legst du immer dieselben Schallplatten auf?
	Gabi möchte wissen, *was* es zu essen und zu trinken gibt.	Daniel weiß nicht, *wie* er den Tomatensalat anrichten soll.
Relativer Gebrauch	*Wer* eine Party plant, muß an vieles denken.	*Wo* die Gläser stehen, sind auch Trinkhalme.
	Das einzige, *was* mir fehlt, ist ein ruhiges Plätzchen.	Die Art, *wie* Sabine tanzt, ist unnachahmlich.

Ebenso gibt es Adverbien, die mit den Demonstrativpronomen verwandt sind. Viele davon lauten mit *d* an:

	Pronomen	Adverb
demonstrati-ver Gebrauch	Erzähl *das* ja nicht Tanja! *Dies* sind die Becher für die Waldmeisterbowle.	Die Schalen für den Frucht-salat liegen *dort*. *So* kann nur Sabine tanzen.

368 Innerhalb der mit Pronomen verwandten Adverbien gibt es eine Sondergruppe, die aus den Elementen *wo-*, *da-* und *hier-* und einer Präposition gebildet sind. Wenn die Präposition mit einem Vokal beginnt, wird *wor-* statt *wo-* und *dar-* statt *da-* gebraucht:

daran, darauf, daraus, dabei, dadurch, dafür, dagegen, darin, damit, dazu, dazwischen, darunter, darüber, dahinter (usw.)

hieran, hierauf, hieraus, hierbei, hierdurch, hierfür, hiergegen, hierin, hiermit, hierzu, hierzwischen, hierunter, hierüber, hierhinter (usw.)

woran, worauf, woraus, wobei, wodurch, wofür, wogegen, worin, womit, wozu, wozwischen, worunter, worüber, wohinter (usw.)

Diese Bildungen werden stellvertretend für Präpositionalgefüge aus einer Präposition und einem Nomen gebraucht – entsprechend den Präpositionalgefügen aus Präposition und Pronomen. Man nennt sie daher traditionellerweise *Pronominaladverbien*.

Die Pronominaladverbien, die mit *w* (also *wo-* oder *wor-*) anlauten, werden wie die mit *w* anlautenden einfachen Pronomen und Adverbien interrogativ oder relativ gebraucht:

Wir haben uns │ über Comics │ unterhalten.

→ │ Worüber │ unterhaltet ihr euch? (Pronominaladverb)

→ Das ist das einzige, │ worüber │ wir uns unterhalten haben.

Die Pronominaladverbien, die mit *d* oder *h* (also *da-*, *dar-* oder *hier-*) anlauten, werden demonstrativ gebraucht:

Ich bin | mit meinem alten Fahrrad | noch durchaus zufrieden.

→ Ich bin | damit | noch durchaus zufrieden.

369 Pronominaladverbien verwendet man, wenn man sich auf *Dinge* oder *Sachverhalte* bezieht. Beim Bezug auf *Personen* wählt man die Fügung aus Präposition und Pronomen:

Bezug auf Dinge oder Sachverhalte → Pronominaladverb	Bezug auf Personen → Präposition + Pronomen
Sie achtete nicht *darauf (= auf den Wagen).*	Sie achtete nicht *auf ihn (= auf den Fußgänger).*
Ich erinnere mich nicht mehr *daran (= an diese Angelegenheit).*	Ich erinnere mich nicht mehr *an sie (= an diese Person).*

Allerdings wird beim Bezug auf Dinge oder Sachverhalte statt des Pronominaladverbs häufig auch die Fügung aus Präposition und Pronomen verwendet; sie wirkt oft nachdrücklicher. Dabei gilt die Fügung mit *was* als umgangssprachlich:

Pronominaladverb	Präposition + Nomen
Damit haben wir rechnen müssen.	*Mit dem* haben wir rechnen müssen.
Eine schreckliche Schreibmaschine! Ich schreibe nicht gern *damit.*	Eine schreckliche Schreibmaschine! Ich schreibe nicht gern *mit ihr.*
Womit soll das Brett befestigt werden?	*Mit was* soll das Brett befestigt werden?
Eine alte Rechenmaschine, aber *darauf* kannst du dich verlassen! *Darauf* kannst du dich verlassen!	Eine alte Rechenmaschine. Du kannst dich aber *auf sie* verlassen. *Auf die* kannst du dich verlassen!
Worauf warten wir noch?	*Auf was* warten wir noch?
Ich weiß nicht, *worüber* er sich ärgert.	Ich weiß nicht, *über was* er sich ärgert.

| 370 | ÜBUNG |

a) In den folgenden Satzpaaren kommt jeweils eine Nominalgruppe zweimal vor. Ersetze die zweite probeweise durch eine Präpositionalgruppe mit Pronomen bzw. durch ein Pronominaladverb:

1. Christoph hat ein Sortiment Briefmarken verkauft. Er hat offenbar für das Sortiment zuwenig Geld verlangt. 2. Lassen Sie mich noch ein Wort hinzufügen. Ich möchte mit diesem Wort meine Rede beschließen. 3. Die Käfigstäbe stehen tatsächlich etwas weit auseinander. Doch ist es kaum zu glauben, daß der Panther zwischen den Käfigstäben durchgeschlüpft ist. 4. Dieses Erlebnis war sehr schmerzhaft für Lena. Deshalb möchte sie nicht mit allen Leuten über dieses Erlebnis sprechen. 5. Die neuen Spielregeln haben wir uns deinetwegen ausgedacht. Nun bist du gegen die neuen Spielregeln. 6. Unsere Großmutter ist in Kur. Sie muß bei der Kur viel liegen.

b) Ersetze die kursiv (schräg) gesetzten Präpositionalgruppen durch interrogative (fragende) Pronominaladverbien:

1. *Aus welchen Anzeichen* schließt du das? 2. *Gegen welche Machenschaften* richtet sich eigentlich dein Protest? 3. Irgendwie kommen mir die beiden Spiele ähnlich vor. Ich bekomme aber nicht heraus, *in welcher Hinsicht* sie sich gleichen. 4. *Mit welcher Sache* kann ich Ihnen behilflich sein? 5. *Aus welchem Material* ist dieser Ring? 6. *Für welche Dinge* interessieren Sie sich? 7. *Wegen welcher Umstände* fehlt Nora?

Vergleichsformen

| 371 | Einige wenige Adverbien bilden Vergleichsformen (Komparationsformen). Viele von ihnen sind unregelmäßig; zum Teil werden Formen von Adjektiven beigezogen:

Positiv	Komparativ	Superlativ
gern	lieber	am liebsten
bald	eher (früher, schneller)	am ehesten (frühesten, schnellsten)
oft	öfter (häufiger, mehr)	(am häufigsten, meisten)
sehr	mehr	am meisten
wohl	wohler / besser	am wohlsten / am besten

Beispiele:

Im Zoo beobachte ich *gern* die Elefanten, noch *lieber* die Seelöwen und *am liebsten* die kleinen Pandas.

Fang bitte *bald* an! Je *eher* du fertig bist, desto länger können wir nachher zusammen schwimmen gehen. Bei langweiligen Arbeiten wetteifern die Lehrlinge immer, wer am *ehesten (frühesten, schnellsten)* fertig ist.

Die Großmutter muß *oft* zum Arzt. Sie schwärmt für ihn und würde gerne noch *öfter* hingehen. *Am häufigsten* geht der Großvater hin, er bekommt wöchentlich eine Spritze.

Über Briefe freue ich mich *sehr*, über Anrufe noch *mehr*, und *am meisten* freue ich mich über Besuche.

Das Kurhotel ist prima: Die erschöpfte Managerin fühlt sich im Schwimmbad *wohl*, noch *wohler* aber auf der Sonnenterrasse und *am wohlsten* auf ihrem komfortablen Zimmer.

Unterschiede des Grades lassen sich oft auch ausdrücken durch Hinzusetzen von *mehr / weiter* (dies entspricht dem Komparativ) oder *am meisten / am weitesten* (dies entspricht dem Superlativ):

Das Physikzimmer ist *weiter vorn*. Meine Zeichnung ist *am weitesten links* aufgehängt. Die Temperaturen gingen *mehr zurück* als vom Wetterdienst vorausgesehen.

372	ÜBUNG

Ersetze in den folgenden Sätzen die eingeklammerten Adverbien durch die passenden Komparative und Superlative:

1. Nina hat von allen (sehr) gelacht – sie hat nämlich das Spiel gewonnen. 2. Michael ist heute (bald) zu Hause als Karin. 3. Wenn ich die Beine hochlagern kann, ist mir (wohl, Komparativ). 4. Wenn du (oft) zeitig schlafen gingest, wärst du weniger reizbar. 5. Ich esse Kartoffeln (gern, Superlativ) gebraten. 6. Der Kuckuck fliegt (bald) in den Süden zurück als die andern Zugvögel. 7. Jan fährt (gern) Straßenbahn als Bus. 8. Dem Schwein ist es (wohl, Superlativ), wenn es sich im Schlamm suhlen kann. 9. Es dämmert wieder (bald) als noch vor wenigen Tagen. 10. Tante Ottilie kommt von unseren Verwandten (oft, Superlativ) auf Besuch. 11. Toni keuchte bei den Liegestützen (sehr) als das letzte Mal. 12. Die Linie 18 fährt wahrscheinlich (bald, Superlativ) ab.

Partikeln mit mehr als einer Gebrauchsweise

373 Manche Partikeln sind uns in den vorangehenden Abschnitten mehr als nur einmal begegnet. Der Grund dafür ist: Sie können im Satz unterschiedliche Rollen übernehmen. Entsprechend gehören sie auch in verschiedene Untergruppen. Das bedeutet: Wenn man eine Partikel genau bestimmen will, muß man sehr genau auf die Umgebung achten, in der sie steht. Die folgende Zusammenstellung kann das etwas genauer zeigen:

Partikel	Verwendung (Unterart)	Beispiel
zu	Präposition	Die Eibe zählt *zu* den Nadelbäumen.
	Adverb	Garfield ist *zu* fett.
	Verbzusatz	Ich mache die Tür *zu* (Infinitiv: zumachen).
	Infinitivpartikel (↑ 60, 121)	Der Bücherstapel droht vom Tisch *zu* stürzen.
über	Präposition	Wir reden *über* unsere Ferienpläne.
	Adverb (bei Zahlen, ↑ 364)	Die Reparatur kostete *über* fünfzig Mark.

abseits	Präposition	Die Lagerhallen standen *abseits* der Fabrikationsgebäude.
	Adverb	Die Lagerhallen standen *abseits*.
während	Präposition	*Während* des Vortrags schlief Kerstin ein.
	unterordnende Konjunktion	*Während* der Redner pausenlos schwatzte, dachte Kerstin über das Leben nach.
wie	beiordnende Konjunktion	Aktive *wie* Passive meckerten über den Vereinsvorstand.
	Satzteilkonjunktion	*Wie* seine Vorgänger hatte der neue Trainer wenig Glück mit der Mannschaft.
	unterordnende Konjunktion	Die Zuschauer sahen, *wie* der Verteidiger den Stürmer foulte.
	Adverb	*Wie* fandest du das Spiel?

374 ÜBUNG

Bestimme in den folgenden Sätzen die kursiv (schräg) gesetzten Partikeln genauer:

1. *Sogar* Heidi war die Musik viel *zu* laut. 2. Dem Hafen *zu* trafen wir *immer* mehr Seeleute. 3. Ihr Diplom verhalf Manuela *zu* einer interessanten Stelle. 4. Die Kinder schauten *unterwegs* den Straßenkünstlern *zu*. 5. Das Formular ist am Schalter *links zu* beziehen. 6. *Während* du Holz *für* das Feuer suchst, werde ich *hier* die Nahrungsmittel bewachen. 7. *Während* des Vortrags gähnten einige Leute leise, *aber* unübersehbar. 8. *Ohne* Karte kommst du *in* diesem Gelände *kaum vorwärts*. 9. *Ohne* das Handzeichen des Polizisten abzuwarten, fuhr der Lastwagen *los*. 10. *Im* Portemonnaie waren *über* 2000 Mark. 11. *Pfui,* nimm deine Pfoten *von* meinem Teller! 12. Fürstin Siglinde I. herrschte *über* 50 000 Untertanen. 13. *Zu* meinem Schrecken lief die Wanne *fast über*. 14. *Wohin* könnte ich *nur* meinen Schlüssel gelegt haben? 15. *Bis* du *zu* Ende

telefoniert hast, ist das Essen *vermutlich* lauwarm *oder sogar* kalt!
16. Der Fahrausweis gilt *leider nur noch bis* Ende Juni. 17. Karin
stand die ganze Zeit *daneben, als* ihr euch *vorhin* gestritten habt.
18. *Als* Reiseziel wählten Hanna *und* Ina *erstaunlicherweise* Brüs-
sel. 19. *Wegen* deiner Raucherei keuchst du *wie* ein Großvater!
20. *Nachdem* ich den Schalter betätigt hatte, hörte das Geräusch *erfreulicherweise sofort auf.* 21. *Bei* dieser Gymnastikübung muß
man die Ferse *gegen* die Wand abstützen. 22. Das kranke Huhn
darf *nur abseits* der gesunden Hühner Körner picken. 23. Diesen
Knochen bekommst du *nicht!* 24. Warten wir *mal ab, wie* das
Wetter *morgen* ist! 25. *Weil* Gisela *abseits* wohnt, hat sie einen
langen Arbeitsweg. 26. *Mit* dem Intercity bist du *eher am Ziel als
mit* dem D-Zug. 27. Meine Freundin wohnt gleich *gegenüber.*
28. Die zweite Runde des Matchs war *gegenüber* der ersten *und*
der dritten *sehr* viel spannender.

Die Wortbildung

375 Jede Sprache braucht ständig neue Wörter. Zum Teil werden sie aus alten gebildet. Hier kann man drei Verfahren unterscheiden: *Zusammensetzung, Ableitung* und *Kurzformenbildung.*

1. Bei der *Zusammensetzung* werden selbständige Wörter zu einem neuen Wort zusammengefügt:

> Fuß + Ball → Fußball
> Feuer + fest → feuerfest
> hoch + lagern → hochlagern

2. Bei der *Ableitung* wird an ein Wort ein unselbständiges Element angefügt, entweder vorn (= Präfix) oder hinten (= Suffix):

> Rippe → Gerippe
> grün → grünlich
> machen → machbar

Von Ableitung spricht man aber auch, wenn man ein neues Wort mit innerer Abwandlung (zum Beispiel Ablaut oder Umlaut) oder ohne äußerliche Änderung bildet.

> binden → Bund
> versuchen → Versuch

3. Bei der *Kurzformenbildung* wird nicht etwas angefügt, sondern es werden im Gegenteil Wortbestandteile weggelassen.

> Automobil → Auto
> Universität → Uni

Die Zusammensetzung

376 Im Deutschen können wir leicht neue Wörter bilden, indem wir zwei bestehende Wörter aneinanderfügen. Es entsteht dann eine Zusammensetzung aus zwei *Wortteilen:*

Selbständige Wörter	Zusammensetzung
Zimmer + Pflanze	Zimmerpflanze
Gold + Ring	Goldring
weich + Käse	Weichkäse
über + reif	überreif
Stein + hart	steinhart
um + bauen	umbauen

Wenn *Verben* das erste Element einer Zusammensetzung bilden,
fällt die Infinitivendung *-en / -n* weg:

Selbständige Wörter	Zusammensetzung
stech(en) + Mücke	Stechmücke
radier(en) + Gummi	Radiergummi
fahr(en) + bereit	fahrbereit
koch(en) + fest	kochfest

377 Bildet ein *Nomen* den ersten Teil einer Zusammensetzung,
wird ihm oft eine besondere Endung angefügt, die man
Fugenzeichen oder *Fugenelement* nennt:

Selbständige Wörter (erstes Wort mit Fugenelement)	Zusammensetzung
Tag-es + Licht	Tageslicht
Freund-es + Kreis	Freundeskreis
Elektrizität-s + Werk	Elektrizitätswerk
Land-es + kundig	landeskundig
Fälschung-s + sicher	fälschungssicher
Herz-ens + Angelegenheit	Herzensangelegenheit
Schmerz-ens + Geld	Schmerzensgeld
Dorn-en + Hecke	Dornenhecke
Zitat-en + Schatz	Zitatenschatz
Sonne-n + Schein	Sonnenschein
Rabe-n + schwarz	rabenschwarz
Staat-en + los	staatenlos

Bild-er + Rahmen	Bilderrahmen
Brett-er + Wand	Bretterwand
Kind-er + lieb	kinderlieb

Fugenzeichen können teilweise auf bestimmte Flexionsendungen (Genitiv Singular; Plural) zurückgeführt werden. In vielen Fällen ist dies aber nicht möglich.

378 ÜBUNG

Ordne die obenstehenden Zusammensetzungen in drei Gruppen: a) Fugenelement zurückführbar auf Genitivendung, b) auf Pluralendung, c) auf keines von beiden.

379 Die Teile einer Zusammensetzung können selbst wieder Zusammensetzungen sein:

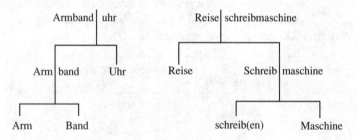

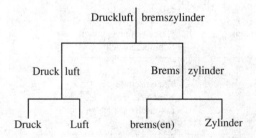

Ferner können sie Präfixe oder Suffixe enthalten (Fugenelemente
sind in Klammern gesetzt):

Selbständige Wörter	Zusammensetzungen
Ge-stein(-s) + Brocken	Gesteinsbrocken
Kind(-er) + *Ge*-schrei	Kindergeschrei
Fälsch-*ung*(-s) + sicher	fälschungssicher
Frei-*heit*(-s) + Statue	Freiheitsstatue
Radio + Send-*ung*	Radiosendung
leicht + *ent*-zünd-*lich*	leichtentzündlich
Ver-zicht(-s) + *Er*-klär-*ung*	Verzichtserklärung
Ge-birg(-s) + taug-*lich*	gebirgstauglich

380 ÜBUNG

Zerlege die Zusammensetzungen schrittweise in ihre Teile:

Luxusbrillengestell, Klarsichtfolie, Taschenbuchausgabe, Nervenheilanstalt, Schreibmaschinenpapier, Starkstromsteckdose, teilzeitbeschäftigt, kohlensäurefrei, Bundesausbildungsförderungsgesetz,
Rundsichtwindschutzscheibe.

381 Bei einer Zusammensetzung ist der letzte Teil immer der
Kern. Er ist maßgebend für die grammatischen Merkmale
der ganzen Zusammensetzung, also zum Beispiel für seine Wort-
artzugehörigkeit. Er wird daher auch als *Grundwort* bezeichnet.

Bestimmungswort + Grundwort	Beispiel
Adjektiv + Nomen → Nomen	neu + Bau → Neubau
Partikel + Nomen → Nomen	neben + Zimmer → Nebenzimmer
Verb + Nomen → Nomen	wasch(en) + Pulver → Waschpulver
Nomen + Adjektiv → Adjektiv	Feuer + fest → feuerfest
Verb + Adjektiv → Adjektiv	treff(en) + sicher → treffsicher
Partikel + Adjektiv → Adjektiv	vor + laut → vorlaut
Adjektiv + Verb → Verb	hoch + lagern → hochlagern
Partikel + Verb → Verb	um + bauen → umbauen
Nomen + Verb → Verb	Teil + nehmen → teilnehmen

Bei Nomen richtet sich das Genus (das grammatische Geschlecht) einer Zusammensetzung immer nach dem Grundwort:

das Haus + [die] [Tür] → [die] Haus|tür

der Transport + [die] [Gebühr] → [die] Transport|gebühr

die Arbeit + [das] [Amt] → [das] Arbeits|amt

der Sirup + [das] [Glas] → [das] Sirup|glas

die Stadt + [der] [Plan] → [der] Stadt|plan

das Buch + [der] [Verlag] → [der] Buch|verlag

382 Der erste Teil einer Zusammensetzung bestimmt in der Regel den zweiten Teil näher; man nennt ihn daher auch *Bestimmungswort*. Die Art und Weise, in der das Bestimmungswort das Grundwort näher beschreibt, kann ganz verschieden sein. Man kann sich dies vor Augen führen, indem man das Bestimmungswort in eine selbständige Fügung umformt:

Zusammensetzung	Erklärung
Zimmerpflanze Mondlandung Sendebereich herunterfallen	Pflanze, die in einem Zimmer wächst Landung auf dem Mond Bereich, in den man sendet nach unten fallen → Ort (Lage, Richtung)
Nachtfalter Wochenzeitung Zwischeneiszeit vorausbestimmen	Falter, der nur in der Nacht fliegt Zeitung, die einmal in der Woche erscheint Zeit zwischen den Eiszeiten im voraus bestimmen → Zeit
Notbremse	Bremse, die man nur in der Not (= bei Gefahr) zieht → Bedingung
Eisenbrücke Seidenkleid plastikbeschichtet	Brücke, die aus Eisen konstruiert ist Kleid aus Seide mit Plastik beschichtet → Stoff

Kinderschar Holzhaufen	eine Schar von Kindern ein Haufen Holz → Geschätztes oder Gemessenes
Arzneischrank Hustenbonbon Waschmaschine Futtergetreide	Schrank für die Aufbewahrung von Arzneien Bonbon, das gegen Husten helfen soll Maschine, mit der man wäscht Getreide, das als Viehfutter dient → Zweck
Freudentränen Schleuderunfall tränenblind	Tränen, die man vor Freude vergießt Unfall, der auf Schleudern zurückzuführen ist vor Tränen blind → Grund
Schiffsreise Rasierapparat	Reise, die man mit dem Schiff unternimmt Apparat, mit dem man sich rasiert → Mittel
Puderzucker wieselflink messerscharf	Zucker, der so fein wie Puder ist flink wie ein Wiesel scharf wie ein Messer → Vergleich
Fertiggericht Bastelarbeit Kriechtier hellblau umbauen	Gericht, das man schon fertig zubereitet kauft Arbeit, bei der man bastelt Tier, das kriecht in heller Weise blau so bauen, daß es anders wird → Eigenschaft
tonnenschwer stundenlang tieftraurig überlaut	viele Tonnen schwer viele Stunden lang in erheblichem Maß traurig über das übliche Maß laut → Maß
Vogelgezwitscher Mozartsonate	das Gezwitscher der Vögel eine Sonate, die Mozart komponiert hat → Handelnder, Urheber
Anwaltsbüro	Büro, das einem Anwalt gehört → Besitzer

Obstverkauf	Verkauf von Obst
Berufsstolz	der Stolz auf den Beruf
säurefest	fest gegen Säure
	→ von der Handlung oder der Eigenschaft betroffene Sache

---

383 ÜBUNG

Welches ist die Rolle des Vorderglieds in den folgenden Zusammensetzungen?

1. Österreichreise, Tagesreise, Zugreise, Vergnügungsreise.
2. Hundegebell, Hundefutter, Hundeleben, Hundefloh.
3. Lebensmittelschrank, Eckschrank, Holzschrank, Kleiderschrank, Wandschrank.
4. einladen, ausladen, überladen.
5. Gartenpflanzen, Zierpflanzen, Gemüsepflanzen, Blütenpflanzen, Tropenpflanzen.
6. Rehschnitzel, Jägerschnitzel.
7. Taschenbuch, Bilderbuch, Tagebuch, Handbuch, Schulbuch, Kunstbuch, Kursbuch.

384 Manchmal haben sich Zusammensetzungen im Laufe der Sprachgeschichte inhaltlich so verselbständigt, daß ihre Bedeutung nicht mehr von ihren Teilen ableitbar ist: Ein *Buchhalter* oder eine *Buchhalterin* hält keine Bücher, sondern ist eine Fachkraft im Bereich des Rechnungswesens. Ein *Junggeselle* ist kein junger Geselle, sondern – unabhängig von seinem Alter – ein lediger Mann.

In manchen Zusammensetzungen kommen Wortteile vor, die es sonst nicht mehr gibt. Auch hier läßt sich nur der Zusammensetzung als Ganzes eine Bedeutung zuschreiben:

> Himbeere, Brombeere, Schornstein, Damhirsch, Samstag, Wildbret, Bucheckern.

Ansgar Heuer: Menschliche Wortverbindungen

Menschenaffe
-feind -freund
-geist -hai
-geschlecht
-händler -schinder
-raub -rechte
-sohn
Menschenskind

Ableitungen

385 Von *Ableitung* spricht man, wenn ein neues Wort nach einem der folgenden sprachlichen Verfahren gebildet wird:

1. Es wird vorn ein unselbständiges Element angefügt, *Präfix* genannt:

    sicher → [un] sicher

    fesseln → [ent] fesseln

2. Es wird hinten ein unselbständiges Element angefügt, *Suffix* genannt:

    grün → grün [lich]

    Schlüssel → Schlüssel [chen]

3. Das Ausgangswort wird in seinem Innern verändert:

    brechen → Br [u] ch

4. Das Ausgangswort wird zwar in seiner Wortart, nicht aber in seiner Form verändert:

    versuch(-en) → (der) Versuch

    blau → (das) Blau (deiner Augen)

Die Verfahren können auch miteinander kombiniert werden.

Präfixbildungen

386

Neue Wörter können mit Hilfe von unselbständigen Elementen gebildet werden, die man vorn an ein bestehendes Wort fügt. Man nennt solche Elemente *Präfixe*.

387

Besonders häufig kommen Präfixe bei Verben vor:

Präfix	Beispiele
er-	er-leben, er-fassen, er-bitten, er-arbeiten, er-stellen
ver-	ver-leben, ver-passen, ver-schütten, ver-arbeiten, ver-stellen
zer-	zer-brechen, zer-legen, zer-gliedern, zer-stören
ent-	ent-stellen, ent-führen, ent-binden, ent-reißen
miß-	miß-achten, miß-fallen, miß-billigen
be-	be-stellen, be-fahren, be-tasten, be-arbeiten, be-achten
ge-	ge-fallen, ge-lingen, ge-hören, ge-horchen, ge-stehen, ge-rinnen

Das Präfix *ge-* wird außerdem bei der Verbflexion gebraucht, und zwar bei der Bildung des Partizips II (↑ 62 f.).

388

Nomen können unter anderem mit den folgenden Präfixen gebildet werden:

Präfix	Beispiele
Ge-	Sammelbezeichnungen: Busch → Ge-büsch, Berg → Ge-birg-e, Stein → Ge-stein, Horn → Ge-hörn
	Ableitungen von Verben: kreischen → Ge-kreisch; Ge-spräch, Ge-flüster, Ge-kicher, Ge-bild-e, Ge-krächz-e
	(Bei den Bildungen mit *ge-* wird teilweise noch das Suffix *-e* angefügt.)
Miß-	Erfolg → Miß-erfolg, Stand → Miß-stand, Verhältnis → Miß-verhältnis, Behagen → Miß-behagen
Un-	Ruhe → Un-ruhe, Ordnung → Un-ordnung, Recht → Un-recht, Zeit → Un-zeit
Ur-	Wald → Ur-wald, Gestein → Ur-gestein, Großmutter → Ur-großmutter

389 | Bei Adjektiven ist das Präfix *un-* wichtig. Es verkehrt die Bedeutung eines Adjektivs in sein Gegenteil:

schön, angenehm, sicher → un-schön, un-angenehm, un-sicher.
ernst, klug, informiert → un-ernst, un-klug, un-informiert.
passend, brauchbar, fest → un-passend, un-brauchbar, un-fest.

Suffixbildungen

390 | Neue Wörter können mit Hilfe von unselbständigen Elementen gebildet werden, die man *hinten* an ein bestehendes Wort fügt. Man nennt solche Elemente *Suffixe*. Mit Suffixen gebildete Wörter sind im Deutschen sehr zahlreich. Wir können hier nur die wichtigsten Typen aufführen.

391 | Abgeleitete Nomen können auf Nomen, Verben oder Adjektive zurückgehen.

Von Nomen abgeleitete Nomen:

Suffix	Beispiele
-chen	Kleid-chen, Sträß-chen, Bild-chen, Häus-chen, Pflänz-chen
-lein	Kirch-lein, Häus-lein, Küch-lein, Vöge-lein, Gärt-lein
-in	Schüler-in, Lehrer-in, Redakteur-in, Geolog-in, Bot-in
-er	Hamburg-er, Köln-er, Wien-er, Österreich-er, Schweiz-er, Engländ-er

Von Verben abgeleitete Nomen:

Suffix	Beispiele
-ung	Stell-ung, Verbesser-ung, Überleg-ung, Mein-ung, Untersuch-ung, Übersetz-ung, Besprech-ung, Mitteil-ung
-er	Sprech-er, Lehr-er, Besitz-er, Mal-er, Unterhalt-er, Fahr-er, Begleit-er, Erfind-er

Von Adjektiven abgeleitete Nomen:

Suffix	Beispiele
-heit	Sicher-heit, Schön-heit, Rau-heit (nur mit *einem* h!), Dunkel-heit, Vertraut-heit, Besessen-heit, Schlau-heit
-keit	Heiter-keit, Beständig-keit, Brauchbar-keit, Möglich-keit, Beweglich-keit
-igkeit	Fest-igkeit, Ernsthaft-igkeit, Gedankenlos-igkeit, Genau-igkeit
-e	Tief-e, Breit-e, Läng-e, Bläu-e, Höh-e, Kürz-e, Süß-e

392 ÜBUNG

Worin besteht der Unterschied zwischen den folgenden Ableitungen mit dem Suffix *-er:* Sprecher, Lautsprecher, Versprecher, Flieger, Ausrutscher, Besucher, Blinker, Bohrer, Schalter, Reiter, Kopierer, Schwimmer, Alleskleber, Leuchter, Knipser, Rülpser.

Und worin unterscheiden sich die folgenden Ableitungen mit den Suffixen *-erei* und *-ei:* Bäckerei, Brüllerei, Heuchelei, Bastelei, Schreinerei, Bücherei, Ziegelei, Fragerei, Sucherei, Weberei.

393 Abgeleitete Adjektive gehen auf Adjektive, Verben oder Nomen zurück. Von Adjektiven abgeleitete Adjektive:

Suffix	Beispiele
-lich	kränk-lich, bläu-lich, schwärz-lich, zärt-lich, süß-lich, klein-lich, ärm-lich

Von Verben abgeleitete Adjektive:

Suffix	Beispiele
-bar	brauch-bar, ersetz-bar, überschreib-bar, verländer-bar, dreh-bar, liefer-bar, ansprech-bar
-lich	empfind-lich, empfäng-lich, bedroh-lich, besinn-lich, bekömm-lich

Von Nomen abgeleitete Adjektive:

Suffix	Beispiele
-lich	jähr-lich, zeit-lich, ärzt-lich, mütter-lich, freund-lich
-isch	mod-isch, neid-isch, schwein-isch, städt-isch, köln-isch
-ig	freud-ig, kräft-ig, kalk-ig, rauch-ig, kugel-ig, schupp-ig
-los	neid-los, erfolg-los, schonungs-los, freud-los, haar-los

394 | ÜBUNG

Welche Wortart haben die Wörter, von denen die folgenden Adjektive auf *-haft* abgeleitet sind?

schreckhaft, fabelhaft, krankhaft, nebelhaft, naschhaft, ernsthaft, zweifelhaft, schwatzhaft, bruchstückhaft.

395 | ÜBUNG

Was ändert sich an der Bedeutung eines Adjektivs, wenn ihm die Endung *-lich* angefügt wird? Vergleiche die oben genannten Beispiele:

kränklich, bläulich, schwärzlich, zärtlich, süßlich, kleinlich.

396 | ÜBUNG

Statt *ein Ring aus Gold* kann man mit Hilfe eines Adjektivs auch sagen: *ein goldener Ring*. Forme die folgenden Fügungen nach diesem Muster um:

ein Reifen aus Stahl, ein Bluse aus Seide, eine Schachtel aus Holz, ein Flugzeug aus Papier, eine Brücke aus Stein, eine Platte aus Metall, eine Hose aus Baumwolle, eine Röhre aus Kupfer, eine Büchse aus Blech, ein Napf aus Ton.

Welche Endungen muß man anfügen? Was haben die Nomen inhaltlich gemeinsam, von denen die Adjektive abgeleitet sind?

| **397** | Verben werden mit Hilfe von Suffixen vor allem von anderen Verben oder von Nomen abgeleitet. Von Verben abgeleitete Verben: |

Von Verben abgeleitete Verben:

Suffix	Beispiele
-eln	lachen → läch-eln, husten → hüst-eln, stechen → stich-eln, tropfen → tröpf-eln

Von Nomen abgeleitete Verben:

Suffix	Beispiele
-ieren	Lack → lack-ieren, Kontrast → kontrast-ieren, Prozeß → prozess-ieren, Kontakt → kontakt-ieren, Möbel → möbl-ieren, Telefon → telefon-ieren

Bildungen mit innerer Abwandlung

| **398** | Wortbildung kann sich auch der Veränderung im *Wortinnern* bedienen. Man spricht hier von *innerer Abwandlung*. Diese Art von Veränderung haben wir auch schon bei der Flexion angetroffen. In der Wortbildung ist innere Abwandlung oft mit dem Anfügen eines Präfixes oder eines Suffixes verbunden. |

| **399** | Die wichtigsten Arten von innerer Abwandlung sind *Ablaut* und *Umlaut*. Beim *Ablaut* wird ein Grundvokal (*a, e, i, o, u; ei, au, eu*) durch einen anderen Grundvokal ersetzt. Auf diese Weise sind viele Nomen von Verben abgeleitet worden: |

> sprechen → Spruch, werfen → Wurf.
> reiten → Ritt, schreiten → Schritt, reißen → Riß.
> genießen → Genuß, verdrießen → Verdruß, schließen → Schluß.

| **400** | Ein Grundvokal kann aber auch durch einen *Umlaut (ä, ö, ü; äu)* ersetzt werden. In den folgenden Beispielen geschieht dies in Verbindung mit dem Anfügen eines Präfixes: |

Mauer → Ge-mäuer, Busch → Ge-büsch, wachsen → Ge-wächs.

In den folgenden Beispielen sind Umlaut und Suffixe kombiniert:

Haus → Häus-chen, Turm → Türm-chen, krank → kränk-lich, lachen → läch-eln, gut → Güt-e, Franzose → französ-isch, Widerspruch → widersprüch-lich, Vernunft → vernünft-ig.

Die folgenden Verben sind nur mit Umlaut von Nomen oder Adjektiven abgeleitet worden (die Infinitivendung *-en / -n* zählt nicht, da sie eine Flexionsendung ist):

scharf → schärfen, schwarz → schwärzen, sauber → säubern, hart → härten.

Durst → dürsten, Trost → trösten, Kampf → kämpfen, Hammer → hämmern, Sturm → stürmen, Pflug → pflügen, Sturz → stürzen.

Bildungen ohne äußere Änderung

401 Ein Wort kann von einem anderen Wort auch ohne irgendwelche Änderungen in der Form abgeleitet werden – es ändert sich nur die Wortart (was sich in geschriebener Sprache immerhin auf die Groß- und Kleinschreibung auswirkt). Man spricht hier auch von *Konversion*.

In den folgenden Beispielen ist bei den Verben die Infinitivendung der Verben eingeklammert, da sie nur eine Flexionsendung ist:

versuch(en) → Versuch, ruf(en) → Ruf, beweis(en) → Beweis, stoß(en) → Stoß, umkehr(en) → Umkehr, fall(en) → Fall, befehl(en) → Befehl.

dunkel → dunkel(n), locker → locker(n), gesund → gesund(en), sicher → sicher(n), welk → welk(en).

Test → test(en), Hobel → hobel(n), Schaufel → schaufel(n), Säge → säg(en), Bagger → bagger(n), Hunger → hunger(n), Strand → strand(en).

Oft ist kaum feststellbar, welches Wort von welchem abgeleitet ist: Ist *rasten* von *Rast* abgeleitet worden, oder *Rast* von *rasten*?

Die Bildung von Kurzformen

402 In das Kapitel »Wortbildung« gehört auch ein Teil der Wörter, die wir im Alltag einfach als Abkürzungen bezeichnen. Hier kann man drei Gruppen unterscheiden:

1. eigentliche Abkürzungen;
2. Initialwörter oder Buchstabenwörter;
3. Kürzel.

403 Bei den *eigentlichen Abkürzungen* handelt es sich um eine reine Schreiberleichterung. Wenn wir solche Abkürzungen in Texten vorlesen, müssen wir sie durch die vollen Formen ersetzen.

Die meisten eigentlichen Abkürzungen werden mit einem Punkt markiert:

> Abt. (Abteilung), Nr. (Nummer), S. (Seite), evtl. (eventuell), usw. (und so weiter), u.U. (unter Umständen), u.a. (unter anderem).

Keinen Punkt haben internationale Maßangaben:

> m (Meter), cm (Zentimeter), µm (Mikrometer), l (Liter), g (Gramm), kW (Kilowatt), J (Joule), N (Newton), dBel (Dezibel), s (Sekunde).

404 Bei den *Initialwörtern* oder *Buchstabenwörtern* bleibt von den ursprünglichen Wortformen oder Wortteilen nur noch der Anfangsbuchstabe übrig (*das Initial* oder *die Initiale* = der Anfangsbuchstabe; Plural: *die Initialen*). Dabei wird jeder Buchstabe mit seinem Namen im Alphabet gelesen:

> UKW (vorgelesen: U-Ka-We; Ultrakurzwelle); GmbH (vorgelesen: Ge-Em-Be-Ha; Gesellschaft mit beschränkter Haftung).

Ebenso:

> Kfz (Kraftfahrzeug), DB (Deutsche Bundesbahn), IQ (Intelligenzquotient), BGB (Bürgerliches Gesetzbuch).

Es gibt auch entsprechend gebildete *Teile* von Wörtern:

> U-Boot (Unterseeboot), S-Bahn (Stadtschnellbahn), D-Mark (deutsche Mark); UKW-Sender, DB-Beamter, IQ-Test, Kfz-Werkstatt.

405 In den *Kürzeln* lassen wir sowohl beim Sprechen als auch beim Schreiben Teile des ursprünglichen Wortes weg:

> Akku (Akkumulator), Labor (Laboratorium), Uni (Universität), Foto (Fotografie), Limo (Limonade), Tacho (Tachometer).

Entsprechend gebildete *Teile* von Wörtern:

> Biogemüse (biologisch angebautes Gemüse), Ökosystem (ökologisches System), Dekostoff (Dekorationsstoff), Schokosauce (Schokoladensauce).

Manche Kürzel waren ursprünglich Initialwörter, werden heute aber nicht mehr buchstabenweise vorgelesen:

> TÜV (gesprochen: tüf; Technischer Überwachungsverein).
> Ufo (gesprochen: ufo; unbekanntes Flugobjekt).

Bei einem anderen Typ von Kürzeln sind von den Ausgangsformen nur die Anfangs- oder Schlußsilben übriggeblieben (sogenannte Silbenwörter):

> Kripo (Kriminalpolizei), Adrema (Adressiermaschine), Persil (Perkarbonat und Silikat).

406 ÜBUNG

Ordne die folgenden Kurzformen den drei Gruppen der eigentlichen Abkürzungen, der Initialwörter und der Kürzel zu:

Profi, Abb., PVC, pH-Wert, z. B., Demo, Bus, USA, Jh., Abopreis, mm, m. E., ZDF, Mathe, Adj., Ökosystem, EG.

SATZLEHRE

Sätze als Einheiten der Grammatik

407 In den vorangehenden Kapiteln ist es um *Wörter* gegangen. Wörter kommen aber normalerweise nicht für sich allein vor, sondern in größeren Zusammenhängen, letztlich in Texten. Texte wiederum sind *gegliedert*. Die *Art* dieser Gliederung ist unterschiedlich. Sie richtet sich nach der Gattung, zu der ein Text gehört. So zerfällt ein Drama in Akte und Szenen oder Bilder, ein Gedicht in Strophen. Einfache Prosatexte gliedern sich in Kapitel und Abschnitte. Die *kleinste Gliederungseinheit* für *Texte,* die sich ansetzen läßt, ist der *Satz.*

408 Was ein Satz ist bzw. wie weit ein Satz reicht, kann man in *geschriebenen* Texten an den *Satzschlußzeichen* erkennen. Satzschlußzeichen sind Punkt (.), Fragezeichen (?) und Ausrufezeichen (!). Ein Satz ist also die sprachliche Einheit, die in geschriebener Sprache durch Punkt, Fragezeichen oder Ausrufezeichen abgeschlossen wird.

Sätze haben einen bestimmten grammatischen Bau, der hauptsächlich vom *Verb* her bestimmt ist (↑ 434). Sie sind inhaltlich relativ abgeschlossen, und sie werden, wenn man sie laut vorliest, auch durch die *Stimmführung* als abgeschlossen gekennzeichnet.

409 ÜBUNG

Literarische Texte verzichten manchmal ausdrücklich auf Satzzeichen. Bei dem folgenden Text handelt es sich um eine Übersetzung aus »Ulysses« von James Joyce. Was für »Sätze« kann man darin unterscheiden?

Zuerst will ich mal etwas saubermachen in der Wohnung ich glaube der Staub wächst sogar während ich am Schlafen bin dann können wir etwas musizieren und Zigaretten rauchen ich kann ihn begleiten aber zuerst muß ich noch die Tasten vom Klavier säubern mit Milch was zieh' ich denn an soll ich eine weiße Rose tragen

Die Satzarten

410 Nicht alle Sätze sehen gleich aus. Man unterscheidet drei verschiedene Arten von Sätzen oder *Satzarten:*

1. Fragesatz;
2. Wunsch- oder Aufforderungssatz;
3. Aussagesatz.

Die einzelnen Satzarten werden im folgenden zunächst an möglichst einfachen Beispielen vorgestellt. Man kann aber jeden Satz, auch den komplexesten, einer Satzart zuordnen.

Der Fragesatz

411 *Fragesätze* sind Sätze, die sich von anderen Sätzen durch eine normalerweise gegen Ende *steigende Stimme* unterscheiden. In geschriebenen Texten ist ihr Satzschlußzeichen das *Fragezeichen.* Inhaltlich wird normalerweise eine Frage formuliert. Man kann genauer zwei verschiedene Typen von Fragesätzen unterscheiden:

1. Ergänzungsfragesätze;
2. Entscheidungsfragesätze.

412 *Ergänzungsfragesätze* werden durch ein Fragewort eingeleitet; das ist ein Pronomen oder eine Partikel. Da diese

Wörter immer mit einem *w* beginnen, spricht man auch von
w-Fragesätzen:

> Pronomen (Interrogativpronomen, ↑ 243 ff.): wer, was, wem; wel-
> cher; was für einer.
>
> Partikel (interrogative Adverbien, ↑ 367 f.): wo, wann, wie, warum,
> weshalb, womit, wodurch, wofür, wovon, worauf ...

Beispiel:

> ⊡ Wem ⊡ gehört dieser Koffer?
>
> → Dieser Koffer gehört ⊡ jenem Reisenden ⊡.

Ebenso:

> *Was* könnte wohl im Koffer sein? *Womit* könnte man ihn öffnen?
> *Wohin* sollen wir ihn bringen?

Von Ergänzungsfragen bzw. Ergänzungsfragesätzen spricht man,
weil hier gewissermaßen eine »Ergänzung« an einer ganz bestimmten Stelle des Satzes verlangt wird.

413 Beim *Entscheidungsfragesatz* gibt es kein besonderes Ein-
leitungswort. Meist steht die Personalform des Verbs an
erster Stelle. Sie kann freilich auch im Satzinnern stehen, so vor
allem beim Nachfragen. Man bezeichnet solche Sätze als *Entscheidungsfrage* oder *Entscheidungsfragesatz,* weil mit ihnen in der Regel zu einer Entscheidung aufgefordert wird:

> Nimmst du das Buch? Kommst du wirklich mit?
>
> (Nachfragen, sich versicherndes Fragen:) Du nimmst doch das Buch?
> Du bleibst noch lange hier?

Mögliche Antworten sind hier:

> Ja, nein, vielleicht, ich weiß nicht.

Die Forderung nach einer Entscheidung ist besonders deutlich in
Sätzen, in denen zwei unterschiedliche Möglichkeiten zur Auswahl
angeboten werden:

> Hast du das verstanden, oder muß ich es dir noch einmal erklären?
> Nehmt ihr Cola, oder zieht ihr Wein vor?

Der Wunsch- oder Aufforderungssatz

414 *Wunsch-* oder *Aufforderungssätze* werden stimmlich mit einem gewissen *Nachdruck* gesprochen. In geschriebener Sprache werden sie mit einem Ausrufezeichen abgeschlossen. Inhaltlich drücken sie einen Wunsch oder eine Aufforderung aus. Dabei richten sich Wünsche nicht notwendig an einen Partner:

> Wäre ich doch schon zu Hause! Der Herr erhöre unser Gebet! Wenn es doch endlich vorbei wäre!

Aufforderungen und Befehle richten sich hingegen normalerweise an ein Gegenüber:

> Treten Sie ein! Hör doch endlich auf! Gehen wir jetzt!

Der Aussagesatz

415 Als *Aussagesätze* bezeichnen wir Sätze, die mit neutraler, gegen Ende leicht sinkender Stimme gesprochen werden und inhaltlich nicht in einer besonderen Weise (zum Beispiel als Frage, als Wunsch oder als Aufforderung) gekennzeichnet sind. Ihr Satzschlußzeichen ist der Punkt:

> Sie sieht das ganz richtig. Sie arbeitet schon lange als Bibliothekarin. Das Buch steht oben links.

Die meisten Sätze sind »Aussagesätze«.

416 Als eine besondere Form des Aussagesatzes kann man den *Ausrufesatz* ansehen. Mit ihm drückt man eine Gemütsbewegung aus, oft Verwunderung. Ausrufesätze werden mit einem gewissen Nachdruck gesprochen. In geschriebener Sprache werden sie mit dem Ausrufezeichen abgeschlossen:

> So weit sind wir nun gekommen! Das ist aber ein tolles Ergebnis! Ist das aber ein tolles Ergebnis!

Das Ausrufezeichen steht auch bei Sätzen, die wie Fragesätze von einem w-Wort eingeleitet werden, aber nicht als Fragen zu verstehen sind:

Was das für ein tolles Ergebnis ist!

Wie ist das schön! Wie schön ist das! Wie schön das ist!

Äußerungsabsicht und Satzart

| 417 | Hinter jeder Satzart können unterschiedliche Äußerungsabsichten stecken. Wenn man als Hörer genau bestimmen will, was ein Sprecher meint, muß man zusätzlich zur Satzart weitere Dinge berücksichtigen, zum Beispiel:

– wann sich ein Sprecher äußert;
– wo er sich äußert;
– warum er sich äußert;
– wem gegenüber er sich äußert.

So kann zum Beispiel der Aussagesatz *Dieser Hund ist scharf* in ganz unterschiedlicher Äußerungsabsicht geäußert werden:

– Ein Hundezüchter will damit einen Wachhund empfehlen.
– Er will damit die besondere Eigenschaft eines bestimmten Hundes im Vergleich zu anderen beschreiben.
– Ein Hundebesitzer warnt damit den Postboten.
– Er droht einem Einbrecher.
– Er lobt seinen Hund gegenüber Bekannten.
– Er weist einen Besucher an, das Tier nicht anzufassen.
– usw.

Auf der anderen Seite kann hinter unterschiedlichen Satzarten die gleiche Äußerungsabsicht stehen. Nur eine Auswahl aus den gegebenen Möglichkeiten zeigt der folgende Überblick:

Satzart	Äußerungsabsicht: Aufforderung
Wunsch- oder Aufforderungssatz	Gib mir dein Fahrrad!
Fragesatz	Würdest du mir dein Fahrrad geben?
Aussagesatz	Ich brauche dein Fahrrad.

---

418 ÜBUNG

Welchen Satzarten lassen sich die folgenden Sätze zuordnen?

1. Martin stürmt ins Klassenzimmer. 2. »Kommt ihr heute nachmittag ins Schwimmbad? 3. Alle sind eingeladen.« 4. Die meisten seiner Mitschüler sind begeistert. 5. Martins Vater ist Bademeister im Hallenbad, und sie haben freien Eintritt. 6. Nur Ingrid hat Bedenken. 7. »Wenn ich bloß diesen lästigen Husten nicht hätte!« 8. Sie leidet schon lange darunter. 9. Auch ihr Arzt ist ratlos. 10. Wie lange wird das wohl noch dauern? 11. Tina, ihre Freundin, schlägt ihr anstelle des Schwimmnachmittags einen gemeinsamen Spaziergang vor. 12. Ingrid dankt ihr, lehnt aber ab: 13. »Geh schwimmen! 14. Ich will dir nicht den Spaß verderben.« 15. Tina ist unsicher. 16. Soll sie ihr Angebot wiederholen oder mit den anderen schwimmen gehen? 17. Ist das kompliziert!

Bertolt Brecht: Was ein Kind gesagt bekommt

Der liebe Gott sieht alles.
Man spart für den Fall des Falles.
Die werden nichts, die nichts taugen.
Schmökern ist schlecht für die Augen.
Kohlentragen stärkt die Glieder.
Die schöne Kinderzeit, die kommt nicht wieder.
Man lacht nicht über ein Gebrechen.
Du sollst Erwachsenen nicht widersprechen.
Man greift nicht zuerst in die Schüssel bei Tisch.
Sonntagsspaziergang macht frisch.
Zum Alter ist man ehrerbötig.
Süßigkeiten sind für den Körper nicht nötig.
Kartoffeln sind gesund.
Ein Kind hält den Mund.

Einfache und zusammengesetzte Sätze

419 Vergleicht man verschiedene Sätze eines Textes miteinander, trifft man auf große Unterschiede. Neben sehr einfachen Sätzen gibt es zusammengesetzte, auch mehrfach zusammengesetzte. Zwei Beispiele:

> Ich fühle mich nicht wohl.

> Obwohl alle Wissenschaftler ein ungutes Gefühl hatten, ist es keinem eingefallen, das unerwartete Ergebnis mit der Sorgfalt, die geboten war, zu überprüfen.

Um besser über solche Unterschiede sprechen zu können, müssen wir ein paar neue Begriffe einführen. Wir unterscheiden:

1. Einfacher Satz;
2. Zusammengesetzter Satz;
   2.1 Satzverbindung (Satzreihe);
   2.2 Satzgefüge;
3. Zusammengezogener Satz;
4. Satzäquivalent.

Der einfache Satz

420 Der *einfache Satz* ist ein Satz, der nur *eine* finite Verbform (Personalform) enthält:

> Die Wassermassen *bedrohen* nun schon die Vororte. *Hattet* ihr eine gute Aussicht? *Rechne* doch bitte die Aufstellung noch einmal durch! Wie unerfreulich das alles *ist!*

Zu den einfachen Sätzen rechnen wir auch Sätze, in denen eine finite Verbform mit einer oder mehreren infiniten Verbformen kombiniert wird:

> Ich *habe* den Wetterbericht noch nicht *gelesen.* Du *wirst* den Regenschutz noch *brauchen.* Vera *wird* vom Regen *aufgehalten worden sein.* Wir *könnten* doch den Bus *nehmen.* Ihr *hättet* den Bus *nehmen sollen. Geh* bitte noch etwas Brot *einkaufen!* Tante Olivia *ist* uns be-

suchen gekommen. Ich *lasse* die Katze *hinausgehen.* Du *hättest* die Katze nicht *hinausgehen lassen dürfen.* Eva *lernt schwimmen.* Eva *sollte* eigentlich schon längst *schwimmen können.* Wann *wird* Eva endlich *schwimmen gelernt haben? Kannst* du mir den Tisch *hinuntertragen helfen?* Der Tisch *ist* in den Bastelraum *zu bringen.*

Der zusammengesetzte Satz

421   *Zusammengesetzte Sätze* sind Sätze wie die folgenden:

> Früher hatten wir oft Ärger mit dem Computer, er war dauernd kaputt. Inzwischen haben wir eine zuverlässige Werkstatt gefunden, und damit sind alle Probleme gelöst. Nachdem man dort das Gerät gründlich überholt hat, funktioniert es wieder tadellos. Die Probleme waren offensichtlich deswegen entstanden, weil man vorher das Gerät nicht ordnungsgemäß gewartet hat. Ich habe mir nicht vorstellen können, daß so etwas möglich ist.

Die Beispielsätze sind jeweils durch Satzschlußzeichen abgeschlossen. Darüber hinaus aber bestehen sie aus Einheiten, die ihrerseits ebenfalls etwas Satzartiges haben. Man kann hier durch ganz geringfügige Veränderungen, zum Teil nur durch Veränderung der Satzzeichen, aus *einem* Satz *mehrere* Sätze machen:

> Früher hatten wir oft Ärger mit dem Computer. Er war dauernd kaputt.

> Man hat dort das Gerät gründlich überholt. Seitdem funktioniert es wieder tadellos.

Wir haben es also mit Sätzen zu tun, die ihrerseits wieder aus »Sätzen« bestehen. Die Einschränkung, die durch die Anführungszeichen angedeutet ist, bezieht sich darauf, daß diese Sätze nicht durch Satzschlußzeichen abgeschlossen sind. Wir nennen sie *Teilsätze.* Sätze, die aus mehreren Teilsätzen bestehen, nennen wir *zusammengesetzte Sätze* oder *Ganzsätze.* Sie treten in zwei unterschiedlichen Erscheinungsformen auf, nämlich als:

1. Satzverbindung oder Satzreihe;
2. Satzgefüge.

Die Satzverbindung (Satzreihe)

| 422 | Wenn ein zusammengesetzter Satz aus Teilsätzen besteht, die einen hohen Selbständigkeitsgrad haben und einfach

aneinander gereiht sind, spricht man von einer *Satzverbindung* oder einer *Satzreihe*. Beispiele dafür sind die ersten beiden Sätze aus der Beispielgruppe von Abschnitt ↑ 421:

> Früher hatten wir oft Ärger mit dem Computer, er war dauernd kaputt. Inzwischen haben wir eine zuverlässige Werkstatt gefunden, und damit sind alle Probleme gelöst.

In einer Satzverbindung bleiben die Teilsätze grammatisch relativ selbständig. Sie könnten auch für sich allein stehen: Hinter jedem könnte man ein Satzschlußzeichen setzen. Wenn sich ein Schreiber entschlossen hat, an solchen Stellen nicht zwei Sätze voneinander abzusetzen, so dürfte er dafür in erster Linie inhaltliche Gründe gehabt haben: Vielleicht wollte er einen besonders engen inneren Zusammenhang zwischen den Einzelaussagen herstellen. Man nennt diese Teilsätze *selbständige Teilsätze* oder *Hauptsätze*.

| 423 | Die selbständigen Teilsätze in der Satzreihe müssen nicht notwendig aufeinander folgen, der eine kann auch in den

anderen eingeschoben sein. So könnte man auch sagen:

> Inzwischen haben wir – und damit sind alle Probleme gelöst – eine zuverlässige Werkstatt gefunden.

Einen derart eingeschobenen Satz nennt man *Schaltsatz* oder *Parenthese*.

Das Satzgefüge

| 424 | Wenn ein zusammengesetzter Satz aus Teilsätzen besteht, zwischen denen grammatische *Abhängigkeit* herrscht und

die fest ineinander gefügt sind, spricht man von einem *Satzgefüge*. Beispiele dafür bieten die drei letzten Sätze der Beispielgruppe von Abschnitt ↑ 421:

Nachdem man dort das Gerät gründlich überholt hat, funktioniert es wieder tadellos. Die Probleme waren offensichtlich deswegen entstanden, weil man vorher das Gerät nicht ordnungsgemäß gewartet hat. Ich habe mir nicht vorstellen können, daß so etwas möglich ist.

Satzgefüge enthalten mindestens einen Teilsatz, der einem anderen Teilsatz *untergeordnet* ist. Den untergeordneten Teilsatz bezeichnet man als *Nebensatz*.

425 Den Teilsatz im Satzgefüge, von dem ein anderer Teilsatz grammatisch abhängig ist, bezeichnen wir als *übergeordneten Teilsatz*. Dieser übergeordnete Teilsatz kann wiederum seinerseits von einem anderen Teilsatz abhängig, also selbst ein Nebensatz sein; das ändert aber nichts daran, daß er einem anderen übergeordnet ist. Man vergleiche:

(a) Ich bin sicher, (b) <u>daß er weiß</u>, (c) <u>was er bei uns für Vorteile hat</u>.

Der Teilsatz (b) ist hier (c) übergeordnet, aber zugleich ein Nebensatz zu (a).

Denjenigen übergeordneten Satz im Satzgefüge, der keinem anderen Satz untergeordnet ist, bezeichnen wir als *Hauptsatz*. Hauptsatz ist in dem Beispiel oben also der Teilsatz (a). Der von ihm abhängige Teilsatz (b) ist dann ein *Nebensatz 1. Grades* und der von diesem abhängige Nebensatz (c) ein solcher *2. Grades*.

426 Die Teilsätze eines Satzgefüges können an verschiedenen Stellen stehen: Der Nebensatz kann dem Hauptsatz vorangehen, er kann ihm folgen oder in ihn eingeschoben sein:

Nachdem er drei Wochen in Prag war, kam er nach Wien zurück.
Er kam nach Wien zurück, nachdem er drei Wochen in Prag war.
Er kam, nachdem er drei Wochen in Prag war, nach Wien zurück.

427 Zu den Nebensätzen zählen wir auch zwei Konstruktionen, die im strengen Sinn keine Satzkonstruktionen sind, weil sie keine Personalform haben: satzwertige Infinitivgruppen und satzwertige Partizipialgruppen. Sie stehen oft in gleicher Position wie ausgebildete Nebensätze und leisten das gleiche wie diese. Man spricht dann von *Partizipialsätzen* und *Infinitivsätzen:*

1. Partizipialsätze:

> *Vorher nicht befragt,* wollte er auch nachher keine Verantwortung übernehmen. (Entsprechend: *Da er vorher nicht befragt worden war,* wollte er auch nachher keine Verantwortung übernehmen.)

Statt eines Partizips kommt hier auch ein Adjektiv vor:

> *Die ganze Zeit über gänzlich ahnungslos,* wollte er auch nachher keine Verantwortung übernehmen.

2. Infinitivsätze:

> Er behauptet steif und fest, *nicht dabeigewesen zu sein.* (Entsprechend: *..., daß er nicht dabeigewesen sei; ..., er sei nicht dabeigewesen*). *Ohne den Kontakt zu schließen,* wirst du die Maschine nicht zum Laufen bringen. Ihr seid zu viele, *um alle mitkommen zu können.*

Der zusammengezogene Satz

428 In Texten trifft man häufig auf Sätze, die zwischen dem Typ des einfachen Satzes und dem Typ des zusammengesetzten Satzes stehen. Wir meinen Beispiele wie das folgende:

> Thomas spielt Tennis, ist Torwart in der Fußballmannschaft, rudert im Klub und hat trotzdem einen phantastischen Notendurchschnitt.

Ein solcher Satz ist nach unserer Definition kein einfacher Satz, denn er enthält mehrere finite Verbformen. Er ist aber auch kein zusammengesetzter Satz, denn er besteht nicht aus Teilsätzen. Ein zusammengesetzter Satz läge vor, wenn es hieße:

> Peter spielt Tennis, er ist Torwart in der Fußballmannschaft, er rudert im Klub, und er hat trotzdem einen phantastischen Notendurchschnitt.

Sätze wie das Ausgangsbeispiel bezeichnet man als *zusammengezogene Sätze.* Hinter dieser Bezeichnung steht die Auffassung, es seien hier mehrere ehemals selbständige Sätze einfach »zusammengezogen« worden. Oft betrachtet man den zusammengezogenen Satz auch als eine besondere Form des *einfachen* Satzes.

Das Satzäquivalent

| 429 | Zwischen Satzschlußzeichen stehen oft Ausdrücke, die un-
vollständig wirken, zum Beispiel, weil sie kein Verb enthalten:

> Ja! Nein! Danke! Bitte! Vorsicht! Adieu!

Von ihrer Bedeutung her entsprechen sie freilich einem Satz bzw.
einem Teilsatz. Man nennt sie daher *Satzäquivalente* oder *Teilsatz-
äquivalente*.

| 430 | In einem weiteren Sinne kann man den Satzäquivalenten
auch zurechnen, was man genauer *Satzfragment* oder *Ellipse* nennt. Dabei handelt es sich um Beispiele wie die folgenden:

> Wird gemacht. Wozu das alles? Komme gleich wieder!

Hier scheint etwas weggefallen zu sein: Hinter dem unvollständi-
gen sprachlichen Gebilde ist deutlich die vollständige Form wahr-
zunehmen, hier also:

> Das wird gemacht. Wozu dient das alles? Ich komme gleich wieder!

Vielfältig zusammengesetzte Sätze

| 431 | Alle bisher beschriebenen Elemente lassen sich zu kunst-
vollen Satzgebilden verbinden, die man *Perioden* nennt.
Beispiele dafür bietet die Literatur, zumal die klassische (sie folgt
damit Stilidealen der Antike), aber durchaus auch die moderne. So
lautet etwa der erste Satz der Erzählung »Der Tunnel« von Friedrich Dürrenmatt:

> Ein Vierundzwanzigjähriger, fett, damit das Schreckliche hinter den
> Kulissen, welches er sah (das war seine Fähigkeit, vielleicht seine
> einzige), nicht allzu nah an ihn herankomme, der es liebte, die
> Löcher in seinem Fleisch, da doch gerade durch sie das Ungeheuer-
> liche hereinströmen konnte, zu verstopfen, derart, daß er Zigarren
> rauchte (Ormond-Brasil 10) und über seiner Brille eine zweite trug,
> eine Sonnenbrille, und in den Ohren Wattebüschel: Dieser junge

Mann, noch von seinen Eltern abhängig und mit nebulosen Studien auf einer Universität beschäftigt, die mit einer zweistündigen Bahnfahrt zu erreichen war, stieg eines Sonntagnachmittags in den gewohnten Zug, Abfahrt siebzehnuhrfünfzig, Ankunft neunzehnuhrsiebenundzwanzig, um anderentags ein Seminar zu besuchen, das zu schwänzen er schon entschlossen war.

| **432** | ÜBUNG |

Untersuche, ob es sich bei den folgenden Sätzen um einen einfachen (zusammengezogenen) Satz, um eine Satzverbindung oder um ein Satzgefüge handelt. Bestimme jeden Teilsatz als Hauptsatz oder Nebensatz:

1. Am Abend geht Paul in die Diskothek, Frank zieht die Kunsteisbahn vor und Elke das Schwimmtraining. 2. Barbara behauptet, sie könne nicht kommen. 3. Barbara war verreist, sie konnte deshalb nicht kommen. 4. Bei der Ausfahrt passiert das Schiff die Lotsenstation, das Leuchtfeuer und die letzte Boje. 5. Das Buch, das du mir gegeben hast, ist sehr spannend. 6. Der Baum, vom Blitz getroffen, stürzte krachend zu Boden. 7. Der Kapitän sieht die Ladepapiere durch, überprüft die Unterlagen und die Zollerklärung. 8. Der Vater glaubt, bis Sonntag mit dieser Arbeit fertig zu sein. 9. Dieter kommt nicht heute, sondern er kommt morgen. 10. Frank beschleunigte, um pünktlich anzukommen, seine Gangart. 11. Ich weiß sicher, daß mein Vater morgen kommt, wenn er kann. 12. Kaum geboren, erwürgte Herakles in der Wiege zwei Schlangen. 13. Klaus las ein Buch, Franz malte indessen ein Bild. 14. Klaus las, während Frank ein Bild malte. 15. Klaus redet, anstatt sofort zu handeln. 16. Obwohl Susanne sich sehr beeilte, kam sie zu spät. 17. Ohne es zu wissen, hat Petra uns sehr geholfen. 18. Peter kommt heute abend, oder er kommt morgen früh. 19. Susanne beeilte sich sehr, aber sie kam zu spät. 20. Wir fahren an die See, um uns zu erholen. 21. Wir wissen inzwischen – das hat sich heute ergeben – den genauen Grund für sein Fehlen.

Die verbalen Teile

Das Verb als Kern des Satzes

433 Sätze lassen sich weiter zergliedern. Das gilt für einfache Sätze genauso wie für die Teilsätze zusammengesetzter Sätze; und es gilt für Sätze jeder Satzart. Als Beispiele werden wir zunächst vor allem einfache Aussagesätze heranziehen. Das sind Sätze wie die folgenden:

> Katharina gibt mir morgen das Fahrrad. Wir wohnen seit Jahren in Mannheim. Nach einer Weile kommt Elisabeth. Er hebt das Hufeisen von der Erde auf. Peter hängt das Bild an die Wand. Wir fuhren zunächst mit der Straßenbahn. Der Dicke bezahlte mit einem Tausendmarkschein.

434 Den Aufbau eines Satzes versteht man am besten, wenn man von seinem *Verb* ausgeht. Das hat sowohl inhaltliche als auch grammatische Gründe:

1. Inhaltliche Gründe: Verben bezeichnen Tätigkeiten, Handlungen, Zustände oder Vorgänge. Mit seiner Bedeutung eröffnet ein Verb immer schon bestimmte Stellen für die Angabe von Personen, Dingen oder Umständen, die im Satz eine Rolle spielen: *wer* oder *was* tätig ist, *wer* oder *was* betroffen ist, *wo* etwas geschieht usw. Wenn zum Beispiel von *wohnen* die Rede ist, dann ist damit eine Stelle eröffnet für die Bezeichnung einer Person, die wohnt, sowie für die Bezeichnung eines Ortes:

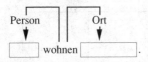

2. Grammatische Gründe: Das Verb weist den Stellen bestimmte grammatische Merkmale zu. Bei *wohnen* muß die Stelle der Person zum Beispiel durch ein Wort im Nominativ besetzt sein. Für die Bezeichnung des Ortes ist ein Adverb (zum Beispiel: *hier*) oder eine Wortgruppe mit Präposition (zum Beispiel: *in Mannheim*) mög-

lich, nicht aber zum Beispiel ein Wort im Akkusativ. Die Stellen können also wie folgt besetzt sein:

Wenn man inhaltliche und grammatische Gesichtspunkte kombiniert, ergibt sich das folgende Bild:

Ein weiteres Beispiel: Wenn von *geben* die Rede ist, dann ist von der Bedeutung des Wortes her zugleich jemand gesetzt, der gibt, jemand, dem gegeben wird, und etwas, was gegeben wird; dazu kann (muß nicht) die Angabe eines Ortes oder eines Zeitpunktes kommen. Als grammatische Merkmale sind hier mitgesetzt: Die handelnde Person steht im Nominativ, der Empfänger im Dativ, die betroffene Sache im Akkusativ. (Die Stellen, die den Zeitpunkt und den Ort nennen, sind nicht auf ein *bestimmtes* grammatisches Merkmal festgelegt.)

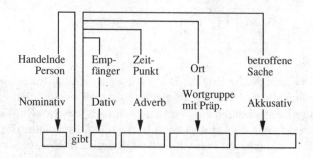

Die Stellen können zum Beispiel so besetzt sein:

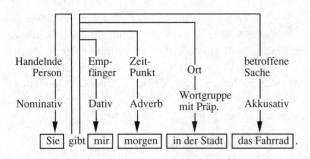

Verallgemeinernd kann man sagen: Verben eröffnen in ihrer Umgebung *Stellen*. Diese Stellen *müssen* zum Teil besetzt werden:

> Bei *geben* muß die Stelle für den Geber, für den Empfänger und für das Gegebene besetzt sein, bei *wohnen* die Stelle für den Wohnenden und für den Ort.

Zum Teil *können* sie besetzt werden:

> Nicht besetzt werden muß zum Beispiel (und zwar aus *grammatischen* Gründen) bei *geben* die Stelle für die Angabe des Ortes und der Zeit (das bedeutet nicht, daß nicht *inhaltliche* Gründe diese Angabe doch erzwingen können!).

All das zusammen weist dem Verb für den Aufbau des Satzes eine zentrale Rolle zu.

Erich Fried: Beim Nachdenken über Vorbilder

Die uns
vorleben wollen

wie leicht
das Sterben ist

Wenn sie uns
vorsterben wollten

wie leicht wäre das Leben

Die Stellung der verbalen Teile

435 Das Verb erscheint im Satz in unterschiedlicher Form: als finite Verbform bzw. Personalform oder als infinite Verbform bzw. Infinitform (das heißt als Infinitiv oder als Partizip). Dazu kommt der Verbzusatz (= die trennbare Vorsilbe von zusammengesetzten Verben; ↑ 58), der im Satz losgelöst von den übrigen Verbformen auftreten kann. Man bezeichnet diese Formen zusammenfassend als *verbale Teile*. Ein Beispiel:

1. Sie gab das Fahrrad am Bahnhof auf .

2. Sie hat das Fahrrad am Bahnhof aufgeben wollen .

3. Sie hat das Fahrrad am Bahnhof aufgegeben .

Personalformen sind hier im ersten Satz *gab*, im zweiten und dritten Satz *hat*; infinite Formen sind *aufgeben* und *wollen* im zweiten, *aufgegeben* im dritten Satz; in allen drei Sätzen kommt der Verbzusatz *auf* vor.

436 Die zentrale Rolle des Verbs kommt auch in der Stellung der Wörter im Satz zum Ausdruck. So nehmen die verbalen Teile ganz bestimmte feste Stellen im Satz ein. Die anderen Teile gruppieren sich um sie. Grundsätzlich gibt es dabei für die verbalen Teile drei Möglichkeiten. Wir zeigen sie zunächst im Überblick:

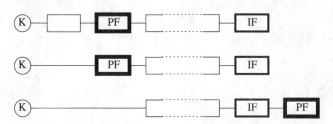

Zur Erläuterung:

• PF = Personalform (finite Verbform), am Satzende gegebenenfalls mit einem Verbzusatz.

• IF = infinite Verbform (das heißt Infinitiv oder Partizip), Verbzusatz oder beides zugleich. Die Stelle kann aber auch leer (unbesetzt) sein.

• K = Konjunktion (*und, aber, daß, wenn* usw.); diese Stelle muß nicht besetzt sein.

• Wenn die Personalform weder an erster noch an letzter Stelle steht, kann davor nur *ein* nichtverbaler Satzteil stehen (Konjunktionen zählen nicht mit). Die Personalform nimmt dann also die zweite Stelle im Satz ein.

• Wenn die Personalform (PF) an erster oder zweiter Stelle steht, können beliebig viele Satzteile (oder auch gar keine) zwischen ihr und der infiniten Verbform (IF) stehen.

---

437 | Ein besonderes Merkmal der Verbstellung im deutschen Satz ist: Wenn Personalform und infinite Form oder Verbzusatz zusammen vorkommen, bilden sie eine Art Klammer, die den ganzen Satz zusammenhält. Man spricht hier von der *Satzklammer:*

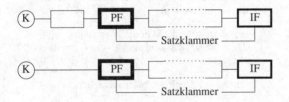

Personalform an zweiter Stelle (Kernsätze)

438 | In vielen Sätzen steht die Personalform (PF) an zweiter Stelle; man spricht hier kurz von *Verbzweitstellung.* Sätze dieser Art nennt man auch *Kernsätze* (weil die Personalform den »Kern« des Satzes bildet). Vor der Personalform bzw. der Satzklammer kann nur *ein* Satzteil (oder ein Nebensatz) stehen:

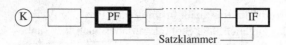

Beispiele:

Elke | **entdeckte** | ein Hufeisen auf dem Boden.

Elke | **hob** | das Hufeisen vom Boden | auf |.

Elke | **hat** | das Hufeisen nicht vom Boden | aufheben wollen |.

Mit einer Konjunktion (K) am Anfang:

Doch Elke | **hat** | das Hufeisen nicht vom Boden | aufgehoben |.

439 Kernsätze sind nicht auf eine bestimmte Satz*art* festgelegt:

Satzart	Beispiel
Aussagesatz (Aus-rufesatz)	Im Winter *laufen* in Österreich über 3000 Lifte. Die Gondeln *hängen* an Stahlseilen. Große Gondeln *erfordern* hohen technischen Aufwand. Du *hast* aber einen schönen Anorak!
Fragesatz	Wann *fahrt* ihr in die Skiferien? Wo *können* wir euch treffen? Ihr *seht* das wohl ein? Ihr *nehmt* uns das doch nicht übel?
Wunschsatz	Er *ruhe* sanft. Der Herr *erhöre* unser Gebet.

440 ÜBUNG

Welcher Satzart lassen sich die folgenden Kernsätze zuordnen?

1. Ihr geht doch nicht schon jetzt? 2. Übermorgen haben wir frei. 3. Warum bist du so still? 4. Der Hund versteckte seinen Knochen und fand ihn nie mehr. 5. Du willst also nicht mit uns kommen! 6. Wahrscheinlich gehe ich am nächsten Mittwoch ins Theater. 7. Irgend jemand hat schon wieder das Licht angelassen! 8. Wohin sollen wir in den Ferien fahren?

Personalform an erster Stelle (Stirnsätze)

441 Sätze, in denen die Personalform (PF) die erste Stelle einnimmt, nennt man *Stirnsätze:*

Bei den folgenden Beispielen von Stirnsätzen handelt es sich um Entscheidungsfragesätze:

> **Sieht** Elke das Hufeisen auf dem Boden?
>
> **Hebt** Elke das Hufeisen vom Boden auf ?
>
> **Hätte** Elke das Hufeisen vom Boden aufheben sollen ?

Gelegentlich wird ein Stirnsatz von einer nebenordnenden Konjunktion (K) eingeleitet:

> *Aber* **hebt** Elke das Hufeisen vom Boden auf ?
>
> *Doch* **wird** Elke das Hufeisen vom Boden aufheben ?

442 Auch Stirnsätze sind nicht auf *eine* Satzart festgelegt. Außer Entscheidungsfragen können noch die folgenden Satzarten die Form eines Stirnsatzes haben:

Satzart	Beispiel
Aussagesatz (Ausrufesatz)	*War* das eine Hetze! *Ist* das ärgerlich! *Bist* du aber schmutzig!
Wunsch- oder Aufforderungssatz	*Beeil* dich jetzt! *Gehen* wir! *Nehmen* Sie bitte Platz! *Wären* wir doch früher aufgestanden! *Hättest* du doch besser aufgepaßt!
uneingeleiteter Nebensatz (Bedingungssatz)	*Hätten* wir den Zug erreicht, dann ... *Ist* der nächste Zug pünktlich, so ...

| 443 | ÜBUNG |

Welcher Satzart lassen sich die folgenden Stirnsätze zuordnen?

1. Wärst du mit auf die Burg gekommen, wenn es nicht geregnet hätte? 2. Hätte es nicht geregnet, so wäre mir der Wind dennoch zu stark gewesen. 3. Kannst du deine guten Ideen nicht bei gutem Wetter haben? 4. Hörte nur endlich dieses schlechte Wetter auf! 5. Versuch doch einmal an etwas anderes zu denken!

Personalform an letzter Stelle (Spannsätze)

| 444 | Sätze, in denen die Personalform den letzten Platz einnimmt (wodurch eine gewisse »Spannung« in den Satz hineingebracht wird), bezeichnet man als *Spannsätze:*

Beispiele mit Konjunktionen (K) am Anfang:

Als Elke das Hufeisen auf dem Boden | entdecke |, ...

Nachdem Elke das Hufeisen vom Boden | aufgehoben | | hatte |, ...

| 445 | Wie Kern- und Stirnsätze sind auch Spannsätze nicht auf eine bestimmte Satzart festgelegt:

Satzart	Beispiel
Aussagesatz (Ausrufesatz)	Wie klar das Wetter *ist!* Was du nicht alles *weißt!*
Fragesatz	Ob Daniela noch *kommt?*
Wunsch- oder Aufforderungssatz	Wenn ich doch bis zu dieser Insel schwimmen *könnte!* Wenn du doch *mitkämest!*
eingeleitete Nebensätze	... wenn die Ebbe *eintritt.* ... daß die Sonne *untergeht.* ... weil das Schiff erst dann *kommt.*

| 446 | ÜBUNG |

Wie sind die Spannsätze in den folgenden Beispielen einzuordnen?

1. Falls du dich entschließen kannst, mit mir ins Kino zu kommen, hole ich dich um sieben Uhr ab. 2. Ein Wunder, daß du mitkommst! 3. Wenn wir Marcella dort träfen, hätte sich der Abstecher erst recht gelohnt! 4. Wenn du Lust hast, können wir nachher noch in die Disko gehen. 5. Wie billig das alles ist!

| 447 | ÜBUNG |

Bestimme in den folgenden Sätzen die verbalen Teile, und ordne die verschiedenen Teilsätze den Typen Kernsatz (Personalform an zweiter Stelle), Stirnsatz (Personalform an erster Stelle) und Spannsatz (Personalform an letzter Stelle) zu:

1. Andreas ist als Gast bei Parties sehr beliebt. 2. Er kann prima erzählen, und er merkt immer, wenn die Stimmung einzuschlafen droht. 3. Dann kramt er eine Geschichte hervor – etwas, was er erlebt hat oder erlebt zu haben behauptet. 4. Mag er auch manchmal flunkern: die Gäste werden unterhalten und bleiben gut gelaunt. 5. Natürlich wird Andreas dauernd eingeladen, und wenn man nicht früh genug bei ihm anfragt, darf man nicht mit einer Zusage rechnen. 6. Kürzlich haben wir es dennoch geschafft. 7. Er kam zwar eine Stunde zu spät, was wir uns aber gern gefallen ließen, denn er rettete den Abend. 8. Bevor er gekommen war, drohte die Unterhaltung zum Streit auszuarten. 9. Zwei unserer Freunde, sie hatten sich eben erst kennengelernt, hatten heftig zu diskutieren angefangen und waren kaum zu beruhigen. 10. Aber Andreas gelang es, ihren Streit zu beenden, indem er eine komische Szene aus einer Bar heraufbeschwor. 11. Seine Geschichte war so erheiternd, daß nachher niemand mehr ans Zanken dachte.

Sonderfälle

448 Es gibt auch noch andere Stellungsmöglichkeiten. So kann man, wenn man betonen will, daß *Elke* (und nicht jemand anders) das Hufeisen aufgehoben hat, auch sagen:

Das Hufeisen vom Boden | aufgehoben | | hat | Elke.

Hier nimmt die infinite Verbform zusammen mit anderen Satzteilen die Spitze des Satzes ein. Man spricht hier auch von einer besonderen *Ausdrucksstellung*.

449 Von *Ausklammerung* spricht man, wenn Teile des Satzes nach dem zweiten Teil der Satzklammer stehen. In den folgenden Schemata sind die ausgeklammerten Satzteile mit A gekennzeichnet:

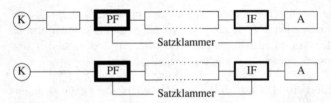

Beispiele:

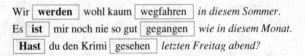

Wir | **werden** | wohl kaum | wegfahren | *in diesem Sommer.*
Es | **ist** | mir noch nie so gut | gegangen | *wie in diesem Monat.*
Hast | du den Krimi | gesehen | *letzten Freitag abend?*

Mehr zur Ausklammerung siehe ↑ 522.

450 Eine Reihe von Verben haben den Infinitiv eines anderen Verbs bei sich, so die Modalverben *wollen, sollen, müssen, können, dürfen, mögen* und die Verben *lassen, sehen, hören*. Wenn diese Verben in zusammengesetzten Tempusformen mit Personalformen der Hilfsverben *sein, haben, werden* verbunden sind, stehen in Spannsätzen die Personalformen des Hilfsverbs *vor* den Infinitformen:

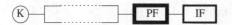

Beispiele mit Nebensätzen mit einer Konjunktion (K) am Anfang:

> ... weil ich das nicht besser hätte   einteilen *können* .
>
> ... weil er ihn nicht würde   besuchen *dürfen* .
>
> ... weil sie ihn nicht die Aufgaben hatten   machen *lassen* .
>
> ... weil sie die Nachbarn hatte   heimkommen *hören* .

Verbale Teile und Prädikat

451 Welche Aufgabe haben nun die verbalen Teile im Satz?
Wir haben schon herausgestellt: Die verbalen Teile eröffnen Stellen für weitere Teile des Satzes, sie weisen diesen Teilen
Merkmale zu, und sie bilden so etwas wie den Rahmen des Satzes
(↑ 434). Ohne sie kann kein Satz entstehen. Man sagt auch: Sie
bilden den Kern der Aussage eines Satzes. Zusammenfassend bezeichnet man sie als *Prädikat*.

452 Das Prädikat eines ausgebauten Satzes enthält immer eine
Personalform. Wenn das Prädikat *nur* aus dieser Personalform besteht, spricht man von einem *einteiligen Prädikat*:

> Der Schornstein *qualmt*. Erika *kommt* schon noch. Diesen Stoff *be-
> handeln* wir erst in einem halben Jahr. Diese Idee *gefällt* mir.

Zum einteiligen Prädikat zählt man auch Personalformen mit einem abgetrennten Verbzusatz:

> aufsteigen → Der Rauch *stieg auf*.
> herunterblasen → Der Sturm *blies* viele Dachziegel *herunter*.

453 Ein Prädikat kann aber auch mehrteilig sein. Von einem
mehrteiligen Prädikat spricht man, wenn eine finite Verbform mit einer oder mehreren infiniten Verbformen verbunden ist.
Die infiniten Verbformen bilden dann zusammen den Infinitteil des
Satzes.

Die wichtigsten Möglichkeiten sind die folgenden:

1. Es liegt eine *zusammengesetzte Verbform* vor (↑ 66 ff.):

   > Sie *wird* schon noch *kommen*. Das letzte Mal *haben* wir diesen Stoff in der 3. Klasse *behandelt*. Dieser Stoff *wird* erst in der 4. Klasse *behandelt*.

2. Der Satz enthält ein *modal gebrauchtes Verb* und den *Infinitiv* eines anderen Verbs (↑ 135 f.):

   > Jetzt *mußt* du aber *gehen*. Annemarie *sollte* schon lange *angerufen haben*.

3. Der Satz enthält ein *Verb*, das mit dem *Infinitiv* eines anderen Verbs verbunden werden kann:

   > Ich *lasse* mir das nicht *gefallen*. *Hilfst* du mir den Schrank *umräumen*? *Lerne* endlich einmal richtig *schwimmen!* Ich *gehe* am Nachmittag Tennis *spielen*. Dann *sahen* wir sie *kommen*.

4. Der Satz enthält ein *modifizierend* gebrauchtes Verb (↑ 137) und den *Infinitiv* (mit der Partikel *zu*) eines anderen Verbs:

   > Die Astronauten *hatten* einiges *auszuhalten*. Die Party *drohte* ein Mißerfolg *zu werden*. Die Party *versprach* ein Erfolg *zu werden*. Den Plattenspieler *versuchte* Werner *zu reparieren*. Plötzlich *begann* es *zu regnen*.

   > (Hierher gehört auch die Passivvariante mit dem modifizierend gebrauchten Verb *sein*, ↑ 117:) Das *ist* nicht *auszuhalten*. *Seid* ihr denn noch *zu retten?* Damit *ist* endlich Schluß *zu machen!*

5. Der Satz enthält ein Verb, das mit dem *Partizip II* eines anderen Verbs verbunden wird:

   > Da *kommen* sie *gelaufen*. *Kommt* ein Wölkchen *angeflogen* …

   > (Vgl. auch Passivvarianten, ↑ 117:) Das *bekommst* du *geschenkt*. Ein solcher Leichtsinn *gehört bestraft*.

All diese Typen können auch miteinander kombiniert werden:

> Sie *hätte* eigentlich *anrufen sollen*. Das *wird* später noch einmal *behandelt werden müssen*. *Sollte* das wirklich schon vorher *bekanntgemacht worden sein?*

Das *hätte* ich mir *gefallen lassen!* Wir *hätten* Markus nicht *gehen lassen sollen.* Wir *hatten* sie nicht *kommen sehen. Wäre* ich doch *schwimmen gegangen!* Beatrice *wollte* nicht *schwimmen gehen.* Die ganze Klasse *hätte schwimmen gehen sollen.*

Sie *kann* jeden Augenblick *angelaufen kommen.* Ein solcher Leichtsinn *hätte bestraft gehört.*

Eigentlich *hätte* ich noch einiges *zu erledigen gehabt.* Die Besatzung *wäre* noch *zu retten gewesen.*

---

454 Wir haben bis jetzt *Infinitiv-* und *Partizipialsätze* beiseite gelassen. Bei diesen Konstruktionen bildet der Infinitiv bzw. das Partizip den Kern der jeweiligen Konstruktion, also das Prädikat, auch wenn sie nicht mit einer finiten Verbform (Personalform) verbunden sind:

Wir haben uns vorgenommen, *auf alle Fälle zu Mittag* **zurückzusein**.
Um diesen Fall **zu lösen**, bediente sich der Inspektor eines Tricks.

Nachdenkend *über die Menschen*, kam er zu seinen Gedanken über die Verteilung der Armut.
Von allen Seiten **bestürmt**, gab er schließlich seinen Widerstand auf.

Die Entscheidung, ob ein Infinitiv oder ein Partizip Teil eines zusammengesetzten Prädikats ist oder Kern einer eigenständigen satzwertigen Fügung, ist oft nicht einfach:

Werner versuchte(,) den Plattenspieler zu reparieren.
Werner hat den Plattenspieler zu reparieren versucht.
Werner hat versucht(,) den Plattenspieler zu reparieren.
Werner hat vergeblich versucht, den Plattenspieler zu reparieren.

In Zweifelsfällen kann man sich (in geschriebener Sprache) an die Kommasetzung halten. Mehr zu den Infinitiv- und Partizipialsätzen siehe ↑ 548.

Die Satzglieder

455 Neben dem Prädikat gibt es weitere Bestandteile des Satzes. Man nennt sie Satzglieder. Wie grenzt man Satzglieder voneinander ab, und wie bestimmt man sie genauer? Wir gehen die beiden Fragen im folgenden nacheinander an.

Wie grenzt man Satzglieder ab?

456 Wir gehen von Kernsätzen aus: Die Personalform steht an zweiter Stelle. Wenn eine infinite Form vorkommt, steht sie am Ende des Satzes. Personalform und infinite Form bilden in diesem Fall zusammen eine Satzklammer (↑ 437). Satzglieder können dann an drei Positionen stehen:
1. vor der Personalform;
2. hinter der Personalform (bzw. zwischen Personalform und infiniter Form);
3. hinter der infiniten Form.

Vor der Personalform kann immer nur *ein* Bestandteil des Satzes stehen (Konjunktionen nicht mitgerechnet). Was vor der Personalform steht, ohne Konjunktion zu sein, ist also in jedem Fall ein Satzglied.

In den anderen Positionen kann *ein* Satzglied stehen, es können aber auch *mehrere* nebeneinander stehen. Wie kann man testen, ob man es mit einem oder mit mehreren Satzgliedern zu tun hat?

Die sicherste Methode ist die *Verschiebeprobe*: Man versucht, die Abfolge der Einheiten im Satz zu verändern, und beobachtet, was sich voneinander trennen läßt und was nicht. Was sich bei dieser Probe nur gemeinsam verschieben läßt, bestimmen wir als Satzglied. Im Sinne einer Definition formuliert:

> Satzglieder sind diejenigen Wörter oder Wortgruppen, die sich im Satz nur geschlossen verschieben lassen.

An einem Beispiel gezeigt:

> | Elke | **entdeckte** ein Hufeisen auf dem Boden.

Möglich wäre hier auch:

> | Ein Hufeisen | **entdeckte** Elke auf dem Boden.

> | Auf dem Boden | **entdeckte** Elke ein Hufeisen.

Satzglieder sind also:

> | Elke | | auf dem Boden | | ein Hufeisen |

Das Beispiel zeigt zugleich, daß ein Satzglied unterschiedlich umfangreich sein kann: Es kann aus einem einzigen Wort, aber auch aus einer ganzen Wortgruppe bestehen.

---

457 Für die Verschiebeprobe, die uns im folgenden immer helfen wird, wenn wir Abgrenzungsprobleme haben, ist noch wichtig: Bei der Verschiebung muß der Satz grammatisch korrekt bleiben, und sein Inhalt darf höchstens geringfügige Veränderungen erfahren, zum Beispiel solche der Gewichtung. Was damit gemeint ist, kann man an folgendem Satz zeigen:

> Über die Zusammenarbeit mit der Spezialistin reden wir morgen.

Eine Verschiebeprobe führt zu folgenden Möglichkeiten:

> Wir reden morgen über die Zusammenarbeit mit der Spezialistin.
> Morgen reden wir über die Zusammenarbeit mit der Spezialistin.

Ausgeschlossen wäre bei dieser Probe eine Formulierung wie:

> Wir morgen reden über die Zusammenarbeit mit der Spezialistin.

Sie ist grammatisch nicht korrekt.

Ausgeschlossen wäre auch jede Formulierung, die die Wortgruppe *über die Zusammenarbeit mit der Spezialistin* auflöste, zum Beispiel:

> Wir reden morgen mit der Spezialistin über die Zusammenarbeit.

Eine solche Formulierung ist zwar grammatisch korrekt, sie verändert aber den Sinn der Aussage und kann somit nicht als eine Variante des Ausgangssatzes akzeptiert werden: Plötzlich geht es nicht mehr um die Zusammenarbeit mit der Spezialistin, über die wir reden, sondern wir reden mit der Spezialistin.

| 458 | ÜBUNG |

Bestimme in den folgenden Sätzen mit Hilfe der Verschiebeprobe die Satzglieder:

1. Gestern ist in der Stadt etwas Aufregendes passiert: 2. Die Bank im Zentrum ist überfallen worden. 3. Die beiden Räuber konnten entkommen. 4. Sie fuhren mit großer Geschwindigkeit über den Marktplatz. 5. Die Gemüsefrauen und die Fischhändler hatten große Angst, daß die Marktstände beschädigt werden könnten. 6. Dem Fahrzeug der Gangster folgte ebenfalls sehr schnell ein Polizist auf einem Motorrad. 7. Die Verfolgungsjagd setzte sich in den Gassen der Altstadt fort. 8. Nach kurzer Zeit legte sich die Aufregung aber wieder, und auf dem Markt ging der gewohnte Betrieb weiter.

| 459 | Manchmal sind zwei Möglichkeiten des Verschiebens möglich, ohne daß sich der Sinn des Satzes ändert. Ein Beispiel bildet der folgende Satz:

> Sie ißt viele Äpfel.

Hier kann man folgendermaßen verschieben:

> Viele Äpfel ißt sie.
> Äpfel ißt sie viele.

Wegen der zweiten Möglichkeit könnte man auf die Idee kommen, im Satz die folgenden Satzglieder anzusetzen:

> Äpfel ißt sie viele .

Die Einheit *viele* kann allerdings nicht verschoben werden:

> Unmöglich: Viele ißt sie Äpfel .

An dieser Stelle hilft eine zusätzliche Bestimmung (die man überall sonst auch anwenden *kann,* aber nicht anwenden *muß,* weil das
Kriterium der Verschiebbarkeit allein normalerweise ausreicht):
die Bestimmung der notwendigen *geschlossenen Ersetzbarkeit.* Es
besagt, daß die gesuchten Glieder auch als Ganzes ersetzbar sein
müssen, also:

> Sie ißt | viele Äpfel |.
> Sie ißt | sie |.

Wenn sich auch über dieses Vorgehen kein eindeutiges Ergebnis
zeigt (solche Fälle werden die Ausnahme bilden), muß man eben
zwei unterschiedliche Lösungen akzeptieren.

Wie bestimmt man Satzglieder?

460 Wir können jetzt Satzglieder *abgrenzen;* wir können sie
aber noch nicht genauer *bestimmen,* das heißt, wir können
noch nicht verschiedene Satzglieder voneinander *unterscheiden.*
Darum soll es im folgenden gehen.

Hier ist zu bedenken: Wie alle sprachlichen Einheiten haben Satz-
glieder eine bestimmte *Form.* Im Satz erfüllen sie eine bestimmte
Aufgabe, eine *Funktion.* Und sie haben einen bestimmten *Inhalt.*
Wir nutzen diese Eigenschaften zur Unterscheidung.

Formale Gesichtspunkte

461 Wenn wir unter *formalen* Gesichtspunkten unterscheiden,
sind bestimmte *grammatische Merkmale* von Satzgliedern
wichtig.

Wir werden im folgenden hauptsächlich auf zwei Arten von Merkmalen achten:

1. Ist ein Satzglied im Kasus bestimmt oder nicht?

In dem Satz *Elke entdeckte gestern ein Hufeisen* sind *Elke* und *ein Hufeisen* im Kasus bestimmt (Nominativ bzw. Akkusativ), *gestern* nicht.

2. Wird ein Satzglied durch ein »Einleitewort« (eine Präposition oder die Satzteilkonjunktion *als* oder *wie*) eingeleitet oder nicht?

In dem Satz *Elke entdeckte ein Hufeisen auf dem Boden* enthält *auf dem Boden* ein Einleitewort (eine Präposition), die anderen Satzglieder nicht.

462 Kombiniert man diese Gesichtspunkte und stellt man zusammen, in welcher *Form* Satzglieder vorkommen können, so ergibt sich die folgende Übersicht:

1. Satzglieder, die im Kasus bestimmt sind:

Beschreibung	Beispiele
ohne Einleitewort, im Nominativ	*Das Wasser* steigt immer noch. Andreas ist *ein Grieche.* *Hans,* du hast schon wieder gewonnen. Sie stimmten ab, *ein faires Verfahren.*
ohne Einleitewort, im Genitiv	Wir nehmen uns *des Tieres* an. *Eines Tages* wirst du es vergessen haben.
ohne Einleitewort, im Dativ	*Einem solchen Menschen* vertraue ich nicht. *Dem Patienten* graut vor der Operation.
ohne Einleitewort, im Akkusativ	Gib mir *den Stift!* Ich nenne ihn *einen Opportunisten.* Sie hat *den ganzen Monat* gearbeitet. *Den Stock* in der Hand, kam er auf mich zu.
mit einer Präposition	Ich warte auf dich. Ich halte zu dir. Erika entwickelte sich zu einer gesuchten Fachfrau. Sie wartet auf dem Bahnhof.
mit den Konjunktionen *als* oder *wie*	Er formuliert wie ein Profi. Ich kenne sie als ausgezeichnete Lehrerin.

2. Satzglieder, die nicht im Kasus bestimmt sind:

Beschreibung	Beispiele
ohne Einleitewort	Sie ist *tüchtig*. Das Essen war *gratis*. Sie arbeitet *tüchtig*. Der Wirt hat für die Sportler *gratis* gekocht.
mit einer Präposition	Sie hat es *von klein auf* gelernt. *Seit gestern* regnet es dauernd. Sag es *auf deutsch! Von unten* sieht es anders aus.
mit den Konjunktionen *als* oder *wie*	Das Gerät läuft *wie neu*. Das geht *wie vorhin* wieder schlecht aus! Sie hat es *als ausreichend* beurteilt.

Unter formalen Gesichtspunkten können wir jedes Satzglied einem der hier aufgeführten Typen zuordnen.

---

463 ÜBUNG

Bestimme die Satzglieder des folgenden Textes nach ihrer Form:

Bertolt Brecht: Form und Stoff

1. Herr K. betrachtete ein Gemälde, das einigen Gegenständen eine sehr eigenwillige Form verlieh. 2. Er sagte: 3. Einigen Künstlern geht es, wenn sie die Welt betrachten, wie vielen Philosophen. 4. Bei der Bemühung um die Form geht der Stoff verloren. 5. Ich arbeitete einmal bei einem Gärtner. 6. Er händigte mir eine Gartenschere aus und hieß mich einen Lorbeerbaum beschneiden. 7. Der Baum stand in einem Topf und wurde zu Festlichkeiten ausgeliehen. 8. Dazu mußte er die Form einer Kugel haben. 9. Ich begann sogleich mit dem Abschneiden der wilden Triebe, aber wie sehr ich mich auch mühte, die Kugelform zu erreichen, es wollte mir nicht gelingen. 10. Einmal hatte ich auf der einen, einmal auf der anderen Seite zu viel weggestutzt. 11. Als es endlich eine Kugel geworden war, war die Kugel sehr klein. 12. Der Gärtner sagte enttäuscht:13. »Gut, das ist die Kugel, aber wo ist der Lorbeer?«

464 Ein kleines Problem ist noch zu erwähnen: Die Frage nach der *Form* eines Satzgliedes ist dann einfach zu beantworten, wenn dieses nur aus *einem* Wort besteht: Nehmen wir unseren Beispielsatz von oben:

> Elke | entdeckte ein Hufeisen auf dem Boden.

Hier ist die Frage nach der *Form* zum Beispiel des *Satzgliedes* »Elke« einfach die Frage nach der Form des *Wortes* »Elke«: Es ist ein Nomen im Nominativ. Auch für die anderen Satzglieder gibt es keine Probleme.

Um einiges schwieriger zu beurteilen sind allerdings Sätze wie der folgende:

> Das Spiel endete mit einem für alle über die Maßen enttäuschenden Ergebnis.

Die Verschiebeprobe zeigt, daß nach der Personalform ein einziges Satzglied steht:

> Mit einem für alle über die Maßen enttäuschenden Ergebnis | endete das Spiel.

Wie steht es hier mit der Frage nach der Form? Wir müssen in solchen Fällen unterscheiden: In einem Satzglied, das aus mehreren Teilen besteht, gibt es einen *Kern,* und es gibt Wörter oder Wortgruppen, die von diesem Kern abhängig sind (man nennt sie *Attribute,* ↑ 524 ff.). Für die Frage nach der Form des Satzglieds kann man die Attribute vernachlässigen: Man muß die *Form des Kerns* bestimmen. Diesen Kern ermittelt man durch die *Weglaßprobe:* Man prüft, welche Teile des Satzglieds weggelassen werden können. Was auf keinen Fall wegfallen darf, ist der Kern:

> mit einem für alle über die Maßen enttäuschenden Ergebnis
>
> → mit einem über die Maßen enttäuschenden Ergebnis
> → mit einem enttäuschenden Ergebnis

Als Kern ist durch diese Probe erwiesen:

> mit einem Ergebnis

Für diesen Kern ist nun die formale Bestimmung durchzuführen (es handelt sich um ein Nomen im Dativ mit Präposition). Damit ist das ganze Satzglied formal bestimmt.

465 ÜBUNG

Bestimme in den folgenden Sätzen mit Hilfe der *Verschiebeprobe* die Satzglieder und mit Hilfe der *Weglaßprobe* deren Kern:

1. Petra begrüßt ihren Onkel sehr höflich. 2. Der Onkel steht mit einem großen Koffer vor dem Eingang des Bahnhofs. 3. Petra hat ihn ganz pünktlich am vereinbarten Treffpunkt erwartet. 4. Sie führt ihn in das von ihrem Vater ausgewählte Hotel. 5. Der Portier des Hotels nimmt dem von der Reise ermüdeten Mann vor der bronzenen Haustür den schweren Koffer ab. 6. Er trägt ihn sofort in den vom Liftboy offen gehaltenen Fahrstuhl. 7. Auf seinem gemütlich eingerichteten Zimmer findet der Onkel den Koffer sorgfältig abgestellt wieder.

Funktionale und inhaltliche Gesichtspunkte

466 Wenn wir alle Satzglieder unter formalen Gesichtspunkten bestimmen können, schafft das eine erste Ordnung. Sie bleibt aber oft unbefriedigend. So enthält beispielsweise der folgende Satz drei Glieder im Nominativ:

$\boxed{\text{Dieses Spiel}}$ **war** $\boxed{\text{ein Riesenerfolg}}$, $\boxed{\text{Freunde}}$!

Im nächsten Satz kommen nebeneinander zwei Akkusative vor:

Sie **hat** $\boxed{\text{den schweren Rucksack}}$ $\boxed{\text{den ganzen Weg}}$ getragen.

Die drei Nominative und die zwei Akkusative *leisten* aber im Satz offenkundig Unterschiedliches. Um hier zu klareren Unterscheidungen zu kommen, fragen wir nun weiter nach der *Funktion* der Satzglieder und nach ihrem *inhaltlichen* Beitrag zum Aufbau des Satzes.

Satzglieder, die im Kasus bestimmt sind

Allgemeines

467 Satzglieder, die im Kasus bestimmt sind, haben als Kern ein *Nomen* oder ein *Pronomen*. Statt eines Nomens kann auch eine *Nominalisierung (Substantivierung)* den Kern bilden, zum Beispiel ein nominalisiertes (substantiviertes) Adjektiv.

468 Wenn der Kasus eines Satzglieds nicht unmittelbar erkennbar ist, kann man ihn durch eine *Ersatzprobe* bestimmen. Bei der Ersatzprobe geht es um die Ersetzung einer Wortes oder einer Wortgruppe im Satz:

1. Man kann an der fraglichen Stelle ein *maskulines Nomen* im *Singular* mit bestimmtem oder unbestimmtem *Artikel* einsetzen. Der Kasus kann dann an der Endung des Artikels abgelesen werden:

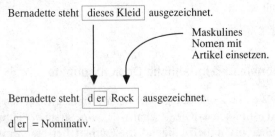

Bernadette steht | dieses Kleid | ausgezeichnet.

Maskulines
Nomen mit
Artikel einsetzen.

Bernadette steht | d|er| Rock | ausgezeichnet.

d|er| = Nominativ.

2. Man kann an der Stelle des Satzgliedes die passende Form des Fragepronomens (Interrogativpronomens) *wer* (↑ 243) einsetzen. Diese Form der Ersatzprobe nennt man auch *Frageprobe:*

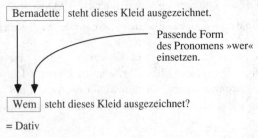

| Bernadette | steht dieses Kleid ausgezeichnet.

Passende Form
des Pronomens »wer«
einsetzen.

| Wem | steht dieses Kleid ausgezeichnet?

= Dativ

Nicht ausreichend ist die Frage mit bloßem »Was?«: Diese Form gilt nicht nur für den Nominativ, sondern auch für den Akkusativ (↑ 244).

---

469 Gelegentlich nehmen die Stelle eines Satzgliedes, das im Kasus bestimmt ist, Begriffe, Werktitel, Zitate usw. ein:

> *Schlau* ist nicht klug. Wir sahen uns»*Die Wüste lebt*« an. »*Im Westen nichts Neues*« war einmal ein Bestseller. *Mit ihrem* »*Ich mag nicht so recht!*« ärgerte sie die anderen.

Daß es sich hierbei um Satzglieder handelt, die im Kasus bestimmt sind, kann man mit einer Probe zeigen: Man fügt ein Nomen hinzu, das einen passenden Gattungsbegriff ausdrückt:

> *Der **Begriff** »schlau«* ist nicht gleich dem Begriff *»klug«*. Wir sahen uns *den **Film** »Die Wüste lebt«* an. *Das **Buch** »Im Westen nichts Neues«* war einmal ein Bestseller. *Mit ihrem **Ausspruch** »Ich mag nicht so recht!«* ärgerte sie die anderen.

---

470 Satzglieder aller Art können durch Nebensätze oder Infinitivgruppen ersetzt werden (↑ 550 ff.). Dies gilt auch für die Satzglieder, die im Kasus bestimmt sind:

| Der Wagemutige | gewinnt.
| Wer wagt |, gewinnt.

| Das Lösen dieses Kreuzworträtsels | ist nicht einfach.
| Dieses Kreuzworträtsel zu lösen | ist nicht einfach.

Der Boxer rühmt sich | seiner Unschlagbarkeit |.
Der Boxer rühmt sich, | unschlagbar zu sein |.
Der Boxer rühmt sich, | daß er unschlagbar ist |.

Der Kommissar untersucht | den Vorfall |.
Der Kommissar untersucht, | ob der Zeuge die Wahrheit spricht |.
Der Kommissar untersucht, | wie der Mörder zum Schlüssel kam |.

Mehr zum Satzgliedwert der Nebensätze und der Infinitivgruppen findet sich in den Abschnitten zum zusammengesetzten Satz, ↑ 550 ff.

Satzglieder im Nominativ

471 Wenn man die Wortgruppen im Nominativ auf die Rolle hin prüft, die sie im Satz spielen, lassen sich vier verschiedene Satzglieder unterscheiden:

Satzglied	Beispiel
Subjekt	*Das Wasser* steigt immer noch.
Gleichsetzungsnominativ	Andreas ist *ein Grieche*.
Anredenominativ	*Hans,* du hast schon wieder gewonnen.
absoluter Nominativ	Sie stimmten ab, *ein faires Verfahren*.

Das wichtigste Satzglied im Nominativ ist das *Subjekt*.

Das Subjekt

472 Das Subjekt ist das Satzglied im Nominativ, das zusammen mit dem Prädikat den Kern des Satzes bildet: Was im Prädikat ausgesagt wird, bezieht sich in erster Linie auf das Subjekt. Die besondere Beziehung zwischen Subjekt und Prädikat zeigt sich auch formal: Das Subjekt stimmt mit der finiten Verbform des Prädikats in Person und Numerus überein (= Kongruenz zwischen Subjekt und Prädikat).

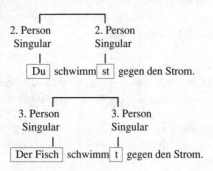

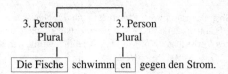

Die Fische | schwimm en | gegen den Strom.

Fast jeder Satz hat neben einem Prädikat auch ein Subjekt. Lediglich bei einigen Verben fehlt in bestimmten Gebrauchsweisen das Subjekt. Ihre Personalformen stehen dann immer in der 3. Person Singular:

> Mir ist kalt. Mich friert an die Füße. Über den Clown wurde herzlich gelacht. Jetzt wird aber gearbeitet!

473 *Inhaltlich* lassen sich dem Subjekt unterschiedliche Rollen zuweisen. Die folgende Tabelle stellt die wichtigsten zusammen:

Bedeutung	Beispiele
Täter, der eine Tätigkeit oder Handlung vollzieht. Man spricht hier vom *Agens*.	*Johanna* öffnet die Tür. *Der Räuber* bedrohte die Angestellte mit einer Pistole. *Paul* kaufte sich einen Anzug.
Lebewesen oder Person, die von einer Tätigkeit oder Handlung betroffen ist. Man spricht hier von *Patiens*.	*Die Angestellte* wurde vom Räuber bedroht. Nach Jahren des Wartens wurde *Herr Müller* zum Beamten auf Lebenszeit ernannt.
Mittel für eine Tätigkeit oder Handlung, das »Instrument«; man spricht hier vom *Instrumental*.	*Ein Nachschlüssel* hat ihm die Tür geöffnet. *Der Strick* beendete das Leben dieses Mörders. *Eine Ansprache* des Bundespräsidenten schloß die Feier.
Empfänger (Adressat).	*Ich* habe einen Eilbrief erhalten. *Erika* bekam die Einladung zugeschickt.
Empfindender.	*Die Bewohner* verspürten ein schwaches Zittern unter ihren Füßen. *Die Kinder* freuten sich über die bunten Luftballons.

Das Geschehen selbst; das ist dort der Fall, wo an der Prädikatsstelle ein bedeutungsarmes Verb steht.	Plötzlich brach *das Gewitter* los. *Verbrechen* entstehen nicht ohne Motiv. Schließlich wurde daraus *Haß*.

474 ÜBUNG

Bestimme in den folgenden Sätzen das Subjekt:

1. Der Mann eilte zur nächsten Notrufsäule. 2. Durch das Laufen geriet er ganz außer Atem. 3. Sein Auto lag im Graben, und sein Geschäftspartner auf dem Beifahrersitz war bewußtlos. 4. Der Mann hatte sich vergewissert, daß keine Lebensgefahr bestand. 5. Unangenehm war nur, daß niemand den Unfall beobachtet hatte. 6. Würde die Polizei seinem Bericht glauben? 7. »Es ist ein Reh über die Straße gelaufen.« 8. Klang diese Begründung nicht erfunden? 9. Endlich kam die Notrufsäule in Sichtweite.

475 Probleme bei der Bestimmung des Subjekts bereitet zuweilen das Pronomen *es*. Hier sind drei Möglichkeiten zu unterscheiden:

1. Das Pronomen *es* kann als Stellvertreter auf eine Person oder eine Sache verweisen. Ist das der Fall, dann handelt es sich um ein gewöhnliches Subjekt:

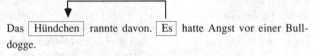

Das Hündchen rannte davon. Es hatte Angst vor einer Bulldogge.

Hier kann auch eine andere Wortgruppe die Subjektstelle einnehmen, ohne daß sich der Sinn des Verbs ändert (Ersatzprobe):

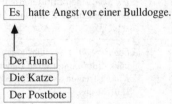

Es hatte Angst vor einer Bulldogge.

Der Hund
Die Katze
Der Postbote

2. Manche Verben können in bestimmten Gebrauchsweisen nur das unpersönliche Pronomen *es* bei sich haben. Es kann nicht ersetzt werden, ohne daß sich die Bedeutung des Verbs stark ändern oder der Satz sogar sprachlich falsch würde:

> *Es* handelte sich um eine Bulldogge.

> → *Der Vorfall* handelte sich um eine Bulldogge.

Immerhin kann das Pronomen vor oder nach der Personalform stehen (Verschiebeprobe). Wir behandeln dieses *es* danach als Subjekt.

Pronomen *es* an erster Stelle	Pronomen *es* im Satzinnern
Es handelte sich dabei um eine Bulldogge.	Dabei handelte *es* sich um eine Bulldogge.
Es gibt zu viele schlechterzogene Hunde in der Stadt.	In der Stadt gibt *es* zu viele schlechterzogene Hunde.
Es gefällt Manfred am neuen Ort nicht besonders.	Manfred gefällt *es* am neuen Ort nicht besonders.
Es zog in der Alphütte durch alle Ritzen.	In der Alphütte zog *es* durch alle Ritzen.
Es schneit morgen wahrscheinlich wieder.	Wahrscheinlich schneit *es* morgen wieder.

3. Manchmal steht am Satzanfang ein *es,* das verschwindet, wenn man den Satz einer Verschiebeprobe unterzieht. Hier handelt es sich um das sogenannte *Platzhalter-es*. Es hält lediglich den ersten Platz im Satz besetzt, wenn dort sonst nichts steht, fällt aber ersatzlos weg, wenn ein anderes Glied an diese Stelle rückt. Dieses Platzhalter-*es* ist kein Subjekt. Es steht oft neben einem wirklichen Subjekt:

> *Es* kamen *nur dreißig Personen* in die Vorstellung.
> → *Nur dreißig Personen* kamen in die Vorstellung.

Das Platzhalter-*es* steht sogar bei Verbformen, die gar kein Subjekt verlangen (↑ 472):

> *Es* graute mir vor der Prüfung.
> → Mir graute vor der Prüfung.
>
> *Es* wurde in der Klasse eifrig diskutiert.
> → In der Klasse wurde eifrig diskutiert.

Der Gleichsetzungsnominativ (prädikativer Nominativ)

476 Der *Gleichsetzungsnominativ* oder *prädikative Nominativ* ist ein Satzglied im Nominativ. Er steht in enger Beziehung zum Subjekt, das ja auch den Nominativ aufweist. In der Position des Gleichsetzungsnominativs steht häufig ein Begriff, der eine Klasse oder eine Gruppe bezeichnet. Was an Subjektstelle genannt ist, wird dann in diese Klasse eingeordnet.

Der Gleichsetzungsnominativ kommt nur im Zusammenhang mit einer begrenzten Reihe von Verben vor, die aber im Deutschen zum Teil sehr häufig verwendet werden: *sein, werden, bleiben, scheinen, dünken, heißen:*

> Andreas ist *Grieche,* Sibylle ist *Deutsche.* Genie ist *Fleiß.* Stefan ist *Student.* Inge ist *ein kluges Kind.* Volker wird *Ingenieur.* Konrad bleibt *Torwart.* Dieser Aufwand scheint mir *eine Geldverschwendung.* Dieser Aufwand dünkt mich *eine Geldverschwendung.*

Dazu kommt noch das Passiv einiger Verben, die im Aktiv mit einem Gleichsetzungsakkusativ (prädikativen Akkusativ) (↑ 493) konstruiert werden: *nennen, schelten, schimpfen, schmähen.* Das Akkusativobjekt dieser Verben wird im Passiv zum Subjekt, entsprechend der dazugehörende Gleichsetzungsakkusativ zum Gleichsetzungsnominativ:

> Sie schimpften ⎡Robert⎤ zu Unrecht ⎡einen Dummkopf⎤ .
>
> → ⎡Robert⎤ wurde von ihnen zu Unrecht ⎡ein Dummkopf⎤ geschimpft.

477 Wenn man nicht sicher ist, welches von zwei Satzgliedern im Nominativ das Subjekt ist und welches der Gleichset-

zungsnominativ, macht man eine *Infinitivprobe*. Sie geht davon
aus, daß das Subjekt im Gegensatz zum Gleichsetzungsnominativ
nicht direkt mit einem Infinitiv kombiniert werden kann: Man löst
daher das Prädikat zusammen mit den weiteren Gliedern aus dem
Satz heraus und setzt es in den Infinitiv. Das Glied, das bei dieser
Umformung herausfällt, ist das Subjekt. Das Glied, das beim
Infinitiv stehen kann, ist der Gleichsetzungsnominativ:

Man sieht bei der letzten Beispielgruppe, daß sich Partikeln wie
doch nicht so glatt in die Wortkette mit dem Infinitiv einfügen. Es
macht nichts, wenn man sie deswegen für die Probe einfach weg-
läßt; sie sind ja ohnehin keine Kandidaten für das Subjekt.

Von der Probe werden Wortgruppen im Nominativ nicht erfaßt, die
keinen direkten Bezug zum Prädikat haben und darum mit Komma
vom Rest des Satzes abgetrennt werden. Dies betrifft den Anredenominativ und den absoluten Nominativ; siehe hierzu ↑ 479 und
↑ 480.

478 Die Stelle des Gleichsetzungsnominativs kann auch von einem flektierten Adjektiv besetzt werden:

Das Problem ist kein logisches, wohl aber ein praktisches.

Solche Fälle, die in der Gegenwartssprache nur vereinzelt vorkommen, erklärt man am besten als elliptische Sätze (unvollständige Sätze, Sätze mit einer Auslassung). Vollständig würde der Satz heißen:

Das Problem ist *kein logisches Problem,* wohl aber *ein praktisches Problem.*

Günter Müller

Reden ist Silber
Schweigen ist Gold
Denken ist Dynamit

Der Anredenominativ

479 Der Anredenominativ ist ein Satzglied im Nominativ, das an beliebiger Stelle im Satz stehen kann. In geschriebener Sprache wird er durch Satzzeichen abgetrennt. *Inhaltlich* bezeichnet der Anredenominativ immer eine angerufene oder angesprochene Größe:

Hanna, du hast schon wieder gewonnen!
Du hast, *Hanna,* schon wieder gewonnen!
Du, du hast schon wieder gewonnen!
Du, hast du schon wieder gewonnen?

Sehr geehrter Herr Müller, wir beglückwünschen Sie herzlich zu Ihrem Sieg.
Zu Ihrem Sieg, *sehr geehrte Frau Meier,* beglückwünschen wir Sie herzlich.

Auffällig ist, daß sich durch die Verschiebung des Anredenominativs an der Stellung der übrigen Glieder nichts ändert.

Der absolute Nominativ

480 Als *absoluten Nominativ* bezeichnet man eine (eher seltener vorkommende) Fügung, wie sie in den folgenden Beispielen vorliegt:

> Sie stimmten ab, *ein faires Verfahren*. Sie hat gekündigt, *ein großer Verlust*. Dann betrat – *ein ärgerlicher Zufall* – der Hausmeister das Zimmer.

Am besten versteht man den absoluten Nominativ als *verkürzten* selbständigen Teilsatz, als *Ellipse*. Das kann eine Erweiterungsprobe zeigen:

> Sie haben abgestimmt; *das ist ein faires Verfahren*.

481 ÜBUNG

Bestimme in den folgenden Sätzen die Satzglieder im Nominativ:

1. »Konrad«, sprach die Frau Mama, »ich geh' fort, und du bleibst da.« 2. Der Bildschirm flimmert unangenehm. 3. Der große Künstler wurde oft ein Träumer gescholten. 4. Die beiden verstehen sich gut, ein Glück. 5. Die Bücher stehen im Regal. 6. Er ist abgehauen, eine üble Schweinerei, und hat seine Familie mit einem Berg Schulden zurückgelassen. 7. Gestern ist Papa aus dem Krankenhaus entlassen worden, eine tolle Überraschung für uns alle. 8. Hoffentlich wird dir das Mittagessen schmecken! 9. Ich habe Hunger. 10. Ist dein Großvater Beamter gewesen? 11. Heuschnupfen ist ein lästiges Leiden. 12. Joseph war der Liebling seines Vaters. 13. Meine Damen und Herren, in der Mitte dieses Zuges befindet sich ein Zugrestaurant. 14. Mensch, hast du schon gehört, was dem Peter passiert ist? 15. Müllers von nebenan sind reiche Leute. 16. Noch immer werden viele Kinder geschlagen. 17. Wir bieten ihnen das ganze Service zum Preis von DM 98,70 an, ein einmaliges Geschenk an unsere Kunden.

> *Lieselotte Rauner: Unfälle*
>
> Daß er geboren wurde
> war ein Unfall
> und wurde
> als freudiges Ereignis
> bekanntgegeben
> daß er starb
> war ein freudiges Ereignis
> und wurde
> als Unfall
> bekanntgegeben

Satzglieder im Genitiv

482 Unter den Wortgruppen mit Genitiv im Kern lassen sich zwei verschiedene Satzglieder unterscheiden:

Satzglied	Beispiel
Genitivobjekt	Wir nahmen uns *des Igels* an.
adverbialer Genitiv	*Eines Tages* sehen wir uns sicher wieder.

Das Genitivobjekt

483 Genitivobjekte sind Satzglieder im Genitiv, deren Kasus von einem Verb oder von einem Adjektiv bestimmt wird. Nominale Genitivobjekte können durch ein Pronomen ersetzt werden; dies gilt auch für das Interrogativpronomen *wessen* (= Frageprobe, ↑ 468):

> Sie nahmen sich *des Igels* an.
> → Sie nahmen sich *seiner* an.
> → *Wessen* nahmen sie sich an?

Der Gauner wurde *des Diebstahls* überführt.
→ Der Gauner wurde *dessen* überführt.
→ *Wessen* wurde der Gauner überführt?

Weitere Beispiele sind:

Die Abgeordneten enthielten sich *der Stimme.* Der Redner bediente
sich *eines Vergleichs.* Sie entledigte sich schnell *des Auftrags.* Wir
gedenken *der Verstorbenen.* Er ist *seiner Sinne* nicht mächtig.

Das Genitivobjekt kommt in der Gegenwartssprache nur selten vor.

Der adverbiale Genitiv (Adverbialgenitiv)

484 Neben dem Genitivobjekt gibt es ein zweites Satzglied mit
Genitiv im Kern, den *adverbialen Genitiv* oder *Adverbial-*
genitiv. Der adverbiale Genitiv ist nicht abhängig von einem Verb
oder einem Adjektiv; er steht selbständig, das heißt auch in der
Umgebung von Verben, die gar keine Ergänzung verlangen. Im
Gegensatz zum Genitivobjekt kann er nicht durch ein Pronomen
ersetzt werden, auch nicht durch das Interrogativpronomen *wessen*
(Frageprobe, ↑ 468):

Eines Tages wirst du es vergessen haben. *Dieser Tage* habe ich Eli-
sabeth getroffen. Die Wand sollte *meines Erachtens* noch einmal ge-
strichen werden.

Inhaltlich drückt der adverbiale Genitiv oft eine Zeit- oder eine
Raumangabe aus (↑ 511 ff.).

485 ÜBUNG

Bestimme in den folgenden Beispielen die Satzglieder im Genitiv:

1. Der Anwalt wird der Steuerhinterziehung angeklagt. 2. Der Pa-
stor hat seines Erachtens eine gute Predigt gehalten. 3. Der Tier-
schutzverein nimmt sich der ausgesetzten Hunde und Katzen an.
4. Der Verbrecher war sich der Folgen seiner Tat bewußt. 5. Der
Zauberer auf dem Jahrmarkt bediente sich billiger Tricks. 6. Die

meisten japanischen Touristen sind des Deutschen nicht mächtig.
7. Eines Tages stürzte das verlassene Haus ein.

Ernst Kein

Mit
der flöte
des morgens
und
dem waldhorn
des abends
und
der trompete
des mittags
wird uns den ganzen tag der marsch geblasen.

Satzglieder im Dativ

Das Dativobjekt

486 Das Dativobjekt ist ein Satzglied im Dativ, dessen Kasus
von einem Verb oder einem Adjektiv bestimmt ist. Normalerweise steht in seinem Kern ein Nomen oder Pronomen. Der
Kasus ist entweder an den Flexionsformen abzulesen oder durch
Proben leicht zu bestimmen (↑ 483):

> *Einem solchen Menschen* helfe ich nicht. Das Rad gehört *mir*. Wir
> sind *seinem Rat* nicht gefolgt. Bist du *ihr* begegnet? Das widerstrebt
> *mir* sehr. Der Briefträger brachte *den Eltern* einen eingeschriebenen
> Brief. Er trägt *seiner Freundin* den Rucksack auf den Bahnhof.

487 Unter *inhaltlichem* Gesichtspunkt wichtige Rollen, die das
Dativobjekt ausfüllen kann, zeigt die folgende Tabelle:

Bedeutung	Beispiele
Besitzer, Eigentümer oder Empfänger, aber auch Person, der ein Besitz fehlt. Man spricht hier von einem *possessiven Dativ*.	Das Buch gehört *mir* (landschaftlich: ist *mir*). Man hat *dem Touristen* das ganze Geld gestohlen.
Person, für die bzw. zu deren Vorteil oder Nachteil etwas geschieht; hier spricht man von einem *Dativus commodi* oder *incommodi*.	Sie hat *ihm* das Radio repariert. Karl hat *ihr* das Zimmer aufgeräumt. Er ist *seiner Chefin* eine große Hilfe. *Dem Maurer* war ein Backstein auf den Fuß gefallen.
Person (Lebewesen) oder auch Sache, die als Ganzes gesetzt und auf die dann ein Teil dieses Ganzen bezogen wird; man spricht hier vom *Pertinenzdativ* oder *Zugehörigkeitsdativ*.	Der Chirurg amputierte *dem Patienten* das Raucherbein. Der Friseur färbte *ihr* die Haare. Ich schaue *ihm* in die Augen. Der Arm tut *mir* weh.
Zweck; hier spricht man von einem *finalen Dativ*. An seiner Stelle steht oft ein Präpositionalgefüge mit *für*.	Er lebt vor allem *seinem Hobby* (= *für sein Hobby*).

488   Fast formelhaft erstarrt sind Wendungen, die unter der Bezeichnung *Dativus ethicus* zusammengefaßt werden; bei dieser Dativkonstruktion handelt es sich nicht im strengen Sinn um ein Objekt. Es geht hier um Formulierungen wie die folgenden:

> Du bist *mir* ein feiner Kerl. Seid *mir* ja schön ruhig. Daß du *mir* zum Onkel auch recht freundlich bist.

Der Dativus ethicus steht bei Ausdrücken der Verwunderung, der Aufforderung und der Frage; er unterstreicht emotionale Beteiligung.

489   ÜBUNG

Bestimme in den folgenden Sätzen die Dativobjekte:

1. Gestern sind wir einem alten Bekannten begegnet. 2. Sein Name wollte mir nicht mehr einfallen, aber er hat mir seinen Vornamen genannt, so daß ich ihn meiner Freundin vorstellen konnte. 3. Er

hat uns beide in ein Café eingeladen, wo er uns und einigen anderen Zuhörern aus seinem Leben erzählt hat. 4. Wir folgten seinem Bericht sehr aufmerksam. 5. Dem Mann ist ja wirklich allerhand zugestoßen! 6. Aber sein Geschäftssinn ist ihm zugute gekommen, so daß er seinen Kindern ein kleines Vermögen vererben wird. 7. Der Bericht schien einem Journalisten am Nebentisch zu gefallen. 8. Er hat unserem Bekannten versichert, daß sich ihm hier Stoff zu einer ausführlichen Reportage biete. 9. Dieser hat dem Journalisten die Einwilligung zu einem ersten Entwurf gegeben, denn er freute sich, daß seine Erfahrungen jemandem nützten.

Satzglieder im Akkusativ

490 Unter funktionalem Gesichtspunkt lassen sich unter den Wortgruppen im Akkusativ vier verschiedene Satzglieder unterscheiden:

Satzglied	Beispiel
Akkusativobjekt	Gib mir *den Stift!*
Gleichsetzungsakkusativ	Ich nenne ihn *einen Opportunisten.*
adverbialer Akkusativ	Sie hat *den ganzen Monat* gearbeitet.
absoluter Akkusativ	*Den Knüppel in der Hand,* kam er auf mich zu.

Das Akkusativobjekt

491 Das Akkusativobjekt ist ein Satzglied im Akkusativ, dessen Kasus von einem Verb oder Adjektiv bestimmt wird. In seinem Kern steht normalerweise ein Nomen oder ein Pronomen:

Wir beobachteten *die Schiffe. Dieses Auto* hat der Mechaniker repariert. Susanne behielt *ihre Kette.* Im Odenwald haben sie *ein Grundstück.* Nächste Woche bekommen wir *Ferien.* Susanne ist *diese Arbeit* gewohnt. Es ist *diesen Einsatz* wert.

Ein Nomen kann überdies immer durch ein Pronomen ersetzt werden. Dieses Merkmal ist wichtig zur Bestimmung, wenn ein Nomen nicht einfach an seinen Formen erkannt werden kann. Am sichersten ist der Ersatz durch ein maskulines Pronomen oder die Frage mit der Form »Wen?« des Interrogativpronomens:

> Die Reisenden fragten ⎡ den Bahnbeamten ⎤ nach dem Fahrplan.
>
> → Die Reisenden fragten ⎡ ihn ⎤ nach dem Fahrplan.
>
> → ⎡ Wen ⎤ fragten die Reisenden nach dem Fahrplan?

Die Frage, ob ein Pronomen eingesetzt werden kann, trennt auch sicher das Akkusativobjekt vom adverbialen Akkusativ: dieser ist nie durch ein Pronomen ersetzbar (↑ 494).

492 *Inhaltlich* lassen sich dem Akkusativobjekt folgende Rollen zuordnen:

Bedeutung	Beispiele
Von einer Tätigkeit oder Handlung betroffene Person; man spricht hier vom *Patiens* (↑ 473).	Peter trug *seine kleine Schwester* ins Bett. Jasmin hat *mich* noch nie angelogen. Wir haben *den Weltmeister* besiegt.
Von einer Tätigkeit oder Handlung betroffene Sache; man spricht hier vom *affizierten Objekt* (= betroffenen Objekt).	An Weihnachten braten wir jedes Jahr *eine Gans oder einen Truthahn*. Das Staatstheater hat *Carmen* aufgeführt. Ich habe *ein neues Buch* gekauft.
Resultat eines Geschehens, einer Tätigkeit, die durch das Prädikat angegeben wird; hier spricht man vom *effizierten Objekt* (dem »hergestellten« Objekt).	Voriges Jahr haben sie *ihr Haus* gebaut. Bizet hat *Carmen* komponiert. Diese Schriftstellerin hat *ein neues Buch* geschrieben. Der Barkeeper braute *ein höllisches Mixgetränk* zusammen.
Spezifischer Inhalt eines Verbbegriffs; man spricht dann vom *inneren Objekt*.	Er schläft *einen langen, tiefen Schlaf*. Sie hat *einen bösen Traum* geträumt. Wir müssen *einen beschwerlichen Weg* gehen.

Der Gleichsetzungsakkusativ (prädikativer Akkusativ)

493 Der *Gleichsetzungsakkusativ* oder *prädikative Akkusativ* ist das Satzglied, das unter den Gliedern im Akkusativ dem Gleichsetzungsnominativ (prädikativen Nominativ) entspricht. Der Gleichsetzungsakkusativ steht als zweites Glied im Akkusativ neben dem Akkusativobjekt, auf das er sich eng bezieht, und zwar nach den Verben *nennen, schelten, schimpfen, schmähen, heißen, taufen:*

> Ich nenne ihn *einen Opportunisten.* Sie schimpfte ihn *einen Tunichtgut.*

Inhaltlich läßt sich dem Gleichsetzungsakkusativ die gleiche Rolle zuweisen wie dem Gleichsetzungsnominativ (↑ 476 ff.).

Der adverbiale Akkusativ (Adverbialakkusativ)

494 Wie bei den Gliedern im Genitiv, so gibt es auch bei den Gliedern im Akkusativ ein nominal bestimmtes Satzglied, das nie durch ein Pronomen ersetzbar ist – auch dann nicht, wenn es formal einem Objektglied völlig entspricht. Wir erläutern das an einem Beispiel:

> Sie hat den schweren Rucksack den ganzen Weg getragen.

Wenn wir die beiden Wortgruppen im Akkusativ durch ein Pronomen ersetzen, ergibt sich folgendes:

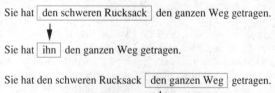

Sie hat den schweren Rucksack den ganzen Weg getragen.

Sie hat ihn den ganzen Weg getragen.

Sie hat den schweren Rucksack den ganzen Weg getragen.

Sie hat den schweren Rucksack ihn getragen.

Daß sich die beiden Glieder *funktional* unterscheiden, zeigt auch eine Passivprobe. Der adverbiale Akkusativ behält auch in einer

Passivkonstruktion seinen Fall, das Akkusativobjekt wird zum Subjekt im Nominativ:

Sie hat | den schweren Rucksack | | den ganzen Weg | getragen.

→ | Der schwere Rucksack | wurde von ihr | den ganzen Weg | getragen.

Solche Akkusative kommen auch in der Umgebung von Verben vor, die als Ergänzung keinen Akkusativ verlangen:

Sie hat *den ganzen Tag* geschlafen. Wir sind *einen Kilometer* gelaufen. *Einen Monat* mußt du noch warten.

Ein solches Glied im Akkusativ nennt man *adverbialen Akkusativ* oder *Adverbialakkusativ*. *Inhaltlich* wird mit Hilfe des adverbialen Akkusativs oft eine zeitliche oder räumliche Erstreckung ausgedrückt (↑ 511 ff.).

Der absolute Akkusativ

495 Der *absolute Akkusativ* entspricht – unter den Akkusativgliedern – dem absoluten Nominativ. Es handelt sich hier um eine eher seltene Erscheinung:

Den Stock in der Hand, kam er auf mich zu.
Die Füße auf dem Tisch, schnarchte er laut.

Wie den absoluten Nominativ (↑ 480), so kann man auch den absoluten Akkusativ am ehesten als eine Ellipse erklären:

Den Stock in der Hand (haltend), kam er auf mich zu.

496 ÜBUNG

Bestimme in den folgenden Sätzen die Satzglieder im Akkusativ:

1. Daran erkenn' ich meine Pappenheimer! 2. Der Großvater nennt die Enkelkinder seine Stammhalter. 3. Der Hausmeister schimpfte meinen Bruder den ärgsten Lausebengel der Stadt. 4. Eine Zeitung vor dem Gesicht, tat der Detektiv so, als ob er lese. 5. Zwei ganze

Stunden mußte ich beim Zahnarzt warten! 6. Paula möchte den Kontinent zu Fuß durchqueren. 7. Robert hat sich einen Pullover gekauft. 8. Sie sagt uns, wo wir abzweigen müssen. 9. Tanja kennt den Weg. 10. Wir haben den ganzen Abend Lieder gesungen. 11. Wir sahen den Mond aufgehen. 12. Wir sind auf unserer Wanderung insgesamt 1500 Meter aufgestiegen. 13. Einen Kaugummi im Mund, sah die Lehrerin gelangweilt aus dem Fenster.

Detlev Meyer: Subjekt oder Objekt

Generäle lieben
kleine Jungen
und Schokolade

Man soll vorsichtig
sein mit solchen
Behauptungen aber
ich betone

Kleine Jungen
lieben Generäle
und Schokolade

Satzglieder, die im Kasus von einer Präposition bestimmt sind

497 Es gibt Satzglieder im Genitiv, Dativ oder Akkusativ, deren Kasus nicht von einem Verb oder einem Adjektiv bestimmt ist, sondern von einer *Präposition,* die selbst Bestandteil des Satzglieds ist. Hierher gehören Beispiele wie die folgenden:

Das Kaufhaus steht *außerhalb des Stadtzentrums. Wegen der Hitze* lassen die Blumen ihre Köpfe hängen.
Das schmutzige Wasser floß *aus einem großen Rohr.* Die Reisenden fragten *nach dem Weg.*
Die Schüler saßen *um den Brunnen. Ohne deinen Werkzeugkasten* hätte ich es nicht geschafft.

Man kann bei diesen Gliedern nach *funktionalen* Gesichtspunkten weiter differenzieren. Das führt zur Unterscheidung von *Präpositionalobjekten* und *adverbialen Präpositionalgliedern*.

Das Präpositionalobjekt

498 Das Präpositionalobjekt ist ein Satzglied mit Präposition und Nomen oder Pronomen im Genitiv, Dativ oder Akkusativ. Die Präposition ist hier nicht frei wählbar. Sie ist vielmehr von dem Verb oder dem Adjektiv bestimmt, von dem das Präpositionalobjekt abhängt:

> sich nicht kümmern ┌ **um** … ┐

> → ┌ **Um** ihren Bruder ┐ hat sich Susanne nicht gekümmert.
> → ┌ **Um** den Hamster ┐ hat sich Susanne nicht gekümmert.
> → ┌ **Um** den Plattenspieler ┐ hat sich Susanne nicht gekümmert.

> → ┌ **Um** ihn ┐ hat sich Susanne nicht gekümmert.
> → ┌ **Darum** ┐ hat sich Susanne nicht gekümmert.

Ebenso kann man *absehen* nur *von, fahnden* kann man nur *nach, anknüpfen* kann man nur *an* jemanden oder etwas; und zugleich mit der Präposition ist auch der Kasus festgelegt, der auf sie folgt. Die Präposition ist dabei meistens in ihrer Bedeutung verblaßt: Sie ist in aller Regel nicht von ihrem Wortsinn her verstehbar.

499 Präpositionalobjekte lassen sich am besten durch die Frageprobe bestimmen:

> ┌ **Um** wen ┐ hat sich Susanne nicht gekümmert?
> ┌ **Worum** ┐ hat sich Susanne nicht gekümmert?

Bei Präpositionalobjekten bleibt in der Frageprobe die Präposition immer erhalten, das heißt, es kann nur ein Präpositionalgefüge stehen oder ein Pronominaladverb, in dem die Präposition erscheint. Das ist anders bei den folgenden Beispielen, wo die Präpositionen erstens austauschbar sind und zweitens eine eigene Bedeutung haben:

| Um den Brunnen | spielten einige Kinder.
| Neben dem Brunnen | spielten einige Kinder.
| Vor dem Brunnen | spielten einige Kinder.
| Hinter dem Brunnen | spielten einige Kinder.

Bei ihnen handelt es sich also nicht um Präpositionalobjekte, sondern um adverbiale Präpositionalglieder (↑ 500). Weitere Beispiele für *Präpositionalobjekte* finden sich in den folgenden Sätzen:

> Wir sehen **von** einem neuen Versuch ab. Seit zehn Tagen fahnden sie **nach** dem Mörder. Er neigt schon länger **zu** einem groben Auftreten. Ich zweifle **an** deinem gesunden Menschenverstand.

> Ich knüpfe *an den gestrigen Vortrag* an. Sie wartet *auf ihre Freundin*. Sie sind nie *auf mich* eingegangen. Sie hat sich sehr *über ihren Erfolg* gefreut. Wir bedanken uns herzlich *für den schönen Tag*. Man muß *gegen einen solchen Rowdy* gerichtlich vorgehen.

Feste *inhaltliche* Rollen lassen sich dem Präpositionalobjekt nicht zuschreiben.

Das adverbiale Präpositionalglied

500 Adverbiale Präpositionalglieder sind Satzglieder mit Präposition und Nomen oder Pronomen im Genitiv, Dativ oder Akkusativ. Sie hängen normalerweise loser mit den übrigen Elementen des Satzes zusammen. Das zeigt sich darin, daß die Präposition im adverbialen Präpositionalgefüge je nach der angezielten Bedeutung frei wählbar ist:

stehen + | ... |

→ | Auf der Brücke | standen drei Fischer.
→ | Vor der Brücke | standen drei Fischer.
→ | Unter der Brücke | standen drei Fischer.
→ | Neben der Brücke | standen drei Fischer.

Wenn man das Nomen durch eine Partikel ersetzt, muß in der Ersatzformulierung nicht notwendig eine Präposition enthalten sein. Dies gilt insbesondere auch, wenn man nach dem Satzglied fragt:

→ ⟨Daneben⟩ standen drei Fischer.

→ ⟨Dort⟩ standen drei Fischer.

→ ⟨Wo⟩ standen drei Fischer?

Um adverbiale Präpositionalglieder handelt es sich auch bei den folgenden Satzgliedern:

Wir treffen uns *außerhalb der Stadt*. Komm doch bitte *wegen des Aufsatzes* noch einmal zu mir. *Statt des Ausweises* hättest du die Geburtsurkunde mitbringen sollen. *Anläßlich ihres Geburtstags* gab sie ein rauschendes Fest.
Entgegen der Vorschrift hat er fremde Währung mitgenommen. *Mit einem solchen Vorschlag* wirst du nicht durchkommen. *Nach meinem Verständnis* ist das falsch. *Ab erstem April* gilt der neue Tarif.
Bis nächsten Oktober hat er die Stelle. Ich habe das *gegen ihren Rat* getan. *Ohne deinen Werkzeugkasten* hätte ich das nicht geschafft.

501 Eine scharfe Unterscheidung von Präpositionalobjekt und adverbialem Präpositionalglied ist nicht immer möglich. Man versuche es nur einmal an den folgenden zwei Sätzen:

Die Turnerin stützte sich ⟨auf den Barren⟩ .

Der Redner stützte sich ⟨auf das Manuskript⟩ .

Im ersten Fall ist man geneigt, ein adverbiales Präpositionalglied anzunehmen, im zweiten Fall ein Präpositionalobjekt. Mit den Proben läßt sich aber diese Annahme nicht erhärten. Zur inhaltlichen Bestimmung des adverbialen Präpositionalglieds siehe ↑ 510 ff.

Volker von Törne: Frage

Mein Großvater starb
an der Westfront;
mein Vater starb
an der Ostfront:
an was
sterbe ich?

| 502 | ÜBUNG |

Bestimme in den folgenden Sätzen die präpositionalen Satzglieder:

1. Angelika fürchtet sich vor Spinnen. 2. Anläßlich der Jubiläumsausstellung begrüßt der Museumsdirektor die Besucher. 3. Verena formte den Lehm zu einer Kugel. 4. Außer dem Prorektor war von der Schulleitung niemand anwesend. 5. Ich muß mir für meine Freundin noch ein Geburtstagsgeschenk ausdenken. 6. Im Mittelalter gab es noch kein Heilmittel gegen Pocken. 7. Ich halte diese Boulevardzeitung für ein Lügenblatt. 8. In manchen Situationen muß man auf ein gutes Ende vertrauen. 9. Markus sitzt vor dem Computer auf dem neuen Stuhl. 10. Nach dem ewigen Regenwetter sehnen sich alle nach Sonne. 11. Das Pflänzchen entwickelte sich zu hohen Baum. 12. Nach dem Mittagessen hat sich Edgar sein Buch vorgenommen. 13. Peter schimpft bei jeder Gelegenheit über die Computerfirma. 14. Wegen des Poststreiks in Frankreich erhielten wir die Weihnachtsgrüße unserer Freunde erst im Februar. 15. Wir alle freuen uns auf Weihnachten. 16. Die Kiesgrube entwickelte sich zu einem artenreichen Biotop.

Konjunktionalglieder, die im Kasus bestimmt sind

| 503 | *Im Kasus bestimmte Konjunktionalglieder* sind Satzglieder, die durch die Konjunktionen *als* und *wie* eingeleitet werden. Diese Konjunktionen unterscheiden sich von den Präpositionen dadurch, daß sie keinen Kasus fordern, sondern ohne Einfluß auf den Kasus des Satzglieds sind. Oft sind Konjunktionalglieder auf bestimmte Satzglieder desselben Satzes bezogen; sie stehen dann im gleichen Kasus wie diese:

> Heinz benutzte das Gästezimmer *als Abstellkammer*. Das Gästezimmer diente *als Abstellkammer*. Im Gästezimmer sah es aus *wie in einer Abstellkammer*. Judith formuliert *wie ein Profi*. Er wütete *wie ein Berserker*. Wir betrachten das *als einen Vorteil*.

Konjunktionalglieder können aber auch ohne einen derartigen Bezug vorkommen; das ist besonders häufig der Fall, wenn nach der einleitenden Konjunktion noch eine Präposition steht:

> Er handelte wie unter Alkoholeinfluß. Ich fühle mich wie zu Hause.
> Es war wie im Frieden. Das war ein herrlicher Tag wie im Mai.

Unter *inhaltlichem* Gesichtspunkt leisten diese Glieder eine Zuordnung, oft im Sinne eines Vergleichs, nicht selten auch im Sinne einer Rollenzuweisung (wie der Gleichsetzungsnominativ, ↑ 476).

| 504 | ÜBUNG |

Bestimme in den folgenden Sätzen die Satzglieder mit *als* und *wie:*

1. Der große Schirmständer diente als Blumenvase. 2. Der Regen rauschte wie ein Wasserfall. 3. Die Sopranistin hat eine Stimme wie eine Nachtigall. 4. In dem Haus ging es seltsam zu wie in einem verwunschenen Schloß. 5. Karlchen verwendet eine Gießkanne als Trompete. 6. Kurt ist bei der letzten Party als alter Seeräuber aufgetreten. 7. Tante Klara behandelt mich wie ein Baby. 8. Wir wurden bewirtet wie im Schlaraffenland.

Glieder, die im Kasus nicht bestimmt sind

| 505 | Die Satzglieder, die im Kasus nicht bestimmt sind, lassen sich zunächst nach der Wortartzugehörigkeit ihres Kerns in zwei große Gruppen einteilen:

1. Satzglieder mit einem Adjektiv als Kern bezeichnet man als *Satzadjektive;*
2. Satzglieder mit einer Partikel als Kern bezeichnet man als *Satzpartikel.*

Wenn man will, kann man diese Satzglieder, je nachdem, ob sie *kein Einleitewort,* eine *Präposition als Einleitewort* oder eine *Konjunktion als Einleitewort* haben, noch einmal drei verschiedenen Gruppen zuweisen:

Beschreibung	Beispiele
Adjektiv oder Partikel ohne Einleitewort	Sie ist *tüchtig.* Das Essen war *gratis.* Sie arbeitet *tüchtig.* Der Wirt hat für die Sportler *gratis* gekocht.
Adjektiv oder Partikel mit einer Präposition	Sie hat es *von klein auf* gelernt. *Seit gestern* regnet es dauernd. Sag es *auf deutsch! Von unten* sieht es anders aus.
Adjektiv oder Partikel mit einer Konjunktion	Es läuft *wie neu.* Das geht *wie vorhin* wieder schlecht aus! Sie hat es *als ausreichend* beurteilt.

506 Insgesamt ergeben sich so sechs Typen von Satzgliedern, die im Kasus nicht bestimmt sind:

1. Satzadjektiv (ohne Einleitewort);
2. präpositionales Satzadjektiv;
3. konjunktionales Satzadjektiv;

4. Satzpartikel (ohne Einleitewort);
5. präpositionale Satzpartikel;
6. konjunktionale Satzpartikel.

Präpositionale und konjunktionale Satzglieder, die im Kasus nicht bestimmt sind, kommen selten vor. Für die praktische Arbeit genügt daher durchaus die Unterscheidung von Satzadjektiv und Satzpartikel (jeweils in einem weiteren Sinn verstanden). Immerhin soll im folgenden eine kurze Beschreibung aller sechs Typen gegeben werden:

1. Im Kern des Satzgliedes steht ein Adjektiv oder ein adjektivisch gebrauchtes Partizip, die im Kasus nicht bestimmt sind. Wir be-

zeichnen dieses Satzglied als *Satzadjektiv*. Beispiele für Satzadjektive sind:

> Manuela ist *schnell*. Man hat das *ganz genau* überprüft. Sie hat uns immer *so freundlich* angeschaut. Robert hat das *ausgesprochen gut* vorbereitet.

Partizipien können allerdings auch Prädikatsteile sein, insbesondere in zusammengesetzten Tempusformen. Siehe hierzu ↑ 453. Zur Unterscheidung von prädikativen und adverbialen Adjektiven bzw. Satzadjektiven siehe (↑ 299).

2. Im Kern des Satzglieds steht ein Adjektiv oder Partizip in Abhängigkeit von einer Präposition. Diese Konstruktion entspricht den Präpositionalgliedern, die im Kasus bestimmt sind. Man bezeichnet dieses Satzglied als *präpositionales Satzadjektiv*. Es kommt eher selten vor:

> Sag es ⏐ **auf** deutsch ⏐!

Ebenso:

> Sie hat es *von klein auf* gelernt. Diese Freundinnen gehen zusammen *durch dick und dünn*.

3. Im Kern des Satzglieds steht ein Adjektiv oder ein adjektivisch gebrauchtes Partizip, eingeleitet durch die Konjunktionen *als* oder *wie*. In seinem Aufbau entspricht es damit den Konjunktionalgliedern, die im Kasus bestimmt sind. Man bezeichnet es als *konjunktionales Satzadjektiv*. Beispiele für dieses Satzglied enthalten die folgenden Sätze:

> Es läuft *wie neu*. Sie hat das *als ausreichend* beurteilt. Ich betrachte das Problem *als ausdiskutiert*.

4. Im Kern des Satzglieds steht eine Partikel, genauer ein Adverb. Ein solches Satzglied bezeichnet man als *Satzpartikel:*

> Sie sind *hier*. Er ist *doch* gekommen. *Links* befindet sich ein großer Anbau. Er hat *krankheitshalber* gefehlt. *Vielleicht* geht das *so gar nicht.*

5. Ein Satzglied mit Präposition und Partikel (Adverb) im Kern bezeichnet man als *präpositionale Satzpartikel* (es entspricht dem

präpositionalen Satzadjektiv). Beispiele für präpositionale Satzpartikeln sind:

> Das Geschäft ist *ab morgen* geschlossen. *Von unten* sieht es anders aus.

6. Wenn ein Satzglied mit Partikel (Adverb) im Kern durch die Konjunktionen *als* oder *wie* eingeleitet wird, spricht man von einer *konjunktionalen Satzpartikel*. Um konjunktionale Satzpartikeln handelt es sich in Fällen wie den folgenden:

> Es geht wieder schlecht aus *wie neulich*. Dreimal in der Woche – ich empfinde das *als oft*.

---

507 Unter *inhaltlichem* Gesichtspunkt gehören die Satzglieder, die im Kasus nicht bestimmt sind, recht unterschiedlichen Gruppen zu:

– Präpositionales Satzadjektiv und präpositionale Satzpartikel stellen sich zu den Präpositionalgliedern, die im Fall bestimmt sind (↑ 497 ff.). Sie stehen damit teils in Objektposition, teils in Adverbialposition. Erstere ist inhaltlich nicht genau festzulegen; für letztere werden unten inhaltliche Unterteilungen angeboten (↑ 510 ff.).

– Konjunktionales Satzadjektiv und konjunktionale Satzpartikel stellen sich zu den Konjunktionalgliedern, die im Kasus bestimmt sind (↑ 503).

– Das einfache Satzadjektiv steht oft in gleicher Position wie ein Gleichsetzungskasus (Gleichsetzungsnominativ oder Gleichsetzungsakkusativ) und dient damit der näheren Bestimmung des Subjekts oder des Akkusativobjekts:

> Peter ist *ein Geizhals*. / Peter ist *geizig*.
> Sie nannte ihn *einen Geizhals*. / Sie nannte ihn *geizig*.

Nicht weniger oft leistet es aber auch das gleiche wie adverbiale Satzglieder (↑ 484, 494, 500).

– Die Funktion eines adverbialen Satzgliedes übernehmen sehr oft auch die einfachen Satzpartikeln.

Wolfgang Fietkau: Formular

Ich habe euch
je und je
geliebt.

Ich habe euch
für und für
vertraut.

Ich habe euch
noch und noch
geglaubt.

Ich habe euch
nach und nach
erkannt.

Ich habe euch
mehr und mehr
durchschaut.

Ich habe euch
satt.

508 ÜBUNG

Bestimme in den folgenden Sätzen die fallfremden Glieder:

1. Ab sofort gelten hier strengere Regeln. 2. Das Lederimitat sieht aus wie echt. 3. Der Klavierlehrer hat die kleine Martina als sehr begabt bezeichnet. 4. Der Laden wird über kurz oder lang Pleite machen. 5. Der Schwur soll auf ewig gelten. 6. Die alte Frau hat verzweifelt um Hilfe gerufen. 7. Die Blumen sind alle geknickt. 8. Die Kinder spielen draußen. 9. Du solltest es genauso machen. 10. Ich verstehe das ganz anders. 11. Kuno kommt wie üblich zu spät. 12. Sabine kreischte wie wahnsinnig. 13. Seit vorgestern ist der Lehrer krank. 14. Von hier bis dort müßt ihr drei Stunden laufen. 15. Während der Ansprache müßt ihr euch ruhig verhalten.

---

509 ÜBUNG

In Übung ↑ 463 haben wir die Satzglieder des folgenden Textes rein formal bestimmt. Bestimme sie nun mit Hilfe der Satzgliedbegriffe, die wir in den vorangehenden Abschnitten erarbeitet haben:

Bertolt Brecht: Form und Stoff

1. Herr K. betrachtete ein Gemälde, das einigen Gegenständen eine sehr eigenwillige Form verlieh. 2. Er sagte: 3. Einigen Künstlern geht es, wenn sie die Welt betrachten, wie vielen Philosophen. 4. Bei der Bemühung um die Form geht der Stoff verloren. 5. Ich arbeitete einmal bei einem Gärtner. 6. Er händigte mir eine Gartenschere aus und hieß mich einen Lorbeerbaum beschneiden. 7. Der Baum stand in einem Topf und wurde zu Festlichkeiten ausgeliehen. 8. Dazu mußte er die Form einer Kugel haben. 9. Ich begann sogleich mit dem Abschneiden der wilden Triebe, aber wie sehr ich mich auch mühte, die Kugelform zu erreichen, es wollte mir nicht gelingen. 10. Einmal hatte ich auf der einen, einmal auf der anderen Seite zu viel weggestutzt. 11. Als es endlich eine Kugel geworden war, war die Kugel sehr klein. 12. Der Gärtner sagte enttäuscht: 13. »Gut, das ist die Kugel, aber wo ist der Lorbeer?«

Zur inhaltlichen Bestimmung der adverbialen Satzglieder

510 Satzgliedern, die adverbial gebraucht werden, läßt sich recht gut eine inhaltliche Bestimmung zuordnen. Ihre Form ist dabei von nachgeordneter Wichtigkeit. Zu den adverbialen Satzgliedern gehören der adverbiale Genitiv, der adverbiale Akkusativ, das adverbiale Präpositionalglied und die adverbial gebrauchten Satzglieder, die im Kasus nicht bestimmt sind. Wir fas-

sen sie im folgenden als *Adverbialien* (Singular: *das Adverbiale*)
zusammen.

---

511 | Adverbialien beziehen sich nicht notwendig auf das Verb,
sondern oft auf den ganzen Satz. Danach lassen sich zunächst zwei verschiedene Großgruppen von Adverbialien unterscheiden:

1. Adverbialien können sich – gewissermaßen von *außen* – auf den
Satz als Ganzes beziehen; die Adverbialien kommentieren dann jeweils die Aussage:

> *Offensichtlich* hat das niemand bedacht. *Wahrscheinlich* ist das allen
> entgangen. *Meiner Auffassung nach* ist das problematisch. *Meines
> Erachtens* stimmt das nicht. *Angeblich* hat keiner davon gewußt.

Für die Adverbialien dieser Gruppe gibt es keine feste Einteilung.

2. Auf der anderen Seite können sich Adverbialien – gewissermaßen von *innen* – auf ein oder mehrere Elemente des Satzes beziehen, hier dann besonders oft (aber nicht nur) auf das Verb:

> Einbrecher leben *gefährlich. Gegenwärtig* herrscht *überall* Chaos.
> Verhaltet euch *im Ausland möglichst unauffällig.* Arbeite *mit Sorg-
> falt.* Ich habe dich *zum Fressen gern.*

Die Adverbialien dieser Gruppe werden üblicherweise vier inhaltlich bestimmten Untergruppen zugewiesen. So unterscheidet man:

1. Adverbialien des Raumes (lokale Adverbialien);
2. Adverbialien der Zeit (temporale Adverbialien);
3. Adverbialien des Grundes (kausale Adverbialien);
4. Adverbialien der Art und Weise (modale Adverbialien).

Ausdrücklich sei hierzu bemerkt: Die Zuordnung von adverbialen
Satzgliedern zu diesen zwei Gruppen (und besonders ihren vier
Untergruppen) befriedigt oft nicht. Insbesondere die Gruppe *Art
und Weise* entwickelt sich nicht selten zu einer unerfreulichen
Müllhalde, auf der alles abgeladen wird, was anderswo nicht sinn-
voll untergebracht werden kann.

512 Um *Adverbialien des Raumes* handelt es sich in den folgenden Fällen:

Bedeutung	Beispiele
Lage, Ort (Frage: »Wo?«)	Seit zehn Jahren ist sie *am Wildermuth-Gymnasium* Lehrerin. Es gefällt ihr *hier* sehr gut. Das Faultier hing den ganzen Tag *an einem Ast.*
Richtung (Frage: »Wohin?«)	Bring bitte das Paket *in die Klasse!* Stell es *hierher!* Es gibt immer wieder so unanständige Leute, die ihre Kaugummis einfach *unter einen Tisch* kleben.
Herkunft (Frage: »Woher?«)	*Von Westen* nähert sich unserem Land ein Tiefdruckgebiet. Georg weiß diese vielen Details alle *aus der Lektüre.*
räumliche Erstreckung (Frage: »Wie weit?«)	Petra springt *4,20 m.* Er ist *den ganzen Weg* zu Fuß gegangen. Die Teilnehmer der Expedition kamen in kurzer Zeit *bis an den Fuß des Himalaya.*

513 ÜBUNG

Welche Satzglieder im folgenden Text lassen sich als Adverbialien des Raumes verstehen? Ordne sie Untergruppen zu:

1. Monika muß in ihrem Schrank Ordnung machen, sonst darf sie sonntags nicht mitfahren nach Köln. 2. Eine Zeitlang sitzt sie auf dem Bett und überlegt, aber dann geht sie an die Arbeit. 3. Zuerst zerrt sie alle Kleider aus dem Schrank und sortiert sie auf dem Bett. 4. Unten hat sich so viel Kram angesammelt, daß sie nur mit Mühe bis zur Rückwand vorstößt. 5. Dann fährt sie mit einem Staublappen über alle Innenflächen und räumt die Kleider wieder zurück. 6. Die ausgetragenen Sachen legt sie beiseite, und für den Rest holt sie Schuhkartons aus dem Keller. 7. Darin verstaut sie aber nur, was sie behalten will. 8. Zum Schluß hebt sie noch vom Fußboden auf, was dort herumliegt. 9. Sie findet, daß es jetzt in ihrem Zimmer sehr ordentlich aussieht.

514 Um *Adverbialien der Zeit* handelt es sich in den folgenden Fällen:

Bedeutung	Beispiele
Zeitpunkt (Frage: »Wann?«)	*Am 15. März* hat er Namenstag. *Heute* gefällst du mir gar nicht. Die Vorstellung sollte *um 19.00 Uhr* beginnen. *Um Mitternacht* hörte ich plötzlich ein merkwürdiges Geräusch.
zeitliche Wiederholung (Frage: »Wie oft«)	Das Glockenspiel ertönte *jede Stunde*. Felix bekommt sein Geld *monatlich*. Der Professor ist *sehr häufig* abwesend.
zeitliche Erstreckung (Frage: »Wie lange?«, »Seit wann?«, »Bis wann?«)	*Seit ihrem Anruf* habe ich nichts mehr von ihr gehört. Wir warten jetzt noch *bis zum Wochenende*. Ich kenne sie *schon lange*. *Während des Sommers* bleibt das Geschäft geschlossen. Ich muß die Arbeit *bis Freitag* fertig haben.

515 ÜBUNG

Welche Satzglieder im folgenden Text lassen sich als Adverbialien der Zeit bestimmen? Ordne sie Untergruppen zu:

1. Die kleine Michaela hat am Nikolaustag Geburtstag. 2. Bis dahin dauert es noch eine Weile, aber sie ist schon lange voller Erwartung. 3. Ihre Eltern ärgern sich manchmal, wenn sie mehrmals täglich nachfragt, aber seit gestern kann sie wenigstens die Tage an den Fingern abzählen. 4. Außerdem ist sie in letzter Zeit sehr brav, wäscht sich zum Beispiel vor dem Essen die Hände und geht nach dem Gutenachtsagen regelmäßig ruhig zu Bett. 5. Ihre Mutter hofft, daß dieses Benehmen auch weiterhin anhält. 6. Davor war die Kleine oft beinahe unerträglich.

516 Um *Adverbialien des Grundes* handelt es sich in den folgenden Fällen:

Bedeutung	Beispiel
Grund oder Ursache im engeren Sinn (kausales Adverbiale im engeren Sinn) (Frage: »Warum?«)	Man kann nicht zweimal *wegen derselben Sache* angeklagt werden. Er hat *vor Wut* geweint. *Aus Vorsicht* hat sie zwei Ordner angelegt. *Deswegen* wollte ich ja gerade mit dir reden.
Bedingung (konditionales Adverbiale) (Frage: »Unter welcher Bedingung?«)	*Bei klarem Wetter* kann man von hier aus das Matterhorn sehen. *Unter normalen Umständen* würde ich mir das nicht gefallen lassen.
Folge (konsekutives Adverbiale) (Frage: »Mit welcher Folge?«)	Es ist wirklich zu kalt *zum Sonnenbaden*.
Folgerung (Frage: »Auf Grund welcher Voraussetzung?«)	*Angesichts des schlechten Wetterberichts* sind wir daheim geblieben. *Danach* müßte es eigentlich schneien.
Zweck (finales Adverbiale) (Frage: »Wozu?«, »In welcher Absicht?«)	Du bist hier nicht *zum Vergnügen* angestellt. Hast du das *aus Spaß* getan?
(wirkungsloser) Gegengrund (konzessives Adverbiale) (Frage: »Trotz welchen Umstands?«)	Der Beschluß kam *ungeachtet aller Widerstände* zustande. *Trotz der Hitze* ging die Arbeit gut voran.

517 ÜBUNG

Welche Satzglieder in den folgenden Sätzen lassen sich als Adverbialien des Grundes verstehen? Ordne sie Untergruppen zu:

1. Bei großer Nachfrage wird der Kurs doppelt geführt. 2. Wir sind Ihnen deshalb dankbar, wenn sie sich bald anmelden. 3. Trotz aller Vorsichtsmaßnahmen ist ein Unfall passiert. 4. Wahrscheinlich ist der Lokführer vor Erschöpfung eingeschlafen. 5. Wegen der großen Verspätung wird den Flugpassagieren zur Verkürzung der Wartezeit ein Imbiß serviert. 6. Pia heulte zum Steinerweichen. 7. Ungeachtet dessen foppten ihre Geschwister sie weiterhin wegen ihrer Zahnklammer.

518   Um *Adverbialien der Art und Weise* handelt es sich in den folgenden Fällen:

Bedeutung	Beispiele
Beschaffenheit, Qualität (Frage: »Wie?«)	Sie arbeitet *intensiv*. Er ist *voller Aufmerksamkeit* dabei. Das hat sie *besten Gewissens* ausgesagt.
Quantität (Frage: »Wieviel?«)	Sie arbeiten einfach *zuwenig*. Dieses Buch kostet *etwa sieben Mark*.
Grad, Intensität (Frage: »Wie sehr?«)	Die Mannschaften kämpften *heftig*. Der Schnee fällt *dicht*. Die Flugzeuge folgten einander *in immer geringerem Abstand*.
gradueller Unterschied (Frage: »Um wieviel?«)	Die Mark ist im letzten Jahr *um fünf Punkte* gestiegen. Die Lebenshaltungskosten sind wieder *beträchtlich* in die Höhe gegangen.
Mittel, Werkzeug (Frage: »Womit?«, »Wodurch?«)	Sie öffnete den Schrank *mit einem Brecheisen*. *Mit Nachsicht* ist da nichts zu erreichen. *Durch Schaden* wird man klug.
stoffliche Beschaffenheit (Frage: »Woraus?«)	Die machen *aus Dreck* Gold.
Begleitung (und Gegenteil) (Frage: »Mit wem?«, »Ohne wen/was?«)	Ich fahre lieber *mit den Eltern* in die Ferien. Ich kann das *ohne dich* nicht gut entscheiden.

519   ÜBUNG

Welche Satzglieder in den folgenden Sätzen lassen sich als Adverbialien der Art und Weise verstehen? Bilde Untergruppen:

1. Der Radrennfahrer hat sich spürbar vorgekämpft. 2. Unter Einsatz aller Kräfte fährt er weiter. 3. Ohne Rücksicht rempelt er einen Konkurrenten an. 4. Sein Trainer hat ihm vorgeworfen, er strenge sich nicht genug an. 5. Mit Inbrunst denkt er nun an das Ende des Rennens. 6. Am Abend wird er luxuriös essen gehen. 7. Durch diese Aussicht wird er ungeheuer angespornt.

Zur Stellung der Satzglieder (Wortstellung)

520 Wir haben in den Abschnitten ↑ 435–450 gesehen, daß die verbalen Teile ganz bestimmte Stellen im Satz einnehmen. Die übrigen Teile des Satzes, die Satzglieder, ordnen sich in dem damit gegebenen Rahmen ein.

Die Personalform steht im Kernsatz (↑ 438 f.) an zweiter Stelle, im Stirnsatz (↑ 441) an erster und im Spannsatz (↑ 444 f.) an letzter Stelle. Die infiniten Verbformen stehen normalerweise am Satzende (im Spannsatz vor der Personalform).

Auf diese Weise schaffen die verbalen Teile für die Satzglieder bestimmte Stellungsbereiche, die man *Felder* nennt. Man unterscheidet drei Felder, das *Vorfeld,* das *Mittelfeld* und das *Nachfeld:*

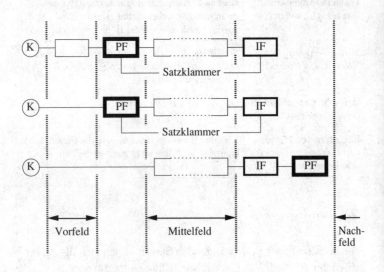

521 Ein *Vorfeld* gibt es nur im Kernsatz. Es *muß* besetzt sein; aber *wie* es besetzt ist, das heißt durch *welches* Satzglied, ist *grammatisch nicht* festgelegt. Über diese allgemeine Aussage hinaus läßt sich im einzelnen sagen:

1. Im Vorfeld steht oft das Subjekt des Satzes – man spricht in diesem Fall von *Grundstellung;* es handelt sich hierbei um eine Art Normalwortstellung:

> *Die gemeinsame Wanderung* ist auf den Samstag festgelegt worden.

2. Häufig schließt das, was im Vorfeld formuliert ist, an bereits Gesagtes an oder nimmt Bezug auf etwas, was bekannt ist oder als bekannt vorausgesetzt wird. Das Neue steht dann im Mittelfeld oder gegen Ende des Satzes:

> (Die gemeinsame Wanderung ist auf den Samstag festgelegt worden.) *Darauf* konnten sich alle ohne Probleme einigen.

3. Man kann aber Neues oder Wichtiges gerade auch ins Vorfeld setzen. In diesem Fall spricht man von *Ausdrucksstellung:*

> *Ohne Probleme* ist das allerdings nicht gegangen.

4. Ausschließlich im Vorfeld steht das Platzhalter-*es* (↑ 475). Es dient nur dazu, die erste Stelle im Satz zu besetzen, wenn dort kein anderes Satzglied steht:

> *Es* kamen alle rechtzeitig zum Bahnhof. (Mit anderem Satzglied im Vorfeld:) *Alle* kamen rechtzeitig zum Bahnhof.

5. Nicht in das Vorfeld gebracht werden können manche Partikeln, zum Beispiel *halt, schon, doch, eben,* das Reflexivpronomen der echt reflexiven Verben (↑ 140), das neutrale Personalpronomen *es,* wenn es im Akkusativ steht, und normalerweise der Verbzusatz. (Das Sternchen bezeichnet in den folgenden Beispielen Sätze, die grammatisch nicht korrekt sind.)

> Das haben wir *halt / eben / doch* nicht gewußt.
> → * *Halt / eben / doch* haben wir das nicht gewußt.
>
> Du solltest *dich* wirklich schämen.
> → * *Dich* solltest du wirklich schämen.
> (Aber wohl: Du solltest *dich* einmal sehen.
> → *Dich* solltest du einmal sehen.)
>
> Ich habe *es* gesehen.
> → * *Es* habe ich gesehen.
>
> Er kommt sicher als letzter *an.*
> → * *An* kommt er sicher als letzter

(Vgl. aber im Telegrammstil:) Ankomme morgen 10.20 Uhr.
(Ferner:) Auf steigt der Strahl …

522 Das *Nachfeld* muß *nicht* besetzt werden; für eine Besetzung des Nachfelds sprechen eher stilistische als grammatische Gründe. Im einzelnen gilt unter anderem:

1. Wenn ein Satzglied besonders umfangreich ist, kann es ins Nachfeld gestellt werden; das ist zum Beispiel oft dann der Fall, wenn die Satzgliedposition durch Wortreihen oder durch Nebensatzkonstruktionen unterschiedlicher Art besetzt ist. Man spricht dann von *Ausklammerung.* Klammert man hier nicht aus, so hinkt der zweite Klammerteil oft in unschöner Weise nach:

> Ich lasse mich nicht ein *auf diese ganzen schmierigen Ausreden, Betrügereien und Gangsterstücke.* Ich lege Protest ein *gegen dieses unfaire Vorgehen,* mit dem ihr uns austricksen wollt.

2. Satzglieder können ausgeklammert werden, wenn man sie eher beiläufig, allerdings auch dann, wenn man sie mit Nachdruck setzen will:

> Wir werden kaum Ferien machen können *in diesem Jahr.* Wir werden uns zu wehren wissen *gegen diese üble Beschuldigung.* Plötzlich traten in den Saal ein *zwei maskierte Typen.*

523 Im *Mittelfeld* kann jedes Satzglied vorkommen – und in aller Regel stehen hier auch mehrere nebeneinander. Ihre Abfolge gehorcht komplizierten Regeln, und dabei spielt Außergrammatisches, zum Beispiel die Aussageabsicht, die Situation oder die Gewichtung eine besondere Rolle. Wir gehen darauf in dieser Grammatik nicht weiter ein.

---

gerhard c. krischker: relikt

nach beseitigung
der monarchie

freute sich
das volk

königlich

Der Innenbau von Satzgliedern – Kern und Attribut

524 Wir haben schon gesehen (↑ 464): Es gibt Satzglieder, die aus einem einzigen Wort bestehen, dann wieder solche, die eine ganze Anzahl von Wörtern umfassen. Ein Beispiel dafür ist das Subjekt in den beiden folgenden Sätzen:

> *Sprache* ist ein hohes Gut.

> *Ein Gesetz zum Schutz der französischen Sprache vor englischer Beeinflussung* bedroht seit 1975 Sprachsünder mit einer Geldstrafe.

525 Bei jedem mehrwortigen, das heißt komplexen Satzglied läßt sich nun ein *Kern* bestimmen, dem die übrigen Teile des Satzglieds zugeordnet sind. Solche abhängigen Teile innerhalb von Satzgliedern nennt man *Attribute*. Einwortige und damit attributlose Satzglieder bestehen in diesem Verständnis *nur* aus einem Kern. Attribute sind also nicht Satzglieder, sondern immer *Teile* von Satzgliedern.

526 Wie Satzglieder als ganze so kann man auch den Satzgliedinnenbau unter *formalem,* unter *funktionalem* und unter *inhaltlichem* Gesichtspunkt betrachten. Wir stellen im folgenden formale und inhaltliche Gesichtspunkte in den Vordergrund.

527 ÜBUNG

Schreibe aus dem folgenden Text die komplexen Satzglieder heraus und bestimme Kern und Attribut:

1. Die gute psychische Verfassung des Sportlers trug entscheidend zu seinen Spitzenleistungen bei. 2. Um den Wert des Sieges von Klein ermessen zu können, könnten ein paar Zahlen hilfreich sein. 3. Die Angaben über die Entwicklung seiner Leistungen in den letzten drei Jahren kann ich allerdings leider nirgends finden. 4. Für Klein als den ersten Gewinner dieser Trophäe aus der

Schweiz war der Sieg ein Erlebnis. 5. Ein erfolgreicher Tennisspieler wie er hat viele Freunde.

Formale Gesichtspunkte

Attribute in Satzgliedern, die im Kasus bestimmt sind

528 Attribute kommen in allen Satzgliedern vor. In Satzgliedern, die im Kasus bestimmt sind, erscheinen sie vor allem in der folgenden Form:

Attribut	Beispiele
Begleiter (Pronomen oder Artikel)	*Einen* Ausweis habe ich nicht. *Diese* Frage kann ich kaum beantworten. Gib mir *mein* Buch zurück.
Adjektiv oder adjektivisch gebrauchtes Partizip	Sie schätzt *weiße* Stoffe. Kuno ist zu *hartem* Training bereit. *Angetrunkene* Skinheads störten die Veranstaltung. Der *pfeifende* Ton des Dampfkochtopfs warnte mich. Heizöl *leicht* ist billiger geworden.
Genitiv, vorangestellt	*Ulms* Münster ist besonders bekannt. Kennst du *Evas* Arbeit? Sandra reist mit Karin und *deren* Freundin nach Rom. *Wessen* Schlüssel ist das?
Genitiv, nachgestellt	Die Weiten *Rußlands* sind beeindruckend. Der Absatz *dieses Modells* stockt. Eine Gruppe *abenteuerlustiger Jugendlicher* wartete auf die Abfahrt *des Zuges*.
Präposition plus Nomen (oder Pronomen)	Sein Interesse *für Kunst* ist bemerkenswert. Das Seenachtfest *in Konstanz* hat viele Besucher angelockt. Die Berichte *über sie* sind vorteilhaft. Wir beteiligen uns am Spiel *ohne Grenzen*.
Konjunktionen *als* und *wie* plus Nomen (oder Pronomen)	Ein Gefühl *wie Wehmut* breitete sich aus. Ihre Berufung *als Professorin* ist ausgemachte Sache. In der antiken Tragödie gab es Männer *als Frauendarsteller*. Eine Fachfrau *wie du* findet das gewiß heraus.

Partikel, vorangestellt	*Nur* Fliegen ist schöner. *Bloß* die kleine Helene mußte zurückbleiben.
Partikel, nachgestellt	Die Sportanlagen *dort* sind überwältigend. Die Kirche *von unten* wendet sich vor allem an Jugendliche. Menschen *wie hier* triffst du nicht überall.

Den bestimmten und den unbestimmten Artikel werden wir in der folgenden Darstellung nicht eigens als Attribut kennzeichnen. Kein Attribut, sondern Teil des Kerns ist die Präposition oder die Konjunktion, die ein Satzglied einleitet.

529 Wie im ganzen Satz so kann man auch im Satzglied Stellungsfelder ausmachen, in denen die Attribute Platz finden. Dabei geht man am besten vom Kern aus. Links vom Kern befindet sich das Vorfeld, davor der Pronominalteil. Rechts vom Kern ist das Nachfeld:

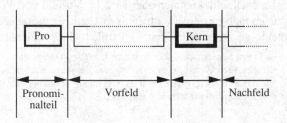

1. Im Pronominalteil stehen – sofern er besetzt ist – Begleiter, besonders häufig der Artikel:

> *Der* See lag ganz still. *Einen* Uferstreifen auf *der* anderen Seite konnte man nicht erkennen. *Meine* Augen waren von *der* grellen Sonne geblendet. *Kein* einziger Mensch war zu sehen. *Diese* ruhige Atmosphäre zog mich in Bann.

2. Wenn Genitivattribute vorangestellt werden, besetzen sie ebenfalls die Stelle des Pronominalteils. Dies kommt heute aber fast nur noch bei Eigennamen oder eigennamenähnlichen Nomen vor (siehe dazu auch Punkt 5):

> *Peters* Kahn lag daneben. Sie kamen auf *Schusters* Rappen daher. In *Münchens* geschäftiger Innenstadt ist immer etwas los.

3. Attributive Adjektive und Partizipien stehen normalerweise im Vorfeld (siehe aber Punkt 4):

   > Unter den *niedriggewachsenen* Weiden lag ein *kleiner* Kahn.

4. Flektierte Adjektive können auch im Nachfeld stehen, aber nur bei starker Hervorhebung:

   > Unter den Weiden, *den niedriggewachsenen,* lag ein kleiner Kahn.

   In den eher seltenen Fällen einer Nachstellung des attributiven Adjektivs ohne Artikel wird das Adjektiv unflektiert gebraucht:

   > Heizöl *leicht,* Forelle *blau.*

5. Normalerweise stehen attributive Genitive im Nachfeld:

   > Das ist der Kahn *meines Vaters.*

6. Attributive Partikeln und attributive Präpositionalglieder stehen eher im Nachfeld, kommen aber auch im Vorfeld vor. Werden sie zusammen mit einem attributiven Genitiv gesetzt, gilt die Reihenfolge attributiver Genitiv – Partikel – Präpositionalglied.

   > Auf dem See *draußen* rührte sich nichts. *Bloß* Dampf kam aus der Röhre. Auch die Stille *in der Luft* war geradezu hörbar. Nur ein leichtes Rauschen *im Wald* war da. Das leichte Rauschen *des Windes dort im Wald* werde ich nicht vergessen.

---

530 Attribute können ihrerseits wieder Attribute enthalten. Auf diese Weise kommen vielfältig zusammengesetzte Satzglieder zustande:

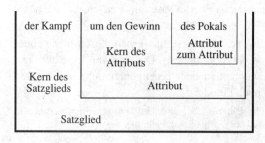

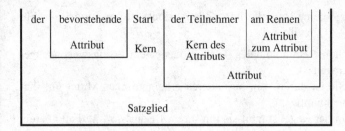

Manchmal stehen auch zwei (oder mehr) gleichberechtigte Attribute hintereinander:

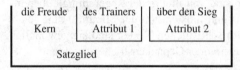

Otto Köhler jr.: vor dem spiegel

ich bin ein mensch

ich bin ein nützlicher mensch

ich bin ein im öffentlichen leben stehender
    nützlicher mensch

ich bin ein voll im öffentlichen und
    gesellschaftlichen leben stehender
    nützlicher mensch

ich bin ein der allgemeinheit nützender
    voll im öffentlichen und gesellschaftlichen leben
    stehender nützlicher Mensch

ich bin ein nützlicher
    IDIOT

---

531 Eine spezielle Form des Attributs ist die *Apposition*. Für sie gilt:

- Sie ist ein nominales Attribut, das einem Bezugswort nachgetragen ist.
- Sie ist durch kein besonderes grammatisches Mittel mit ihm verknüpft.
- In der Regel stimmt sie mit ihrem Bezugswort im Fall überein (Kongruenz).

Man kann hier unterschiedliche Formen beobachten:

1. Als *Apposition* bezeichnet man Teilglieder, die einem anderen Teilglied nachgetragen sind, mit ihm in der Regel im Fall übereinstimmen (kongruieren) und hinsichtlich der Stimmführung leicht abgesetzt erscheinen. In schriftlichen Texten sind sie gewöhnlich durch Kommas, Klammern oder Gedankenstriche abgetrennt:

> Frau Meier, *meine Nachbarin*, besorgt das für mich. Herr Keuner, *der Denkende*, ist eine bekannte Figur von Bertolt Brecht. Sie erinnerte sich ihrer Mutter *(einer bemerkenswerten Frau)*. Die Aussprache mit Frau Meier – *meiner Nachbarin* – war schwierig. Die Lektüre der Geschichten von Herrn Keuner, *dem Denkenden*, ist lohnend.

2. Als Appositionen kann man auch Attribute wie die folgenden ansehen, da sie unter den gleichen Kongruenzbedingungen stehen:

> Karl *der Kühne*, Friedrich *der Große*, Wilhelm *II*.

3. Schließlich ordnet man dem appositionellen Verhältnis im weiteren Sinne auch stimmlich abgesetzte Attribute unterschiedlichster Form zu, die nicht mit dem Bezugswort kongruieren und oft elliptischen Charakter haben:

> E. Bärlach, *Berlin*, enthielt sich der Stimme.

532 Manchmal stehen zwei oder mehr Nomen so eng zusammen, daß kaum entscheidbar ist, welches Nomen als Kern und welches als Attribut anzusehen ist. Von den Nomen ist keines stimmlich abgehoben, so daß in der geschriebenen Sprache keine Kommas gesetzt werden. Da die Nomen oft im Fall miteinander übereinstimmen, stellt man solche Fügungen auch zu den Appositionen:

Verbindungen mit Maß- und Mengenbezeichnungen (↑ 171 f.):

> ein Kilogramm Brot, drei Tafeln Schokolade, ein großes Blatt braunes Packpapier, eine Tasse Kaffee, zwei Schachteln Traubenzucker, vier Sack Reis, in fünf Meter Höhe.

Verbindungen von Gattungsbezeichnungen (oft Titeln) und Eigennamen:

> Professor Keller, Premierministerin Thatcher, Frau Glarner, Direktor Müller, Abteilungsleiterin Regner.

> die Stadt München, das Land Hessen, die Insel Rügen, der Bezirk Andelfingen.

<table>
<tr><td>533</td><td>Die Stelle eines Attributs kann wie bei den Satzgliedern auch durch ganze Teilsätze ausgefüllt werden, wie die</td></tr>
</table>

folgenden Beispiele zeigen:

> (Nebensatz als Attribut:) Der Abgeordnete, *der an seine Wähler dachte,* protestierte.

> (Partizipialsatz als Attribut:) Der Abgeordnete, *an seine Wähler denkend,* protestierte.

Man spricht hier von *Attributsätzen* (↑ 552).

Attribute in Gliedern, die im Kasus nicht bestimmt sind

<table>
<tr><td>534</td><td>In Gliedern, die im Kasus nicht bestimmt sind, kommen folgende Attribute vor:</td></tr>
</table>

Attribut	Beispiel
nichtflektiertes Adjektiv oder Partizip	Das Badewasser ist noch *schön* warm. Der Posten war *ausreichend* besetzt. Das Stadion ist *gestopft* voll.
mit Konjunktion *als* oder *wie*	Das dauert länger *als nötig.* Ich arbeitete so schnell *wie möglich.* Das wirkt so gut *wie gedruckt.*

Partikel	Das Mittel wirkt *sehr* rasch. Es ging mir *ziemlich* schlecht. Das Wasser war *allzu* kalt.
mit Konjunktion *als* oder *wie*	Zufrieden *wie immer* las sie einen dicken Wälzer.
Präposition plus Nomen	*Im Tal* unten sahen wir die Straßen und Wege. *Aus der Spalte* heraus wuchs ein Efeu.
Konjunktion *als* oder *wie* plus Nomen	Sie ist stark *wie eine Löwin.* Er ist länger *als eine Bohnenstange.*
adverbialer Akkusativ	*Einen Meter* breit war der Graben. Die Athletin warf *dreißig Meter* weit. *Einen ganzen Sommer* lang habe ich den Tennisschläger nicht angerührt. *Zwei Tage* hindurch regnete es.

Attribute in Gliedern, die im Kasus nicht bestimmt sind, stehen meist *links vom Kern*. Nachgestellt wird die Partikel *genug:*

> Der Kaffee ist *schön* heiß. Er ist sogar *ein wenig zu* heiß. Ist er dir heiß *genug?*

Auch bei den Satzgliedern, die nicht im Kasus bestimmt sind, können mehrere Attribuierungsweisen miteinander kombiniert werden. Und: Die Stelle des Attributs kann auch von einem Nebensatz eingenommen werden:

> Länger, *als eigentlich zu erwarten war,* blieb er in seiner engen 2-Zimmer-Wohnung. Allzu erfahren, *um den Trick nicht zu merken,* lächelte sie sauer.

535 ÜBUNG

Unterscheide in den folgenden Sätzen bei den Satzgliedern, die nicht im Kasus bestimmt sind, Kern und Attribut:

1. Der Widerstand des Gegners war weitgehend gebrochen. 2. Sein Aufschlag wurde immer schwächer. 3. Die Zuschauer reagierten in zunehmendem Maße gelangweilt. 4. Im ganzen entwickelte sich das Spiel eher schlecht. 5. So ist es auch zu verstehen, daß sich das Stadion so schnell wie nie leerte. 6. Recht bald gingen alle nach Hause.

Inhaltliche Aspekte

536 Die allgemeine Leistung des Attributs unter *inhaltlichem* Gesichtspunkt ist: Durch das, was im Attribut steht, wird die Information, die im Satzgliedkern gegeben wird, näher beschrieben, genauer beleuchtet und deutlicher bestimmt. Das geschieht natürlich in besonderem Maße durch die *Bedeutung* der Einzelwörter, die die Attributsstelle besetzen. Daneben trägt aber auch *Grammatisches* zur Leistung des Attributs bei.

Wir stellen hier zwei spezielle Fälle besonders heraus, den der *attributiven adverbialen Bestimmung* und den des *Genitivattributs*.

Attributive adverbiale Bestimmungen

537 Attributive adverbiale Bestimmungen entsprechen den Adverbialien unter den Satzgliedern. Ihnen lassen sich daher auch inhaltlich die gleichen Interpretationen zuordnen wie jenen (↑ 510 ff.). Um das recht deutlich werden zu lassen, wählen wir weitgehend gleiche oder ähnliche Beispiele wie dort:

Attributive Bestimmungen des Raumes:

> Ihre zehn Jahre *im Wildermuth-Gymnasium* sind wie im Flug vergangen. Das Paket *auf dem Gestell* ist völlig zerrissen. Das Tiefdruckgebiet *aus dem Westen* wird unser Wetter bestimmen. Ihr Sprung *über die Distanz von 4.20 m* hat ihr völlig gereicht.

Attributive Bestimmungen der Zeit:

> Sein Namenstag *am 15. März* war ein großes Fest. Die Vorstellung *um 19.00 Uhr* ist ausverkauft. Das Warten *bis zum Wochenende* läßt sich schon rechtfertigen.

Attributive Bestimmungen des Grundes:

> Eine neuerliche Anklage *wegen der gleichen Sache* ist unmöglich. Eine Anstellung *nur zum Vergnügen* gibt es nicht. Er ist ein Dichter *wider eigenen Willen*.

Attributive Bestimmungen der Art und Weise:

> Diese Behauptung *aus bestem Wissen und Gewissen* war zu erwarten. Der Anstieg der Mark *um fünf Punkte* verbilligt den Umtausch. Die Urlaubsreise *mit den Eltern* hat manches für sich. Eine Entscheidung *ohne dich* kommt nicht in Frage.

538	ÜBUNG

Ordne den attributiven adverbialen Bestimmungen in den folgenden Sätzen eine inhaltliche Interpretation zu:

1. Jan schaffte die Abfahrt von 25 Minuten spielend. 2. Der Ausflug mit den Nachbarn brachte Abwechslung ins Leben. 3. Vorgestern kaufte meine Schwester ein Fahrrad mit 12 Gängen. 4. Für unser Picknick auf der Burg hatten wir leider die Essiggurken vergessen. 5. Sie ließ ihre schlechte Laune wegen der mißglückten Prüfung an ihrem Bruder aus. 6. Vom Tauchen im gechlorten Wasser habe ich ganz rote Augen bekommen.

Der attributive Genitiv

539	Ein attributiver Genitiv erlaubt sehr unterschiedliche inhaltliche Interpretationen. Im einzelnen kann man unterscheiden:

1. Der Genitiv drückt eine Zugehörigkeit aus, anders gesagt: Zwischen dem, was im Kern steht, und dem, was im Attribut steht, besteht ein Verhältnis des Habens bzw. des Zugehörens. Man spricht hier von einem *Genitiv der Zugehörigkeit:*

> Die Eltern *meiner Freundin* waren nicht einverstanden. Die Einwohner *Portugals* heißen Portugiesen, nicht Portugalesen.

Ein Spezialfall dieser Beziehung ist das Besitzverhältnis. Bezogen darauf spricht man von einem *Genitivus possessivus:*

> Er trägt den Mantel *seines Vaters.* Wir verleben die Ferien im Haus *der Großeltern.*

2. Das Genitivattribut entspricht dem Subjekt eines selbständigen Satzes. Es bezeichnet dann zum Beispiel ein Agens (↑ 473). Man spricht hier von einem *Genitivus subiectivus:*

> Sie war so beeindruckt vom Flug *der Schwalben* (= die Schwalben fliegen). Das Rauschen *des Wassers* beruhigt ungemein.

Oft steht in einem solchen Genitiv die Angabe dessen, der das hergestellt oder hervorgebracht hat, was im übergeordneten Nomen bezeichnet wird. Einen solchen Genitiv bezeichnet man auch als *Genitivus auctoris:*

> Das Buch *dieses Experten* muß unbedingt berücksichtigt werden. *Goethes* Gedichte sind eine Fundgrube.

3. Das Genitivattribut eines komplexen Satzglieds kann auch dem Objekt eines selbständigen Satzes entsprechen. Es ist dann das Ziel der Handlung, die im Gliedkern bezeichnet wird. Man spricht hier von einem *Genitivus obiectivus:*

> Endlich kam man zur Verhaftung *der eigentlichen Drahtzieher* (= man verhaftete die eigentlichen Drahtzieher). Die genaue Beschreibung *des Kuriers* (= der Kurier wurde beschrieben) hat sehr geholfen.

Als Spezialfall innerhalb dieser Genitivbeziehung kann man – analog zum Genitivus auctoris – das Verhältnis betrachten, wo durch den Genitiv das Geschaffene ausgedrückt wird. Man spricht hier von einem *Genitiv des Produkts:*

> Ich kenne den Verfasser *dieses Romans* persönlich. Gestern ist der Komponist *dieser wunderbaren Fantasie* gestorben.

4. Der Genitiv kann auch eine Eigenschaft oder Beschaffenheit bezeichnen. Dieser Genitiv heißt *Genitivus qualitatis.* Er gilt normalerweise als Merkmal gehobener Sprache:

> Sie ist eine Frau *mittleren Alters.* Das sind Schuhe *bester Qualität.*

5. Der Genitiv bezeichnet ein Ganzes, von dem im Bezugswort ein Teil angegeben wird. Man spricht hier von einem *Genitivus partitivus* oder vom Genitiv des geteilten Ganzen:

> Die besten Jahre *seines Lebens* hat er in dieser Stadt verbracht. Mindestens die Hälfte *der Belohnung* steht mir zu.

6. Der Genitiv kann schließlich einem allgemeineren Begriff, der im Bezugswort genannt ist, eine speziellere, nähere, oft erklärende Bestimmung beifügen. Man spricht hier von einem *Genitivus explicativus:*

> Das Prinzip *der Gewaltenteilung* gilt hier schon sehr lang. Er beherrscht wie kein anderer die Tugend *des Ausgleichs.*

540	ÜBUNG

Ordne den Genitivattributen in den folgenden Sätzen eine inhaltliche Bestimmung zu:

1. Die Braunbären der Schweiz wurden zu Beginn des 20. Jahrhunderts ausgerottet. 2. Der Flügel des Pianisten ist verstimmt. 3. Das gleichmäßige Prasseln des Regens verhieß einen gemütlichen Sonntag im Haus. 4. Markus' Kochkünste überzeugten alle Gäste. 5. Das Kneten des Teiges beanspruchte seine ganzen Kräfte. 6. Wir finden das Putzen der Schuhe völlig überflüssig. 7. Wer ist denn die Designerin dieser Möbel? 8. Sophie ist meine Cousine ersten Grades. 9. Der Tropfen edelsten Ursprungs heißt Valser Wasser. 10. Die Hälfte der wartenden Leute konnten an diesem Abend den Film nicht sehen. 11. Ein Teil des Stalles wurde an einen Pferdebesitzer vermietet.

---

ernst eggimann

der hof des bauern
der hut des bauern
der sonntagsanzug des bauern
der schweinestall des bauern
das vaterland des bauern
die milch des bauern
das vieh des bauern
der hund des bauern
die frau des bauern

Der zusammengesetzte Satz

Allgemeines

541 *Zusammengesetzte Sätze* sind Sätze, die aus mehreren Teilsätzen bestehen (↑ 421). Man unterscheidet zwei verschiedene Typen von zusammengesetzten Sätzen: das *Satzgefüge* (↑ 424 ff.) und die *Satzverbindung* (oder *Satzreihe*, ↑ 422 f.). Ein Satzgefüge besteht aus mindestens *einem Hauptsatz* und *einem Nebensatz*, eine Satzverbindung aus mindestens *zwei Hauptsätzen*, das heißt *zwei selbständigen Teilsätzen*.

542 In der Lehre vom Bau des zusammengesetzten Satzes geht es um das Verhältnis von Teilsätzen zueinander. Dieses Verhältnis kann man (wie beim einfachen Satz) unter verschiedenen Gesichtspunkten in den Blick nehmen: unter *formalem* Gesichtspunkt, unter *funktionalem* und unter *inhaltlichem* Gesichtspunkt. Wir werden wieder nacheinander *alle* Gesichtspunkte berücksichtigen. In den Vordergrund stellen wollen wir hier den inhaltlichen.

Günter Müller: revolutionär

wenn man mich ließe
wenn ich dürfte
wenn ich könnte
wenn ich wirklich wollte
dann hätte ich

Formale Gesichtspunkte

543 Wenn man zusammengesetzte Sätze unter *formalem* Gesichtspunkt untersucht, fragt man nach der *Form ihrer Teilsätze*. Diese Frage ist für die Satz*reihe* nicht ergiebig: Die

Satzreihe besteht immer aus selbständigen Teilsätzen. Anders ist das beim Satz*gefüge:* Unter *formalem* Gesichtspunkt geht es hier um die Klassifizierung der Nebensätze nach der Teilsatz*einleitung* und nach der *Stellung der Personalform.* Man unterscheidet:

1.   Ausgebildete Nebensätze (Nebensätze mit Personalform):
1.1 Konjunktionalsätze;
1.2 Pronominalsätze;
1.3 Uneingeleitete Nebensätze.
2.   Nebensatzäquivalente (ohne Personalform):
2.1 Partizipialsätze;
2.2 Infinitivsätze.

Ausgebildete Nebensätze

Konjunktionalsätze

| 544 |

Konjunktionalsätze sind Nebensätze, die durch eine (unterordnende) *Konjunktion* eingeleitet werden. Die Personalform steht in Endstellung (Spannsatz), nur nach der Konjunktion *als* im Sinne von *als ob* in Zweitstellung (Kernsatz):

> *Wenn wir morgen das Spiel gewinnen,* sind wir Meister. *Ob das wirklich gelingt,* ist freilich noch ganz unsicher. Es sieht aber so aus, *als ob wir es schaffen könnten.* Ich bin sicher, *daß dich das interessiert.* Tu nicht so, *als ob dich das nicht interessiert.*

> Es sieht aber so aus, *als könnten wir es schaffen.* Tu nicht so, *als interessiere es dich nicht.*

Pronominalsätze

| 545 |

Pronominalsätze sind Nebensätze, die von *Relativ-* und *Interrogativpronomen* und entsprechenden *Pronominaladverbien* eingeleitet werden. Die Personalform steht in Endstellung. Nebensatzeinleitend kommen vor:

Pronomen und Adverbien
in relativer Funktion

> der, die, das
>
>> welcher, welche, welches
>>
>> wer, was
>>
>> wo, wohin, woher, wie, wann,
>> worauf, womit, worüber, wozu...
>
> was für einer

Pronomen und Adverbien
in interrogativer Funktion

Interrogativpronomen und -adverbien leiten *indirekte Fragesätze* ein (vgl. dazu ausführlicher ↑ 640).

Relativpronomen und Relativadverbien leiten *Relativsätze* ein. Relativsatzgefüge liegen zum Beispiel in folgenden Sätzen vor:

> Das ist der Mann, den ich gesucht habe. Hier ist alles, was du brauchst. Wir haben alles so gemacht, wie ihr es uns gezeigt habt. / Wir haben alles in der Weise gemacht, in der ihr es uns gezeigt habt. An der Stelle, an der / wo wir uns damals getroffen haben, geht das jetzt nicht mehr.

546   Die beiden Teilsätze einer Relativbeziehung sind durch eine gemeinsame Stelle miteinander verbunden; diese Stelle ist im Nebensatz durch das Relativpronomen oder die Relativpartikel besetzt; im Hauptsatz *kann* sie besetzt sein; sie *muß* es aber nicht:

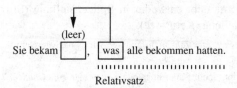

Relativsatz

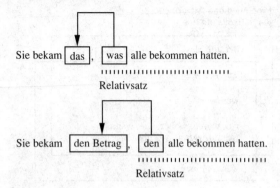

Ebenso:

> *Wo werktags lebhafter Verkehr herrscht,* (da) ist es jetzt still.

Die verbindende Funktion der gemeinsamen Stelle, von der zuvor die Rede war, kann man durch Operationen an Beispielen leicht belegen, indem man diese »Stelle« in beiden Teilsätzen besetzt:

> Sie bekam *etwas; dieses* hatten alle bekommen.
> Sie bekam *einen bestimmten Betrag; diesen bestimmten Betrag* hatten alle bekommen.

Uneingeleitete Nebensätze

| 547 | *Uneingeleitete Nebensätze* sind Nebensätze, die keine Teilsatzeinleitung haben, also weder durch eine Konjunktion noch durch ein Pronomen oder ein Pronominaladverb eingeleitet werden. |

Die Personalform steht entweder in Spitzenstellung (Stirnsätze) oder in Zweitstellung (Kernsätze):

> *Siegen wir dieses Jahr nicht,* müssen wir es nächstes Jahr überlegter angehen.

> Der Trainer meinte allerdings, *wir hätten eine gute Chance.*

Nebensatzäquivalente

548 Bestimmte Konstruktionen, die in ihrem Kern einen *Infinitiv* oder ein *Partizip* enthalten, kommen in den gleichen Positionen vor wie Nebensätze und leisten dort das gleiche wie diese. Man spricht daher von *nebensatzwertigen* oder kürzer *satzwertigen Konstruktionen* oder *Nebensatzäquivalenten*. Wir rechnen sie den Nebensätzen zu.

Satzäquivalente mit einem *Infinitiv als Kern* nennt man *Infinitivgruppen* oder – wegen ihrer Nähe zu den ausgebildeten Nebensätzen – *Infinitivsätze*: Diese Nähe läßt sich mit einer Umformprobe leicht nachweisen:

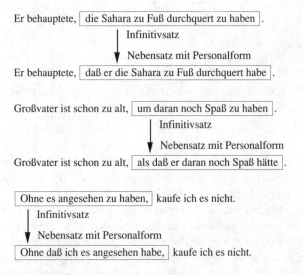

Er behauptete, die Sahara zu Fuß durchquert zu haben .
                  Infinitivsatz
                  Nebensatz mit Personalform
Er behauptete, daß er die Sahara zu Fuß durchquert habe .

Großvater ist schon zu alt, um daran noch Spaß zu haben .
                  Infinitivsatz
                  Nebensatz mit Personalform
Großvater ist schon zu alt, als daß er daran noch Spaß hätte .

Ohne es angesehen zu haben, kaufe ich es nicht.
              Infinitivsatz
              Nebensatz mit Personalform
Ohne daß ich es angesehen habe, kaufe ich es nicht.

Entsprechend bezeichnet man Satzäquivalente mit einem *Partizip* als Kern als *Partizipialgruppen* oder *Partizipialsätze*:

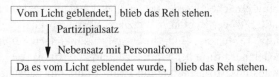

Vom Licht geblendet, blieb das Reh stehen.
              Partizipialsatz
              Nebensatz mit Personalform
Da es vom Licht geblendet wurde, blieb das Reh stehen.

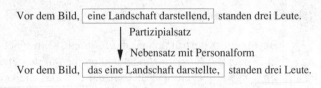

Den satzwertigen Partizipialgruppen stehen gleich aufgebaute Fügungen mit einem *Adjektiv als Kern* nahe, die man *satzwertige Adjektivgruppen* nennen kann:

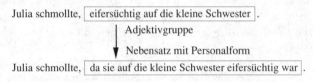

549 ÜBUNG

Bestimme im folgenden Text Hauptsätze und Nebensätze; analysiere anschließend die Nebensätze unter formalem Gesichtspunkt:

(1) (a) Vor einer Woche mußte ich mit dem Bus zum Bahnhof fahren, (b) weil über Nacht Schnee gefallen war. (2) (a1) Mein Fahrrad, (b) das ich normalerweise benütze, (a2) war eingeschneit. (3) (a) Außerdem wäre es gefährlich gewesen, (b) die Fahrt mit dem Rad zu unternehmen. (4) (a) Es wunderte mich nicht, (b1) daß der Bus, (c) der natürlich Verspätung hatte, (b2) übervoll war. (5) (a) Auch wer sich sonst mit dem Auto bewegt, (b) war jetzt Passagier der öffentlichen Verkehrsmittel. (6) (a) Am Bahnhof angelangt, (b) mußte ich feststellen, (c) daß auch der Zugverkehr beeinträchtigt war. (7) (a) Wäre ich fünf Minuten früher dagewesen, (b) hätte ich den Zug nehmen können, (c) der vor einer halben Stunde hätte fahren sollen. (8) (a) Ich zweifelte schon, (b) ob ich mein Ziel noch rechtzeitig erreichen würde, (c) als über Lautsprecher durchgegeben wurde, (d) der Zug nach Wetzikon werde auf Gleis acht eintreffen. (9) (a) Ich war froh, (b) einsteigen zu können, (c) denn es ist angenehmer, (d) in der Wärme zu warten. (10) (a) Als der Zug endlich losfuhr, (b) bemerkte die Frau, (c) die mir gegenübersaß,

(d) fünfzehn Minuten Verspätung seien nicht übel, (e) wenn man berücksichtige, (f) daß der Winter so plötzlich gekommen sei.

Funktionale Gesichtspunkte

550 Wenn man Teilsätze unter *funktionalem* Gesichtspunkt klassifiziert, geht man von folgender Überlegung aus: Nebensätze besetzen oft eine bestimmte Stelle im übergeordneten Satz. Ein Beispiel:

> Ich weiß, daß du gut spielst.

Übergeordneter Satz ist hier *Ich weiß.* In diesem Satz besetzt der Nebensatz *daß du gut spielst* die Stelle eines Akkusativobjekts (↑ 491 f.). Ganz gleich können auch andere Satzgliedstellen durch Nebensätze besetzt werden. Nebensätze können aber auch die Position von *Teil*gliedern (Attributen) besetzen, und sie können sogar gewissermaßen »zusätzlich« stehen. Damit können wir eine erste Klassifikation von Nebensätzen unter funktionalem Gesichtspunkt vornehmen. Wir unterscheiden:

1. Gliedsätze;
2. Attributsätze;
3. Sonstige Nebensätze.

551 *Gliedsätze* sind Nebensätze, die die Stelle eines *Satzglieds* besetzen; sie lassen sich – grundsätzlich – in einfache Satzglieder umformen – stilistisch freilich nicht immer ganz befriedigend:

> Mich interessiert, *wie du seine Leistung beurteilst.*
> → Mich interessiert *deine Beurteilung seiner Leistung.*
>
> Ich finde gut, *daß sie ehrlich ist.*
> → Ich finde *ihre Ehrlichkeit* gut.
>
> *Wenn es eine Lawinenwarnung gibt,* bricht er die Tour ab.
> → *Bei einer Lawinenwarnung* bricht er die Tour ab.
>
> *Wer andern eine Grube gräbt,* fällt selbst hinein.
> → *Der Gräber einer Grube für andere* fällt selbst hinein.

552 *Attributsätze* sind Nebensätze, die die Stelle eines Satzglied*teils,* eben eines *Attributs* (↑ 525) besetzen; auch sie
lassen sich – mit der gleichen Einschränkung wie bei den Gliedsät-
zen – in einfache Attribute umformen:

> Das ist eine Warnung, *die ernst gemeint ist.*
> → Das ist eine *ernst gemeinte* Warnung.
>
> Wir befinden uns jetzt an einer Stelle, *an der schon viele Unfälle*
> *passiert sind.*
> → Wir befinden uns jetzt an einer *unfallträchtigen* Stelle.

553 Manche Nebensätze lassen sich weder in Satzglieder noch
in Attribute umformen: Sie besetzen keine feste Stelle im
Satz, weder die eines Satzglieds noch die eines Attributs. Wir unterscheiden hier nicht weiter, sondern sprechen zusammenfassend
von *sonstigen Nebensätzen:*

> Die Sache ist schlecht ausgegangen, *was ich allerdings schon vorher*
> *befürchtet hatte.* Das war, *wie ich schon angedeutet habe,* zu erwar-
> ten. Alles spielte sich so schnell ab, *daß ich völlig überrumpelt war.*

Möglichkeiten einer weiteren Differenzierung

554 Gliedsätze – so hatten wir gesagt – besetzen die Stelle
eines Satzgliedes. Je nachdem, *welche* Satzgliedstelle sie
besetzen, kann man nun noch weiter unterteilen. So kann man die
Gliedsätze, die an der Position von Adverbialien stehen, als *Adver-*
bialsätze von solchen unterscheiden, die an der Position des Subjekts, eines Objekts, eines Gleichsetzungsnominativs und manchmal auch eines Satzadjektivs stehen. Letztere bezeichnet man zusammenfassend als *Ergänzungssätze.*

Auch Ergänzungssätze lassen sich noch weiter aufgliedern. So
unterscheidet man insbesondere *Subjektsätze,* das heißt Nebensätze, die die Stelle eines Subjekts besetzen, von *Objektsätzen,* also
Nebensätzen, die die Stelle eines Objekts besetzen. Wir sind auf
die Möglichkeiten, die es hier gibt, schon bei der Behandlung der
Satzglieder eingegangen (↑ 470).

| 555 | ÜBUNG |

Bestimme im folgenden Text Hauptsätze und Nebensätze; analysiere anschließend die Nebensätze unter funktionalem Gesichtspunkt, und zwar nach den Kategorien: 1. Gliedsatz, 2. Attributsatz, 3. sonstiger Nebensatz:

(1) (a) Jedes Jahr frage ich mich, (b) wie man wohl dem Weihnachtsrummel entrinnen kann. (2) (a) Ich finde einfach keinen Gefallen an all den Schaufenstern, (b) die bereits Anfang November mit Tannenzweigen und Christbaumschmuck verziert sind. (3) (a) Wenn man das zu lange sieht, (b) ist die ganze Stimmung dahin. (4) (a) Mehr als die Schaufenster ärgert mich, (b) daß Kaufen und Schenken zur Pflicht erklärt werden. (5) (a) Um ein Geschenk auszuwählen, (b) brauche ich vor allem Zeit und Ruhe. (6) (a) Wichtig ist doch, (b) daß man an die Menschen denkt, (c) die man beschenken will, (d) daß man überlegt, (e) was ihnen gefallen könnte. (7) (a) Ich kann also nicht einfach rasch Geschenke einkaufen gehen, (b) nachdem ich tagsüber gearbeitet habe. (8) (a) Was ich aber hier beschreibe, (b) gilt nicht für alle. (9) (a) Natürlich weiß ich, (b) daß es Leute gibt, (c) die den Rummel genießen, (d) was ich ihnen auch keinesfalls übelnehme. (10) (a) Wer gern in der Stadt spazierengeht, (b) kommt in dieser Zeit voll auf seine Kosten. (11) (a) Weil alle Auslagen mit besonderer Sorgfalt geschmückt sind, (b) sieht man wirklich viel Interessantes.

Inhaltliche Gesichtspunkte

Überblick

| 556 | Die Unterscheidung zwischen *Satzgefüge* und *Satzverbindung/Satzreihe* betrifft die *grammatische* Konstruktion. *Inhaltlich* gesehen, ist sie nicht so wichtig: Wenn wir etwas ausdrücken wollen, können wir in den meisten Fällen ebensogut ein Satzgefüge wie eine Satzreihe bilden. Aus diesem Grund werden

wir im folgenden die Beschreibung der Verhältnisse im Satz*gefüge*
und in der Satz*reihe* nicht voneinander trennen; wir werden vielmehr versuchen, einen Bezug zwischen ihnen herzustellen. Wir behandeln also nebeneinander Fälle wie:

> (1) Weil er völlig erschöpft war, blieb er daheim.
> (2) Er war völlig erschöpft, weswegen er daheim blieb.
> (3) Er war völlig erschöpft, deswegen blieb er daheim.
> (4) Er blieb daheim, denn er war völlig erschöpft.
> (5) Er blieb daheim, er war völlig erschöpft.

557 Nun sind Satzgefüge und Satzreihe nicht die *einzigen*
Möglichkeiten, Aussagen zueinander in Beziehung zu
setzen. Es handelt sich bei ihnen lediglich um grammatisch besonders *ausgeprägte* Möglichkeiten: Was in unserem Beispiel mit Hilfe der Mittel des zusammengesetzten Satzes ausgedrückt ist, nämlich eine Begründung, ließe sich ja auch mit Hilfe sprachlicher Mittel des *einfachen* Satzes formulieren:

> (6) Völlig erschöpft blieb er daheim.
> (7) Wegen völliger Erschöpfung blieb er daheim.

Wir werden im folgenden auch auf diese Möglichkeiten eingehen,
freilich eher am Rande.

558 Schließlich ist vieles, was wir im folgenden zusammenstellen werden, nicht nur für das Verhältnis zwischen Teilsätzen im zusammengesetzten Satz von Bedeutung, sondern auch
für das Verhältnis zwischen einfachen Sätzen: Inhaltlich gesehen
besteht ja zwischen einer Folge von einfachen Sätzen auf der einen
Seite und Teilsätzen eines zusammengesetzten Satzes auf der anderen Seite kein großer Unterschied:

> Er war völlig erschöpft, deswegen blieb er daheim.
> Er war völlig erschöpft. Deswegen blieb er daheim.

559 Wir gehen nun nacheinander auf folgende Teilsatzverhältnisse unter inhaltlichem Gesichtspunkt etwas ausführlicher ein:

1. Kausalsätze/Kausalität;
2. Konditionalsätze/Konditionalität;
3. Finalsätze/Finalität;
4. Konsekutivsätze/Konsekutivität;
5. Konzessivsätze/Konzessivität;
6. Adversativsätze/Adversativität;
7. Temporalsätze/Temporalität;
8. Modalsätze/Modalität;
9. Formen der Redeanführung.

560 Wenn wir hier von »Kausalsätzen«, »Konditionalsätzen« usw. sprechen, folgen wir einem vereinfachenden Sprachgebrauch: Eigentlich gibt es keine Kausalsätze (usw.), sondern zwischen zwei Teilsätzen eines zusammengesetzten Satzes besteht ein Verhältnis der Kausalität, der Konditionalität usw. Dieses Verhältnis kann man im Satzgefüge an zwei Stellen besonders gut erkennnen: erstens am Nebensatz (deswegen spricht man von »Kausalsatz« usw.), zweitens an verweisenden Ausdrücken im Hauptsatz, sogenannten *Korrelaten:*

> Das Treffen fällt *deswegen* aus, weil Peter krank geworden ist. Sollte er noch kommen, *so* informiere mich. Obwohl ich wenig Zeit habe, will ich *doch* zu der Besprechung kommen.

Kausalsätze / Kausalität

561 Ein Kausalsatz ist ein Nebensatz, der angibt:

1. einen Grund oder eine Ursache:

> *Weil die Temperatur so stark gestiegen ist,* ist die Anlage zerstört worden. Es ist zu der Überschwemmung gekommen, *weil man jahrelang Raubbau an der Natur getrieben hat.*

2. das Motiv für eine Handlung:

> Ich bin gekommen, *weil ich mich bei dir bedanken wollte. Weil wir uns schon so lange nicht mehr gesehen haben,* schreibe ich heute.

3. den logischen Grund für eine Aussage:

> *Weil die Warnlampe rot aufleuchtet,* muß der Motor kaputt sein.

562 Als Konjunktionalsatz wird der Kausalsatz vor allem durch *da* oder *weil* eingeleitet. Im Hauptsatz kann als Korrelat (↑ 560) *darum, deswegen* oder *deshalb* stehen, bei *da* auch *so:*

> Das Treffen fällt aus, *weil Peter krank geworden ist. Da das Treffen ausgefallen ist,* müssen wir den Abgabetermin verschieben. Das ist deshalb ärgerlich, *weil jetzt die ganze Planung durcheinandergerät. Weil wir nun ganz von vorn anfangen müssen,* (deswegen) hat er auch das Recht des Rücktritts.

Weitere Nebensatzeinleitungen, die neben den genannten Kausalität bezeichnen, sind:

> nachdem
> dadurch, daß
> dafür, daß
> insofern, als
> indem (in älteren Texten)

Gegenüber *da* und *weil* haben diese Nebensatzeinleitungen aber den Nachteil, daß sie zum Teil nicht eindeutig kausal sind; zum Teil wirken sie auch stilistisch schwerfällig.

563 Wir haben gesagt, in einem zusammengesetzten Satz würden Teilsätze zueinander in Beziehung gesetzt. Etwas genauer könnte man auch sagen: Es werden nicht Teilsätze, sondern Aussagen oder Inhalte von Teilsätzen zueinander in Beziehung gesetzt (im Beispiel also der Inhalt »Ausfallen des Treffens« und »Krankwerden Peters«).

Diese Unterscheidung ist wichtig für folgenden Punkt: Will man die beiden Teilsatzinhalte in der Weise, in der wir das oben getan haben, in eine kausale Beziehung zueinander setzen, so muß *da* oder *weil* stehen. Man kann aber die beiden Teilsatzaussagen auch *umgekehrt* auf Haupt- und Nebensatz verteilen. In einem solchen Fall bezeichnen *weswegen* oder *weshalb* das kausale Verhältnis:

> Peter ist krank geworden, *weswegen das Treffen ausfällt.* Das Treffen ist ausgefallen, *weshalb wir den Abgabetermin verschieben müssen.*

Mit der Einschränkung, die in ↑ 562 ausgesprochen worden ist, sind hier auch möglich:

> wodurch, wofür, womit.

564 Versucht man, auf dieser Grundlage eine Satz*reihe* zu formulieren, so bieten sich als kausale Verknüpfungsmittel zunächst *deswegen* und *deshalb* an – sie sind die direkten Entsprechungen zu *weswegen* und *weshalb:*

> Peter ist krank geworden, *deswegen fällt das Treffen aus.* Das Treffen ist ausgefallen, *deshalb müssen wir den Abgabetermin verschieben.*

Daneben sind möglich:

> darum, daher, dadurch, dafür, dementsprechend, so, somit, also, mithin.

Beispiel:

> Peter ist krank geworden, *darum/daher/also fällt das Treffen aus.*

Wenn gesagt worden ist, diese Mittel seien »möglich«, so heißt das hier und im folgenden: Die aufgeführten Mittel leisten grundsätzlich dasselbe wie *deswegen* und *deshalb,* sie sind aber – zum Beispiel aus stilistischen Gründen – nicht immer alle gleich tauglich. Auch sind Wortstellungsunterschiede zu beachten.

565 Bei umgekehrter Abfolge der Teilsätze (↑ 563) sind als Satzanschlußmittel möglich *denn* und *nämlich,* daneben – vorzugsweise in gesprochener Sprache – *ja, doch, eben, halt:*

> Das Treffen fällt aus, *denn Peter ist krank geworden.* Das Treffen fällt aus, *Peter ist doch krank geworden.*

566 Oft – vor allem in gesprochener Sprache – kann eine Folge von Sätzen auch *ohne* jegliches Verknüpfungsmittel kausal verstanden werden:

> Das Treffen fällt aus, Peter ist krank geworden.

Dies gilt auch für Satzgefüge mit Partizipalsätzen:

> *Vom Verteidiger hautnah gedeckt,* konnte er seine übliche Torgefährlichkeit an diesem Tag nicht entfalten.

567 Innerhalb des *einfachen* Satzes leisten vor allem adverbiale Präpositionalgefüge kausale Verknüpfung. Sie können durch die folgenden Präpositionen eingeleitet sein:

> wegen, durch, dank, infolge, zufolge, mangels, angesichts, anläßlich, auf (zum Beispiel: auf Befehl, auf Wunsch), aufgrund (besonders in juristischer und naturwissenschaftlicher Sprache), aus (zum Beispiel: aus Versehen, aus Liebe), bei, gemäß, halber, kraft (speziell: kraft seines Amtes), ob, um … willen, vermöge, von … wegen, vor.

Beispiele:

> *Wegen Peters Erkrankung* fällt das Treffen aus. Er hat *vor Kälte* gezittert. *Mangels Beteiligung* war die Aktion sehr schnell zu Ende.

Auch hier ist zu bedenken: Die einzelnen Präpositionen bedeuten nicht das gleiche, sie gehören auch nicht der gleichen Stilschicht an. Sie haben nur den allgemein begründenden Charakter gemeinsam. Über ihre Einsetzbarkeit in Texten entscheidet der Ausdruckswille, das Stilgefühl und – im Zweifel – das Wörterbuch.

568 Neben den eher als *grammatisch* anzusehenden Mitteln gibt es *lexikalische* Mittel (unterschiedlicher Wortart) zum Ausdruck einer Begründung:

1. Nominale Mittel:

> Das Treffen fällt aus – *Begründung:* Peter ist krank geworden. Peter ist krank geworden; *das ist die Ursache dafür*, daß das Treffen ausfällt.

> Hierher gehören Nomen wie *Anlaß, Begründung, Grund, Motiv, Ursache, Ursprung.*

2. Verbale Mittel:

> Er konnte sich noch nicht festlegen; das *resultiert* aus der Schwierigkeit der Umstände.

> Hierher gehören zum Beispiel: *abhängen, sich begründen in, in … begründet liegen, sich ergeben aus, liegen an, kommen von, resultieren aus, zurückgeführt werden auf* bzw. (bei umgekehrter Ausrichtung der Aussage): *begründen, bewirken, erklären, hervorrufen, nach sich ziehen, veranlassen, verantwortlich sein, verursachen, zwingen.*

3. Wortbildungsmittel:

> Hierher gehören die Zusammensetzungen mit *-halber* und *-wegen,*
> begrenzt auch mit *-gemäß:*
>
> Das habe ich nur *interessehalber* getan. *Ihretwegen* komme ich gern
> mit. *Weisungsgemäß* habe ich Stillschweigen bewahrt.

569 Schließlich ergibt sich Kausalität auch aus dem Zusammenhang im Text, vor allem in gesprochener Sprache. Dafür ein Beispiel:

> »Aber dann habe ich es gelassen.«
> »Warum?«
> »Ich hatte schließlich keine Lust mehr.«

570 Gelegentlich darf der Kausalsatz nicht auf einen in seiner Umgebung tatsächlich gesetzten Hauptsatz bezogen werden, sondern auf einen zu ergänzenden:

> Das schaffe ich – *weil du das Problem gerade ansprichst* – sicher
> nicht bis zur nächsten Woche.

Zu verstehen ist hier:

> Das schaffe ich – *ich sage das, weil du das Problem gerade an-*
> *sprichst* – sicher nicht bis zur nächsten Woche.

Man spricht hier von einem *redesituierenden Gebrauch* des Kausalsatzes. Das bedeutet: Der Nebensatz kommentiert die Rede als solche, nicht ihren Inhalt. In der Satzreihe entspricht dem:

> Das schaffe ich – *du sprichst das Problem gerade an* – sicher nicht
> bis zur nächsten Woche.

571 Auch Kausalität liegt in Beispielen wie dem folgenden vor:

> Das schaffe ich nicht bis zur nächsten Woche, *zumal (da) noch*
> *Feiertage dazwischen liegen.*

Hier wird einem nicht ausformulierten Grund ein zusätzlicher nachgeschoben. Anstelle von *zumal (da)* ist hier auch *umso mehr als* möglich.

Andere häufige Mittel in diesem Zusammenhang sind:

> besonders, eben, einzig und allein, gerade, nur, schon, vor allem.

Erich Fried: Gründe

»Weil das alles nicht hilft
Sie tun ja doch was sie wollen
Weil ich mir nicht nochmals
die Finger verbrennen will
Weil man nur lachen wird;
Auf dich haben sie gewartet
Und warum immer ich?
Keiner wird es mir danken
Weil da niemand mehr durchsieht
sondern höchstens noch mehr kaputtgeht
Weil jedes Schlechte
vielleicht auch sein Gutes hat
Weil es Sache des Standpunktes ist
und überhaupt wem soll man glauben?
Weil auch bei den andern nur
mit Wasser gekocht wird
Weil ich das lieber
Berufeneren überlasse
Weil man nie weiß
wie einem das schaden kann
Weil sich die Mühe nicht lohnt
weil sie alle das gar nicht wert sind.«

Das sind Todesursachen
zu schreiben auf unsere Gräber
die nicht mehr gegraben werden
wenn das die Ursachen sind

| 572 | ÜBUNG |

Bestimme in dem folgenden Text die Sätze bzw. Teilsätze, die Kausalität ausdrücken oder sich kausal verstehen lassen; prüfe, wie weit es möglich ist, Kausalität auch auf andere Weise auszudrücken (am besten bedienst du dich dafür der Zusammenstellung in den vorangehenden Abschnitten):

1. Weil Dieter an Zuckerkrankheit leidet, muß er strenge Diät halten. 2. Nachdem er es eine Weile damit nicht so genau genommen hatte, war er vom Arzt gerügt worden, denn die Untersuchungsergebnisse waren infolge seiner Nachlässigkeit deutlich schlechter geworden. 3. Vor ein paar Monaten hat Dieter in der Stadt eine Lehre angefangen, weswegen er auch ein Zimmer suchen mußte. 4. Dadurch, daß er nicht mehr bei seiner Familie wohnt, hat sich für ihn einiges verändert. 5. Da seine Eltern und Geschwister ja nicht an die Diät gebunden waren, geriet er manchmal in Versuchung, Dinge zu essen, die ihm wegen seiner Krankheit verboten waren. 6. Deswegen hatte er auch gedacht, allein zu wohnen werde für ihn einfacher sein. 7. Daß er jetzt eines Besseren belehrt wird, liegt daran, daß er infolge seines komplizierten Speiseplanes ziemlich viel Zeit verliert. 8. Das ist auch der Grund dafür, daß ihm neben der anspruchsvollen Lehre kaum Zeit für eine Freizeitbeschäftigung bleibt.

Konditionalsätze / Konditionalität

| 573 | Ein Konditionalsatz gibt die Voraussetzung bzw. die Bedingung für die Gültigkeit oder Existenz dessen an, was im Hauptsatz angeführt wird. Er wird vor allem eingeleitet durch die Konjunktion *wenn*, außerdem durch *falls, wofern* und *sofern*, jeweils mit Personalform in Endstellung:

> *Wenn diese Aussage richtig ist,* ist er verloren. *Falls sie dabei blieben,* hättest du gar keine Chance. *Wenn ich das gewußt hätte,* hätte ich besser aufgepaßt.

Konditionalsatz kann aber auch ein uneingeleiteter Nebensatz mit Personalform in Spitzenstellung sein:

> *Sollte aber ein neuer Gesichtspunkt auftauchen,* (so) könnte sich das Bild grundlegend ändern.

Als Korrelate im Hauptsatz (↑ 560) kommen vor allem *so* und *dann* vor, daneben auch *folglich* und (leicht altertümelnd) *mithin.*

574 | Je nachdem, welcher Modus im konditionalen Gefüge (oder wenigstens im Nebensatz) steht, unterscheidet man drei Gruppen der Konditionalität:

1. *Realis:* In beiden Teilsätzen steht der Indikativ:

> *Wenn diese Aussage richtig ist,* ist er verloren. *Kommt er heute nicht,* so kommt er morgen. *Falls wir uns einigen,* kann das Spiel morgen beginnen.

2. *Irrealis der Gegenwart:* In beiden Teilsätzen steht der Konjunktiv II des Präsens (oder des Futurs I):

> *Falls sie dabei blieben,* hättest du gar keine Chance. *Wenn ich das Geld hätte,* (dann) würde ich die Maschine kaufen. *Würdest du mir helfen,* würde alles schneller gehen.

3. *Irrealis der Vergangenheit:* In beiden Teilsätzen steht der Konjunktiv II des Perfekts (↑ 103):

> *Wenn ich das gewußt hätte,* hätte ich besser aufgepaßt. *Hätten wir sorgfältiger trainiert,* dann wäre auch eine Medaille herausgekommen.

Diese Unterscheidung stammt aus der lateinischen Grammatik. Wie die Namen verraten, sind mit ihr unterschiedliche Grade der »Realität« (das heißt der »Wirklichkeit«) von Bedingungen gefaßt: Eine im Indikativ formulierte Bedingung wird danach als wahrscheinlicher gesetzt als eine im Konjunktiv formulierte. Von den beiden im Konjunktiv formulierten Bedingungen betrifft die erste die Gegenwart, die zweite die Vergangenheit.

575 | Neben den aufgeführten einfachen Einleitungen für einen Konditionalsatz kommen auch komplexere vor, so:

> im Fall, daß ...
> unter der Voraussetzung, daß ...
> unter der Bedingung, daß ...
> gesetzt den Fall, daß ...

Sie wirken oft schwerfällig, haben aber den Vorteil, daß sie gegenüber der üblichsten konditionalen Nebensatzeinleitung – *wenn* – eindeutig sind: *wenn* kann ja auch zeitliches Verhältnis anzeigen (vgl. ↑ 617).

576 Den konditionalen Nebensätzen entsprechen in einfachen Sätzen vor allem adverbiale Präpositionalgefüge. Sie werden zum Beispiel eingeleitet durch:

> bei, mit, ohne, unter.

Beispiele:

> *Bei starkem Regen* wird die Wanderung verschoben. *Mit sorgfältigerem Training* wäre auch eine Medaille herausgekommen.

577 Auch zum Ausdruck des konditionalen Verhältnisses gibt es verschiedene *lexikalische* Mittel:

> Wir sagen unsere Teilnahme zu – *(unter einer) Bedingung:* Die Punkte, die anfallen, werden nicht angerechnet. Eine eventuelle Richtigkeit dieser Aussage würde seine klare Niederlage *zur Folge haben.*

Nominale Mittel, die hierher gehören, sind zum Beispiel:

> Bedingung, Voraussetzung.

> (In festeren Verbindungen:) im Fall von ...; ohne Rücksicht auf ...; unter diesen Umständen.

Verbale Mittel sind etwa:

> bedingen, führen zu, implizieren, nach sich ziehen, zur Folge haben.

578 Konditionalsätze werden sehr häufig redesituierend (↑ 570) verwendet:

> Das ist, *wenn ich es recht sehe,* nicht fest ausgemacht. Ich bin, *wenn Sie mir diese Bemerkung erlauben,* ausgesprochen verunsichert. Dieses Haus wurde, *wenn Sie sich erinnern,* 1972 gebaut.

In gleicher Funktion stehen Partizipialkonstruktionen, die zum Teil geradezu zu Formeln erstarrt sind:

> oberflächlich betrachtet, bei Licht betrachtet, aus politischer Perspektive gesehen, juristisch gesehen, kurz gesagt, wörtlich genommen, genau genommen usw.

579 | ÜBUNG

Bestimme in dem folgenden Text die Sätze bzw. Teilsätze, die Konditionalität ausdrücken oder sich konditional verstehen lassen; prüfe, wie weit es möglich ist, Konditionalität auch auf andere Weise auszudrücken (am besten bedienst du dich dafür der Zusammenstellung in den vorangehenden Abschnitten):

1. Wenn nichts mehr dazwischenkommt, werden wir morgen zu einer Radtour aufbrechen. 2. Natürlich fahren wir nur los, falls das Wetter mitspielt, bei nassem Wetter hätten wir keinen Spaß. 3. Wenn wir richtige Sportler wären, würden wir natürlich auf jeden Fall trainieren; das ist aber nur unter der Voraussetzung sinnvoll, daß man gut ausgerüstet ist. 4. Ohne warme, wasserdichte Kleidung wäre eine längere Fahrt sogar gefährlich, vor allem wenn man auch Gepäck bei sich hat. 5. Für den Fall, daß die Wettervorhersage stimmt, sind solche Überlegungen natürlich sinnlos – wenn ich mich richtig erinnere, ist sogar ausgesprochen schönes Wetter angesagt. 6. Hätte der Sprecher die am Abend möglichen Gewitter nicht erwähnt, wäre ich restlos optimistisch. 7. Ehrlich gesagt, ich wäre nur halb so unruhig, wenn ich nicht die Initiative zu dieser Tour ergriffen hätte. 8. Wenn ich so etwas anrege, dann fühle ich mich – mag das auch übertrieben klingen – hinterher sogar für das Wetter verantwortlich.

Finalsätze / Finalität

580 | Ein Finalsatz ist ein Nebensatz, der angibt:

– einen Zweck, eine Absicht; das Motiv für eine Handlung und das Ziel einer Handlung;
– die Eignung eines Gegenstands oder einer Sache.

Er wird eingeleitet durch *damit, daß, auf daß* und – soweit es sich um eine Infinitivkonstruktion handelt – *um ... zu.* Im Hauptsatz kann als Korrelat (↑ 560) stehen: *dazu, dafür.*

Man kann hier genauer unterscheiden:

581   1. Im Nebensatz wird ein Zweck, eine Absicht oder ein Motiv für eine im übergeordneten Satz angegebene Handlung genannt. Der Nebensatz bezieht sich gewissermaßen auf den ganzen übergeordneten Satz:

> *Um auf jeden Fall noch rechtzeitig zurückzukommen,* nehmen wir das Auto. *Damit wir termingerecht fertig werden,* müssen wir in Zukunft sehr zügig arbeiten.

Was hier ausgedrückt ist, läßt sich in der Satzreihe nur auf dem Umweg über eine kausale Konstruktion mit *wollen* formulieren:

> *Um auf jeden Fall noch rechtzeitig zurückzukommen,* nehmen wir das Taxi – *Weil wir auf jeden Fall noch rechtzeitig zurückkommen wollen,* nehmen wir das Taxi.

Das führt dann zu:

> *Wir wollen auf jeden Fall noch rechtzeitig zurückkommen,* deswegen nehmen wir das Taxi. Und entsprechend: *Wir wollen termingerecht fertig werden,* daher müssen wir in Zukunft sehr zügig arbeiten.

Im einfachen Satz ist die Darstellung dieses Verhältnisses innerhalb eines Präpositionalgefüges möglich; als Präposition kommt vor allem *für* in Frage:

> *Für eine rechtzeitige Heimkehr* nehmen wir das Taxi.

582   2. Im zweiten Typ, der durch das Merkmal der *Eignung* bestimmt ist, bezieht sich der Nebensatz nicht auf den *ganzen* Hauptsatz, sondern nur auf ein bestimmtes Teilstück in ihm. Man kann den Bezug durch entsprechende Umformungsproben deutlich machen:

> Ich habe nicht die Mittel, *um das zu bezahlen* (= die Mittel, die gebraucht werden, um das zu bezahlen; die Mittel, mit denen man das bezahlen *kann*).

Die Darstellung dieses Verhältnisses in einer Satzreihe ist nur sehr eingeschränkt möglich; für die Darstellung im einfachen Satz gilt das gleiche wie oben.

583 Auch für den Ausdruck des finalen Verhältnisses stehen *verschiedene* Mittel zur Verfügung: .

> Wir nehmen das Taxi; damit verfolgen wir die *Absicht,* eine rechtzeitige Rückkehr zu sichern; – das soll uns *dazu dienen,* eine rechtzeitige Rückkehr zu sichern.

Hierher gehören an nominalen Mitteln zum Beispiel:

> Absicht, Intention, Vorsatz, Ziel, Zweck, Eignung.

Verbale Mittel:

> beabsichtigen, bezwecken, dienen zu, helfen zu, intendieren, vorhaben.

584 Finalsätze können redesituierend (↑ 570) verwendet werden; das betrifft vor allem Infinitivkonstruktionen:

> Wir haben das, *um die Wahrheit zu sagen,* alle unterschätzt. Das sind, *um nur ein Faktum zu nennen,* ganze 10 Meter zu viel. *Um es gleich zu sagen:* Ich kann nicht lange bleiben. Wir sind, *um mich dieses problematischen Ausdrucks zu bedienen,* »objektiv« im Recht.

Zum Teil handelt es sich dabei um geradezu formelhaft erstarrte Wendungen, man denke etwa an »sozusagen« (= um es so zu sagen).

585 ÜBUNG

Bestimme in dem folgenden Text die Sätze bzw. Teilsätze, die Finalität ausdrücken oder sich final verstehen lassen; prüfe, wie weit es möglich ist, Finalität auch auf andere Weise auszudrücken; am besten bedienst du dich dafür der Zusammenstellung in den vorangehenden Abschnitten:

1. In der Absicht, sich einen Pullover zu kaufen, ging Oliver nach der Schule nicht gleich nach Hause, sondern nahm den Bus, um in die Stadt zu gelangen. 2. Zuerst warf er, um sich einen Überblick

zu verschaffen, einen Blick in die verschiedenen Geschäfte. 3. Eigentlich hatte er vor, nicht lange in der Stadt zu bleiben. 4. Er wollte sich aber für eine Entscheidung genug Zeit nehmen, deshalb kam er dann doch erst nach zwei Stunden nach Hause. 5. Er nahm sich vor, den Pullover sorgfältig zu behandeln, damit er sich nicht so schnell abnütze wie der letzte. 6. Um ihn zu schonen, würde er ihn nur von Hand waschen – die Verkäuferin hatte ihm erklärt, das sei für ein gutes Ergebnis nötig. 7. Seine Freundin Inge soll den neuen Pullover auch bewundern können, dazu wird er ihn am nächsten Tag gleich anziehen. 8. Um das traurige Ende der Geschichte vorwegzunehmen: Inge fand den Pullover gräßlich und redete lange auf Oliver ein, um ihn zu einem Umtausch zu bewegen.

Reiner Kunze: Dialektik

Unwissende damit ihr
unwissend bleibt

werden wir euch
schulen

Konsekutivsätze / Konsekutivität

586 Ein Konsekutivsatz ist ein Nebensatz, der eine Folge oder eine Wirkung des im Hauptsatz genannten Geschehens oder Sachverhalts ausdrückt. Eingeleitet wird er vor allem durch:

daß, so … daß, so daß, als daß.

Dann trat ein Wetterwechsel ein, *daß sich alles veränderte*. Die Hitze wurde so stark, *daß die Ernte verdorrte*. Der Boden trocknete aus, *so daß sich Risse zu bilden begannen*. Überhaupt war alles zu weit fortgeschritten, *als daß man noch etwas hätte ausrichten können*.

Entsprechende Infinitivsätze werden eingeleitet durch:

(Adjektiv +) genug + um ... zu
zu + Adjektiv + um ... zu

Du solltest *alt genug* sein, *um das zu verstehen.* Du bist *zu alt, um dir das leisten zu können.*

| 587 | Satzgefüge mit Konsekutivsätzen können im einzelnen recht unterschiedlich sein. |

1. Der Konsekutivsatz kann an ein im Hauptsatz stehendes *so* anschließen; er bezieht sich aber nicht nur auf dieses, sondern darüber hinaus auf den Inhalt des Hauptsatzes insgesamt:

Die Hitze wurde *so* stark, *daß die Ernte verdorrte.* Die Tiere sind *so* scheu, *daß man sie lediglich aus der Ferne beobachten kann.* Er benimmt sich *so* läppisch, *daß ihn keiner ernst nimmt.*

Will man den gleichen Inhalt in einer Satzreihe formulieren, so muß man die Abfolge der Teilsatzinhalte umkehren:

Die Ernte verdorrte, *so stark wurde die Hitze.* Man kann die Tiere lediglich aus der Ferne beobachten, *so scheu sind sie.* Keiner nimmt ihn ernst, *so läppisch benimmt er sich.*

| 588 | 2. Der Konsekutivsatz kann an eine im Hauptsatz nicht besetzte, aber erschließbare Stelle mit *so, dergestalt* oder |

dergleichen anschließen:

Dann trat ein Wetterwechsel ein [...], *daß sich alles veränderte.* Es donnerte und blitzte [...], *daß man an den Weltuntergang glauben wollte.* Sie fror [...], *daß sie zitterte wie Espenlaub.*

Die Umformulierung in eine Satzreihe ist hier nicht ohne größeren Eingriff möglich. In Frage käme etwa:

Alles veränderte sich: Es war ein Wetterwechsel eingetreten. Man hätte an den Weltuntergang glauben wollen, so donnerte und blitzte es. Sie zitterte wie Espenlaub, so sehr fror sie.

| 589 | 3. Der Konsekutivsatz kann auch eine nur *mögliche,* also nicht *tatsächliche* Folge dessen angeben, was im Hauptsatz |

genannt ist:

> Wir sind alt genug, um das selbst zu verantworten. Das Eis ist nicht fest genug, um darauf Schlittschuh zu laufen. Ich habe die Zeit, (um) das zu übernehmen.

Die hier gegebene *Möglichkeit* muß ausdrücklich ausformuliert werden, wenn der Konsekutivsatz ein finites Verb enthält; in der Regel steht dann an der Stelle der Personalform ein Verb, das ein *Können* bezeichnet:

> Wir sind alt genug, *daß wir das selbst verantworten können.* Das Eis ist nicht fest genug, *daß man darauf Schlittschuh laufen könnte.* Ich habe die Zeit, *daß ich das übernehmen kann.*

In der Satzreihe würde man formulieren:

> Wir können das selbst verantworten, *dazu sind wir alt genug.* Man kann auf dem Eis nicht Schlittschuh laufen, *dazu ist es nicht fest genug.* Ich kann das übernehmen, *ich habe die Zeit.*

In den Satzgefügen dieser Art enthält der Hauptsatz oft Angaben wie *genug, nicht so, solch ein.*

590 | 4. Der Konsekutivsatz kann auch eine *negative* Folge dessen nennen, was im Hauptsatz genannt ist. Ist er ein Infinitivsatz, muß er keine Negation enthalten:

> Er fühlte sich viel zu wohl, *um aufhören zu wollen.*

Ein Nebensatz mit *so daß* muß dagegen eine Negation enthalten:

> Er fühlte sich viel zu wohl, *so daß er gar nicht aufhören wollte.*

Dem entspricht in der Satzreihe:

> Er wollte gar nicht mehr aufhören, er fühlte sich in dieser Situation viel zu wohl.

591 | 5. Der Konsekutivsatz kann schließlich eine nicht wünschbare, eine notwendige oder eine mögliche Folge aus dem nennen, was im Hauptsatz formuliert ist; wieder muß das zwar im Infinitivsatz nicht, wohl aber im Nebensatz mit Personalform ausformuliert sein:

> Alexander ist zu enttäuscht, *um darauf noch zu hoffen.* / Alexander ist zu enttäuscht, *als daß er darauf noch hoffen wollte/dürfte/könnte.*

592 Nicht eben häufig ist die Möglichkeit, Satzreihen ohne jedes Verknüpfungsmittel konsekutiv zu verstehen. Ein Beispiel dafür ist:

> X wäscht so weiß, weißer geht's nicht mehr.

Gleichfalls selten wird ein konsekutives Verhältnis im einfachen Satz dargestellt; hier gibt es fast nur feste Wendungen:

> Er ist *zum Schreien* komisch. Mir ist *zum Speien* übel.

593 Unabhängig von den Unterschieden, die in den Abschnitten ↑ 587–591 behandelt worden sind, kann in der Satzreihe konsekutives Verhältnis generell durch Anschlüsse wie die folgenden bezeichnet werden:

> also, demnach, demzufolge, folglich, folgerichtig, infolgedessen, konsequenterweise, mithin, somit.

594 Unter den *lexikalischen* Mitteln zum Ausdruck eines konsekutiven Verhältnisses sind wieder nominale und verbale zu unterscheiden. Ein Beispiel für die beiden Möglichkeiten:

> Die Dürre dauerte an; die *Folge* war eine Erntekatastrophe. Die Dürre dauerte an; das *zog eine* Erntekatastrophe *nach sich.*

Hierher gehören:

> Auswirkung, Effekt, Endeffekt, Ergebnis, Folge, Konsequenz, Resultat.

> bewegen, erlauben, führen zu, implizieren, in sich schließen, nach sich ziehen. (Bei umgekehrter Richtung:) sich ergeben aus, folgen aus.

595 ÜBUNG

Bestimme in dem folgenden Text die Sätze bzw. Teilsätze, die Konsekutivität ausdrücken oder sich konsekutiv verstehen lassen; prüfe, wie weit es möglich ist, Konsekutivität auch auf andere Weise auszudrücken (am besten bedienst du dich dafür der Zusammenstellung in den vorangehenden Abschnitten):

1. Draußen tobt ein Sturm, daß die Schüler Mühe haben, sich zu konzentrieren. 2. Zeitweise reißt der Wind mit solcher Gewalt an den Bäumen, daß man sich fragt, wie lange sie es noch aushalten werden. 3. Die Regenschirme der Passanten sind zu schwach, als daß sie den Böen trotzen könnten; einer nach dem andern wird umgedreht oder mitgerissen. 4. Kein Lehrstoff ist spannend genug, um die Schüler noch zu fesseln – Resultat: alle schauen aus dem Fenster, einige recken sich sogar in den Bänken, so sehr reizt sie das Spektakel draußen. 5. Die Lehrerin kann nichts mehr unternehmen, also tritt auch sie ans Fenster. 6. Die Schüler kennen sie gut genug, um zu wissen, daß ihr Verhalten eine größere Hausaufgabe nach sich ziehen wird. 7. Aber was sich draußen abspielt, ist einfach zu spannend, um still sitzen zu bleiben. 8. Demzufolge murren sie auch nicht, wie ihnen die Lehrerin am Ende der Stunde erklärt, sie müßten jetzt konsequenterweise zu Hause nachholen, was sie in dieser Stunde versäumt hätten. 9. Somit bekommen sie nicht ein, sondern zwei Kapitel zu lesen auf.

Konzessivsätze / Konzessivität

596 Ein Konzessivsatz ist derjenige Nebensatz, der einen Sachverhalt ausdrückt, welcher zwar im Gegensatz zu dem im Hauptsatz formulierten Sachverhalt steht, aber nicht hinreicht, um dessen Geltung außer Kraft zu setzen. Oft bezeichnet man daher diese Nebensätze auch als Nebensätze des unzureichenden Gegengrundes. Die häufigste Satzeinleitung für Konzessivsätze ist *obwohl*:

> Sie haben die Gletscherwanderung angetreten, *obwohl der Bergführer davor gewarnt hatte.*

Weitere konzessive Satzeinleitungen sind:

> *obgleich, obschon, obzwar, wenn auch, wenngleich, wenn schon, selbst wenn, sogar wenn.*

Als Korrelat im Hauptsatz (↑ 560) kommt vor allem *trotzdem, doch* und *dennoch* vor.

Obwohl der Bergführer davor gewarnt hatte, haben sie die Gletscherwanderung *(dennoch)* angetreten.

---

597 Konzessives Verhältnis in der Satzreihe wird am deutlichsten durch *trotzdem* signalisiert:

Der Bergführer hatte vor einer Gletscherwanderung gewarnt, *trotzdem haben sie sie angetreten.*

Daneben kommt – mit unterschiedlicher Deutlichkeit – auch vor:

dennoch, dessenungeachtet, doch, gleichwohl, indessen, jedoch, nichtsdestoweniger.

Nicht völlig gleichwertig, aber in der Bedeutung nahe verwandt sind:

aber, allerdings, immerhin, zwar… aber.

---

598 Im einfachen Satz entsprechen dem konzessiven Nebensatz adverbiale Präpositionalgefüge, die durch die folgenden Präpositionen eingeleitet sein können:

trotz, abgesehen von, bei, ungeachtet.

Beispiel:

Trotz der Warnung des Bergführers haben sie die Gletscherwanderung angetreten.

---

599 Konzessivsätze können redesituierend (↑ 570) gebraucht werden:

Im Grunde taugt diese Arbeit – *obwohl ich nicht eigentlich ein Urteil abgeben will* – gar nichts.

Das Redesituierende liegt darin, daß eigentlich zu verstehen ist:

Im Grunde taugt diese Arbeit – *ich sage das, obwohl ich nicht eigentlich ein Urteil abgeben will* – gar nichts.

In der Satzreihe entspricht dem:

Im Grunde taugt diese Arbeit – *ich will (freilich) nicht eigentlich ein Urteil abgeben* – gar nichts.

| 600 | Im Konzessivsatz kann ein Sachverhalt auch in der Form einer *Einräumung* formuliert sein; dabei reicht dieser Sachverhalt von vornherein nicht aus, die Geltung des Hauptsatzinhalts zu entkräften: |

> *Wenn die Stellungnahme auch sehr positiv ist,* (so) ist sie doch für die Entscheidung nicht ausschlaggebend.

Dem entspricht in der Satzreihe:

> Die Stellungnahme ist zwar (eingestandenermaßen) sehr positiv, aber für die Entscheidung ist sie (doch) nicht ausschlaggebend.

| 601 | Für die Signalisierung dieses Verhältnisses stehen auch *lexikalische* Mittel zur Verfügung, freilich nur wenige: |

> anerkennen, einräumen, zugeben, zugestehen.

> *Es ist zwar zuzugestehen,* daß die Stellungnahme sehr positiv ist, aber für die Entscheidung ist sie nicht ausschlaggebend.

| 602 | ÜBUNG |

Bestimme in dem folgenden Text die Sätze bzw. Teilsätze, die Konzessivität ausdrücken oder sich konzessiv verstehen lassen; prüfe, wie weit es möglich ist, Konzessivität auch auf andere Weise auszudrücken (am besten bedienst du dich dafür der Zusammenstellung in den vorangehenden Abschnitten):

1. Petras Bruder Frank geht zur Arbeit, obwohl er krank ist. 2. Er fühlt sich wirklich elend, dennoch will er den begonnenen Auftrag termingerecht ausführen. 3. Auch wenn er mit dem Kunden verhandeln könnte, müßte doch die Arbeit bald fertig sein, und er fürchtet – auch bei bisher gutem Einverständnis – diesen Kunden an die Konkurrenz zu verlieren. 4. Seine Kollegen anerkennen (zwar) seinen Einsatz, machen ihm aber gleichwohl Vorwürfe, daß er trotz so hohen Fiebers im Büro sitzt. 5. Immerhin müssen sie zugeben, daß niemand schnell genug seine Arbeit hätte übernehmen können. 6. Der Kunde ist dann auch sehr zufrieden, obgleich er erfahren hat, daß Frank zuletzt nicht so ganz auf der Höhe war. 7. Auch wenn Frank weiß, daß er nun für eine Weile das Bett hüten muß, hat er (dennoch) ein gutes Gefühl.

Adversativsätze / Adversativität

| 603 | Ein Adversativsatz ist ein Nebensatz, der – im weiteren Sinne – einen Gegensatz zu dem formuliert, was im Hauptsatz genannt ist. |

Adversativsätze werden eingeleitet durch *während, wenn, statt daß, statt zu, anstatt daß, anstatt zu, außer daß, außer zu, außer wenn*. Im Hauptsatz stehen dann gelegentlich Partikeln wie *demgegenüber, hingegen, dafür, statt dessen, währenddessen*. Im Detail unterscheiden wir hier drei Untergruppen:

1. Adversatives Verhältnis im engeren Sinne;
2. Substitutives Verhältnis;
3. Ausgrenzendes Verhältnis.

| 604 | 1. Um ein *adversatives* Verhältnis im engeren Sinne handelt es sich dort, wo zwei Aussagen einander als *entgegengesetzt* zugeordnet werden. |

Dabei ist prinzipiell gleichgültig, welche der beiden Aussagen im Hauptsatz, welche im Nebensatz steht:

> Ich muß ständig schuften, *während ihr euch ein schönes Leben macht. Während das Wintersemester immer zu lang ist,* ist das Sommersemester zu kurz.

Als Konjunktionen sind in diesen Satzgefügen *während* und *wenn* besonders häufig. Dabei ist (wegen der Uneindeutigkeit der Konjunktionen) gelegentlich Verwechslung mit Konditionalsätzen bzw. Temporalsätzen möglich. Eindeutiger ist die Formulierung mit *wo(hin)gegen:*

> Ich muß ständig schuften, *wohingegen ihr euch ein schönes Leben macht.*

Die Möglichkeit des Ersatzes einer uneindeutigen Konjunktion durch *wohingegen* ist entsprechend auch ein sicherer Test auf das Vorliegen einer adversativen Beziehung.

Ein adversatives Verhältnis in der Satzreihe würde in folgender Weise ausgedrückt:

> Ich muß ständig schuften, *dagegen macht ihr euch ein schönes Leben.*

605   2. Zwei Handlungsweisen werden einander als *substitutiv* gegenübergestellt, wenn ausgedrückt werden soll: Eine bestimmte Handlungsweise hätte realisiert werden sollen, wurde es aber nicht; demgegenüber wurde eine andere realisiert, die es nicht hätte werden sollen:

> *Statt sich solide vorzubereiten,* haben sie gefaulenzt. *Statt daß sie sich solide vorbereitet haben,* haben sie gefaulenzt.

In der Satzreihe entspricht dem:

> Sie hätten sich solide vorbereiten sollen; *statt dessen haben sie gefaulenzt.*

Die Satzglieddarstellung im einfachen Satz ist möglich mit Hilfe der folgenden Präpositionen:

> anstatt, anstelle (an Stelle), für, statt.
>
> *Statt solider Vorbereitung* haben sie Faulenzen gewählt.

606   3. Im Nebensatz wird eine Handlungsweise, ein Verhalten, ein Sachverhalt o.ä. dem im Hauptsatz Genannten *ausgrenzend* gegenübergestellt:

> *Außer daß sie trainiert haben,* haben sie diese Woche nichts getan.
> *Außer zu trainieren,* haben sie in dieser Woche nichts getan.

In der Satzreihe kann man hier formulieren:

> Sie haben lediglich trainiert, *außerdem / sonst haben sie nichts getan.*

Satzglieddarstellung im einfachen Satz ist hier mit Hilfe der Präposition *außer* bzw. mittels der Wendung *mit Ausnahme* möglich:

> *Außer Training / mit Ausnahme des Trainings* haben sie nichts getan.

607   Die *lexikalischen* Mittel, die hier herangezogen werden können, sind unterschiedlich. Pauschal gehören hierher an nominalen Mitteln Wörter wie:

> Gegensatz, Kontrast, Unterschied, Widerspruch.

Entsprechende verbale Mittel sind:

> widersprechen, entgegenstehen.

---

608 | ÜBUNG

Bestimme in dem folgenden Text die Sätze bzw. Teilsätze, die Adversativität ausdrücken oder sich adversativ verstehen lassen; prüfe, wie weit es möglich ist, Adversativität auch auf andere Weise auszudrücken (am besten bedienst du dich dafür der Zusammenstellung in den vorangehenden Abschnitten):

1. Während Regula eine begeisterte Sportlerin ist, verbringt Ruth ihre Freizeit mit Lektüre und Theaterbesuchen. 2. Die beiden sind gute Freundinnen, aber bezüglich ihrer Freizeitgestaltung widersprechen sie sich dauernd. 3. »Statt ewig mit Büchern herumzusitzen, solltest du einmal etwas für deine Fitneß tun! 4. Du bewegst dich nie, ich dagegen sorge für Ausgleich.« 5. Die beiden haben schon oft über diesen Gegensatz diskutiert; Ruth findet, Regula denke an nichts außer an Sport, wohingegen sie bei ihrer Lektüre und im Theater vielseitige Anregung erfahre. 6. »Du rennst immer nur herum, sonst kommt dir nichts in den Sinn! Das nennst du Ausgleich! 7. Dem widerspricht aber, daß du nie etwas Kulturelles unternimmst.« 8. So streiten sich die beiden oft, während sie im übrigen gut zusammenarbeiten können.

Temporalsätze / Temporalität

609 | Ein Temporalsatz ist ein Nebensatz, der einen Zeitpunkt oder eine Zeitdauer angibt. Dabei kann das im Nebensatz Genannte mit dem Hauptsatz Genannten zeitlich zusammenfallen (man spricht dann von Gleichzeitigkeit), es kann ihm vorangehen (= Vorzeitigkeit) oder ihm folgen (= Nachzeitigkeit). Mit diesen drei Verhältnissen sind die drei Grundunterscheidungen innerhalb der temporalen Beziehungen festgelegt, die man – etwas abkürzend (↑ 560) – mit den folgenden Ausdrücken unterscheidet:

1. Vorzeitige Temporalsätze;
2. Nachzeitige Temporalsätze;
3. Gleichzeitige Temporalsätze.

Vorzeitige Temporalsätze

| **610** | Vorzeitige Temporalsätze werden in der Hauptsache eingeleitet durch *nachdem*, außerdem durch *als, seit, seitdem,* |

sobald, sowie und *wenn*. Im Hauptsatz kommen als Korrelate (↑ 560) temporale Partikeln vor wie: *da, damals, dann, darauf.*

| **611** | Innerhalb dieses Verhältnisses kann der Inhalt des Nebensatzes dem des Hauptsatzes einfach vorausgehen; der Inhalt |

des Nebensatzes ist abgeschlossen:

> *Nachdem sie den Paß überwunden hatten,* sahen sie das weite Land vor sich. *Als sie die Hütte erreicht hatten,* (da) war die Erleichterung groß.

Verteilt man die Teilsatzinhalte umgekehrt auf die Haupt- und Nebensatzform, kann man auch sagen:

> Sie hatten den Paß überwunden, *worauf (wonach, woraufhin) sie das weite Land vor sich sahen.* Sie hatten die Hütte erreicht, *worauf die Erleichterung groß war.*

Dem entspricht dann in der Satzreihe:

> Sie hatten den Paß überwunden; danach sahen sie das weite Land vor sich. Sie hatten die Hütte erreicht; die Erleichterung danach war groß.

Möglich wäre hier ferner: *dann, darauf, daraufhin, hernach.*

| **612** | Will man den Inhalt des Nebensatzes als *unmittelbar* vorausgehend charakterisieren, läßt sich sagen: |

> *Sobald er das Haus betreten hatte,* fiel die Tür hinter ihm ins Schloß.

Verteilt man hier die Teilsatzinhalte umgekehrt auf die Haupt- und Nebensatzform, so ergibt sich:

> Kaum hatte er das Haus betreten, *als die Tür hinter ihm ins Schloß fiel.*

Und dem entspricht in der Satzreihe:

> Er hatte kaum das Haus betreten, *da fiel die Tür hinter ihm ins Schloß.*

613 Schließlich kann man innerhalb des vorzeitigen Verhältnisses im Hauptsatz auch den gesamten Zeitbereich in seiner Ausdehnung in den Blick nehmen; in Richtung auf die Gegenwart ist er nicht abgeschlossen:

> *Seitdem er mit dem Rauchen aufgehört hat,* sieht er viel besser aus.

Dem entspricht in der Satzreihe:

> Er hat mit dem Rauchen aufgehört, *seitdem sieht er viel besser aus.*

Nachzeitige Temporalsätze

614 Nachzeitige Temporalsätze werden eingeleitet durch *ehe* und *bevor* sowie – mit etwas anderer Nuancierung – *bis.*

615 Wie im vorzeitigen Verhältnis, so läßt sich hier ein Typ ansetzen, wo der im Nebensatz genannte Sachverhalt ohne nähere Bestimmung später liegt als der im Hauptsatz genannte:

> Wir müssen fertig sein, *ehe morgen abend die Eltern zurück sind.*

Dem entspricht in der Satzreihe:

> Morgen abend sind die Eltern zurück; *davor* müssen wir fertig sein.

Statt *davor* ist *vorher,* in entsprechenden Kontexten auch *vordem* oder *zuvor* möglich.

616 Nimmt man den gesamten Zeitbereich vor dem Geschehen, das im Nebensatz genannt ist, in den Blick, so ergibt sich:

> Ich bleibe hier, *bis du wiederkommst.*

Dem entspricht in der Satzreihe:

> Du wirst wiederkommen, *und bis dahin bleibe ich hier.*

Gleichzeitige Temporalsätze

617 Gleichzeitige Temporalsätze werden eingeleitet durch Konjunktionen wie:

> während, indes (eher veraltet), solange, sobald, sooft, als, wie, wenn.

Innerhalb des Verhältnisses der Gleichzeitigkeit lassen sich grundsätzlich zwei unterschiedliche Möglichkeiten auseinanderhalten:

618 1. Der Inhalt des Nebensatzes läuft dem des Hauptsatzes *parallel:*

> *Während sie im Garten arbeitet,* streicht er die Fenster. *Als er mit dem Lift hinauffuhr,* fuhr sie hinunter.

Hier ist theoretisch eine Umkehrung der Teilsatzverhältnisse immer möglich:

> *Während er die Fenster streicht,* arbeitet sie im Garten. *Als sie mit dem Lift hinunterfuhr,* fuhr er hinauf.

Für eine Umsetzung in die Satzreihe ergeben sich damit als zwei gleichwertige Möglichkeiten:

> Er streicht die Fenster; *währenddessen arbeitet sie im Garten.* Sie arbeitet im Garten; *währenddessen streicht er die Fenster.*

619 2. Ein zeitlich kürzeres Geschehen wird in ein zeitlich längeres gleichsam *eingebettet:*

> Ich bin weggefahren, *als sie (gerade) telefonierte.*

Bei umgekehrter Verteilung der Teilsatzinhalte auf Haupt- und Nebensatz ist hier auch möglich:

> *Als ich wegfuhr,* telefonierte sie (gerade).

Und dem entspricht in der Satzreihe:

> Sie telefonierte, *da fuhr ich weg.*

620 Jedes dieser drei temporalen Teilverhältnisse ist auch im einfachen Satz darstellbar, und zwar speziell durch adverbiale Präpositionalgefüge:

> Zum Ausdruck von Vorzeitigkeit: *vor*
> Zum Ausdruck von Nachzeitigkeit: *nach*
> Zum Ausdruck von Gleichzeitigkeit: *während, binnen, innerhalb, in.*

Einige Beispiele:

> *Nach Überwindung des Passes* sahen sie das weite Land vor sich. Wir müssen *vor der Rückkehr der Eltern* fertig sein. *Während ihrer Abfahrt* fuhr er hinauf.

| 621 | Sehr reich ist in diesem Bereich die Möglichkeit der Signalisierung durch *lexikalische* Mittel. Dabei sind die adjektivischen die interessantesten:

> Zum Ausdruck der Vorzeitigkeit: *ehemalig, seinerzeitig, vorherig, früher.*
> Zum Ausdruck der Nachzeitigkeit: *anschließend, folgend, nachfolgend, nachherig, später.*
> Zum Ausdruck der Gleichzeitigkeit: *fortlaufend, begleitend, gleichzeitig, unaufhörlich, ununterbrochen* – u.a.m.

| 622 | ÜBUNG

Bestimme in dem folgenden Text die Sätze bzw. Teilsätze, die Temporalität ausdrücken oder sich temporal verstehen lassen; prüfe, wie weit es möglich ist, Temporalität auch auf andere Weise auszudrücken (am besten bedienst du dich dafür der Zusammenstellung in den vorangehenden Abschnitten):

1. Kaum ist Großmutter Hedwig von ihrer Reise zurück, muß sie von ihren Erlebnissen erzählen. 2. Sobald sie geduscht hat und die Wäsche aus dem Koffer in der Waschmaschine verschwunden ist, setzt sie sich mit den Mitgliedern ihrer Wohngruppe zusammen. 3. Schon während des Heimfluges hat sie sich überlegt, was alles passiert ist, seit sie vor fünf Monaten aufgebrochen ist. 4. Bevor sie loszog, erschienen ihr fünf Monate wie eine sehr lange Zeit, aber danach ging alles ungeheuer schnell. 5. Als sie nach einem Monat festgestellt hatte, daß sie sich nicht an alles erinnern konnte, hatte sie begonnen, ein Tagebuch zu führen. 6. Seitdem hat sie den Überblick über ihre Erlebnisse. 7. Gerade als sie beginnen will, zu erzählen, bringt ihre Freundin eine prächtige Willkommenstorte ins Zimmer. 8. Alle bewundern sie gebührend, und dann beginnt Hedwig zu erzählen. 9. Während sie die Route erklärt, orientiert sie ihr Publikum mit einer Landkarte. 10. Auch beim anschließenden Bericht gibt sie sich Mühe, gleichzeitig Bilder und Prospekte zu zeigen. 11. Die Filme kann sie nicht vor Dienstag zum Entwickeln bringen, und bis die Photos fertig sind, wird sie sich noch ein Weilchen gedulden müssen.

> *Bernd Eberle: Alter*
>
> Seit sein Kopf
> grau ist läßt
> keiner mehr ein
> gutes Haar
> an ihm

Modalsätze / Modalität

623 Unter der Bezeichnung »Modalsätze« fassen wir eine Gruppe von Nebensätzen zusammen, durch die allgemein die Umstände genauer bestimmt werden, unter denen das im Hauptsatz genannte Geschehen gilt. Damit umfaßt diese Gruppe recht Unterschiedliches. Entsprechend verschieden sind die Anschlußmittel. Wir unterscheiden hier genauer vier Verhältnisse:

1. Vergleichendes Verhältnis;
2. Instrumentales Verhältnis (Mittel);
3. Komitatives Verhältnis (Begleitumstand);
4. Exklusives Verhältnis (Ausschluß).

624 1. Im Nebensatz wird zur näheren Bestimmung dessen, was im Hauptsatz angeführt wird, ein Vergleich gegeben. Formal spielen hier vor allem die relativen Satzeinleitungen eine Rolle:

> Es geht ihr, wie es allen anderen geht. Er handelt, wie man es von ihm verlangt. Bei dem Fest ging es zu, wie es überall bei solchen Festen zugeht.
> Es geht ihr ordentlich, wie es allen anderen geht. Er handelt souverän, wie man es von ihm verlangt. Bei dem Fest ging es laut zu, wie es überall bei solchen Festen zugeht.

In der Satzreihe gibt es hier folgende Möglichkeiten:

> Es geht ihr ordentlich, *so geht es allen*. Er handelt souverän, *so hat man es von ihm verlangt*. Bei dem Fest ging es laut zu, *so geht es überall bei solchen Festen zu*.

625 Die modale Beziehung kann man koppeln mit einer Bedingung:

> Sie arbeitet, *wie wenn sie Geld dafür bekäme.* Er lebt, *wie wenn/als ob er eine Erbschaft gemacht hätte.*

Man kann diese Formulierung als die »Verkürzung« einer ausführlicheren (und umständlicheren) deuten:

> Sie arbeitet, *wie sie arbeiten würde, wenn sie Geld dafür bekäme.* Er lebt, *wie er leben würde, wenn er eine Erbschaft gemacht hätte.*

626 In den vorangehenden Fällen war es um *Gleichheit* gegangen. Aus diesem Grund hieß die Verknüpfungspartikel *wie.* Soll hingegen *Ungleichheit/Unterschiedlichkeit* ausgedrückt werden, steht *als:*

> Es geht ihr anders (besser), *als es allen anderen geht.* Er handelt anders (weniger souverän), *als man es von ihm verlangt hat.* Bei dem Fest ging es wesentlich dezenter zu, *als es sonst bei solchen Festen zugeht.*

In der Satzreihe ist möglich:

> Allen anderen geht es schlecht, *ihr geht es besser.* Er handelt nachlässig – *man hatte es sorgfältiger von ihm verlangt.* Bei dem Fest ging es dezent zu – *sonst geht es bei solchen Festen weniger dezent zu.*

627 2. Beim *instrumentalen* Verhältnis gibt der Nebensatz an, mit Hilfe welcher *Mittel* bzw. unter welchen genaueren *Umständen* das im Hauptsatz Genannte abläuft oder ausgeführt wird. Am geläufigsten sind hier die Konjunktionen *indem* und *dadurch ... daß:*

> Sie tauften ihn, *indem sie seinen Kopf dreimal in den Fluß tauchten.*
> Sie haben sich *dadurch, daß sie die Polizei eingeschaltet haben,* selbst geschadet.

Verteilt man die Teilsatzinhalte umgekehrt auf Haupt- und Nebensatz, so läßt sich sagen:

> Sie tauchten seinen Kopf dreimal in den Fluß, *wodurch sie ihn tauften.* Sie haben die Polizei eingeschaltet, *wodurch/womit sie sich selbst geschadet haben.*

Dem entspricht in der Satzreihe:

> Sie tauchten seinen Kopf dreimal in den Fluß; *dadurch tauften sie ihn.* Sie haben die Polizei eingeschaltet; *damit haben sie sich selbst geschadet.*

Innerhalb des einfachen Satzes kann dieses Verhältnis in einem Präpositionalgefüge dargestellt werden. An Präpositionen stehen hier zur Verfügung:

> durch, mit, mittels.

> Bedingt auch: anhand / an Hand (eines Dokuments), in (Wasserfarbe), kraft (seiner Stellung / seines Amtes), per (Funk / Bahn), von (Hand), zu (Fuß / Schiff).

Lexikalische Mittel, die hier herangezogen werden können, sind zum Beispiel:

> Nominal: Hilfe, Instrument, Methode, Weg, Werkzeug.

> Verbal: anwenden, sich bedienen, nutzen.

628 Mit den formalen Mitteln des Relativsatzes ist hier folgende Formulierung möglich:

> *Womit sie euch beeindruckt hat,* damit hat sie auch uns gewonnen.

> Sie hat uns mit ihrem freundlichen Wesen gewonnen, *womit sie auch euch beeindruckt hat.*

In der Satzreihe läßt sich die gleiche Beziehung folgendermaßen ausdrücken:

> Sie hat uns mit ihrem freundlichen Wesen gewonnen – *damit hat sie auch euch schon beeindruckt.*

629 3. Wenn im Nebensatz eine Handlung angeführt wird, die der im Hauptsatz genannten als *begleitend* zugeordnet ist, spricht man von einem *komitativen Verhältnis*. Ein solcher Nebensatz wird bevorzugt durch *wobei* eingeleitet:

> Sie stritten erregt, *wobei beide heftig gestikulierten.* Er las langsam, *wobei er die Lippen bewegte.*

In der Satzreihe entspricht dem:

> Sie stritten erregt, *dabei gestikulierten beide heftig.* Er las langsam, *dabei bewegte er die Lippen.*

Oft finden wir hier auch partizipiale Wendungen:

> Sie stritten erregt, *beide heftig gestikulierend*. Er las langsam, *dabei die Lippen bewegend*.

630 4. Gewissermaßen als Gegenstück besteht die Möglichkeit, eine Handlung, einen Sachverhalt usw. als gerade *nicht* zusammen mit der Handlung des Hauptsatzes vorkommend zu kennzeichnen; man spricht hier auch von einem *exklusiven* Verhältnis:

> Sie diskutierten lebhaft, *ohne dabei aggressiv zu werden*. Er las langsam, *ohne dabei die Lippen zu bewegen*.

Die Darstellung in der Satzreihe entspricht der beim komitativen Verhältnis; hinzu kommt hier aber eine Negation:

> Er las langsam, *dabei bewegte er die Lippen nicht*.

631 Innerhalb des einfachen Satzes entspricht den komitativen und den exklusiven Modalsätzen eine Teilgruppe unter den Adverbialien der Art und Weise. Soweit es sich bei ihnen um Präpositionalgefüge handelt, spielen die folgenden Präpositionen eine Rolle:

> Komitativ: mit, bei, eingerechnet, einschließlich, inbegriffen, nebst, neben, samt.

> Exklusiv: abgerechnet, abzüglich, ausgenommen, ohne.

632 Lexikalische Mittel stehen hier in großer Zahl zur Verfügung, an nominalen zum Beispiel:

> Begleitung, Gesellschaft, Verbindung, Zusammenhang.

> (Formelhaft:) im Einklang mit, im Einverständnis mit, im Einvernehmen mit, unter Einbezug von, im Zusammenhang mit, unter Ausschluß von.

Unter den verbalen Mitteln wären etwa zu nennen:

> begleiten, einschließen; fehlen, mangeln.

633	ÜBUNG

Bestimme in dem folgenden Text die Sätze bzw. Teilsätze, die Modalität ausdrücken oder sich modal verstehen lassen; prüfe, wie weit es möglich ist, Modalität auch auf andere Weise auszudrücken (am besten bedienst du dich dafür der Zusammenstellung in den vorangehenden Abschnitten):

1. Dadurch, daß sie die Zutaten gründlich knetet, formt die Köchin Mathilda einen geschmeidigen Teigklumpen. 2. Zuerst bedient sie sich des Mixers, aber durch die Zugabe von Mehl ist die Masse zu zäh geworden. 3. Sie arbeitet von Hand weiter, wobei sie Handflächen und Tischplatte von Zeit zu Zeit mit Mehl bestäubt. 4. Sie hat durch lange Übung kräftige Arme bekommen, deshalb kann sie lange arbeiten, ohne müde zu werden. 5. Neben vielen Backwaren während des Jahres fertigt sie zu Weihnachten immer zehn Sorten Kekse – nicht eingerechnet die Christstollen und Torten. 6. Mit verschiedenen Kuchenförmchen sticht sie die Plätzchen aus; dabei stellt sie fest, daß die Kinder ihre kurze Abwesenheit ausgenützt haben und mit einem Löffel ziemlich viel Teig stibitzt haben. 7. Voller Zorn beschließt sie, den Kindern, die sie schon ängstlich kichernd erwarten, eine Strafpredigt zu halten. 8. Sie versucht, sie zu beeindrucken, indem sie ihnen sagt, im Einverständnis mit den Eltern würden sie kein einziges Plätzchen bekommen, wenn sie sich noch einmal – Hilfe beim Geschirrspülen ausgenommen – in der Küche blicken ließen.

Manfred Hausin

es kommt anders
als man denkt
deshalb
denken viele nicht
damit es nicht anders kommt

Formen der Redeanführung

634 Wenn wir die Äußerungen anderer wiedergeben wollen, stehen uns dafür unterschiedliche Möglichkeiten zur Verfügung. In Verbindung mit der Lehre vom zusammengesetzten Satz sind vor allem zwei zu nennen:

Direkte und indirekte Rede;
Interrogativnebensätze/Indirekte Fragesätze.

Direkte und indirekte Rede

635 Bei zusammengesetzten Sätzen der Redeanführung steht im anführenden Satz normalerweise ein Ausdruck (oft ein Verb) des Sagens und Denkens. Für den angeführten Satz stehen mehrere Möglichkeiten zur Verfügung:

636 Die Anführung wird *direkt* gegeben, zwischen Anführungszeichen:

> Er hat zu mir gesagt: »*Du kannst dich auf mich verlassen.*« Wiederholt hat sie versichert: »*Ich bin es nicht gewesen.*« Er dachte: »*Ich bringe ihr ein schönes Geschenk mit.*«

Diesen Typ bezeichnet man als *direkte Rede*. In der direkten Rede wird Gesagtes nicht einfach allgemein, dem Inhalt nach, wiedergegeben, sondern (jedenfalls ist das der *Anspruch*) so, wie es wirklich gesagt worden ist.

637 Noch ein hohes Maß an getreuer Wiedergabe verspricht auch die sogenannte *indirekte Rede* mit Personalform an zweiter Stelle. In der Regel steht dann der Konjunktiv. Pronomen und Tempus müssen hier oft angepaßt werden (↑ 100):

> Er hat zu mir gesagt, *ich könne mich auf ihn verlassen.* Wiederholt hat sie versichert, *sie sei es nicht gewesen.* Er dachte, *er bringe ihr ein schönes Geschenk mit.*

Die Möglichkeit dieses Anschlusses ist, wie gesagt, an Ausdrücke des Sagens und Denkens im übergeordneten Satz gebunden. Dabei fällt auf, daß diese Ausdrücke nicht notwendig auch *dastehen* müssen. Sie können auch *ergänzt* werden, wenn auf irgendeine andere Weise eine Kennzeichnung der Aussage als »angeführt« vorgenommen wird, zum Beispiel durch einen Konjunktiv:

> *Ich könne mich auf ihn verlassen. Sie sei es nicht gewesen. Er bringe ihr ein schönes Geschenk mit.*

Und möglich ist an dieser Stelle gar eine Formulierung, in der der anführende Satz zu einem Nebensatz wird:

> *Wie er mir gesagt hat,* kann ich mich auf ihn verlassen. *Wie sie wiederholt versichert hat,* ist sie es nicht gewesen. *Wie er ihr versprochen hat,* bringt er ihr ein schönes Geschenk mit.

Übrigens: Bei Satzgefügen dieser Art steht im Hauptsatz (auch wenn er die »Anführung« enthält) immer der Indikativ; der Konjunktiv wäre falsch.

638 Angeführte Rede kann auch in einem daß-Satz wiedergegeben werden. Konjunktiv ist dann häufig, aber nicht obligatorisch (↑ 102):

> Er hat mir gesagt, *daß ich mich auf ihn verlassen kann/könne.* Sie hat wiederholt versichert, *daß sie es nicht gewesen ist/sei.* Er hat mir versprochen, *daß er mir ein schönes Geschenk mitbringt/mitbringe.*

In Satzgefügen dieser Art hat sich die Formulierung des angeführten Satzes schon sehr weit von der ursprünglichen Formulierung entfernt. Das gilt noch stärker bei einer Infinitivkonstruktion, so in Fällen wie den folgenden:

> Sie hat wiederholt versichert, *es nicht gewesen zu sein.* Er hat versprochen, *mir ein schönes Geschenk mitzubringen.*

639 ÜBUNG

Bestimme in den folgenden Sätzen die unterschiedlichen Formen der Redeanführung; untersuche, wie weit sich eine Form in eine andere umsetzen läßt und was sich dabei verändert:

1. Der Trainer lobt seine Mannschaft: »Euer Einsatz war phantastisch!« 2. Karin verspricht: »Ich werde mich bei der Nachbarin entschuldigen und die zerbrochene Fensterscheibe bezahlen.«

3. Carlo erzählt, er habe sich als Kind vor dem Nikolaus gefürchtet.
4. Die Postbotin verrät uns, der Nachbar sei beinahe 100 Jahre alt.
5. Die Aufsichtsratsvorsitzende eröffnet den Aktionären, daß die Ertragslage gut sei. 6. Walter muß schwören, daß er nichts weitersagen wird. 7. Kuno wirft seinen Eltern vor, ihn nicht richtig erzogen zu haben.

Interrogativnebensätze / Indirekte Fragesätze

640 Natürlich können neben »Aussagen« auch »Fragen« angeführt werden, und zwar in der direkten ebenso wie in der indirekten Form:

> Sie fragte: *»Ist die Prüfung jetzt abgeschlossen?«* Sie fragte: *»Wann ist die Prüfung abgeschlossen?«* Sie fragte, *ob die Prüfung jetzt abgeschlossen ist/sei.* Sie fragte, *wann die Prüfung abgeschlossen ist/sei.*

Was hier als »Interrogativnebensatz« bezeichnet wird, heißt auch »indirekter Fragesatz«. Man kann diesen Ausdruck verwenden, muß dabei aber beachten, daß nicht hinter allen *Interrogativ*-anschlüssen auch eindeutig *Frage*verhältnisse stehen; nicht in ein direktes Frageverhältnis umsetzbar sind etwa die folgenden Beispiele:

> Ich weiß nicht, *ob die Prüfung jetzt abgeschlossen ist.* Ich weiß nicht, *wann die Prüfung abgeschlossen ist.*

641 ÜBUNG

Bestimme in dem folgenden Text die »Interrogativnebensätze«; versuche sie umzuformen und beschreibe die Unterschiede, die sich bei diesen Versuchen zeigen:

1. Der japanische Tourist erkundigt sich im Käsegeschäft: »Wieviel kostet ein Kilo Käsemischung für Fondue? 2. Können Sie es luftdicht verpacken?« 3. Dann fragt er noch, woraus die Mischung bestehe und ob die Zubereitung schwierig sei. 4. Der Verkäufer

weiß natürlich, wie man vorgehen muß, aber er ist nicht sicher, ob in Japan alle Zutaten erhältlich sind. 5. Deshalb fragt er den Kunden, ob er wohl Maispuder und Kirschwasser auftreiben könne. 6. »Sind diese Zutaten unbedingt nötig? 7. Worin besteht ihre Wirkung?« fragt der Japaner. 8. Der Verkäufer erklärt es ihm und versucht auch, ihm weiterzuhelfen: »Haben Sie noch genügend Zeit? 9. Dann können Sie sich im Geschäft nebenan eindecken.« 10. Dem Kunden sagt diese Lösung nicht zu, und er will wissen, ob er nicht eine pfannenfertige Mischung bekommen kann. 11. »Selbstverständlich! Darf ich Ihnen die größere oder die kleinere Packung geben?« 12. Zufrieden verläßt der Tourist wenig später das Käsegeschäft. 13. Wie wird das Fondue wohl seiner Familie schmecken?

SPRECHEN UND SCHREIBEN

Grundsätzliches

642 In diesem Buch ist es bisher ausschließlich um Grammatik gegangen. Sprache ist aber mehr als Grammatik, und mit Sprache kann man mehr leisten, als eine rein grammatische Betrachtungsweise erklären kann. Das wird genauer in anderen Büchern behandelt. Hier ist immerhin zweierlei wichtig:

– Die Sprache ist das wichtigste Mittel der Verständigung (man sagt oft auch: der Kommunikation) zwischen Menschen. Mit ihrer Hilfe teilen wir uns anderen Menschen mit, suchen wir mit ihnen Kontakt. Sprache schafft Gemeinschaft.

– Die Sprache ermöglicht uns das Erfassen der Welt und das Denken: Mit den Wörtern, die sie uns zur Verfügung stellt, benennen und ordnen wir das, was um uns herum und in uns ist. Wo uns die Worte fehlen, ist Benennung und Ordnung nicht möglich. Und: Durch die Verknüpfung von einzelnen Wörtern zu Sätzen und Texten können wir zusammenhängende Gedanken ausdrücken.

Wir wollen auf die Probleme, die damit zusammenhängen, im folgenden wenigstens noch kurz eingehen.

643 Sprache wird *gesprochen* und *geschrieben;* Sprechen und Schreiben ist aber nicht dasselbe; für beides gibt es mindestens teilweise unterschiedliche Bedingungen und Normen. Unter diesen Umständen müssen wir in getrennten Schritten vorgehen. Wir werden zunächst einen Blick werfen auf das, was vor allem für das Sprechen gilt (↑ 644–669); anschließend gehen wir auf das Schreiben mit seinen Besonderheiten ein (↑ 670–674).

Miteinander reden

Miteinander reden ist mehr als Sätze bauen und Nachrichten austauschen

644 Sprechen, miteinander reden ist mehr und anderes als nach bestimmten Regeln Wörter zu Sätzen zusammenfügen. Es ist auch mehr als Nachrichten austauschen. Indem wir sprechen, teilen wir uns anderen mit, nehmen wir aneinander Anteil, schaffen wir Verbindung. Wie wichtig das ist, spüren wir alle dort, wo wir ein gutes Gespräch erwarten, es aber nicht dazu kommen will. Das kann zum Beispiel dann passieren, wenn Menschen zusammentreffen, die sich noch nicht gut kennen: Das Gespräch bleibt steif, wir fühlen uns unwohl.

Von einer anderen Seite her betrachtet: Wenn man zu einem Menschen sagt: »Mit dir spreche ich nicht mehr!«, droht man mehr an als Verweigerung von Information. Man kündigt Gemeinschaft auf, und das kann sehr weitreichende Folgen haben: Wer über lange Zeit in Einzelhaft gehalten wird, wem also systematisch der Sprechkontakt mit anderen unterbunden wird, der droht als Mensch zu verkommen. Von dem Stauferkaiser Friedrich II. wird erzählt, er habe mit Kleinkindern ein Experiment gemacht: Er wollte herausfinden, wie sie (von sich aus) sprechen, wenn man sie nicht in einer bestimmten Sprache anspricht. Zu diesem Zweck ließ er sie zwar mit Speisen und Getränken versorgen, aber niemand durfte ein Wort an sie richten. Sie sind alle gestorben. Schließlich gibt es – wie wir aus der Völkerkunde wissen – Volksstämme, bei denen Ausschluß aus der Kommunikationsgemeinschaft, »Exkommunikation« also, zu körperlichem Tod führt.

645 Es hängt damit zusammen, daß wir mit Menschen, die wir kennen, wenn wir sie zufällig auf der Straße treffen, in aller Regel ein paar Worte wechseln. Wir tun dies auch dann, wenn wir einander gar nichts Neues oder Wichtiges zu sagen haben. Denn gingen wir wortlos aneinander vorüber, würden wir unsere

Beziehung gefährden. Der andere könnte denken:»Was hat er gegen mich?«

646 Damit ist nicht bestritten, daß normalerweise *Inhalte* das Gespräch bestimmen. Unter gewissen Bedingungen wird sogar ausschließliche Beschränkung auf Inhalte gefordert. Das geschieht etwa in Diskussionen – zum Beispiel auch in der Schule – bei Arbeitsbesprechungen, bei Sitzungen in Vereinen. Da passiert es gelegentlich, daß man uns ausdrücklich auffordert,»sachlich« zu bleiben, nicht»persönlich« zu werden und»nicht zu plaudern«. Aber sogar noch in dieser Zurückweisung zeigt sich eben auch, daß das Miteinanderreden mehr ist: Sachbezogenes Informieren und Argumentieren etwa *und* bestätigender Austausch. Mag das eine oder das andere in unterschiedlichen Situationen jeweils stärker oder weniger stark hervortreten, grundsätzlich wirksam ist beides.

Äußerungen stellen Ansprüche

647 Wo Menschen miteinander sprechen, stellen sie in ihren Äußerungen Ansprüche aneinander. Das ist wohl unmittelbar verständlich bei Fragen, Aufforderungen oder Bitten: Mit ihnen verlangt man ja ausdrücklich bestimmte Antworten, eine Auskunft oder ein Verhalten. Entsprechendes gilt aber auch dort, wo ein Anspruch nicht deutlich zum Ausdruck gebracht wird. Wenn ein Mädchen zu seiner Freundin über eine Klassenkameradin sagt:»Ich finde Sabine langweilig«, dann ist das auf den ersten Blick nicht mehr als eine Mitteilung, eine Information. Die Sprecherin wäre aber normalerweise doch einigermaßen unzufrieden, wenn ihre Freundin auf die Äußerung nicht näher eingänge. Sie müßte den unbefriedigenden Eindruck haben, daß ihre Partnerin die»Information« gewissermaßen nur»zur Kenntnis nähme«, aber keinen Bezug herstellte zu dem, was *hinter* der Äußerung steht. Auf der anderen Seite fühlte sich wohl auch die Freundin in der Regel verpflichtet, etwas dazu zu sagen, und sicher mehr als ein einfaches»Hm«.

648 Entsprechende Bedingungen gelten auch dort, wo ein Sprecher scheinbar nur Mitteilungen über sich selbst macht: »Mir geht es heute gar nicht gut.« Natürlich ist das vordergründig betrachtet nicht mehr als eine Aussage, eine Information. Dahinter steckt aber meistens zusätzlich eine Bitte um Stellungnahme, ein Appell. Und der wieder kann sehr Unterschiedliches anstreben und sehr unterschiedlich beantwortet werden: Es kann genügen, daß der andere überhaupt etwas sagt; es kann nötig sein, daß er in der Sache genauer auf den Sprecher eingeht und etwas Tröstendes sagt – und anderes mehr. Verallgemeinert heißt das:

– Sprechen insgesamt stellt an den anderen den Anspruch auf Antwort.

– Aufforderungen zu einem *bestimmten* Handeln stellen nur eine der vielen möglichen Arten von Ansprüchen dar.

– Es ist durchaus nicht der Normalfall, daß solche Ansprüche sprachlich *eindeutig* unterschieden und angezeigt werden.

649 Das ist übrigens keineswegs notwendig ein Nachteil. Wir können diesen Umstand nämlich auch dazu nutzen, Ansprüche anzumelden, ohne sie deutlich auszuformulieren. Das wiederum hat seine Vorteile dann, wenn wir selbst nicht bindend auf solche Ansprüche festgelegt werden wollen oder auch den anderen nicht bindend festlegen wollen. Angenommen, ich sitze auf dem Beifahrersitz eines Motorrads, mir wird angesichts des Tempos unheimlich, ich scheue mich aber, meine Angst und meinen Wunsch nach vorsichtigerem Fahren eindeutig zu formulieren. In dieser Situation kann ich sagen: »Hier hat es schon viele Unfälle gegeben.« Der andere kann, indem er auf unterschiedliche Seiten meiner Äußerung Bezug nimmt, ganz verschieden reagieren, zum Beispiel:

– herunterspielend: »Ach, das ist doch nicht gefährlich.«

– rechtfertigend: »Mir ist noch nie etwas passiert.«

– entwertend: »Angsthase!«

– lahmlegend: »Hm.«

– angreifend: »Findest du, daß ich schlecht fahre?«

– offen annehmend: »Ich verstehe« (und er fährt langsamer).

Und er kann schließlich wortlos auf mich eingehen, indem er einfach langsamer und vorsichtiger fährt.

Man redet nicht nur mit Worten

650 Menschen bedienen sich in Gesprächssituationen sprachlicher und nichtsprachlicher Mittel für Ausdruck und Verständigung. Die grundlegenden sprachlichen Mittel sind die Wörter unserer Sprache und die Möglichkeiten und Regeln, sie abzuwandeln und zu Sätzen zu verknüpfen. Zu ihnen treten Mittel, die der (Wort-)Sprache unterschiedlich nahe sind. Wir bezeichnen sie als *nichtsprachliche Mittel.* Man kann hier unterscheiden:

- Manche Mittel sind an sprachliche Strukturen, zum Beispiel an den Satzbau, *gebunden.* Hierher gehört etwa die Satzmelodie. »Gebunden« sind solche Mittel insofern, als sie ohne die sprachlichen Strukturen gar nicht vorkommen: Die Satzmelodie eines Fragesatzes zum Beispiel setzt Wörter im Satz und ihre geordnete Abfolge voraus.
- Andere Mittel sind von der Sprache *getragene* Merkmale. Wenn wir sprechen, gilt dies für die Stimmhöhe, die Tonlage oder die Klangfarbe. Wenn wir schreiben, betrifft dies zum Beispiel die Schreibweise, das Schriftbild oder die Textgliederung.
- Es gibt auch nichtsprachliche Mittel, die unser Sprechen *begleiten:* die Miene, die Bewegungen, die wir machen, der Augenkontakt, den wir im Gespräch suchen. »Begleitend« sind diese nichtsprachlichen Mittel insofern, als sie auch ohne Sprache vorkommen.
- Hinzu kommen nichtsprachliche Handlungen, die unser Sprechen *erweitern* oder *ergänzen:* ein Kuß, ein Schubs, Schulterklopfen.

Zum Teil handelt es sich hier also um Erscheinungen, die ganz eng mit Sprache verbunden sind, zum Teil um solche, die mit Sprache eigentlich gar nichts mehr zu tun haben.

651 Sprachliche und nichtsprachliche Mittel spielen in der menschlichen Kommunikation zusammen. Dabei können ihre Beziehungen zueinander von sehr unterschiedlicher Art sein:

- Nichtsprachliches Kommunikationsverhalten kann sprachliches *vorbereiten;* so nehmen wir etwa Augenkontakt zu jemandem auf, wenden uns ihm zu, lächeln, ehe wir ihn ansprechen.

- Nichtsprachliche Signale *laufen* mit sprachlichen *parallel;* sie verstärken sie damit und sichern ihre Deutung. Freundschaftlich und anerkennend kann ich sagen: »Du bist ein feiner Kerl.«
- Nichtsprachliche Signale *erläutern* sprachliche in einem Sinn, der dem Wortsinn entgegenläuft. Der Satz »Du bist ein feiner Kerl« kann höchst ironisch gesprochen werden. Er ist dann ganz anders gemeint, als der reine Wortsinn nahelegt.
- Nichtsprachliche Signale *ergänzen* sprachliche: Ich kann darum bitten, daß mir ein Gegenstand herübergereicht werde, dessen Name mir im Augenblick nicht einfällt; ich zeige dann auf ihn.
- Nichtsprachliche Signale *ersetzen* sprachliche: Ein Kopfschütteln steht für «Nein!«, ein Kopfnicken für »Ja!«. Wer einem anderen »einen Vogel zeigt«, braucht sich nicht weiter sprachlich zu äußern.

652 Sprachliche und nichtsprachliche Mittel haben unterschiedliche Vorzüge und Mängel. Mit Hilfe *sprachlicher Mittel* können wir – begrenzt – Zeit und Raum überwinden. Die Sprache bietet uns ein System von Begriffen. Damit ermöglicht sie begriffliches Denken und Verständigung. Hier sind sprachliche Mittel den nichtsprachlichen deutlich überlegen. Demgegenüber erlauben die *nichtsprachlichen Mittel* eine differenzierte, genau auf die Situation bezogene Abstimmung des eigenen Ausdrucks. So kann man beispielsweise nichtsprachlich Zorn, Ärger oder Freude zeigen, wie man es mit Sprache allein nicht vergleichbar vermag. Und: Weil nichtsprachliches Ausdrucksverhalten nur begrenzt kontrolliert und geregelt werden kann, bietet es eher als sprachliches Sicherheit vor Täuschung: Es ist schwerer, mit dem ganzen Körper zu lügen als mit Worten.

Wir reden miteinander in Situationen

653 Wie wir mit einem anderen reden und wie wir das, was er sagt, verstehen, das hängt sehr stark von der Situation ab, in der wir uns befinden.

Was »Situation« ist, das ist teilweise von außen festgelegt, zum Beispiel durch Umstände, auch durch die Umgebung, in der wir leben, und durch Gewohnheiten und Normen. »Unterricht« ist eine solche Situation, ein Verhör bei der Polizei oder der Besuch in der Arztsprechstunde. Wie man hier miteinander redet, ist recht stark festgelegt.

Viele Situationen sind aber auch offener. Was in ihnen möglich ist, hängt stärker von den Sprechenden selbst ab. Freilich herrscht auch hier nicht einfach Regellosigkeit. Auch hier bestimmen verschiedene Dinge mehr oder minder bindend die Art und Weise, wie wir miteinander reden. Dazu gehören beispielsweise:

– *die Zahl der Gesprächspartner,* ihre gesellschaftliche oder berufliche *Stellung,* die *Vertrautheit* mit ihnen: Wir reden mit jemandem, der uns bekannt ist, anders als mit einem Fremden. Schüler reden mit dem Lehrer anders als mit einem Mitschüler. Man kann in einem kleinen Kreis anders – zum Beispiel offener und ohne Angst – sprechen als in einer großen Gruppe.

– *der Zeitpunkt und die Zeitdauer:* Wir reden in unserem täglichen Streß anders miteinander als in entspannten Momenten nach getaner Arbeit. Wir verhalten uns anders, wenn wir wissen, daß wir nur begrenzte Zeit für ein Gepräch zur Verfügung haben, als wenn unser Zeitrahmen unbeschränkt ist.

– *der Ort:* Ein Gespräch, zum Beispiel zwischen Lehrern und Schülern, kann sich auf einem Schulausflug oder in einem Schullandheim ganz anders entwickeln als im Klassenzimmer mit seiner festgelegten Sitzordnung.

Schließlich ist »die Situation« offensichtlich auch in hohem Maße abhängig davon, wie beteiligte Menschen etwas sehen oder sehen wollen. Mit anderen Worten: Situationen »findet man nicht einfach vor«, man »schafft« sie – jedenfalls ein Stück weit. Wer kennt nicht die berühmte Geschichte von Tom Sawyer, der (auf Geheiß seiner Tante Polly) den Zaun streichen soll: eine lästige Aufgabe, zumal die Freunde alle baden gehen können. Wie hilft er sich? Er deutet die Situation um. Den Freunden, die sich schadenfroh und spottbereit nähern, erklärt er, es sei eine besondere Auszeichnung, den Zaun streichen zu dürfen. Und sie übernehmen seine Deutung so weit, daß sie sich die Möglichkeit, am Zaun mitzustreichen, durch wertvolle Geschenke erkaufen.

Wer redet, will etwas

654 Im menschlichen Gespräch spielen die Absichten und Erwartungen der Sprechenden aneinander eine große Rolle. Wenn wir sprechen, verfolgen wir bestimmte Ziele: Wir möchten etwas klären, möchten eine bestimmte Lösung erreichen, möchten etwas vermitteln. Wenn wir zuhören, setzen wir beim anderen bestimmte Absichten voraus. Unter dieser Perspektive schätzen wir die Situation auf die in ihr gegebenen möglichen Spielräume hin ein und stimmen unser Sprechen und unser Verstehen darauf ab. In unserem Alltagsleben läuft das geradezu automatisch ab. Man will zum Beispiel Briefmarken kaufen und tritt an den Postschalter. Sprachlich kann man sich in einer solchen Situation sehr zurücknehmen. Es genügt, wenn man sagt: »Zehn Achtziger, bitte.« Der Postbeamte wird zehn Briefmarken zu achtzig Pfennig herausgeben, erwarten, daß der Kunde acht Mark zahlt – und nicht etwa damit rechnen, daß dieser allgemein über Zahlen mit ihm diskutieren will.

655 Das ist geläufig und so lange fast selbstverständlich, wie wir bei »Absicht«, »Ziel« oder »Erwartung« an etwas denken, was uns bewußt ist. Aus der Psychologie wissen wir aber, daß wir auch mit Antriebskräften in uns zu rechnen haben, die nicht bewußt sind: halbbewußte, zum Teil ganz unbewußte. Um das berücksichtigen zu können, sollte man besser nicht von »Absicht« und dergleichen sprechen, sondern von »Intentionen«; bei »Absicht« denken nämlich die meisten Menschen an Bewußtes.

Ein Beispiel für nicht (zumindest: nicht voll) bewußte Intentionen können wir etwa in den Kommunikationsproblemen einer Arbeitsgruppe antreffen, wo die Äußerungen eines Gruppenmitglieds auf ein anderes verletzend wirken. Hier kann der, der die verletzende

Äußerung tut, subjektiv ehrlich den Eindruck haben, »er habe es nicht so gemeint«. Beide können sich darauf einigen, es handle sich um ein Mißverständnis. Trotzdem kann dem Vorgang eine unbewußte und unverstandene Zielgerichtetheit zugrunde liegen. Dabei kann es der eine, ohne sich dessen bewußt zu sein, auf eine Entwertung des anderen abgesehen haben. Möglich ist allerdings auch, daß der andere dazu neigt, entsprechende Äußerungen immer zu seinen Ungunsten auszulegen – es gibt bekanntlich Menschen, die den unabweisbaren Eindruck haben, die Ampel springe immer auf Rot, wenn sie kommen.

Wir verfolgen diesen Gedankengang hier nicht weiter. Wichtig ist uns nur: Die Intentionen, die unser Sprechen und unser Verstehen steuern, liegen auf höchst unterschiedlichen Bewußtheitsebenen.

Kommunikation ist immer mit Deutung verbunden

656 Alles, was Einfluß auf unser kommunikatives Verhalten ausübt, ist uns nur durch unsere Deutung zugänglich, nicht direkt, nicht sozusagen »objektiv«. Denken wir uns als Beispiel die folgende Situation: In einer Deutschstunde wird diskutiert; dabei macht der Lehrer eine sehr persönliche Aussage und ein Schüler lacht. Zwischen dem Lehrer und dem Schüler sind hier vier ganz unterschiedliche Verhältnisse möglich:

- Verhältnis 1: Der Schüler lacht über die Lehreräußerung, und dieser faßt es auch so auf.
- Verhältnis 2: Der Schüler lacht über die Lehreräußerung, der Lehrer faßt es aber nicht so auf (sondern bezieht es auf etwas anderes oder hat es gar nicht wahrgenommen).
- Verhältnis 3: Der Schüler lacht über etwas ganz anderes, der Lehrer bezieht es aber auf sich.
- Verhältnis 4: Der Schüler lacht über etwas ganz anderes, und der Lehrer faßt es auch so auf.

Problematisch daran kann folgendes sein:
– Sowohl der Lehrer als auch der Schüler (und zusätzlich andere,
  die deutend zwischen den beiden »Ereignissen« einen Zusammenhang herstellen) nehmen in der Regel ohne großes Nachdenken eine bestimmte Deutung als selbstverständlich vor.
– Jeder hält seine Deutung für die einzig zutreffende, und zwar so
  sehr, daß er an die Möglichkeit einer anderen Deutung gar nicht
  denkt.
– Normalerweise reden wir über derartige Unterschiede in unserer
  deutenden Wahrnehmung gar nicht.

Unter diesen Umständen können aus unserem kleinen Vorfall weitreichende Folgen erwachsen: Ohne Folge für den weiteren gemeinsamen Umgang miteinander bleibt ja nur das vierte Verhältnis. Und
das gilt auch nur, wenn wir davon absehen, daß solche Vorgänge
natürlich auch für die Wahrnehmung und das weitere Verhalten der
Mitschüler eine Rolle spielen. Nicht nur bei Verhältnis 1, sondern
auch bei Verhältnis 2 können Probleme entstehen. Das ist dann der
Fall, wenn der Schüler die Nichtbeachtung durch den Lehrer in
dem Sinn auslegt, daß dieser so tue, als habe er nichts gehört. Er
unterstellt dem Lehrer so Angst vor einer Auseinandersetzung und
stört daraufhin den Unterricht noch mehr. Auch bei Verhältnis 3
sind Konflikte möglich, wenn sich der Lehrer von diesem Schüler
herausgefordert fühlt, es ihm unter Umständen zu einem späteren
Zeitpunkt »heimzahlt«. Dann kann der Schüler wiederum den Eindruck erhalten, der Lehrer könne ihn offenbar nicht leiden usw.

657 Bei all dem ist zu berücksichtigen, daß manche Menschen
in übersteigerter Weise zu bedrohlichen oder negativen
Deutungen neigen. Das kann gehen bis zu verzerrter Wahrnehmung. Andere wiederum können in nichts eine Bedrohung sehen.
Wir folgen hier Deutungsmustern, die sich in den meisten Fällen in
jungen Jahren in uns aufgebaut haben und weitgehend unbewußt
oder halbbewußt geworden sind. Trotzdem sind sie außerordentlich
wirksam: Wie zwei Menschen eine gemeinsame Situation und das
Verhalten des anderen in ihr wahrnehmen, das hängt von der je
persönlichen Wahrnehmungsart ab, die ganz bestimmte Informationen von vornherein gar nicht durchläßt. Im äußersten Fall kön-

nen zwei Menschen eine gemeinsame Situation so unterschiedlich sehen, daß sie keine Möglichkeit einer Einigung haben; schlimmstenfalls wird allein die Tatsache, daß der Partner eine ganz eigene, abweichende Sehweise vertritt, als Böswilligkeit oder als Dummheit wahrgenommen. Die Frage, was »objektiv« in dieser Situation der Fall ist, hilft nicht weiter.

Wir sind nicht frei in unserer Deutung

658 Es gibt – bei uns selbst wie bei anderen – Stellen, an denen uns die Deutungsmuster, von denen eben die Rede war, teilweise zugänglich sind, manchmal sogar in ihrer Entstehung. Das sind die Wörter unserer Sprache. Freilich sind sie das nicht in ihrer »objektiven« Bedeutung (Wörterbuch-Bedeutung), sondern gleichsam in dem »Beigeschmack«, den sie für uns haben. In der Sprachwissenschaft spricht man hier von Konnotationen.

Der Hintergrund dafür ist: Wörter sind für den Sprachteilhaber nicht »neutrale«, »objektive« Bezeichnungen für Gegenstände oder Sachverhalte. Vielmehr hängen ihnen in unserem je persönlichen Wortschatz – jedenfalls ein Stück weit – unsere persönlichen Stellungnahmen und Einstellungen an. Diese stammen aus dem Zusammenhang, in dem wir die Wörter (und mit ihnen die »Sachen«, die sie bezeichnen) »gelernt« haben, und natürlich aus unserer Verarbeitung im Lernprozeß. Was hierbei herauskommt, kann in sehr unterschiedliche Richtung weisen. Ein Beispiel dafür:

Wer den Polizisten (als Person, in seiner Funktion) wirklich als »Freund und Helfer« kennengelernt hat, für den hat das Wort »Polizist« eine andere »Konnotation« als für den, der von einem Polizisten verfolgt worden ist. Das gilt unabhängig davon, daß für beide ein Polizist gleichermaßen zweifelsfrei erkennbar ist. Wie stark wir alle dem unterworfen sind, kann jeder leicht an einem Test bei sich selbst mit Wörtern aus dem Schulzusammenhang nachprüfen. Stichwörter könnten sein: »Schule«, »Lehrer«, »Zeugnis«, »Ferien«.

659 Wichtig ist, daß solche persönlichen »Konnotationen« bei Wörtern nicht etwa zweitrangige Eigenschaften sind, die zu an und für sich neutralen Wortbedeutungen auf eine äußerliche Weise hinzutreten. Sie gehören vielmehr zutiefst zu unserer je persönlichen Sprache. Und in dieser persönlichen Sprache sind sie zum einen unterschiedlich *intensiv* geprägt, zum andern ist ein und dasselbe Wort bei verschiedenen Menschen *unterschiedlich* bestimmt. Es ist schon ein kleines Wunder, daß wir uns trotz all dem in der Regel noch ganz gut verständigen können.

Sprechen und Denken – Sprache und Erkenntnis

660 Sprechen und Denken ist nicht einfach dasselbe – sozusagen nur mit dem Unterschied, daß das eine nach außen gerichtet und laut, das andere innerlich und still abläuft. Auf der anderen Seite sind die beiden Tätigkeiten aber auch nicht gänzlich voneinander getrennt zu sehen. Nur: Wie ist ihr Verhältnis zueinander zu denken? Ganz genau weiß man das heute immer noch nicht. Sicher ist aber, daß die Sprache mehr ist als ein bloßes Darstellungsmittel, das zum Denken nur hinzutritt, es gewissermaßen nach außen bringt. Sicher ist auch, daß man von der Sprache nicht einfach auf das Denken Rückschlüsse ziehen kann: Zu den gefährlichen Annahmen hier gehört zum Beispiel, daß jemand, der »unordentlich« spricht, auch unklar denkt.

661 In unserem alltäglichen Bewußtsein haben wir Vorstellungen vom Verhältnis von Sprechen und Denken. Zum Teil laufen sie eher in Richtung einer Trennung. So haben wir manchmal das Gefühl, wir »hätten uns nicht richtig ausgedrückt« – als hätten wir die falschen Worte »erwischt«, um das zu vermitteln, was wir gedanklich »gewußt« haben. Oder wir haben den Eindruck, jemand »rede schneller, als er denken kann«. Das ist dort der Fall, wo ein Sprecher sich verhaspelt, Gedanken nicht zusammenhängend ausdrückt, sich im Sprechen überschlägt. Auf der anderen Seite erleben wir wieder enge Beziehungen zwischen Sprechen und Denken: Ein Computergedicht zum Beispiel, auch wenn es aus willkürlich angeordneten sprachlichen Formen besteht, ruft in uns »Gedankliches« hervor.

662 Wahrscheinlich haben die widersprüchlichen Erfahrungen die folgende Grundlage: Sprechen und Denken scheinen beim Kleinkind eine Zeitlang zwei getrennte Fähigkeiten zu sein. Auf der einen Seite steht ein sprachähnliches, jedenfalls an die Stimme gebundenes Signalsystem, auf der anderen Seite ein denkähnliches, darstellungsfähiges Wahrnehmungssystem. Die beiden Systeme wirken aber von sehr früh an zusammen, und dieses Zusammenwirken wird im Verlauf unseres Lebens immer stärker ausgebaut. Das ist die Grundlage für unsere besondere menschliche Natur. Und als heranwachsende und erwachsene Menschen haben wir immer schon die Erfahrung des Zusammenwirkens von beidem: Sprache ist in unserem Bewußtsein immer schon durch Denken bestimmt, sprachliche Erfahrungen sind Voraussetzung für die Möglichkeit des Denkens, und Denken läuft über sprachliche Vermittlung.

663 Das alles hat natürlich nicht zuletzt damit zu tun, daß ein heranwachsendes Kind in unserer Welt immer in eine Gemeinschaft hineinwächst, die Sprache hat und Sprache benutzt, und zwar zur Verständigung ebenso wie zum Erkennen und zum Festhalten von Erkanntem. Konkreter: Das Kind wächst in einer Welt auf, in der man mit ihm spricht, in der es Zuwendung und Aufnahme immer auch sprachlich erfährt. Es wächst in eine Welt hinein, die sprachlich benannt ist: Vater und Mutter, sein Bett, sein Tisch, der Hund, die Straße, die Sonne. Und es lernt diese Welt selbst sprachlich erkennen und ordnen. Mit den sprachlichen Mitteln, die ihm angeboten werden, erhält es gewissermaßen »Rohstoff« für sein Denken. In der Auseinandersetzung mit diesen sprachlichen Mitteln baut es seine eigene Denkwelt auf. Mit den Begriffen, die sich dabei ausbilden, legt es sich dann die Wirklichkeit zurecht. Dieser Prozeß wiederum kann zu einer Bestätigung seiner Begriffe führen, aber auch zu Abwandlung, Korrektur oder gar Verwerfung. Zu all dem kommt der sprachliche Austausch mit den Menschen in seiner Umwelt: Begriffe werden beibehalten, wenn sie sich im Umgang mit der Umwelt bewähren. Das heißt auch: wenn sie mit den Begriffen, die die Umwelt verwendet, übereinstimmen. Ist das nicht der Fall, müssen sie unter Umständen verworfen werden. Dieser Prozeß dauert ein ganzes Leben: Spracherwerb ist ebensowenig einmal abgeschlossen wie Ausbildung des Denkens.

664 Im Prozeß des Spracherwerbs wächst der Mensch in eine ganz bestimmte Sprache hinein. Wo es sich um seine erste Sprache handelt, sprechen wir von der Muttersprache. Diese Muttersprache teilt er mit all denen, die der gleichen Sprachgemeinschaft angehören. Er teilt sie darüber hinaus in einem gewissen Sinn auch mit all denen, die in den zurückliegenden Jahrhunderten und Jahrtausenden diese Sprache geschaffen haben: Er ist ihr Erbe. Diese Erbschaft ist einerseits etwas Positives, andererseits etwas Problematisches. Mit unserer ersten Sprache erwerben wir nämlich zugleich bestimmte »muttersprachlich« geprägte Begriffe, Strukturen und Verknüpfungsmuster, die ihrerseits wieder Einfluß auf unser Denken ausüben. Positiv daran ist, daß wir in unserem Handeln unterstützt werden durch die sprachlichen Vorgaben, die unser Erbe ausmachen: Wir haben einen Wortschatz zur Verfügung, wir haben grammatische Möglichkeiten der Abwandlung dieses Wortschatzes, wir können Wörter zu umfangreicheren Aussagen zusammensetzen. Nur weil wir das haben, können wir im Lauf unseres kurzen Lebens so viel an Sprache und Denken bewältigen. Problematisch daran ist, daß in diesem Wortschatz immer auch Deutungen einer Welt aufgehoben sind, die wir überwunden haben: So sagen wir zum Beispiel immer noch »Die Sonne geht auf«, obwohl wir seit Jahrhunderten wissen, daß sich nicht die Sonne um die Erde bewegt. Und immer noch wird hier und da zwischen der Frau und dem Fräulein unterschieden, eine Unterscheidung, die mit längst überwundenen Denkweisen zusammenhängt.

Wir wollen die muttersprachliche Prägung, die wir hier angesprochen haben, an ein paar Beispielen deutlicher herausarbeiten:

665 | Wenn wir in eine fremde Sprache übersetzen, fällt es uns oft schwer, für ein deutsches Wort ein angemessenes Wort in der Zielsprache zu finden – und umgekehrt. Es gibt eine ganze Reihe bekanntermaßen »unübersetzbarer« Wörter – das deutsche Wort *Gemütlichkeit* zum Beispiel gehört dazu. Das hängt damit zusammen, daß Wörter einen Gedanken oder – in einem sehr weiten Sinn – einen »Gegenstand« nicht einfach abbilden, so daß etwa unterschiedliche Sprachen nur unterschiedlich lautende Namen mit gleicher Bedeutung für den gleichen Gegenstand zur Verfügung stellten. Sprachen legen sich vielmehr ihre »Gegenstände« oft sehr unterschiedlich zurecht. Das geschieht in Auseinandersetzung mit der Umwelt, in der eine Sprachgemeinschaft lebt, auch mit den Bedingungen, unter denen sie lebt. Eine Sprachgemeinschaft am Polarkreis tut das anders als eine Sprachgemeinschaft am Äquator. So haben etwa die Eskimos eine Unzahl von Ausdrücken für Schnee, unterschiedlich danach, ob Schnee fällt, ob er auf dem Boden liegt, ob er wäßrig ist, windgetrieben, fliegend usw. In vergleichbarer Dichte hat das keine Sprachgemeinschaft am Äquator – sie hat dafür anderes.

666 | Wir sind gewöhnt, mit einer Sprache umzugehen, die unterschiedliche *Wortarten* kennt. So gibt es im Deutschen zum Beispiel neben Verben auch Nomen oder Adjektive. Was wir benennen wollen, können wir grundsätzlich mit Wörtern unterschiedlicher Wortart benennen; »grundsätzlich« meint einschränkend, daß wir zwar Wahlmöglichkeiten haben, aber auch nicht ganz frei sind: Die Sprachgemeinschaft hat irgendwann in zurückliegenden Zeiten eine Festlegung getroffen. So sprechen wir etwa von einer »Mannschaft« (sogar auch dann, wenn sie aus Frauen besteht); und wir sind darauf angewiesen, das, was wir benennen wollen, durch ein Nomen auszudrücken. In einem anderen Fall können wir ein Nomen und ein Verb gebrauchen: Wir können sagen: »Der Wind weht«. Fast paradox daran ist, daß ein und dasselbe hier einmal durch ein Nomen, einmal durch ein Verb ausgedrückt ist (man kann ja fragen: Was tut der Wind, wenn er nicht weht?). Das alles wird zum Problem, wenn man bedenkt, daß es Sprachen gibt, die die Wortartenunterscheidung nicht genau so

kennen, wie wir sie im Deutschen und in den damit verwandten
Sprachen haben. Und mit diesem Problem ist die Frage nach dem
Zusammenhang von Sprechen und Denken verbunden.

---

667 In unserer Sprache unterscheiden wir zwischen *Singular*
und *Plural*, Einzahl und Mehrzahl: Wir können neben *die
Frau die Frauen* stellen. Im ältesten Deutsch gab es neben diesen
beiden Formen oft noch einen sogenannten *Dual* (eine »Zwei-
zahl«). Man konnte also unterscheiden: *Die Frau – zwei Frauen –
mehr als zwei Frauen*. Auch in anderen Sprachen war und ist das
möglich. Man kann sich nun fragen: Was für einen Einfluß hat es
auf unser Denken, daß diese Kategorie in unserer heutigen Sprache
fehlt?

---

668 Es gibt in jeder Sprache bestimmte Mittel, um Teilaussa-
gen in ein Verhältnis zueinander zu setzen, zum Beispiel
Konjunktionen. Diese Mittel deuten auf gedankliche Verarbeitung
zurück. Nehmen wir zwei Aussagen und setzen wir sie in ein Verhältnis zueinander:

> Die Sonne ging auf. Es wurde wärmer.

Man kann sagen: In einem ersten Schritt kann man die beiden Aussagen einfach nebeneinanderstellen, ohne ein bestimmtes Verhältnis zwischen ihnen anzugeben:

> Die Sonne ging auf, es wurde wärmer.

Mittels sinnlicher Wahrnehmung kommt man vielleicht auch noch
auf den Ansatz einer Abfolge. Man kann dann eine *zeitliche* Beziehung herstellen:

> Als die Sonne aufging, wurde es wärmer.

Nun wissen wir alle, daß es in unserer Sprache möglich ist, weit
durchdachtere Beziehungen herzustellen, zum Beispiel die der *Begründung* oder die der *Bedingung*:

> Weil die Sonne aufging, wurde es wärmer.
> Wenn die Sonne aufgeht, wird es wärmer.

Solche sprachlichen Möglichkeiten sind auf gedankliche Durchdringung (und nicht bloß auf sinnliche Wahrnehmung) zurückzuführen, und umgekehrt: Weil uns unsere Sprache diese Möglichkeiten zur Verfügung stellt, können wir so denken. Man kann den Gedanken weiterführen: Nur weil wir in unserer Sprache diese Möglichkeiten haben, sind wir fähig zu Kultur und Wissenschaft: Wenn wir Kategorien wie »Begründung« oder »Bedingung« (als gedankliche Kategorien) nicht hätten und sie nicht in unserem Sprechen ausdrücken könnten, wären wir nicht fähig zu einer höheren Entwicklung: Jegliches naturwissenschaftliche Denken beruht ja bekanntlich auf dem Kausalitätsprinzip.

669 Sprache erscheint in dem hier beschriebenen Sinn als eine Art Ordnungsmittel, als ein System, das ordnend über die Welt gelegt wird und deren Erkenntnis ermöglicht. In eine Sprache hineinwachsen bedeutet in diesem Verständnis, sich ein Begriffssystem aneignen, mit dessen Hilfe man als einzelner die Welt erkennen kann und innerhalb dessen man sich zusammen mit anderen Menschen bewegt.

Schreiben

Reden und Schreiben ist nicht dasselbe

670 Vieles von dem, was im vorangehenden Kapitel zum Miteinanderreden gesagt worden ist, gilt auch für das Schreiben. Aber Reden und Schreiben sind auch nicht einfach gleichzusetzen. Zumindest teilweise gelten für sie unterschiedliche Bedingungen. In unserem Zusammenhang ist der wichtigste Unterschied, daß es beim Schreiben normalerweise um die Überwindung eines räumlichen und zeitlichen *Abstandes* zwischen dem Schreibenden und dem Lesenden geht. Das gilt ganz deutlich zum Beispiel beim Brief, das heißt beim Schreiben an andere. Um die Überwindung eines Abstandes geht es aber auch, wo man für sich selbst etwas aufschreibt, was man später nachlesen möchte: Es handelt sich hier um einen *zeitlichen* Abstand. Diese Abstände fehlen dort, wo wir miteinander reden, sehen wir einmal ab von den besonderen Bedingungen des Telefongesprächs.

Die Unterschiede haben bestimmte Konsequenzen:

– Wenn wir miteinander reden, geschieht das in einer Situation, die für alle Partner – in den Grenzen, die wir in ↑ 653 genannt haben – die gleiche ist. Anders gesagt: Miteinanderreden lebt aus der Gemeinsamkeit einer Situation. Vieles, was für die Verständigung der Partner wichtig ist, muß unter diesen Umständen nicht ausdrücklich sprachlich formuliert werden; es »umgibt« sie ja einfach. Für vieles reicht eine bloße Andeutung aus. Unvollständige Sätze, allgemein verweisende Ausdrücke wie »hier«, »da« oder »das Ding dort« sind beim Reden ohne weiteres möglich. Beim Schreiben an oder für jemanden besteht demgegenüber keine gemeinsame Situation. Man muß entweder – soweit das eben möglich ist – von der Situation absehen oder sie schriftlich schaffen. Schriftlich – das heißt fast immer auch: *sprachlich.*Verallgemeinert bedeutet das: Unter den Bedingungen der Schriftlichkeit braucht es immer *mehr* sprachlichen Aufwand als unter den Bedingungen der Mündlichkeit.

– Im *Gespräch* kann sich der angesprochene Partner sofort und unmittelbar auf das beziehen, was gesagt worden ist. So kann er zum Beispiel nachfragen, wenn ihm etwas unklar geblieben ist. Er kann einen Einwand machen, wo er abweichender Meinung ist usw. Der Sprechende wiederum ist sich dieses Umstandes bewußt. Unter diesen Bedingungen darf er reden, ohne jeweils höchste Präzision anzustreben: Der Partner kann sich ja einschalten, wo er das für nötig hält. Genau das aber entfällt beim *Schreiben:* Es besteht nicht die Möglichkeit der unmittelbaren Rückmeldung des Partners. Vom Schreibenden ist unter diesen Umständen ein höheres Maß an Einfühlung verlangt. Er muß die Möglichkeiten des Mißverstehens seines Partners in Rechnung stellen und schon vorab so formulieren, daß die Verständigung möglichst weitgehend gesichert ist.

– Im mündlichen Verkehr leisten nichtsprachliche Mittel einen wichtigen Beitrag zur Verständigung (↑ 650–652). Beim Schreiben entfallen sie weitgehend: Im wesentlichen bleiben nur die Informationen, die sich aus der Darstellung, dem Schriftbild und der Anordnung auf dem Blatt ergeben. Was dadurch verlorenzugehen droht, muß wiederum ausdrücklich *schriftlich* entfaltet werden. Meistens bedeutet das zugleich auch *sprachliche* Entfaltung. Eine Ausnahme davon bilden die seltenen nichtsprachlichen Auszeichnungen, wie zum Beispiel der schwarze Rand beim Trauerbrief. Ausschließlich mit sprachlichen Mitteln aber das auszudrücken, was man mit nichtsprachlichen in der Mündlichkeit so differenziert sagen kann, ist schwer und verlangt Aufwand und Können. Oft gelingt es überdies nicht vollkommen. Für viele Menschen ist denn auch Schreiben etwas Mühsames; Schriftlichkeit wirkt auf sie unpersönlicher, weniger spontan.

– Mit dem Gesagten hängt zusammen: Im Gespräch gilt durchweg mehr Verlaß auf den Zusammenhang, auf den Kontext, den die Partner ja teilen. Demgegenüber muß in geschriebener Sprache (um den fehlenden Kontext zu ersetzen) mehr ausformuliert werden.

Merkmale der Schriftlichkeit

671 Was wir an Unterschieden zwischen Mündlichkeit und Schriftlichkeit beschrieben haben, scheint auf den ersten Blick auf *Mängel* beim Schreiben gegenüber dem Sprechen hinauszulaufen. Ein solcher Eindruck wäre aber falsch. Was nämlich auf der einen Seite fehlt, wird durch Vorteile auf der anderen Seite mehr als ausgeglichen. So ist zum Beispiel die Kehrseite der »eingeschränkten Spontaneität« der geschriebenen Sprache ein höheres Maß an Planbarkeit – und auch das ist ja etwas Gutes; in diesem Zusammenhang ist »allmähliche Verfertigung der Gedanken beim Schreiben« möglich. Dazu kommt eine überlegtere Berücksichtigung vermuteter Lesererwartungen und im ganzen eine vollständigere und reichere Anwendung der Sprache.

672 Mit höherer Planmäßigkeit beim Schreiben rechnet denn auch der Leser. Anders gesagt: Wer einen Text liest, »weiß« (oder er unterstellt zumindest), daß hinter dem Geschriebenen Planung steht. Er »weiß« demzufolge auch, daß er sich auf das, was er geschrieben vor sich hat, in ganz anderer Weise verlassen kann als auf Gesprochenes. Mindestens unterstellt er Verläßlichkeit. Dies wiederum »weiß« auch der Schreibende. Und aus diesem wechselseitigen »Wissen« ergeben sich Verpflichtungen. Man kann sie in folgenden Punkten zusammenfassen:

– Geschriebene Sprache verlangt in aller Regel *differenzierten* Gebrauch der Möglichkeiten, die die Grammatik und der Wortschatz unserer Sprache bieten. Es gelten hier nicht die gleichen Freiheiten wie in der Mündlichkeit.
– In der Regel gilt in geschriebener Sprache die strenge Forderung nach *genauem* sprachlichem Ausdruck.
– Im ganzen dürfen weniger Voraussetzungen gemacht werden, es muß mehr ausformuliert werden als in der Mündlichkeit.

673 Wenn wir diese allgemeinen Grundsätze weiterverfolgen auf die Ebene der verschiedenen sprachlichen Mittel – vom Wort bis zum Text –, so heißt das konkreter zum Beispiel:

– In geschriebener Sprache darf größere Abwechslung im Ausdruck erwartet werden. Wörter werden seltener wiederholt. Man sagt vielleicht: »Diese Dinge interessieren mich nicht, mich interessieren andere.« *Geschrieben* finden wir aber wohl eher: »Diese Dinge interessieren mich nicht, ich schätze andere.«

– Gesprächspartikeln (»gell«, »hm«, »oder« …), also Wörter, die der mündlichen Rede eine besondere, lebendige Prägung geben, werden vermieden. Das gleiche gilt für mündlich verkürzte sprachliche Formen, wie zum Beispiel »rauf« statt »herauf«, »mal« statt »einmal«.

– Sätze und Folgen von Sätzen sind in geschriebener Sprache überlegter durchkonstruiert. Sie sind dann oft auch über- bzw. untergeordnet, nicht einfach nebengeordnet:

> Also nicht: Paul konnte nicht kommen, er war krank.
> Sondern eher: Paul konnte nicht kommen, weil er krank war.

Im Zusammenhang mit der überlegteren Strukturierung werden die Sätze in geschriebenen Texten oft auch länger und komplexer.

– Sie sind grammatisch korrekt und vollständig. Es fehlen also Satzbrüche (Anakoluthe), das heißt Wechsel der ursprünglich geplanten Satzkonstruktion während der Hervorbringung:

> Nicht: Wenn sie das noch einmal macht und ich erwische sie, dann kann sie etwas erleben.
> Sondern: Wenn sie das noch einmal macht und ich sie erwische, dann …

Auch unvollständige Sätze (Ellipsen) sind seltener:

> Nicht: Was tun?
> Sondern: Was sollen wir tun?

Satzbrüche und unvollständige Sätze kommen in mündlicher Rede durchaus häufig vor und wirken dort oft belebend. Aber das gilt keinesfalls für geschriebene Sprache.

– Seltener als in gesprochener Sprache sind in einen Satz eingefügte selbständige Ausdrücke, seien das nun einzelne Wörter, Wortgruppen oder Sätze:

> Ich mache das – zum letzten Mal – nur dir zuliebe.

Das gleiche gilt auch für Empfindungswörter (Interjektionen) wie »au«, »ach«, »hallo«. Wo Empfindungen ausgedrückt werden sollen, wird unter den Bedingungen der Schriftlichkeit vielmehr ausformuliert, also etwa:

> Das hat aber weh getan!

– Insgesamt kommen in geschriebener Sprache häufiger Nebensätze vor als in gesprochener. Das gilt vor allem für solche Nebensätze, die nicht aus grammatischen Gründen stehen *müssen* (grammatisch notwendig sind zum Beispiel die durch »daß« eingeleiteten Nebensätze nach Verben des Sagens, der sinnlichen Wahrnehmung usw.: »Ich sehe, daß es dir nicht gut geht.«):

> Mündlich zum Beispiel: Ich habe den Reifen gewechselt, dann habe ich das Öl nachgefüllt.
>
> Schriftlich eher: Nachdem ich den Reifen gewechselt hatte, füllte ich das Öl nach.

Dazu kommt, daß die Nebensatztypen in der geschriebenen Sprache vielfältiger sind. So wird beispielsweise eine Bedingung nicht nur durch »wenn«, sondern auch einmal durch »falls« oder durch »sofern« eingeführt.

– In geschriebener Sprache ist die Wortfolge durch strengere Beachtung *grammatischer* Regeln geprägt. Seltener kommen daher zum Beispiel Nachträge und Ausklammerung vor (↑ 522):

> Selten: Wir haben uns sehr gefreut über Lauras Aufmerksamkeit.
>
> Sondern: Wir haben uns über Lauras Aufmerksamkeit sehr gefreut.

Vermieden wird auch in geschriebener Sprache die Voranstellung einer Wortgruppe unter starker Betonung:

> Nicht einen einzigen Tropfen haben sie mir übriggelassen!

– Die einzelnen Glieder des Satzes sind in geschriebener Sprache oft umfangreicher als in gesprochener Sprache:

> Sie haben sich auf den schon vor zwei Jahren diskutierten Vorschlag geeinigt.

In gesprochener Sprache kommen solche Konstruktionen kaum vor
– sie wirken »papieren«. Hier würde man eher sagen:

> Sie haben sich auf den Vorschlag geeinigt, den man schon vor zwei
> Jahren diskutiert hatte.

– Erheblich größer ist in geschriebener Sprache die Vielfalt und
Unterschiedlichkeit der Satzanfänge. Die Möglichkeit dafür bietet
die im Deutschen relativ freie Wortstellung: Wir können (anders
als zum Beispiel im Französischen oder Englischen) ganz unterschiedliche Wortgruppen an den Satzanfang stellen. Von dieser
Möglichkeit macht geplante (und das heißt: geschriebene) Sprache
Gebrauch.

– Texte sind in geschriebener Sprache straffer, logischer und über-
sichtlicher aufgebaut. Die einzelnen Textelemente sind aufeinander
bezogen, und dieser Bezug wird nach Möglichkeit ausdrücklich
signalisiert. Auf der Ebene des Textes heißt das zum Beispiel Vor-
und Rückwärtsverweisung, auf der Ebene des Satzes etwa Verknüpfung von Aussagen:

> Auf Textebene also zum Beispiel: Nachdem wir im vorangehenden
> Abschnitt das Problem A behandelt haben, gehen wir im folgenden
> auf die Frage B ein.

> Auf Satzebene: Selten: Er ist gestürzt, er ist zu schnell gefahren.

> Sondern: Er ist gestürzt, er ist nämlich zu schnell gefahren.
> Oder: Er ist gestürzt, weil er zu schnell gefahren ist.

674 Wenn oft gesagt wird, der Mensch sei das einzige Wesen,
das Sprache habe, so ist damit auch gesagt: Als Menschen
können wir miteinander reden, wir können schreiben, wir können
wahrnehmen und denken, und bei all dem gebrauchen wir Sprache
– unter jeweils besonderen Bedingungen. Es lohnt sich, daran zu
arbeiten, daß wir das alles *so gut wie möglich* können.

LÖSUNGEN

Die kleinsten Bauteile der Sprache

4 14 Zeichen: ba, bad, bel, gel, ha, hal, kan, ken, len, na, ne, nen, ten, tur.
ba: Ba-na-ne; *bad:* Hal-len-bad; *bel:* Ne-bel, bel-len, Na-bel; *gel:* Ha-gel, Na-gel, gel-ten; *ha:* Ha-gel, Ha-ken; *hal:* hal-ten, Hal-len-bad; *kan:* Kan-ten, Kan-ne; *ken:* len-ken, ken-nen, Ha-ken; *len:* bel-len, len-ken, Hal-len-bad; *na:* Ba-na-ne, Na-gel, Na-bel, Na-tur; *ne:* Ba-na-ne, Ne-bel, Kan-ne; *nen:* tur-nen, ken-nen, nen-nen; *ten:* hal-ten, gel-ten; *tur:* tur-nen, Na-tur.

5 Die Wörter enthalten keine Vokale, haben also keine normalen Silben.

14 a) *Sibylle* hat das Buch in die Bibliothek gebracht. (Also nicht jemand anders.) b) Sibylle *hat* das Buch in die Bibliothek gebracht. (Es ist tatsächlich so, sie sagt es nicht nur.) c) Sibylle hat *das* Buch in die Bibliothek gebracht. (Sie hat also nicht irgendein anderes Buch dorthin gebracht.) d) Sibylle hat das *Buch* in die Bibliothek gebracht. (Sie hat also nicht etwa die Zeitschriften oder den Atlas weggebracht.) e) Sibylle hat das Buch *in* die Bibliothek gebracht. (Also nicht etwa vor die Bibliothek.) f) Sibylle hat das Buch in *die* Bibliothek gebracht. (Also nicht in irgendeine andere Bibliothek.) g) Sibylle hat das Buch in die *Bibliothek* gebracht. (Also nicht in die Schule oder sonstwohin.) h) Sibylle hat das Buch in die Bibliothek *gebracht*. (Also nicht etwa per Post geschickt.)

20 1. Die Zeitangabe ist selbstverständlicher Teil der Aussage. 2. Die Zeitangabe ist eine nebensächliche, notfalls weglaßbare Zusatzinformation. 3. Die Zeitangabe wird vom Rest des Satzes abgehoben. Damit kann sowohl eine Hervorhebung als auch eine Abschwächung beabsichtigt sein. 4. Die Zeitangabe wird als wichtige Zusatzinformation hervorgehoben.

23 1 = Absender; 2 = Ort und Datum; 3 = Adressat; 4 = Betreffzeile; 5 = Anrede; 6 = Eigentlicher Text; 7 = Grußformel; 8 = Unterschrift; 9 = Hinweis auf Beilagen.

Wort- und Formenlehre

Grundsätzliches

26 1. der (oder: der, die, das – der bestimmte Artikel wird meist mit allen drei Genusformen des Nominativs Singular zitiert, da sie erheblich voneinander abweichen), *König, Kleid, sein, unsichtbar.*

2. *Gisela, wissen, viel* (Vergleichsformen: *viel, mehr, am meisten*), als, er (oder: *er, sie, es* – das Personalpronomen wird wie der bestimmte Artikel meist mit allen Genusformen zitiert), *ihr* (oder: *sein, ihr, sein*), *Freundin, anvertrauen.*

3. *bei, Tag, können, du, von, hier, oben, der (der, die, das), Berg, sehen.*

4. *nach, lang, warten* (klein geschrieben!), *hereinrufen* (*herein* ist Verbzusatz, ↑ 58), *ich, der (der, die, das), Rektorin.*

5. *der (der, die, das), gut, sein, der (der, die, das), Feind, der (der, die, das), gut* (der Satz enthält zwei nominalisierte, das heißt wie Nomen gebrauchte Formen des Wortes *gut;* bei der ersten Form handelt es sich um einen Komparativ).

6. *der (der, die, das), Kind, zurennen* (*zu* ist Verbzusatz, ↑ 58), *der (der, die, das), Ausgang.*

Verb

41 r = regelmäßig, u = unregelmäßig:

trennen, trennte, getrennt (r); kennen, kannte, gekannt (u); können, konnte, gekonnt (u); gönnen, gönnte, gegönnt (r); braten, briet, gebraten (u); lächeln, lächelte, gelächelt (r); fliegen, flog, geflogen (u); stoßen, stieß, gestoßen (u); kraulen, kraulte, gekrault (r); schwimmen, schwamm, geschwommen (u); stimmen, stimmte, gestimmt (r); pfeifen, pfiff, gepfiffen (u); fressen, fraß, gefressen (u); zeigen, zeigte, gezeigt (r); schweigen, schwieg, geschwiegen (u); schmunzeln, schmunzelte, geschmunzelt (r); gelten, galt, gegolten (u); schimpfen, schimpfte, geschimpft (r); kringeln, kringelte, gekringelt (r); blöken, blökte, geblökt (r); verzeihen, verzieh, verziehen (u); fahren, fuhr, gefahren (u); führen, führte, geführt (r); drehen, drehte, gedreht (r); sehen, sah, gesehen (u); gehen, ging, gegangen (u); stehen, stand, gestanden (u); versinken, versank, versunken (u); versenken, versenkte, versenkt (r); denken, dachte, gedacht (u); lenken, lenkte, gelenkt (r); halten, hielt, gehalten (u); schalten, schaltete, geschaltet (r); halbieren, halbierte, halbiert (r); flüstern, flüsterte, geflüstert (r); rechnen, rechnete, gerechnet (r); klingen, klang, geklungen (u); bringen, brachte, gebracht (u).

42 1. reisten; 2. gerissen; 3. geheißen; 4. geboten; 5. schwamm; 6. sprach; 7. geflossen; 8. geschwiegen; 9. verlor; 10. gestritten; 11. goß; 12. gemieden; 13. verziehen; 14. verleidet; 15. gelitten; 16. überdacht; 17. gewußt.

45 1. gewendet; 2. geschafft; 3. gesendet; 4. geschaffen; 5. erschreckt; 6. wich; 7. wandte (auch: wendete); 8. hängte.

52 1. hilf; 2. schmilzt; 3. hältst; 4. fahrt; 5. sprich; 6. lädst; 7. bläst; 8. trittst; 9. hält; 10. laßt; 11 tritt; 12. tragt; 13. aufpaßt, erlischt; 14. gib; 15. lädst; 16. verderbt.

59 a) Einfache Verben: fallen, nehmen, stellen, suchen.

b) Präfixbildungen: benehmen, erstellen, gefallen, versuchen.

c) Untrennbare Zusammensetzungen: überfallen, unternehmen, untersuchen.

d) Trennbare Zusammensetzungen: aufsuchen, auseinanderfallen, bereitstellen, heimsuchen, herausnehmen, heraussuchen, herunterfallen, teilnehmen, vornehmen, zurückstellen, zusammenstellen, zusammensuchen.

61 1. umzustimmen; 2. zu umgehen; 3. herunterzukommen; 4. auszutauschen; 5. zu hinterfragen; 6. durchzuringen, anzuerkennen; 7. zuzuwerfen; 8. beizulegen; 9. zu durchdringen; 10. durchzuführen; 11. hinzuzufügen; 12. zu mißachten; 13. mißzuverstehen; 14. einzuvernehmen.

63 gesägt, gehauen, verfaßt, unterschieden, telefoniert, abgekanzelt, offengehalten, vollbracht, sortiert, bestimmt, umformuliert, teilgenommen, gefrühstückt, ausgedacht, überrascht, umgestimmt, verziehen, studiert, zermalmt, eingemacht, vergessen, mißlungen, entnommen, heruntergefallen, beleidigt, verbessert, ausgebessert, überanstrengt, verlassen, veranlaßt.

65 1. Der Neufundländer rennt mich um. Der Neufundländer hat mich umgerannt. 2. Wir stellen uns beim nächsten Haus unter. Wir haben uns beim nächsten Haus untergestellt. 3. Der Rest der Klasse überstimmt Andreas und Sonja. Der Rest der Klasse hat Andreas und Sonja überstimmt. 4. Die Feuerwehr umstellt das brennende Haus. Die Feuerwehr hat das brennende Haus umstellt. 5. Die anderen durchkreuzen unsere Pläne. Die anderen haben unsere Pläne durchkreuzt. 6. Dieser Betrag übersteigt meine Vorstellungen. Dieser Betrag hat meine Vorstellungen überstiegen. 7. Ein Park umgibt die Villa. Ein Park hat die Villa umgeben. 8. Beim Wettkampf umrennen wir das Wäldchen dreimal. Beim Wettkampf haben wir das Wäldchen dreimal umrannt. 9. Die Chefin blättert den Bericht durch. Die Chefin hat den Bericht durchgeblättert. 10. Jürg umschreibt den Vorgang mit verlegenen Worten. Jürg hat den Vorgang mit verlegenen Worten umschrieben. 11. Jasmin schreibt den Bericht noch einmal um. Jasmin hat den Bericht noch einmal umgeschrieben. 12. Bei der richtigen Antwort kreuzt man das Feld durch. Bei der richtigen Antwort hat man das Feld durchgekreuzt. 13. Vera stimmt die Klasse noch um. Vera hat die Klasse noch umgestimmt. 14. Der Betrieb stellt auf Computer um. Der Betrieb hat auf Computer umgestellt. 15. Du unterstellst mir eine böse Absicht. Du hast mir eine böse Absicht unterstellt.

69 1. Präsens, Präsens; 2. Futur II; 3. Präsens; 4. Plusquamperfekt; 5. Perfekt; 6. Präteritum; 7. Futur I; 8. Perfekt, Plusquamperfekt; 9. Perfekt; 10. Präteritum; 11. Perfekt, Präsens; 12. Perfekt; 13. Futur I; 14. Futur II, Präsens.

72 Zweite Spalte: gekonnt, gemußt, gekonnt, gelassen, gedurft, gewollt, gehört, gesehen, geholfen.

Dritte Spalte: können, müssen, können, lassen/gelassen, dürfen, wollen, hören/gehört, sehen/gesehen, helfen/geholfen.

77 1. gegenwärtig; 2. gegenwärtig (längerer Zeitraum); 3. zeitlos (individuelle Erfahrung); 4. zeitlos (überindividuelle Erfahrung); 5. vergangen; 6. vergangen; 7. gegenwärtig; 8. zeitlos; 9. vergangen; 10. gegenwärtig; 11. zeitlos (individuelle Erfahrung); 12. vergangen; 13. zeitlos (überindividuelle Erfahrung); 14. zeitlos.

80 1. zukünftig; 2. zukünftig; 3. zukünftig (Futur I zum Ausdruck einer Vermutung, einer Hoffnung); 4. zukünftig (Futur I zur Betonung, daß das Zukünftige so gut wie sicher ist); 5. zukünftig (Futur I zur Betonung, daß das Gewünschte auch wirklich eintreffen soll); 6. gegenwärtig; 7. gegenwärtig (Futur I zum Ausdruck einer Vermutung). 8. gegenwärtig (Vermutung nicht eigens gekennzeichnet); 9. vergangen (Präsens, um das Vergangene dem Leser wieder gegenwärtig zu machen); 10. vergangen (Futur I, um dem Leser zu zeigen, daß die Entdeckung Amerikas zum Zeitpunkt von Kolumbus' Abreise erst noch bevorstand).

84 1. abgeschlossen und vergangen; 2. abschließende Bemerkung über einen vergangenen, länger anhaltenden Zustand; 3. abgeschlossen, Auswirkung des Vorgangs noch gegenwärtig; 4. abgeschlossen, Auswirkung des Vorgangs noch gegenwärtig (auch als Verbindung von adjektivisch gebrauchtem Partizip II mit Präsens von *sein* auffaßbar); 5. abgeschlossen, Wirkung bis in die Gegenwart reichend (Futur II zum Ausdruck einer Vermutung); 6. abgeschlossen, vergangen; 7. abgeschlossen, Wirkung bis in die Gegenwart reichend; 8. abgeschlossen, zukünftig; 9. abgeschlossen, zukünftig (Futur II zum Ausdruck einer sicheren Vermutung); 10. abgeschlossen, Wirkung bis in die Gegenwart reichend; 11. Teil eines Vorgangs schon abgeschlossen, Wirkung bis in die Gegenwart reichend; 12. abgeschlossen.

89 1. Imperativ (Präsens); 2. Indikativ Präteritum, Konjunktiv I Präsens; 3. Indikativ Plusquamperfekt, Indikativ Präteritum; 4. Indikativ Präteritum, Konjunktiv II Futur (Präsens); 5. Indikativ Plusquamperfekt, Indikativ Präteritum; 6. Indikativ Futur I; 7. Imperativ (Präsens); 8. Konjunktiv II Perfekt, Konjunktiv II Präsens; 9. Indikativ Perfekt, Konjunktiv I Präsens; 10. Konjunktiv II Präsens, Konjunktiv II Präsens; 11. Indikativ Präsens, Konjunktiv I Präsens; 12. Indikativ Futur II; 13. Indikativ Präsens, Konjunktiv I Futur I.

93 1. Zünd[e] bitte das Licht an! Zünden Sie bitte das Licht an! 2. Geh[e] zum nächsten Schalter! Gehen Sie zum nächsten Schalter! 3. Erledige das für mich! Erledigen Sie das für mich! 4. Pfeif[e] den Hund zurück! Pfeifen Sie den Hund zurück! 5. Hilf mir bitte! Helfen Sie mir bitte! 6. Stell[e] dich hinten an! Stellen Sie sich hinten an! 7. Komm[e] mit mir! Kommen Sie mit mir! 8. Gib mir Bescheid! Geben Sie mir Bescheid! 9. Sei nicht so nervös! Seien Sie nicht so nervös!

98   1. gäbe, müßten; 2. hätten; 3. könnte; 4. blieben; 5. würde; 6. kämen; 7. schiene; 8. lebten; 9. wären; 10. wäre.

Verbindungen mit *würde* sind auch möglich (↑ 105 f.).

104   1. Sandra fragte mich, ob ich mit ihr ins Kino komme. 2. Die Zeugen sagten aus, das Auto habe dem Radfahrer den Weg abgeschnitten. 3. Der Aufseher schrie uns an, wir sollten sofort nach unten kommen. (Imperative werden in der indirekten Rede durch Verbindungen mit dem Verb *sollen* ersetzt.) 4. Der Wirt empfiehlt, ein trockener Weißwein schmecke sehr gut zum Fisch. 5. Sabine befürchtet, sie werde morgen (am nächsten Tag) nichts zum Anziehen haben. 6. Die Behörden teilen mit, die neuen Tarife gälten (gölten) ab 1. Juni. (Oder: ... die neuen Tarife würden ab 1. Juni gelten. Vgl. ↑ 105 ff.) 7. Die Nachrichtensprecherin warnte am Tag vor unserer Wanderung, die Schneefallgrenze sinke am folgenden Tag auf 600 m. 8. Fabian erzählte, als er aus der Wohnung getreten sei, sei der Dackel seiner Nachbarin mit schleifender Leine an ihm vorbeigesaust. Er sei der letzte gewesen, der den Hund gesehen habe. 9. Karin und Daniel erklären, auf sie brauche niemand zu warten. Sie führen zusammen nach Hause. (Oder: Sie würden zusammen nach Hause fahren.) 10. Der Reporter fragte die Siegerin, ob sie ihren Sieg erwartet habe. 11. Die Eltern schrieben auf den Zettel, sie kämen gegen 23 Uhr nach Hause. 12. Du hast doch gesagt, du wissest (wüßtest) von gar nichts! 13. Die Ärzte teilten gestern mit, dem Patienten werde es heute (!) schon viel besser gehen. 14. Ich fragte Renate, wann sie fertig sei. 15. Der Beamte sagte freundlich zu mir, ich solle noch einen kurzen Moment warten. (Vgl. Satz 3!)

111   Vgl. Verbtabelle ↑ 145!

115   In Klammern Gesetztes ist weglaßbar. Oft ist auch eine andere Abfolge der Wörter oder Wortgruppen (Satzglieder) möglich.

1. Der Schlüssel war (von jemandem) gestohlen worden. 2. Die Lebensmittelgeschäfte wurden (von den Leuten) gestürmt. 3. Die Tiger werden (von den Pflegern) am Abend gefüttert werden. 4. Die Rehe wurden (vom Dröhnen) erschreckt. 5. Der Apparat wird (von der Firma) wohl noch einmal verbessert worden sein. 6. Es wurde auch an die Folgekosten gedacht. (Auch an die Folgekosten wurde gedacht.) 7. Es wird gemunkelt, die Reise sei (von ihm) nur zum Vergnügen unternommen worden. 8. Unsere Kunden werden (von uns) täglich bedient. 9. Auch der letzte Winkel des Areals wurde (vom Lautsprecher) erreicht. 10. Über dieses Problem wird zuwenig nachgedacht. 11. Die Fragen sind (von den meisten Teilnehmern) richtig beantwortet worden. 12. Die Anleitung wird Ihnen (von uns) rechtzeitig zugeschickt werden. 13. Beton wird aus Zement, Kies und Wasser hergestellt.

116   1. Den Braten hat man schnell aufgegessen. 2. 1988 verzehrte man in unserem Land je Einwohner 250 kg Teigwaren. 3. Der Hausmeister hat die beschmierten Mauern gründlich gereinigt. 4. Man hängte das Plakat ab. 5. Man muß die Steuererklärungen bis Monatsende einreichen. 6. Eine

Gruppe Jugendlicher hatte das Haus besetzt. 7. Der Betrieb bezahlte mir die Spesen. 8. Man wird den Apparat beim Transport beschädigt haben.

119 Da der Minister, der diese Information formuliert hat, nicht wissen kann, welche Betriebe, Organisationen oder Verbände dieses Angebot annehmen, faßt er seine Ankündigung so ab, daß in ihr nur beschrieben wird, was geschehen soll. Wer das tut, wird nicht gesagt, also offengelassen.

124 1. Peter hat sich *beim Barrenturnen* (oder: *beim Turnen am Barren*) einen Fuß verstaucht. 2. Susanne hat *vom Fahrradputzen* (oder: *vom Putzen ihres Fahrrades*) ganz schmutzige Hände bekommen. 3. Wir sind *vom Wandern* sehr müde geworden. 4. Die Wäsche hängt *zum Trocknen* an der Leine. 5. Frau Furter hat den Fernseher *zum Reparieren* in die Werkstatt gebracht.

130 1. die verfaulenden Früchte; 2. die blühenden Orchideen; 3. der Rauchschwaden ausstoßende Vulkan; 4. die in den Baumwipfeln kreischenden Papageien; 5. das seinen Rachen öffnende Krokodil.

6. Die Affen schimpfen laut. 7. Die Kisten verrotten seit drei Monaten am Hafen. 8. Der Orkan heult. 9. Das Heulen der Schakale wird immer leiser. 10. Die Karawane zieht vorbei. – In den Sätzen 6–10 sind auch andere Tempora möglich.

131 1. Das Angebot wird von vielen vermißt. 2. Die Renovation ist vor längerem beschlossen worden. 3. Die Frist ist abgelaufen. 4. Das Naturschutzgebiet ist bedroht (oder: wird bedroht). 5. Das Wandbild ist von unserer Klasse angefertigt worden. 6. Die Fußgänger sind vom Regen überrascht worden. 7. Das Endspiel wird seit langem erwartet.

Teilweise sind auch andere Tempora möglich.

134 Gebrauch als Hilfsverb (in Klammern die zugehörigen infiniten Verbformen):

1. hatte (entdeckt); 2. würde (erforschen); 3. haben (gezwängt); 6. ist (gekrochen); 9. ist (versteckt) worden; 10. wurde (untersucht); 11. hat (gefunden); 12. wird (verloren) haben; 13 hat (gehört); 15. werden (wiederfinden).

136 1. sollte: Pflicht; 2. will: Zweifel; 3. muß: Pflicht; 4. will: Wunsch; 5. mag: Wille, Absicht (verneint); 6. kann: Fähigkeit; 7. mag: Zugeständnis; 8. dürfte: Erlaubnis (verneint); 9. muß: (zwingende) Vermutung; 10. konnte: (durch äußere Umstände gegebene) Möglichkeit; 11. möchte: Wunsch; 12. müßte: Vermutung; 13. soll: Wissen nur vom Hörensagen; 14. kannst: Fähigkeit; 15. könnte: Vermutung, Möglichkeit.

139 1. tr. (= transitiv); 2. intr. (= intransitiv); 3. tr.; 4. intr.; 5. tr.; 6. intr.; 7. tr.; 8. tr.; 9. intr.; 10. tr.; 11. intr.; 12. intr.; 13. tr.; 14. intr.; 15. tr.; 16. tr.; 17. intr.; 18. intr. (zwei Bedeutungen: Michael betätigt sich als Koch – Michael ist wütend).

141 Reflexiv:1. (Reflexivpronomen im Dativ), 3. (Akk.), 4. (Dat.), 5. (Akk.), 7. (Akk.), 9. (Akk.), 11. (Akk.), 12. zwei reflexive Verben (Reflexivpronomen beim ersten Verb im Dativ, beim zweiten im Akkusativ), 13. (Akk.), 14. (Akk.), 18. (Akk.), 20. Bei Imperativen muß das Subjekt meist hinzugedacht werden: Stell *(du) dich* hinten an (*dich* = Akk.).

143 Persönlicher Gebrauch: Sätze 1, 2, 4 (zweites Verb), 5 (zweites Verb), 6, 7, 9, 10, 14 (zweites Verb).

Unpersönlicher Gebrauch: 3, 8, 11, 12, 14 (erstes Verb), 15.

Subjektloser Gebrauch: 4 (erstes Verb), 5 (erstes Verb), 13, 16, 17.

144 1. Hilfsverb; 2. transitiv; 3. modifizierend; 4. reflexiv und transitiv; 5. modal; 6. transitiv; 7. modifizierend; 8. transitiv; 9. reflexiv; 10. transitiv; 11. unpersönlich; 12. subjektlos; 13. Hilfsverb; 14. transitiv; 15. modifizierend; 16. unpersönlich und transitiv; 17. Hilfsverb; 18. intransitiv; 19. modifizierend; 20. intransitiv; 21. transitiv; 22. modal; 23. intransitiv; 24. modifizierend.

Nomen

151 Maskuline Nomen: der Affe, der Apparat, der Baum, der Berg, der Bleistift, der Eid, der Fleiß, der Hochmut, der Nacken, der Neid, der Pinsel, der Preis, der Reis, der Ritt, der Schirm, der Schuh, der Sessel, der Tisch, der Zahn, der Zwilling.

Feminine Nomen: die Armut, die Blüte, die Butter, die Fähre, die Kartoffel, die Kastanie, die Länge, die Reise, die Schublade, die Süßigkeit, die Tochter, die Tür, die Unzufriedenheit, die Vermutung, die Zange, die Zukunft.

Neutrale Nomen: das Auto, das Bett, das Brett, das Brot, das Buch, das Gelächter, das Haar, das Holz, das Möbel, das Rätsel, das Reisig, das Schubfach, das Zebra.

Nomen ohne Singularform (Pluraliatantum, Genus nicht bestimmbar; ↑ 150, 174): die Einkünfte, die Ferien, die Trümmer.

154 Zum Beispiel: die Datei, die Drängelei, die Druckerei; die Lehrerin, die Königin, die Direktorin; die Sicherheit, die Christenheit, die Kühnheit; der Doktor, der Sponsor, der Rotor; die Exklusivität, die Relativität, die Rarität.

159 Zu verbessern sind: 5. ein Tau; 6. die hohe Kiefer; 7. dieses Ekel; 8. einen hohen Gehalt; 9. den Tau; 12. das Knochenmark; 13. der linke Kiefer; 15. ein höheres Gehalt; 17. das Verdienst.

163 Maskuline und neutrale Nomen bilden den Plural ohne Endung. Der Plural ist dann am Artikel (oder an einer anderen vorangestellten flektierten Wortform) erkennbar: *der Hebel, die Hebel; Petras silberner Löffel, Petras silberne Löffel.* Einige maskuline Nomen haben überdies Umlaut: *die Mäntel, die Schnäbel.*

Bei den weiblichen Nomen lautet der Artikel im Plural gleich wie im Singular. Der Plural muß daher am Nomen selbst kenntlich gemacht werden, und zwar mit der Endung *-n: die Gabel, die Gabeln*. Entsprechendes gilt auch für andere vorangestellte flektierte Wortformen: *Petras silberne Gabel, Petras silberne Gabeln*.

Hinweis: Maskuline Nomen mit Pluralendung *-n* sind Ausnahmen: *die Stacheln, die Muskeln, die Pantoffeln*.

164 Abbildungen, Anzüge, Arme, Arten, Ärzte, Bäder, Beulen, Böcke, Büffel, Fabeln, Fahrzeuge, Gänge, Garben, Gefahren, Häfen, Häupter, Hirsche, Kälber, Kämpfe, Koffer, Lecks, Mägen, Münder, Ränder, Särge, Sätze, Schüsse, Vögel, Wände, Wannen.

170 1. Bände; 2. Brote; 3. Bändern; 4. Alben; 5. Worte; 6. Betten; 7. Bretter; 8. Jubilare; 9. Kartoffeln; 10. Koffer; 11. Kurvenradien; 12. Strudel; 13. Villen; 14. Omnibusse; 15. Schilde; 16. Farbstifte; 17. Wochenenden; 18. Schilder; 19. Bengel; 20. Töchter; 21. Geheimnisse; 22. Organismen; 23. Wörter; 24. Hemden; 25. Hefte; 26. Bauern; 27. Staus; 28. Berge; 29. Bauer; 30. Themen / Themas / Themata.

178 1. Nom.; 2. Akk.; 3. Dat.; 4. Gen.; 5. Akk.; 6. Dat.; 7. Nom.; 8. Dat.; 9. Gen.; 10. Akk.; 11. Nom.; 12. Akk.; 13. Nom.; 14. Akk.; 15. Akk.; 16. Dat.; 17. Dat.; 18. Gen.; 19. Akk.; 20. Dat.; 21. Dat.; 22. Gen.; 23. Akk.; 24. Dat.; 25. Akk.

190 Reihenfolge: Nominativ – Genitiv – Dativ – Akkusativ:

1. die Wand, der Wand, der Wand, die Wand; 2. das Laub, des Laub[e]s, dem Laub, das Laub; 3. der Gast, des Gast[e]s, dem Gast, den Gast; 4. das Netz, des Netzes, dem Netz, das Netz; 5. der Fürst, des Fürsten, dem Fürsten, den Fürsten; 6. die Wespe, der Wespe, der Wespe, die Wespe; 7. der Name[n], des Namens, dem Namen, den Namen; 8. der Kollege, des Kollegen, dem Kollegen, den Kollegen; 9. die Kollegin, der Kollegin, der Kollegin, die Kollegin; 10. der Brunnen, des Brunnens, dem Brunnen, den Brunnen.

Die Nomen, die im Genitiv die lange Endung *-es* haben müssen oder können, haben im Dativ manchmal noch die Endung *-e:* dem Laube, dem Gaste, dem Netze.

195 Zu verbessern sind: 1. Dächern; 3. Herrn, Briefträgers; 4. Löwen; 5. Jubilare; 6. Nägeln, Querbalkens; 7. Omnibusses; 8. Satelliten, Parabolspiegels; 9. Spaghetti; 11. Ausschusses, einen Monat; 12. Direktor; 14. Wäldern; 16. Visa / Visen; 17. Getränkeautomaten.

198 Zusammensetzungen sowie Ableitungen auf *-chen, -lein, -ei, -heit, -keit, -schaft* und *-ung* (und einige weitere) stehen im Wörterbuchteil des Duden ohne Angaben (↑ 462). Wir bringen im folgenden die Angaben zu Genus und Flexion gleichwohl bei allen Stichwörtern vollständig, verweisen aber in Klammern darauf, wenn diese im Wörterbuchteil des Duden fehlen.

1. Hund, der; -[e]s, -e; 2. Narr, der; -en, -en; 3. Herr, der; -n, -en; 4. Auge, das; -s, -n; 5. Äuglein, das; -s, - (im Duden Ableitung ohne Angaben); 6. Flasche, die; -, -n; 7. Rechnung, die; -, -en (im Duden Ableitung ohne Angaben); 8. Muster, das; -s, –; 9. Rabe, der; -n, -n; 10. Bilderrahmen, der; -s, - (im Duden Angaben nur unter *Rahmen*); 11. Kunst, die; -, Künste; 12. Süßigkeit, die; -, -en (im Duden Ableitung ohne Angaben); 13. Fuß, der; -es, Füße; 14. Fluß, der; Flusses, Flüsse; 15. Insel, die; -, -n; 16. Kloster, das; -s, Klöster; 17. Staat, der; -[e]s, -en; 18. Schiebetür, die; -, -en (im Duden Angaben nur unter *Tür*); 19. Prinz, der; -en, -en; 20. Studio, das; -s, -s; 21. Wand, die; -, Wände; 22. Blättchen, das; -s, - (im Duden Ableitung ohne Angaben); 23. Gewinner, der; -s, - (im Duden Ableitung ohne Angaben); 24. Büroklammer, die; -, -n (im Duden Angaben nur unter *Klammer*); 25. Rhinozeros, das; - u. -ses, -se; 26. Album, das; -s, Alben; 27. Mineral, das; -s, -e u. -ien; 28. Fossil, das; -s, -ien; 29. Riß, der; Risses, Risse; 30. Hindernis, das; -ses, -se; 31. Erschwernis, die; -, -se; 32. Planet, der; -en, -en; 33. Schlucht, die; -, -en; 34. Druckerei, die; -, -en (im Duden Ableitung ohne Angaben); 35. Wissenschaft, die; -, -en (im Duden Ableitung ohne Angaben); 36. Turm, der; -[e]s, Türme; 37. Türmlein, das; -s, - (im Duden Ableitung ohne Angaben); 38. Omnibus, der; -ses, -se 39. Zyklus, der; -, Zyklen; 40. Maler, der; -s, - (im Duden Ableitung ohne Angaben); 41. Malerin, die; -, -nen; 42. As, das; Asses, Asse; 43. Sofortbildkamera, die; -, -s (im Duden Angaben nur unter *Kamera*); 44. Villa, die; -, Villen; 45. Prinzip, das; -s, -ien; 46. Protest, der; -[e]s, -e; 47. Tourist, der; -en, -en; 48. Konsument, der; -en, -en; 49. Hobby, das; -s, -s; 50. Gemeinheit, die; -, -en (im Duden Ableitung ohne Angaben).

Begleiter und Stellvertreter

206 1. Der Kühlschrank steht in der Küche. Sandra öffnet *ihn*, um zu sehen, ob *er* noch mit genug Lebensmitteln gefüllt ist. Doch *er* ist leer. *Sie* ärgert sich, denn jetzt muß *sie* noch rasch einkaufen gehen.

2. Karin ist wütend auf Jürg. *Er* hat *ihr* nicht rechtzeitig mitgeteilt, daß *er* nicht kommen kann. *Sie* findet, daß *er* sich dafür entschuldigen soll, daß *sie* eine Stunde auf *ihn* gewartet hat.

3. Stefanie liest mit Wonne einen Krimi. *Er* ist so spannend, daß *sie ihn* nicht weglegen kann. *Sie* muß *ihn* unbedingt zu Ende lesen. *Sie* hat *ihn* darum erst gegen drei Uhr morgens zugeklappt. Und einschlafen kann *sie* gar erst gegen vier Uhr, so lange geht *er ihr* noch durch den Kopf.

209 Liebes Vereinsmitglied!

Sie haben sicher schon gehört, daß unser Verein wieder ein Sommernachtsfest veranstaltet. Als Mitglied sind *Sie* selbstverständlich ohnehin herzlich eingeladen; die Einladung gilt aber auch für *Ihre* Kollegen und Kolleginnen. Erfreulich wäre es, wenn *Sie sich* an den Vorbereitungen beteiligten – und besonders erfreulich, wenn *Sie* noch weitere Leute dazu gewinnen könnten. *Sie* können *sich* dafür an einem besonderen Helferfest verwöhnen lassen, das wir für *Sie* auf Anfang September planen und für das wir *Ihnen* dann besondere Einladungen zukommen lassen.

Wir freuen uns auf *Sie* und *Ihre* Bekannten.

Der Vereinsvorstand

211 1. ich freue mich (über etwas), du freust dich, er/sie freut sich, wir freuen uns, ihr freut euch, sie freuen sich (Reflexivpronomen im Akkusativ); 2. ich nehme mir (etwas) vor, du nimmst dir vor, er/sie nimmt sich vor, wir nehmen uns vor, ihr nehmt euch vor, sie nehmen sich vor (Reflexivpronomen im Dativ); 3. ich kümmere mich (darum), du kümmerst dich, er/sie kümmert sich, wir kümmern uns, ihr kümmert euch, sie kümmern sich (Reflexivpronomen im Akkusativ); 4. ich beeile mich, du beeilst dich, er/sie beeilt sich, wir beeilen uns, ihr beeilt euch, sie beeilen sich (Reflexivpronomen im Akkusativ).

Der Fall des Reflexivpronomens ist an den Formen der 1. und 2. Person Singular ablesbar: *mir, dir* = Dativ; *mich, dich* = Akkusativ.

216 1. Sein Zustand hat sich gebessert. 2. Sein Titel ist »Der schielende Löwe«. 3. Seine Farbe ist blau. 4. Ihre Namen lauten Eveline und Lydia. 5. Sein Durchmesser beträgt 30 Zentimeter. 6. Seine Nachbarn sind Norweger.

229 1. Norbert sah Marcel und *dessen* Schwester im Schwimmbad. 2. Die Archäologin suchte bei der Grabkammer und *deren* näherer Umgebung nach weiteren Funden. 3. Dickleibigkeit ist der Feind *derer,* die gern reichlich essen. 4. Abends wollten die Katze, die Hündin und *deren* putzige Jungen immer ins Haus kommen. 5. Uli hat den Architekten und *dessen* Bauführer um einen Terminvorschlag gebeten. 6. Martin hat Tobias in *dessen* Auftrag einen Verstärker besorgt. 7. Das Schloß *derer* von Teuffengrund ist heute eine Jugendherberge.

Es ist darauf zu achten, daß Adjektive nach *dessen* und *derer* richtig flektiert werden; siehe dazu auch ↑ 279.

233 1. dasselbe; 2. an genau derselben Stelle; 3. an demselben Ort / am selben Ort; 4. dieselbe Melodie; 5. in dasselbe Zimmer / ins selbe Zimmer; 6. aus demselben Becher.

235 1. Die Wohnung, *die (welche)* wir uns gestern angeschaut haben, ist leider schon vermietet. 2. Das Pferd, *dessen* Reiter aus dem Sattel gerutscht ist, trabt allein weiter. 3. Ich kenne die Leute, von *denen (welchen)* du erzählt hast, ziemlich genau. 4. Versuch doch mal den Käse, *den (welchen)* ich dir mitgebracht habe. 5. Barbara ist mit ihrer kleinen Schwester, auf *die (welche)* sie aufpassen soll, allein im Haus. 6. Herrn Klooß paßt die Kleidung, *die (welche)* er vor zehn Jahren gekauft hat, nicht mehr. 7. Rita hat den Nachbarn, mit *deren* Hilfe sie den Schrank in ihre Wohnung gebracht hat, gedankt. 8. Die Touristen, *die (welche)* immer wieder hierher kommen, kennen die Gegend.

Meist sind noch andere Wortstellungsvarianten möglich. So können Relativsätze oft an das Ende des Satzgefüges zu stehen kommen

(Ausklammerung, ↑ 449). Als Beispiel genüge eine Variante zu Satz 3: Ich kenne die Leute ziemlich genau, von *denen* du erzählt hast.

237 1. Nom. Sg. neutr.; 2. Dat. Sg. mask.; 3. Akk. Sg. fem.; 4. Gen. Sg. mask.; 5. Nom. Sg. fem.; 6. Akk. Pl.; 7. Gen. Sg. fem.; 8. Nom. Sg. mask.; 9. Dat. Pl.; 10. Dat. Sg. fem.; 11. Dat. Sg. neutr.

242 1. das; 2. das; 3. was; 4. was; 5. das; 6. was; 7. das; 8. was; 9. was; 10. die; 11. was; 12. die; 13. das; 14. was.

245 1. Wessen Heft ist liegengeblieben? 2. Was hat Alice in den Ferien gelesen? 3. Was fliegt dort vorn? 4. Wem traut Marianne nicht? 5. Wen hat Denise zufälligerweise in der Stadt getroffen? 6. Mit wem spricht Viktor schon dreiviertel Stunden? 7. Wessen haben die Ganoven die Tramper beraubt?

251 1. Kennst du jemand(en), der mir beim Umziehen helfen würde? 2. In dem Korb liegt etwas. 3. Wenn du einen Moment Zeit hast, erzähle ich dir noch etwas. 4. Jemand überquerte die Straße. 5. Ich muß dringend mit jemand(em) reden. 6. Anna ißt etwas. 7. Jemandes Schal (der Schal von jemandem) hängt seit einer Wochen an dem Haken dort. 8. Jürgen hat noch etwas gewartet.

259 1. Jedes Jahr essen wir am Weihnachtstag *eine* Gans (auch ohne Artikel). 2. Diesmal war *die* Gans etwas zu fett. 3. Zehn Personen könnten sich an *dem* Braten satt essen. 4. *Der* Gänsebraten wurde auf *einer* ovalen Platte serviert. 5. Beim Abtragen brach *die* Platte in zwei Stücke. 6. Sie hatte offenbar seit längerem *einen* unsichtbaren Sprung gehabt. 7. Vermutlich rührte *der* Sprung *vom (von dem)* Alter und *vom (von dem)* häufigen Gebrauch *des* Geschirrstücks her. 8. *Beim (bei dem)* Mißgeschick waren *die* Bratenreste (auch ohne Artikel) und *die* Garnitur (auch ohne Artikel) auf *den* Teppich gefallen. 9. Dies freute nur *den* Hund. 10. Hunde (ohne Artikel) lieben Bratenreste (ohne Artikel), auch wenn sie auf dem Boden liegen!

261 1. »Matrosen« wird hier generalisierend verwendet. 2. Hier wird von den bereits erwähnten Matrosen gesprochen. 3. Gemeint sind nicht irgendwelche Kaufleute, sondern die (allgemein bekannten) Kaufleute am Hafen. Dagegen handelt es sich bei den Matrosen um Seeleute ganz allgemein.

263 Bei den folgenden Lösungen handelt es sich um Vorschläge; es sind also auch andere Lösungsvarianten denkbar. Bei fast allen Nomen fehlen die Artikel!

a) Telegramme:

18 Uhr Ankunft New York. Abendessen mit Supercomp-Vertreter. Aussichten für Geschäftsabschluß günstig. Wieviel Rabatt? Bitte Telegramm!

Lieblingspyjama und Zahnpasta per Eilbote abgeschickt! Gruß Moritz.

b) Kleinanzeigen:

Neurietstraße 17
3-Zimmer-Wohnung
Balkon, Wohnküche 18 m², Gasheizung,
DM 420.—/Monat.
Gertrud Winkler, 35 46 67 (18–21 Uhr).

Gesucht
Windrad und/oder **Dynamo**
für Hüttenbeleuchtung.
Christiane Richle,
Schreberweg 34, 5623 Villigen

264 1. *das:* Demonstrativpron., *deren:* Relativpron., *niemand:* Indefinitpron.;
2. *es:* Personalpron., *alles:* Indefinitpron., *was:* Relativpron.; 3. *welcher:*
Interrogativpron., *euch:* Personalpron., *sich:* Reflexivpron., *diesen:* Demonstrativpron.; 4. *jeder:* Indefinitpron., *seine:* Possessivpron.; 5. *einer:*
Indefinitpron., *eine:* unbestimmter Art., *er:* Personalpron., *was (= etwas):* Indefinitpron.; 6. *das:* bestimmter Art., *es:* Personalpron., *dasselbe:* Demonstrativpron.; 7. *er:* Personalpron., *seiner:* Possessivpron.,
deren: Demonstrativpron., *das:* bestimmter Art.; 8. *du:* Personalpron.,
mein: Possessivpron., *ich:* Personalpron., *dir:* Personalpron., *den:* bestimmter Art.; 9. *manch:* Indefinitpron., *einer:* Indefinitpron., *den:*
bestimmter Art., *am:* Verschmelzung von Präposition und bestimmtem
Art., *der:* Relativpron., *ihn:* Personalpron.; 10. *keiner:* Indefinitpron.,
derjenige: Demonstrativpron., *der:* Relativpron.; 11. *das:* bestimmter
Art., *welche:* Relativpron., *wir:* Personalpron.; 12. *der:* bestimmter Art.,
es: Personalpron., *sich:* Reflexivpron.; 13. *ein:* unbestimmter Art., *jedes:*
Indefinitpron., *sein:* Possessivpron.; 14. *er:* Personalpron., *solche:* Demonstrativpron.; 15. *ihren:* Possessivpron., *ihr:* Personalpron., *sie:* Personalpron.; 16. *wer:* Relativpron., *dem:* Demonstrativpron., *man:* Indefinitpron., *er:* Personalpron., *die:* bestimmter Art.; 17. *eine:* unbestimmter Art., *irgendein:* Indefinitpron., *es:* Personalpron.

Adjektiv

277 1. hübsches (stark), gelbem (stark); 2. hübsche (schwach), gelben
(schwach); 3. warmer (stark), kalten (schwach); 4. warmen (schwach),
kalten (stark); 5. schlechtem (stark); 6. schlechten (schwach); 7. frischen
(schwach); 8. frische (stark); 9. lauten (schwach); 10. lautem (stark);
11. starken (schwach); 12. starker (stark).

282 1. neuesten, kommenden, ganzer; 2. alten, neuen, eigene; 3. Abtrünnige;
4. neuen; 5. neuer; 6. harten, schweren; 7. erschwinglichen; 8. scharfer,
mexikanischer; 9. frischem, gewürztem; 10. liebstes, knackige, mildem,
französischem; 11. neues, Schmackhaftes; 12. gegrillte, frischen; 13. er-

frischende; 14. umfangreiche; 15. liebes; 16. wichtigen, Selbstverständliches, viele; 17. anderen, kraftraubenden.

289 abgelegener, am abgelegensten; älter, am ältesten; bedeutender, am bedeutendsten; blasser / blässer, am blassesten / am blässesten; blauer, am blau[e]sten; braver, am bravsten; breiter, am breitesten; bunter, am buntesten; dümmer, am dümmsten; dunkler, am dunkelsten; erbitterter, am erbittertsten; falscher, am falschesten; famoser, am famosesten; flacher, am flachsten; flexibler, am flexibelsten; freundlicher, am freundlichsten; froher, am froh[e]sten; genauer, am genau[e]sten; gerader, am geradesten; gesitteter, am gesittetsten; gesunder / gesünder, am gesundesten / gesündesten; glatter / glätter, am glattesten / glättesten; heiterer, am heitersten; höher, am höchsten; hohler, am hohlsten; jünger, am jüngsten; kälter, am kältesten; kindischer, am kindischsten; klarer, am klarsten; kränker, am kränkesten; krasser, am krassesten; krummer / krümmer, am krummsten / krümmsten; kürzer, am kürzesten; länger, am längsten; leiser, am leisesten; magerer, am magersten; makabrer, am makabersten; näher, am nächsten; närrischer, am närrischsten; nervöser, am nervösesten; plastischer, am plastischsten; plumper, am plumpsten; rascher, am raschesten; röter, am rötesten (auch: roter, am rotesten); runder, am rundesten; schärfer, am schärfsten; schlanker, am schlanksten; schlauer, am schlau[e]sten; spannender, am spannendsten; stolzer, am stolzesten; stumpfer, am stumpfsten; tapferer, am tapfersten; toller, am tollsten; traumhafter, am traumhaftesten; trockener, am trockensten; vergammelter, am vergammeltsten; verlogener, am verlogensten; wärmer, am wärmsten; witziger, am witzigsten; zahmer, am zahmsten; zarter, am zartesten.

293 1. als; 2. als; 3. wie; 4. wie; 5. als; 6. als; 7. als; 8. wie; 9. als; 10. wie; 11. als; 12. wie; 13. wie; 14. wie; 15. als.

304 Attr. = attributiv, präd. = prädikativ, adv. = adverbial, nom. = nominalisiert (substantiviert). Bei prädikativen Adjektiven, die sich auf das Subjekt beziehen, ist oft auch adverbiale Interpretation möglich (↑ 303).

1. ausgezeichnete: attr., zahlreiches: attr.; 2. spannend: präd., gespielte: attr., meisten: attr., reichlich: attr. (Bezug auf das folgende Adjektiv), langen: attr.; 3. konventioneller: attr., origineller: attr., festlicher: attr., bewußt: attr. (Bezug auf das folgende Adjektiv), alltäglicher: attr., gelassener: attr., musterndes: attr.; 4. Bekannte: nom., freundlich: adv., Unverbindliches: nom., völlig: attr., Uninteressantes: nom, angestrengt: adv., stadtbekannten: attr.; 5. Gleichgesinnte: nom., gelegentlich: adv., tiefer: attr. (Bezug auf das folgende Partizip), gehende: attr.; 6. anregend: präd.; 7. meisten: attr., oberflächlich: präd.; 8. später: adv., stark: adv., kalt: präd.; 9. zahlreichen: attr., ratlos: adv. (oder präd.), gedrängt: präd.; 10. exklusiven: attr., direkt: attr. (Bezug auf die folgende Präposition), gewagten: attr., nächste: attr., andere: nom. (trotzdem Kleinschreibung, da unbestimmtes Zahladjektiv!), unschlüssig: präd., weiter: adv.

308 1. andere: Adj.; 2. genug: Pro.; 3. einige: Pro., aller: Pro.; 4. wenige: Adj.; 5. keine: Pro., einzige: Adj.; 6. jedes: Pro., einzelne: Adj., unzählige: Adj.; 7. sämtliche: Pro.; 8. zahllose: Adj.; 9. irgendeinen: Pro.; 10. etwas: Pro.; 11. mehrere: Pro.; 12. alles: Pro., übrige: Adj.

313 zwölf, einundzwanzig, siebenundachtzig, achthundertfünfundneunzig, tausenddreihundertvierundfünfzig (als Jahreszahl: dreizehnhundertvierundfünfzig), vierhundertneunundachtzigtausenddreihundertsiebenundfünfzig.

Übrigens: In normalen Texten schreibt man nur ein- und zweisilbige Zahlen in Buchstaben (drei, zehn, dreizehn, dreißig, hundert, tausend), höhere in Ziffern. Wenn in einem Text viel von Zahlen die Rede ist (zum Beispiel in einem Sportartikel, einem statistischen oder wissenschaftlichen Bericht, einer Liste oder einer Tabelle), kann man auch ein- und zweisilbige Zahlen in Ziffern schreiben.

Partikel

325 v = vorangestellte, n = nachgestellte, u = umklammernde Präposition:

1. dem Polizeigebäude *gegenüber* (n); 2. *von* Anfang *an* (u), *im* Verdacht (v); 3. rund *um* das Haus (v) (das Adjektiv *rund* bestimmt die Präposition *um* näher, ↑ 298), *um* der guten Ordnung *willen* (u); 4. den Igeln *zuliebe* (n), *gegen* die Schnecken (v); 5. *gegen* ein freundlicheres Zimmer (v); 6. *über* die Bucht (v); 7. den Tag *über* (n); *während* der ganzen Nacht (v); 8. *mittels* des beigelegten Einzahlungsscheins (v); 9. der Rückwand *entlang* (n); 10. *vom* Fenster *aus* (u); 11. *aus* dem Fenster (v).

328 Meist sind weitere Lösungen denkbar; wir geben im folgenden nur eine Auswahl:

1. *in* / *gegen* / *um* einen Beleuchtungsmast; 2. *auf* / *vor* / *hinter* / *neben* dem Kachelofen; 3. *im* (*in* dem) / *auf* dem Wasser; 4. *um* das Haus, *hinter* / *neben* / *vor* dem Haus; 5. *aus* dem Lautsprecher; 6. *in* / *über* / *unter* den Wolken; 7. *zu* dem (*zum*) Eisverkäufer; 8. *vor* dem Schalter; 9. *in* / *auf* / *neben* den Koffer; 10. *an* / *auf* die Tafel; 11. *auf* der Straße; 12. *vor*, *neben*, *hinter*, *gegenüber* dem Bahnhof; 13. *in* / *bei* / *vor* der Garderobe.

334 Präposition *nach:* 1. Raum (Ort); 2. Raum (Richtung); 3. Zeit; 4. Art und Weise; 5. Art und Weise; 6. — (↑ 332).

Präposition *aus:* 7. Grund; 8. Raum (Richtung, Herkunft); 9. Zeit (zeitliche Herkunft); 10. Art und Weise (stoffliche Beschaffenheit).

Präposition *vor:* 11. Raum (Ort); 12. Zeit; 13. Grund; 14. — (↑ 332).

Präposition *über:* 15. Raum (Richtung); 16. Zeit; 17. Art und Weise (Sprechereinschätzung); 18. — (↑ 332); 19. Zeit.

Präposition *unter:* 20. Raum (Ort); 21. Grund (Bedingung); 22. Raum (Ort).

Präposition *zu:* 23. Raum (Richtung); 24. Raum (Ort); 25. Raum (Ort) (oder ↑ 332); 26. Grund (Zweck); 27. Raum (Ort); 28. — (↑ 332); 29. — (↑ 332).

339 1. der (Dat., Ort), im ganzen (Dat., Ort); 2. dem (Dat., Ort), die (Akk., Richtung); 3. die (Akk., Richtung); 4. einen (Akk., Richtung); 5. den (Akk., Richtung); 6. einem (Dat., Ort); 7. dem (Dat., Ort); 8. der großen (Dat., Ort); 9. das (Akk., Richtung); 10. dem (Dat., Ort); 11. der (Dat., Ort).

342 1. außerhalb Englands / von England; 2. längs des Ufers / längs dem Ufer; 3. trotz großen Werbeaufwands / trotz großem Werbeaufwand; 4. während Tagen; wegen der drohenden Lawinen (umgangssprachlich auch: wegen den drohenden Lawinen); 5. einschließlich Frühstück(s); 6. wegen des Jahrmarkts (umgangssprachlich auch: wegen dem Jahrmarkt); 7. statt ihres gewohnten Kleids / statt ihr gewohntes Kleid (*statt* ist in der Bedeutung *und nicht* auch als Konjunktion ohne Zuweisung eines Falls verwendbar); 8. statt des Aktenköfferchens; 9. laut der Spielregeln / laut den Spielregeln; 10. trotz ihres verstauchten Daumens / trotz ihrem verstauchten Daumen; 11. mittels eines Drahtes; 12. abzüglich der wöchentlichen Ausgaben; 13. innerhalb der letzten drei Monate; 14. dank harten Trainings / dank hartem Training; 15. mangels Geld(es); 16. seitlich des Kanals; 17. während des ganzen Essens (umgangssprachlich auch: während dem ganzen Essen); 18. trotz Einwänden; 19. wegen Straßenunterbrüchen; infolge des Monsunregens; 20. während Harrys reichlich langem Vortrag.

347 Es sind teilweise weitere Lösungen denkbar, auch wo wir nur eine angegeben haben.

1. Wir sind gestern nicht ins Theater, *sondern* ins Kino gegangen. 2. Peter hatte *weder* eine Mütze *noch* einen Schal bei sich. 3. Der graue Papagei kann *sowohl* pfeifen *als auch* sprechen. (Der graue Papagei kann *nicht nur* pfeifen, *sondern auch* sprechen. Der graue Papagei kann pfeifen *und* sprechen.) 4. Franz hat viele Reisepläne, *doch (jedoch, aber)* leider kein Geld. 5. Das Spiel findet am Samstag *oder* am Sonntag statt. 6. Felix *und* Astrid haben Hunger.

348 1. und (Anreihung); 2. weder, noch (Anreihung, verneint); 3. aber / doch / jedoch (Einschränkung, Gegensatz); 4. doch / jedoch / aber (Einschränkung, Gegensatz); 5. nämlich (Begründung); 6. sondern (Gegensatz); 7. und / sowie (Anreihung); 8. wie / sowie (Anreihung); 9. weder, noch (Anreihung oder Ausschluß, verneint), oder (Ausschluß); 10. denn (Begründung); 11. oder (Ausschluß).

352 1. wie die Romanfigur Robinson Crusoe; 2. wie den meisten Managerinnen; 3. als einen großen Vorteil; 4. als zurückgesetzten Flügelspieler; 5. als der einzige Sohn des Bauern; 6. wie aufgeregte Hühner; 7. als leidenschaftlichem Schachspieler; 8. als kleiner Meißel; 9. als den zuverlässigsten Mitspieler; 10. als den Höhepunkt; 11. als unerfahrener Neu-

ling; 12. als verantwortlicher Leiterin; 13. als unseren neuen Abteilungsleiter.

354 Die Nebensätze sind kursiv (schräg), die einleitenden Konjunktionen zusätzlich noch fett gesetzt:

1. Wir mußten das Wasser am Dorfbrunnen holen, **weil** *keine Wasserleitung in die Hütte führte.* 2. Die Sonne schien in den Bergen, **obwohl** *es
mitten im Februar war,* so heiß vom Himmel, **als** *wäre es Mitte Juni.*
3. Es gab keinen einzigen Laden in der Nähe, *so* **daß** *wir ins nächste
Dorf fahren mußten,* **damit** *wir unsere Vorräte ergänzen konnten.* 4. Die
Gegend eignete sich, **da** *es keine Abfahrtspisten gab,* nur für Skiwanderungen. 5. **Wenn** *wir Abfahrten machen wollten,* mußten wir auf die
gegenüberliegende Talseite wechseln. 6. Es war das erklärte Ziel der Behörden, **daß** *die Natur nicht durch den Tourismus Schaden leidet.* 7. Die
Dorfbewohner fragten sich aber, **ob** *der abgelegene Ort mit seinem
bescheidenen touristischen Angebot konkurrenzfähig sei.* 8. **Seit** *wir
jeden Winter in die Hütte zurückkehrten,* hatten wir schon mit einigen
Bauern Bekanntschaft gemacht. 9. Sie grüßten uns jedesmal freundlich,
wenn *wir sie unten im Dorf oder vor ihren Höfen trafen,* oder winkten
uns schon weitem zu. 10. Wir konnten Milch und Eier bei ihnen kaufen,
so **daß** *wir nur noch selten ins Dorf hinab mußten.*

358 *Huch:* Erstaunen, Schrecken. *Autsch:* Schmerz. *Ätsch:* Schadenfreude.
Igitt: Ekel. *Au weia:* Schrecken. *Miau:* Tierlaut (Katze). *Juhui:* Freude.
Hau ruck: Aufforderung zum Stoßen oder Ziehen. *Brrr:* Frost. *Hui:*
Erstaunen (über etwas Schnelles). *Oink:* Tierlaut (Schwein). *Oho:* freu-
diges Erstaunen. *Hü:* Aufforderung zum Aufbruch (zu Pferden). *Klirr:*
Geräusch. *Psst:* Aufforderung zur Ruhe.

362 a) Adverbien des Ortes: 1. *oben;* 2. *drinnen, draußen;* 3. *auswärts;*
4. *unten;* 5. *vorn;* 6. *oben;* 7. *links.*

b) In den ersten Satz passen: dann, demnächst, morgen, nachher. In den
zweiten Satz passen: dann, gestern, letzthin, kürzlich, nachher, neulich,
unlängst. In beide Sätze passen also: dann, nachher.

365 1. über 2000 neugierige Gäste (Adv.); 2. um die 40 (Adv.); 3. unter den
200 ausgelassenen Partygästen (Präp.); 4. gegen 20 heimtückische Bogenschützen (Präp.); 5. um die 15 folgenden Kursabende (Präp.); 6. an
die 350 Seiten (Adv.); 7. an die 30 wütenden Opfer (Präp.); 8. bis zu 10
glitzernde Diamantenketten (Adv.); 9. gegen 500 begeisterten Fans
(Adv.); 10. um die 20 Verletzte (Adv.); 11. über die 30 aufregenden
Tage (Präp.).

370 a) Genannt ist der jeweils zweite Satz:

1. Er hat offenbar *dafür* zuwenig Geld verlangt. 2. Ich möchte *damit*
meine Rede beschließen. 3. Doch ist es kaum zu glauben, daß der
Panther *dazwischen* durchgeschlüpft ist. 4. Deshalb möchte sie nicht mit
allen Leuten *darüber* sprechen. 5. Nun bist du *dagegen.* 6. Sie muß *dabei*
viel liegen.

b) Fragende Pronominaladverbien: 1. *Woraus* schließt du das? 2. *Wogegen* richtet sich eigentlich dein Protest? 3. Ich bekomme aber nicht heraus, *worin* sie sich gleichen. 4. *Womit* kann ich Ihnen behilflich sein? 5. *Woraus* ist dieser Ring? 6. *Wofür* interessieren Sie sich? 7. *Weswegen (warum, weshalb, wieso)* fehlt Nora?

372 1. am meisten; 2. eher (früher, schneller); 3. wohler (besser); 4. öfter (häufiger); 5. am liebsten; 6. eher (früher); 7. lieber; 8. am wohlsten; 9. eher (früher); 10. am meisten, am häufigsten (selten: am öftesten); 11. mehr; 12. am ehesten (am frühesten, am schnellsten, zuerst).

374 1. *sogar:* Adv.; *zu:* Adv. (austauschbar mit *allzu*); 2. *zu:* Präp. (nachgestellt); *immer:* Adv.; 3. *zu:* Präp.; 4. *unterwegs:* Adv.; *zu:* Verbzusatz (zusammengesetzte Verbform: *schauten … zu*, Infinitiv: *zuschauen*); 5. *links:* Adv.; *zu:* Infinitivpartikel (↑ 60); 6. *während:* unterordnende Konj.; *für:* Präp.; *hier:* Adv.; 7. *während:* Präp.; *aber:* nebenordnende Konj.; 8. *ohne:* Präp.; *in:* Präp.; *kaum:* Adv.; *vorwärts:* Adv.; 9. *ohne:* unterordnende Konj. (Einleitung eines Infinitivsatzes, ↑ 548); *los:* Verbzusatz (Infinitiv: *losfahren*); 10. *im:* Präp. (mit bestimmtem Artikel verschmolzen); *über:* Adv.; 11. *pfui:* Interjektion; *von:* Präp.; 12. *über:* Präp.; 13. *zu:* Präp.; *fast:* Adv.; *über:* Verbzusatz (zusammengesetzte Verbform: *lief … über*, Infinitiv *überlaufen*) 14. *wohin:* Adv. (interrogatives Pronominaladverb); *nur:* Adv.; 15. *bis:* unterordnende Konj.; *zu:* Präp.; *vermutlich:* Adv.; *oder:* nebenordnende Konj.; *sogar:* Adv.; 16. *leider:* Adv.; *nur:* Adv.; *noch:* Adv.; *bis:* Präp.; 17. *daneben:* Adv.; *als:* unterordnende Konj.; *vorhin:* Adv.; 18. *als:* Satzteilkonjunktion; *und:* nebenordnende Konj.; *erstaunlicherweise:* Adv.; 19. *wegen:* Präp.; *wie:* nebenordnende Konjunktion; 20. *nachdem:* unterordnende Konj.; *erfreulicherweise:* Adv.; *sofort:* Adv.; *auf:* Verbzusatz (zusammengesetzte Verbform: *hörte … auf*, Infinitiv: *aufhören*); 21. *bei:* Präp.; *gegen:* Präp.; 22. *nur:* Adv.; *abseits:* Präp.; 23. *nicht:* Adv.; 24. *mal:* Adv.; *ab:* Verbzusatz (zusammengesetzte Verbform *warten … ab*, Infinitiv: *abwarten*); *wie:* Adv. (interrogatives Pronominaladverb als Einleitung zu einem indirekten Fragesatz); *morgen:* Adv.; 25. *weil:* unterordnende Konj.; *abseits:* Adv.; 26. *mit:* Präp.; *eher:* Adv.; *am:* Präposition (mit bestimmtem Artikel verschmolzen); *als:* nebenordnende Konjunktion; *mit:* Präp.; 27. *gegenüber:* Adv.; 28. *gegenüber:* Präp.; *und:* nebenordnende Konj.; *sehr:* Adv.

Wortbildung

378 Genitivendung: Tageslicht (Licht des Tages), Freundeskreis (denkbar: der Umkreis eines Freundes, aber eher: Kreis von Freunden!), landeskundig (des Landes kundig), Herzensangelegenheit (Angelegenheit des Herzens).

Pluralendung *-en:* Dornenhecke (Hecke von Dornen), rabenschwarz (denkbar: schwarz wie die Raben, aber eher: schwarz wie ein Rabe!), staatenlos (keinen Staaten [Plural] oder eher keinem Staat [Singular] angehörend; gemeint: keine Staatsangehörigkeit besitzend).

Pluralendung *-er:* Bilderrahmen (denkbar: Rahmen für Bilder; aber eher: Rahmen für ein einzelnes Bild!), Bretterwand (Wand aus Brettern), kinderlieb (lieb zu Kindern).

Nicht auf eine Flexionsendung der Gegenwartssprache zurückführbar: Elektrizitätswerk, fälschungssicher, Schmerzensgeld (der Genitiv heißt: des Schmerzes!), Zitatenschatz, Sonnenschein. Einige Zweifelsfälle sind in den vorangehenden Gruppen besprochen worden.

380 Luxusbrillengestell = Luxus + Brillengestell; Brillengestell = Brillen + Gestell.

Klarsichtfolie = Klarsicht + Folie; Klarsicht = klar + Sicht.

Taschenbuchausgabe = Taschenbuch + Ausgabe; Taschenbuch = Taschen + Buch.

Nervenheilanstalt = Nerven + Heilanstalt; Heilanstalt = heil(en) + Anstalt.

Schreibmaschinenpapier = Schreibmaschine + Papier; Schreibmaschine = schreib(en) + Maschine.

Starkstromsteckdose = Starkstrom + Steckdose; Starkstrom = stark + Strom; Steckdose = steck(en) + Dose.

teilzeitbeschäftigt = Teilzeit + beschäftigt; Teilzeit = Teil + Zeit.

kohlensäurefrei = Kohlensäure + frei; Kohlensäure = Kohle (statt: Kohlenstoff!) + Säure.

Bundesausbildungsförderungsgesetz = Bundes + Ausbildungsförderungsgesetz; Ausbildungsförderungsgesetz = Ausbildung + Förderungsgesetz; Förderungsgesetz = Förderung + Gesetz.

Rundsichtwindschutzscheibe = Rundsicht + Windschutzscheibe; Rundsicht = rund + Sicht; Windschutzscheibe = Windschutz + Scheibe; Windschutz = Wind + Schutz.

Bei einigen Elementen ist noch eine weitergehende Zerlegung möglich, zum Beispiel: Ausgabe = aus + Gabe. Ferner könnten noch die Fugenelemente besonders angegeben werden (in der obenstehenden Darstellung vernachlässigt).

383 1. Reise nach Österreich (Ort, Richtung); Reise, die einen Tag dauert (Zeitdauer); Reise mit dem Zug (Mittel); Reise zum Vergnügen (Zweck).

2. Gebell eines Hundes (Urheber); Futter für Hunde (Zweck); Leben, wie es ein Hund führt (Vergleich); Floh eines Hundes (Zugehörigkeit) oder Floh, der auf einem Hund lebt (Ort).

3. Schrank für Lebensmittel (Zweck); Schrank in einer Ecke (Ort); Schrank aus Holz (Stoff); Schrank für Kleider (Zweck); Schrank an/in einer Wand (Ort).

4. nach innen laden (Richtung); nach außen laden (Richtung); allzu sehr laden (Maß).

5. Pflanzen im Garten (Ort) oder Pflanzen für den Garten (Zweck); Pflanzen, die zur Zier kultiviert werden (Zweck); Pflanzen, die als Gemüse verzehrt werden können (Zweck); Pflanzen mit Blüten (Eigenschaft, Begleitumstand); Pflanzen, die aus den Tropen stammen (Herkunft) oder in den Tropen wachsen (Ort).

6. Schnitzel aus Rehfleisch (Stoff); Schnitzel nach Jägerart (Eigenschaft).

7. Buch, das in eine Tasche gesteckt werden kann (Zweck, Maß); Buch aus Bildern oder mit vielen Bildern (Eigenschaft); Buch, in das man jeden Tag etwas schreibt (Zweck, Zeit); Buch über ein größeres Sachgebiet, das man (gerade noch) in die Hand nehmen kann (Eigenschaft, Begleitumstand); Buch für die Schule (Zweck); Buch mit künstlerischen Abbildungen (Eigenschaft); Buch mit Angaben zu Eisenbahnkursen (Zweck).

392 Ableitungen mit der Endung *-er* können unter anderem ausdrücken:

a) handelnde Personen: Sprecher, Flieger, Besucher, Reiter, Schwimmer.

b) Geräte, Werkzeuge oder Hilfsmittel: Lautsprecher, Flieger (Flugzeug), Blinker (Einrichtung, die blinkt), Bohrer (Werkzeug, das bohrt; Werkzeug, mit dem man bohrt), Schalter, Kopierer, Schwimmer (Vorrichtung, die schwimmt), Alleskleber, Leuchter, Knipser.

c) eine Handlung (oft mit abwertendem Sinn): Versprecher, Ausrutscher, Rülpser.

Wie man sieht, sind einige Ableitungen mehrdeutig. Was gemeint ist, kann normalerweise aus dem Zusammenhang entschieden werden.

Ableitungen mit der Endung *-erei* und *-ei* können ausdrücken:

a) den Ort, wo man etwas berufsmäßig oder gewohnheitsmäßig tut (Ableitung von Verben) oder mit bestimmten Dingen beschäftigt ist (Ableitung von Nomen): Bäckerei, Schreinerei, Bücherei, Ziegelei, Weberei.

b) eine Handlung, die (zum Teil wegen ihrer dauernden Wiederholung) negativ bewertet wird: Brüllerei, Heuchelei, Bastelei, Fragerei, Sucherei.

394 a) Von Verben abgeleitet: schreckhaft, naschhaft, schwatzhaft.

b) Von Nomen abgeleitet: fabelhaft, nebelhaft, ernsthaft (der Ernst), zweifelhaft, bruchstückhaft.

c) Von Adjektiven abgeleitet: krankhaft, ernsthaft (ernst).

Wie man sieht, ist die Bildung *ernsthaft* zweideutig.

395 Die *lich*-Ableitungen drücken eine Eigenschaft aus, die in ihrem Ausmaß oder in ihrer Wertschätzung reduziert (herabgemindert) wird.

396 Teils muß die Endung *-en* (oder *-n*), teils die Endung *-ern* angefügt werden. Die Nomen drücken immer einen Werkstoff aus.

a) Mit Endung *-en/-n:* eine seidene Bluse, ein papiernes Flugzeug, eine metallene Platte, eine baumwollene Hose, eine kupferne Röhre.

b) Mit Endung *-ern:* ein stählerner Reifen, eine hölzerne Schachtel, eine steinerne Brücke, eine blecherne Büchse, ein tönerner Napf.

406 1. eigentliche Abkürzungen: Abb. (Abbildung), z. B. (zum Beispiel), Jh. (Jahrhundert), mm (Millimeter), m. E. (meines Erachtens), Adj. (Adjektiv).

2. Initialwörter: PVC (gesprochen: Pee-Vau-Cee; Bezeichnung eines Kunststoffes, abgeleitet von Polyvinylchlorid), pH-Wert (Säure/Basen-Wert), USA, ZDF (Zweites Deutsches Fernsehen), EG (Europäische Gemeinschaft).

3. Kürzel: Profi (professioneller Sportler), Demo (Demonstration), Bus (Omnibus), Abopreis (Abonnementspreis), Mathe (Mathematik), Ökosystem (ökologisches System).

Satzlehre

Sätze als Einheiten der Grammatik

409 Zuerst will ich mal etwas saubermachen in der Wohnung. Ich glaube, der Staub wächst sogar, während ich am Schlafen bin. Dann können wir etwas musizieren und Zigaretten rauchen. Ich kann ihn begleiten, aber zuerst muß ich noch die Tasten vom Klavier säubern mit Milch. Was zieh ich denn an? Soll ich eine weiße Rose tragen?

(Man hätte natürlich statt eines Punktes an verschiedenen Stellen auch Komma oder Semikolon setzen können.)

Die Satzarten

418 1. Aussagesatz; 2. Fragesatz; 3. Aussagesatz; 4. Aussagesatz; 5. Aussagesatz (zweimal); 6. Aussagesatz; 7. Wunsch- oder Aufforderungssatz; 8. Aussagesatz; 9. Aussagesatz; 10. Fragesatz; 11. Aussagesatz; 12. Aussagesatz; 13. Wunsch- oder Aufforderungssatz; 14. Aussagesatz; 15. Aussagesatz; 16. Fragesatz; 17. Ausrufesatz.

Einfache und zusammengesetzte Sätze

432 HS = Hauptsatz, NS = Nebensatz:

1. Satzverbindung: (1. HS) Am Abend geht Paul in die Diskothek, (2. HS, zusammengezogen) Frank zieht die Kunsteisbahn vor und Elke das Schwimmtraining.

2. Satzgefüge: (HS) Barbara behauptet, (NS) sie könne nicht kommen.

3. Satzverbindung: (1. HS) Barbara war verreist, (2. HS) sie konnte deshalb nicht kommen.

4. Zusammengezogener Satz.

5. Satzgefüge: (HS, 1. Teil) Das Buch, (NS) das du mir gegeben hast, (HS, 2. Teil) ist sehr spannend.

6. Satzgefüge: (HS, 1. Teil) Der Baum, (NS-Äquivalent) vom Blitz getroffen, (HS, 2. Teil) stürzte krachend zu Boden.

7. Zusammengezogener Satz.

8. Satzgefüge: (HS) Der Vater glaubt, (NS-Äquivalent) bis Sonntag mit dieser Arbeit fertig zu sein.

9. Satzverbindung: (1. HS) Dieter kommt nicht heute, (2. HS) sondern er kommt morgen.

10. Satzgefüge: (HS, 1. Teil) Frank beschleunigte, (NS-Äquivalent) um pünktlich anzukommen, (HS, 2. Teil) seine Gangart.

11. Satzgefüge: (HS) Ich weiß sicher, (NS 1. Grades) daß mein Vater morgen kommt, (NS 2. Grades) wenn er kann.

12. Satzgefüge: (NS-Äquivalent) Kaum geboren, (HS) erwürgte Herakles in der Wiege zwei Schlangen.

13. Satzverbindung: (1. HS) Klaus las ein Buch, (2. HS) Franz malte indessen ein Bild.

14. Satzgefüge: (HS) Klaus las, (NS) während Frank ein Bild malte.

15. Satzgefüge: (HS) Klaus redet, (NS-Äquivalent) anstatt sofort zu handeln.

16. Satzgefüge: (NS) Obwohl Susanne sich sehr beeilte, (HS) kam sie zu spät.

17. Satzgefüge: (NS-Äquivalent): Ohne es zu wissen, (HS) hat Petra uns sehr geholfen.

18. Satzverbindung: (1. HS) Peter kommt heute abend, (2. HS) oder er kommt morgen früh.

19. Satzverbindung: (1. HS) Susanne beeilte sich sehr, (2. HS) aber sie kam zu spät.

20. Satzgefüge: (HS) Wir fahren an die See, (NS-Äquivalent) um uns zu erholen.

21. Satzverbindung: (1. HS, 1. Teil) Wir wissen inzwischen – (2. HS, eingeschoben) das hat sich heute ergeben – (1. HS, 2. Teil) den genauen Grund für sein Fehlen.

Die verbalen Teile

440 1. Fragesatz; 2. Aussagesatz; 3. Fragesatz; 4. Aussagesatz; 5. Aussagesatz (Ausrufesatz); 6. Aussagesatz; 7. Aussagesatz (Ausrufesatz); 8. Fragesatz.

443 1. Fragesatz; 2. (uneingeleiteter) Nebensatz; 3. Fragesatz; 4. Wunsch- oder Aufforderungssatz; 5. Wunsch- oder Aufforderungssatz.

446 1. Nebensatz; 2. Nebensatz; 3. Nebensatz; 4. Nebensatz; 5. Aussagesatz (Ausrufesatz).

447 K = Kernsatz, St = Stirnsatz, Sp = Spannsatz:

1. Andreas *ist* als Gast bei Parties sehr beliebt (K). 2. Er *kann* prima *erzählen* (K), und er *merkt* immer (K), wenn die Stimmung *einzuschlafen droht* (Sp). 3. Dann *kramt* er eine Geschichte *hervor* (K) – etwas, was er *erlebt hat* oder *erlebt zu haben behauptet* (Sp). 4. *Mag* er auch manchmal *flunkern* (St): die Gäste *werden unterhalten* und *bleiben* gut gelaunt (K). 5. Natürlich *wird* Andreas dauernd *eingeladen* (K), und wenn man nicht früh genug bei ihm *anfragt* (Sp), *darf* man nicht mit einer Zusage *rechnen* (K). 6. Kürzlich *haben* wir es dennoch *geschafft* (K). 7. Er *kam* zwar eine Stunde zu spät (K), was wir uns aber gern *gefallen ließen* (Sp), denn er *rettete* den Abend (K). 8. Bevor er *gekommen war* (Sp), *drohte* die Unterhaltung zum Streit *auszuarten* (K). 9. Zwei unserer Freunde, sie *hatten* sich eben erst *kennengelernt* (K), *hatten* heftig *zu diskutieren angefangen* und *waren* kaum *zu beruhigen* (K). 10. Aber Andreas *gelang* es (K), ihren Streit *zu beenden*, indem er eine komische Szene aus einer Bar *heraufbeschwor* (Sp). 11. Seine Geschichte *war* so erheiternd (K), daß nachher niemand mehr ans Zanken *dachte* (Sp).

Die Satzglieder

458 1. Gestern / ist / in der Stadt / etwas Aufregendes / passiert: 2. Die Bank im Zentrum / ist / überfallen worden. 3. Die beiden Räuber / konnten / entkommen. 4. Sie / fuhren / mit großer Geschwindigkeit / über den Marktplatz. 5. Die Gemüsefrauen und die Fischhändler / hatten / große Angst, / daß / die Marktstände / beschädigt werden könnten. 6. Dem Fahrzeug der Gangster / folgte / ebenfalls sehr schnell / ein Polizist (/) auf einem Motorrad. 7. Die Verfolgungsjagd / setzte / sich / in den Gassen der Altstadt / fort. 8. Nach kurzer Zeit / legte / sich / die Aufregung / aber / wieder, / und / auf dem Markt / ging / der gewohnte Betrieb / weiter.

463 1. *Herr K.:* Satzglied im Nominativ; *ein Gemälde:* Satzglied im Akkusativ; *das:* Satzglied im Nominativ; *einigen Gegenständen:* Satzglied im Dativ; *eine sehr eigenwillige Form:* Satzglied im Akkusativ.

2. *Er:* Satzglied im Nominativ.

3. *Einigen Künstlern:* Satzglied im Dativ; *es:* Satzglied im Nominativ; *sie:* Satzglied im Nominativ; *die Welt:* Satzglied im Akkusativ; *wie vielen Philosophen:* Satzglied mit Konj.

4. *Bei der Bemühung um die Form:* Satzglied mit Präp. und Dativ; *der Stoff:* Satzglied im Nominativ.

5. *Ich:* Satzglied im Nominativ; *einmal:* Satzglied, das nicht im Kasus bestimmt ist; *bei einem Gärtner:* Satzglied mit Präp. und Dativ.

6. *Er:* Satzglied im Nominativ; *mir:* Satzglied im Dativ; *eine Gartenschere:* Satzglied im Akkusativ; *mich:* Satzglied im Akkusativ; *einen Lorbeerbaum:* Satzglied im Akkusativ.

7. *Der Baum:* Satzglied im Nominativ; *in einem Topf:* Satzglied mit Präp. und Dativ; *zu Festlichkeiten:* Satzglied mit Präp. und Dativ.

8. *Dazu:* Satzglied, das nicht im Kasus bestimmt ist; *er:* Satzglied im Nominativ; *die Form einer Kugel:* Satzglied im Akkusativ.

9. *Ich:* Satzglied im Nominativ; *sogleich:* Satzglied, das nicht im Kasus bestimmt ist; *mit dem Abschneiden der wilden Triebe:* Satzglied mit Präp. und Dativ; *ich:* Satzglied im Nominativ; *mich:* Satzglied im Akkusativ; *auch:* Satzglied, das nicht im Kasus bestimmt ist; *die Kugelform:* Satzglied im Akkusativ; *es:* Satzglied im Nominativ; *mir:* Satzglied im Dativ; *nicht:* Satzglied, das nicht im Kasus bestimmt ist.

10. *Einmal:* Satzglied, das nicht im Kasus bestimmt ist; *ich:* Satzglied im Nominativ; *auf der einen (Seite):* Satzglied mit Präp. und Dativ; *einmal:* Satzglied, das nicht im Kasus bestimmt ist; *auf der anderen Seite:* Satzglied mit Präp. und Dativ; *zu viel:* Satzglied im Akkusativ (oder Satzglied, das nicht im Kasus bestimmt ist).

11. *es:* Satzglied im Nominativ; *endlich:* Satzglied, das nicht im Kasus bestimmt ist; *eine Kugel:* Satzglied im Nominativ; *die Kugel:* Satzglied im Nominativ; *sehr klein:* Satzglied, das nicht im Kasus bestimmt ist.

12. *Der Gärtner:* Satzglied im Nominativ; *enttäuscht:* Satzglied, das nicht im Kasus bestimmt ist.

13. *Gut:* Satzglied, das nicht im Kasus bestimmt ist; *das:* Satzglied im Nominativ; *die Kugel:* Satzglied im Nominativ; *wo:* Satzglied, das nicht im Kasus bestimmt ist ; *der Lorbeer:* Satzglied im Nominativ.

465   Die Kerne mehrteiliger Wortgruppen sind kursiv (schräg) gesetzt:

1. Petra / begrüßt / ihren *Onkel* / sehr *höflich.* 2. *Der Onkel* / steht / mit einem großen *Koffer* / vor dem *Eingang* des Bahnhofs. 3. Petra / hat / ihn / ganz *pünktlich* / *am* vereinbarten *Treffpunkt* / erwartet. 4. Sie / führt / ihn / *in das* von ihrem Vater ausgewählte *Hotel.* 5. *Der Portier* des Hotels / nimmt / *dem* von der Reise ermüdeten *Mann* / *vor der* bronzenen *Haustür* / *den* schweren *Koffer* / ab. 6. Er / trägt / ihn / sofort / *in den* vom Liftboy offen gehaltenen *Fahrstuhl.* 7. *Auf* seinem gemütlich eingerichteten *Zimmer* / findet / *der Onkel* / *den Koffer* / sorgfältig *abgestellt* / wieder.

474   1. der Mann; 2. er; 3. sein Auto, sein Geschäftspartner; 4. der Mann, keine Lebensgefahr; 5. daß niemand den Unfall beobachtet hatte (↑ 470); 6. die Polizei; 7. ein Reh (↑ 475); 8. diese Begründung; 9. die Notrufsäule.

481   1. Konrad: Anredenom.; die Frau Mama: Subj.; ich: Subj.; du: Subj.; 2. der Bildschirm: Subj.; 3. der große Künstler: Subj.; ein Träumer: Gleichsetzungsnom.; 4. die beiden: Subj.; ein Glück: abs. Nom.; 5. die Bücher: Subj.; 6. er: Subj.; eine üble Schweinerei: abs. Nom.; 7. Papa: Subj.; eine tolle Überraschung für uns alle: abs. Nom.; 8. das Mittagessen: Subj.; 9. ich: Subj.; 10. dein Großvater: Subj.; Beamter: Gleichsetzungsnom.; 11. Heuschnupfen: Subj.; ein lästiges Leiden: Gleichsetzungsnom.; 12. Joseph: Subj.; der Liebling seines Vaters: Gleichsetzungsnom.; 13. meine Damen und Herren: Anredenom.; ein Zugrestaurant: Subj.; 14. Mensch: Anredenom.; du: Subj.; was: Subj.; 15. Müllers von nebenan: Subj.; reiche Leute: Gleichsetzungsnom.; 16. viele Kinder: Subj.; 17. wir: Subj.; ein einmaliges Geschenk an unsere Kunden: abs. Nom.

485 1. der Steuerhinterziehung: Genitivobj.; 2. seines Erachtens: adv. Gen.; 3. der ausgesetzten Hunde und Katzen: Genitivobj.; 4. der Folgen seiner Tat: Genitivobj.; 5. billiger Tricks: Genitivobj.; 6. des Deutschen: Genitivobj.; 7. eines Tages: adv. Gen.

489 1. einem alten Bekannten; 2. mir; mir; meiner Freundin; 3. uns und einigen anderen Zuhörern; 4. seinem Bericht; 5. dem Mann; 6. ihm; seinen Kindern; 7. einem Journalisten am Nebentisch; 8. unserem Bekannten; ihm; 9. dem Journalisten; jemandem.

496 1. meine Pappenheimer: AO (= Akkusativobjekt); 2. die Enkelkinder: AO; seine Stammhalter: Gleichsetzungsakk.; 3. meinen Bruder: AO; den ärgsten Lausebengel der Stadt: Gleichsetzungsakk.; 4. eine Zeitung vor dem Gesicht: absoluter Akk.; 5. zwei ganze Stunden: adv. Akk.; 6. den Kontinent: AO; 7. einen Pullover: AO; 8. wo wir abzweigen müssen (Nebensatz in der Position eines Akkusativobjekts, ↑ 470, 491); 9. den Weg: AO; 10. den ganzen Abend: adv. Akk.; Lieder: AO; 11. den Mond: AO; 12. 1500 Meter: adv. Akk.; 13. einen Kaugummi im Mund: absoluter Akk.

502 In Klammern ist angegeben, ob das Präpositionalglied als Objekt oder als Adverbiale gebraucht wird.

1. vor Spinnen (Obj.); 2. anläßlich der Jubiläumsausstellung (Adv.); 3. zu einer Kugel (Obj.); 4. außer dem Prorektor (Adv.); von der Schulleitung (Adv.); 5. für meine Freundin (Adv.); 6. im Mittelalter (Adv.); 7. für ein Lügenblatt (Obj.); 8. in manchen Situationen (Adv.); auf ein gutes Ende (Obj.); 9. vor dem Computer (Adv.); auf dem neuen Stuhl (Adv.); 10. nach dem ewigen Regenwetter (Adv.); nach Sonne (Obj.); 11. zu einem hohen Baum (Obj.); 12. nach dem Mittagessen (Adv.); 13. bei jeder Gelegenheit (Adv.); über die Computerfirma (Obj.); 14. wegen des Poststreiks in Frankreich (Adv.); im Februar (Adv.); 15. auf Weihnachten (Obj.); 16. zu einem artenreichen Biotop (Obj.).

504 1. als Blumenvase; 2. wie ein Wasserfall; 3. wie eine Nachtigall; 4. wie in einem verwunschenen Schloß; 5. als Trompete; 6. als alter Seeräuber; 7. wie ein Baby; 8. wie im Schlaraffenland.

508 1. ab sofort (präp. Satzpartikel); hier (Satzpartikel); 2. wie echt (konj. Satzadj.); 3. als sehr begabt (konj. Satzadj.); 4. über kurz oder lang (präp. Satzadj.); 5. auf ewig (präp. Satzadj.); 6. verzweifelt (Satzadj.); 7. geknickt (Satzadj.); 8. draußen (Satzpartikel); 9. genauso (Satzpartikel); 10. ganz anders (Satzpartikel); 11. wie üblich (konj. Satzadj.); 12. wie wahnsinnig (konj. Satzadj.); 13. seit vorgestern (präp. Satzpartikel);

krank (Satzadj.); 14. von hier bis dort (präp. Satzpartikel); 15. ruhig (Satzadj.)

509 1. Herr K.: Subjekt; ein Gemälde: Akkusativobjekt; das: Subjekt; einigen Gegenständen: Dativobj.; eine sehr eigenwillige Form: Akkusativobjekt.

2. Er: Subjekt.

3. Einigen Künstlern: Dativobjekt; es: Subjekt; sie: Subjekt; die Welt: Akkusativobjekt; wie vielen Philosophen: Konjunktionalglied.

4. Bei der Bemühung um die Form: (adverbiales) Präpositionalglied; der Stoff: Subjekt.

5. Ich: Subjekt; einmal: Satzglied, das nicht im Kasus bestimmt ist (Satzpartikel); bei einem Gärtner: (adverbiales) Präpositionalglied.

6. Er: Subjekt; mir: Dativobjekt; eine Gartenschere: Akkusativobjekt; mich: Akkusativobjekt; einen Lorbeerbaum: Akkusativobjekt.

7. Der Baum: Subjekt; in einem Topf: (adverbiales) Präpositionalglied; zu Festlichkeiten: (adverbiales) Präpositionalglied.

8. Dazu: Satzglied, das nicht im Kasus bestimmt ist (Satzpartikel); er: Subjekt; die Form einer Kugel: Akkusativobjekt.

9. Ich: Subjekt; sogleich: Satzglied, das nicht im Kasus bestimmt ist (Satzpartikel); mit dem Abschneiden der wilden Triebe: Präpositionalglied (Präpositionalobjekt); ich: Subjekt; mich: Akkusativobjekt); auch: Satzglied, das nicht im Kasus bestimmt ist (Satzpartikel); die Kugelform: Akkusativobjekt; es: Subjekt; mir: Dativobjekt; nicht: Satzglied, das nicht im Kasus bestimmt ist (Satzpartikel).

10. Einmal: Satzglied, das nicht im Kasus bestimmt ist (Satzpartikel); ich: Subjekt; auf der einen (Seite): (adverbiales) Präpositionalglied; einmal: Satzglied, das nicht im Kasus bestimmt ist (Satzpartikel); auf der anderen Seite: (adverbiales) Präpositionalglied; zu viel: Akkusativobjekt oder Satzglied, das nicht im Kasus bestimmt ist (Satzadjektiv).

11. es: Subjekt; endlich: Satzglied, das nicht im Kasus bestimmt ist (Satzpartikel); eine Kugel: Gleichsetzungsnominativ; die Kugel: Subjekt; sehr klein: Satzglied, das nicht im Kasus bestimmt ist (Satzadjektiv).

12. Der Gärtner: Subjekt; enttäuscht: Satzglied, das nicht im Kasus bestimmt ist (Satzadjektiv).

13. Gut: Satzglied, das nicht im Kasus bestimmt ist (Satzadjektiv); das: Subjekt; die Kugel: Gleichsetzungsnominativ; wo: Satzglied, das nicht im Kasus bestimmt ist (Satzpartikel); der Lorbeer: Subjekt.

513 1. *in ihrem Schrank:* Ort; *nach Köln:* Richtung; 2. *auf dem Bett:* Ort; *an die Arbeit:* Richtung; 3. *aus dem Schrank:* Herkunft; *auf dem Bett:* Ort; 4. *unten:* Ort; *bis zur Rückwand:* (räumliche) Erstreckung; 5. *über alle Innenflächen:* Richtung; *zurück:* kein adverbiales Satzglied, sondern Verbzusatz (Infinitiv: *zurückräumen*); 6. *beiseite:* Richtung; *aus dem Keller:* Herkunft; 7. *darin:* Ort; 8. *vom Fußboden:* Herkunft; *dort:* Ort; 9. *in ihrem Zimmer:* Ort.

515 1. *am Nikolaustag:* Zeitpunkt; 2. *bis dahin:* (zeitliche) Erstreckung; *schon lange:* (zeitliche) Erstreckung; 3. *manchmal* (zeitliche) Wiederholung; *mehrmals täglich:* (zeitliche) Wiederholung; *seit gestern:* (zeitliche) Erstreckung; 4. *in letzter Zeit:* Zeitpunkt; *vor dem Essen:* Zeitpunkt; *nach dem Gutenachtsagen:* Zeitpunkt; 5. *weiterhin:* (zeitliche) Erstreckung; 6. *davor:* (zeitliche) Erstreckung.

517 1. *bei großer Nachfrage:* Bedingung; 2. *deshalb:* Grund; 3. *trotz aller Vorsichtsmaßnahmen:* (wirkungsloser) Gegengrund; 4. *vor Erschöpfung:* Grund; 5. *wegen der großen Verspätung:* Grund; *zur Verkürzung der Wartezeit:* Zweck; 6. *zum Steinerweichen:* Folge; 7. *ungeachtet dessen:* (wirkungsloser) Gegengrund; *wegen ihrer Zahnklammer:* Grund.

519 Denkbar wäre hier zum Beispiel:

1. *spürbar:* Intensität; 2. *unter Einsatz aller Kräfte:* Mittel; 3. *ohne Rücksicht:* Qualität; 4. *nicht genug:* Intensität; 5. *mit Inbrunst:* Qualität oder Intensität; 6. *luxuriös:* Qualität; 7. *durch diese Aussicht:* Mittel; *ungeheuer:* Intensität.

Wenn dich diese Einteilung unbefriedigt läßt: Wie läßt sie sich anders machen?

Der Innenbau von Satzgliedern – Kern und Attribut

527 Die Kerne sind kursiv (schräg) gesetzt:

1. *Die* gute psychische *Verfassung* des Sportlers; 2. *den Wert* des Sieges von Klein; 3. *Die Angaben* über die Entwicklung seiner Leistungen in den letzten drei Jahren; 4. *Für Klein* als den ersten Gewinner dieser Trophäe aus der Schweiz; 5. *Ein* erfolgreicher *Tennisspieler* wie er.

535 Die Kerne sind kursiv (schräg) gesetzt:

1. weitgehend *gebrochen;* 2. immer *schwächer;* 3. in zunehmendem Maße *gelangweilt;* 4. eher *schlecht;* 5. so *schnell* wie nie; 6. recht *bald.*

538 1. *von 25 Minuten:* Zeit; 2. *mit den Nachbarn:* Art und Weise; 3. *mit 12 Gängen:* Art und Weise; 4. *auf der Burg:* Raum; 5. *wegen der mißglückten Prüfung:* Grund; 6. *im gechlorten Wasser:* Raum.

540 1. *der Schweiz:* Genitiv der Zugehörigkeit / Genitivus possessivus; *des 20. Jahrhunderts:* Genitivus subiectivus / Genitivus possessivus; 2. *des Pianisten:* Genitiv der Zugehörigkeit / Genitivus possessivus; 3. *des Regens:* Genitivus subiectivus; 4. *Markus':* Genitivus subiectivus; 5. *des Teiges:* Genitivus obiectivus; 6. *der Schuhe:* Genitivus obiectivus; 7. *dieser Möbel:* Genitivus obiectivus; 8. *ersten Grades:* Genitivus qualitatis; 9. *edelsten Ursprungs:* Genitivus qualitatis; 10. *der wartenden Leute:* Genitivus partitivus; 11. *des Stalles:* Genitivus partitivus.

Der zusammengesetzte Satz

549 HS = Hauptsatz, NS = Nebensatz.

(1) (a) HS, (b) NS (Konjunktionalsatz). (2) (a) HS, (b) NS (Pronominalsatz). (3) (a) HS, (b) NS (Infinitivsatz). (4) (a) HS, (b) NS (Konjunktionalsatz), (c) NS (Pronominalsatz). (5) (a) NS (Pronominalsatz), (b) HS. (6) (a) NS (Partizipialsatz), (b) HS, (c) NS (Konjunktionalsatz). (7) (a) NS (uneingeleiteter NS), (b) HS, (c) NS (Pronominalsatz). (8) (a) HS, (b) NS (Konjunktionalsatz), (c) NS (Konjunktionalsatz), (d) NS (uneingeleiteter NS). (9) (a) HS, (b) NS (Infinitivsatz), (c) HS, (d) NS (Infinitivsatz). (10) (a) NS (Konjunktionalsatz), (b) HS, (c) NS (Pronominalsatz), (d) NS (uneingeleiteter NS), (e) NS (Konjunktionalsatz), (f) NS (Konjunktionalsatz).

555 HS = Hauptsatz, NS = Nebensatz (NS 1 = Gliedsatz, NS 2 = Attributsatz, NS 3 = sonstiger Nebensatz).

(1) (a) HS, (b) NS 1. (2) (a) HS, (b) NS 2. (3) (a) NS 1, (b) HS. (4) (a) HS, (b) NS 1. (5) (a) NS 1, (b) HS. (6) (a) HS, (b) NS 1, (c) NS 2, (d) NS 1, (e) NS 1. (7) (a) HS, (b) NS 1. (8) (a) NS 1, (b) HS. (9) (a) HS, (b) NS 1, (c) NS 2, (d) NS 3. (10) (a) NS 1. (b) HS. (11) (a) NS 1, (b) HS.

572 Kausale Einheiten sind kursiv (schräg) gesetzt. Kausale Einheiten im Innern umfassenderer kausaler Einheiten sind fett und kursiv gesetzt.

1. *Weil Dieter an Zuckerkrankheit leidet,* muß er strenge Diät halten. 2. Nachdem er es eine Weile damit nicht so genau genommen hatte, war er vom Arzt gerügt worden, *denn die Untersuchungsergebnisse waren **infolge seiner Nachlässigkeit** deutlich schlechter geworden.* 3. Vor ein paar Monaten hat Dieter in der Stadt eine Lehre angefangen, *weswegen er auch ein Zimmer suchen mußte.* 4. *Dadurch, daß er nicht mehr bei seiner Familie wohnt,* hat sich für ihn einiges verändert. 5. *Da seine Eltern und Geschwister ja nicht an die Diät gebunden waren,* geriet er manchmal in Versuchung, Dinge zu essen, die ihm *wegen seiner Krankheit* verboten waren. 6. *Deswegen hatte er auch gedacht,* allein zu wohnen werde für ihn einfacher sein. 7. Daß er jetzt eines Besseren belehrt wird, *liegt daran,* daß er *infolge seines komplizierten Speiseplanes* ziemlich viel Zeit verliert. 8. *Das ist auch der Grund dafür,* daß ihm neben der anspruchsvollen Lehre kaum Zeit für eine Freizeitbeschäftigung bleibt.

579 1. *Wenn nichts mehr dazwischenkommt,* werden wir morgen zu einer Radtour aufbrechen. 2. Natürlich fahren wir nur los, *falls das Wetter mitspielt; bei nassem Wetter* hätten wir keinen Spaß. 3. *Wenn wir richtige Sportler wären,* würden wir natürlich *auf jeden Fall* trainieren; das ist aber nur *unter der Voraussetzung* sinnvoll, daß man gut ausgerüstet ist. 4. *Ohne warme, wasserdichte Kleidung* wäre eine längere Fahrt sogar gefährlich, vor allem *wenn man auch Gepäck bei sich hat.* 5. *Für den Fall,* daß die Wettervorhersage stimmt, sind solche Überlegungen natürlich sinnlos – *wenn ich mich richtig erinnere,* ist sogar ausgesprochen schönes Wetter angesagt. 6. *Hätte der Sprecher die am Abend möglichen Gewitter nicht erwähnt,* wäre ich restlos optimistisch. 7. *Ehrlich gesagt,* ich wäre nur halb so unruhig, *wenn ich nicht die Initiative zu dieser Tour ergriffen hätte.* 8. *Wenn ich so etwas anrege,* dann fühle ich mich – *mag das auch übertrieben klingen* – hinterher sogar für das Wetter verantwortlich.

585 1. *In der Absicht,* sich einen Pullover zu kaufen, ging Oliver nach der Schule nicht gleich nach Hause, sondern nahm den Bus, *um in die Stadt zu gelangen.* 2. Zuerst warf er, *um sich einen Überblick zu verschaffen,* einen Blick in die verschiedenen Geschäfte. 3. Eigentlich *hatte er vor,* nicht lange in der Stadt zu bleiben. 4. Er *wollte* sich aber *für eine Entscheidung* genug Zeit nehmen, deshalb kam er dann doch erst nach zwei Stunden nach Hause. 5. *Er nahm sich vor,* den Pullover sorgfältig zu behandeln, *damit er sich nicht so schnell abnütze wie der letzte.* 6. *Um ihn zu schonen,* würde er ihn nur von Hand waschen – die Verkäuferin hatte ihm erklärt, das sei *für ein gutes Ergebnis* nötig. 7. Seine Freundin Inge soll den neuen Pullover auch bewundern können, *dazu* wird er ihn am nächsten Tag gleich anziehen. 8. *Um das traurige Ende der Geschichte vorwegzunehmen:* Inge fand den Pullover gräßlich und redete lange auf Oliver ein, *um ihn zu einem Umtausch zu bewegen.*

595 1. Draußen tobt ein Sturm, *daß die Schüler Mühe haben,* sich zu konzentrieren. 2. Zeitweise reißt der Wind mit *solcher* Gewalt an den Bäumen, *daß man sich fragt,* wie lange sie es noch aushalten werden. 3. Die Regenschirme der Passanten sind *zu schwach, als daß sie den Böen trotzen könnten;* einer nach dem andern wird umgedreht oder mitgerissen. 4. Kein Lehrstoff ist *spannend genug, um die Schüler noch zu fesseln* – *Resultat:* alle schauen aus dem Fenster, einige recken sich sogar in den Bänken, *so sehr reizt sie das Spektakel draußen.* 5. Die Lehrerin kann nichts mehr unternehmen, *also* tritt auch sie ans Fenster. 6. Die Schüler kennen sie *gut genug, um zu wissen,* daß ihr Verhalten eine größere Hausaufgabe nach sich ziehen wird. 7. Aber was sich draußen abspielt, ist einfach *zu spannend, um still sitzen zu bleiben.* 8. *Demzufolge* murren sie auch nicht, wie ihnen die Lehrerin am Ende der Stunde erklärt, sie müßten jetzt *konsequenterweise* zu Hause nachholen, was sie in dieser Stunde versäumt hätten. 9. *Somit* bekommen sie nicht ein, sondern zwei Kapitel zu lesen auf.

602 1. Petras Bruder Frank geht zur Arbeit, *obwohl er krank ist.* 2. Er fühlt sich wirklich elend, *dennoch will er den begonnenen Auftrag termingerecht ausführen.* 3. *Auch wenn er mit dem Kunden verhandeln könnte,* müßte *doch* die Arbeit bald fertig sein, und er fürchtet – *auch bei bisher gutem Einverständnis* – diesen Kunden an die Konkurrenz zu verlieren. 4. Seine Kollegen anerkennen (*zwar*) seinen Einsatz, machen ihm *aber* gleichwohl Vorwürfe, daß er *trotz so hohen Fiebers* im Büro sitzt. 5. *Immerhin* müssen sie zugeben, daß niemand schnell genug seine Arbeit hätte übernehmen können. 6. Der Kunde ist dann auch sehr zufrieden, *obgleich er erfahren hat,* daß Frank zuletzt nicht so ganz auf der

Höhe war. 7. *Auch wenn Frank weiß, daß* er nun für eine Weile das Bett hüten muß, hat er *(dennoch)* ein gutes Gefühl.

608 1. *Während Regula eine begeisterte Sportlerin ist,* verbringt Ruth ihre Freizeit mit Lektüre und Theaterbesuchen. 2. Die beiden sind gute Freundinnen, *aber* bezüglich ihrer Freizeitgestaltung widersprechen sie sich dauernd. 3. *»Statt ewig mit Büchern herumzusitzen,* solltest du einmal etwas für deine Fitneß tun! 4. Du bewegst dich nie, ich *dagegen* sorge für Ausgleich.« 5. Die beiden haben schon oft über diesen *Gegensatz* diskutiert; Ruth findet, Regula denke an nichts außer an Sport, *wohingegen sie bei ihrer Lektüre und im Theater vielseitige Anregung erfahre.* 6. »Du rennst immer nur herum; *sonst* kommt dir nichts in den Sinn! Das nennst du Ausgleich! 7. Dem *widerspricht* aber, daß du nie etwas Kulturelles unternimmst.« 8. So streiten sich die beiden oft, *während sie im übrigen gut zusammenarbeiten können.*

622 1. *Kaum ist Großmutter Hedwig von ihrer Reise zurück,* muß sie von ihren Erlebnissen erzählen. 2. *Sobald sie geduscht hat und die Wäsche aus dem Koffer in der Waschmaschine verschwunden ist,* setzt sie sich mit den Mitgliedern ihrer Wohngruppe zusammen. 3. *Schon während des Heimfluges* hat sie sich überlegt, was alles passiert ist, seit sie *vor fünf Monaten* aufgebrochen ist. 4. *Bevor sie loszog,* erschienen ihr fünf Monate wie eine sehr lange Zeit, aber *danach* ging alles ungeheuer schnell. 5. *Als sie nach einem Monat festgestellt hatte,* daß sie sich nicht an alles erinnern konnte, hatte sie begonnen, ein Tagebuch zu führen. 6. *Seitdem* hat sie den Überblick über ihre Erlebnisse. 7. *Gerade als sie beginnen will,* zu erzählen, bringt ihre Freundin eine prächtige Willkommenstorte ins Zimmer. 8. Alle bewundern sie gebührend, und *dann* beginnt Hedwig zu erzählen. 9. *Während sie die Route erklärt,* orientiert sie ihr Publikum mit einer Landkarte. 10. *Auch beim anschließenden Bericht* gibt sie sich Mühe, *gleichzeitig* Bilder und Prospekte zu zeigen. 11. Die Filme kann sie *nicht vor Dienstag* zum Entwickeln bringen, und *bis die Photos fertig sind,* wird sie sich noch *ein Weilchen* gedulden müssen.

633 Modale Einheiten sind kursiv (schräg) gesetzt. Modale Einheiten im Innern umfassenderer modaler Einheiten sind fett und kursiv gesetzt.

1. *Dadurch, daß sie die Zutaten gründlich knetet,* formt die Köchin Mathilda einen geschmeidigen Teigklumpen. 2. Zuerst *bedient sie sich des Mixers,* aber *durch die Zugabe von Mehl* ist die Masse zu zäh geworden. 3. Sie arbeitet *von Hand* weiter, *wobei sie Handflächen und Tischplatte von Zeit zu Zeit **mit Mehl** bestäubt.* 4. Sie hat *durch lange Übung* kräftige Arme bekommen, deshalb kann sie lange arbeiten, *ohne müde zu werden.* 5. *Neben vielen Backwaren* während des Jahres fertigt sie zu Weihnachten immer zehn Sorten Kekse – *nicht eingerechnet die Christstollen und Torten.* 6. *Mit verschiedenen Kuchenförmchen* sticht sie die Plätzchen aus; dabei stellt sie fest, daß die Kinder ihre kurze Abwesenheit ausgenützt haben und *mit einem Löffel* ziemlich viel Teig stibitzt haben. 7. *Voller Zorn* beschließt sie, den Kindern, die sie schon

ängstlich kichernd erwarten, eine Strafpredigt zu halten. 8. Sie versucht, sie zu beeindrucken, *indem sie ihnen sagt, im Einverständnis mit den Eltern* würden sie kein einziges Plätzchen bekommen, wenn sie sich noch einmal – *Hilfe beim Geschirrspülen ausgenommen* – in der Küche blicken ließen.

639 1. Der Trainer lobt seine Mannschaft:»Euer Einsatz war phantastisch!« (ihr Einsatz sei phantastisch gewesen; daß ihr Einsatz phantastisch gewesen sei). 2. Karin verspricht:»Ich werde mich bei der Nachbarin entschuldigen und die zerbrochene Fensterscheibe bezahlen.« (sie werde sich bei der Nachbarin entschuldigen und ... bezahlen; daß sie sich ... entschuldigen ... und bezahlen werde; sich ... zu entschuldigen und ... zu bezahlen). 3. Carlo erzählt, er habe sich als Kind vor dem Nikolaus gefürchtet. (»Ich habe mich ... gefürchtet«; daß er sich ... gefürchtet habe). 4. Die Postbotin verrät uns, der Nachbar sei beinahe 100 Jahre alt. (»Der Nachbar ist beinahe 100 Jahre alt«; daß der Nachbar beinahe 100 Jahre alt ist/sei). 5. Die Aufsichtsratsvorsitzende eröffnet den Aktionären, daß die Ertragslage gut sei. (»Die Ertragslage ist gut«; die Ertragslage sei gut). 6. Walter muß schwören, daß er nichts weitersagen wird. (»Ich werde nichts weitersagen«; er werde nichts weitersagen; nichts weiterzusagen.). 7. Kuno wirft seinen Eltern vor, ihn nicht richtig erzogen zu haben. (»Ihr habt mich nicht richtig erzogen«; sie hätten ihn nicht richtig erzogen; daß sie ihn nicht richtig erzogen hätten).

641 1. Der japanische Tourist erkundigt sich im Käsegeschäft:»Wieviel kostet ein Kilo Käsemischung für Fondue? (wieviel ... koste[t]). 2. Können Sie es luftdicht verpacken?« (ob man es luftdicht verpacken könne). 3. Dann fragt er noch, woraus die Mischung bestehe und ob die Zubereitung schwierig sei. (»Woraus besteht die Mischung? Ist die Zubereitung schwierig?«) 4. Der Verkäufer weiß natürlich, wie man vorgehen muß (nicht:»Wie muß man vorgehen?«), aber er ist nicht sicher, ob in Japan alle Zutaten erhältlich sind (Sind in Japan alle Zutaten erhältlich?). 5. Deshalb fragt er den Kunden, ob er wohl Maispuder und Kirschwasser auftreiben könne.(»Können Sie wohl ... auftreiben?«) 6.»Sind diese Zutaten unbedingt nötig? (ob diese Zutaten unbedingt nötig seien). 7. Worin besteht ihre Wirkung?« (worin ihre Wirkung bestehe) fragt der Japaner. 8. Der Verkäufer erklärt es ihm und versucht auch, ihm weiterzuhelfen:»Haben Sie noch genügend Zeit? (fragt, ob er noch genügend Zeit habe). 9. Dann können Sie sich im Geschäft nebenan eindecken.« 10. Dem Kunden sagt diese Lösung nicht zu, und er will wissen, ob er nicht eine pfannenfertige Mischung bekommen kann. (»Kann ich nicht eine pfannenfertige Mischung bekommen?«) 11. »Selbstverständlich! Darf ich Ihnen die größere oder die kleinere Packung geben?« (fragt, ob er ... geben dürfe.) 12. Zufrieden verläßt der Tourist wenig später das Käsegeschäft. 13. Wie wird das Fondue wohl seiner Familie schmecken?

LITERATURHINWEISE

Grammatische Gesamtdarstellungen

Admoni, Wladimir: *Der deutsche Sprachbau.* 4., überarbeitete und erweiterte Auflage. München 1982.

Boettcher, Wolfgang / Horst **Sitta:** *Deutsche Grammatik III. Zusammengesetzter Satz und äquivalente Strukturen.* Frankfurt am Main 1972 (= Studienbücher zur Linguistik und Literaturwissenschaft 4). (Deutsche Grammatik I und II siehe Glinz, Hans).

Brinkmann, Hennig: *Die deutsche Sprache. Gestalt und Leistung.* 2., neu bearbeitete und erweiterte Auflage. Düsseldorf 1971.

Duden – Grammatik der deutschen Gegenwartssprache. 4., völlig neu bearbeitete und erweiterte Auflage. Herausgegeben und bearbeitet von Günther Drosdowski in Zusammenarbeit mit Gerhard Augst, Hermann Gelhaus, Helmut Gipper, Max Mangold, Horst Sitta, Hans Wellmann und Christian Winkler. Mannheim 1984.

Eichler, Wolfgang / Karl-Dieter **Bünting:** *Deutsche Grammatik. Form, Leistung und Gebrauch der Gegenwartssprache.* 3. Auflage. Kronberg / Ts. 1986.

Eisenberg, Peter: *Grundriß der deutschen Grammatik.* 2. Auflage. Stuttgart 1989.

Engel, Ulrich: *Deutsche Grammatik.* Heidelberg 1988.

Erben, Johannes: *Deutsche Grammatik. Ein Abriß.* 11., völlig neu bearbeitete Auflage von »Abriß der deutschen Grammatik«. München 1972.

Erben, Johannes: *Deutsche Grammatik. Ein Leitfaden.* 1. Auflage 1968. Frankfurt am Main. (Nachfolgend unveränderte Nachdrucke).

Glinz, Hans: *Die innere Form des Deutschen. Eine neue deutsche Grammatik.* Mit zwei Falttafeln und einer Beilage. 6., durchgesehene Auflage. Bern / München 1973 (= Bibliotheca Germanica 4).

Glinz, Hans: *Deutsche Grammatik I. Satz – Verb – Modus – Tempus.* 3. Auflage Wiesbaden 1975 (= Studienbücher zur Linguistik und Literaturwissenschaft, Band 2).

Glinz, Hans: *Deutsche Grammatik II. Kasussyntax – Nominalstrukturen – Wortarten – Kasusfremdes.* 2. Auflage. Wiesbaden 1975 (= Studienbücher zur Linguistik und Literaturwissenschaft, Band 3).

Griesbach, Heinz: *Neue deutsche Grammatik.* Berlin 1986.

Grundzüge einer deutschen Grammatik. Von einem Autorenkollektiv unter der Leitung von Erich Heidolph, Walter Flämig und Wolfgang Motsch. Berlin 1981.

Helbig, Gerhard / Joachim **Buscha:** *Deutsche Grammatik. Ein Handbuch für den Ausländerunterricht.* 8., neubearbeitete Auflage. Leipzig 1984. (Nachfolgend unveränderte Nachdrucke).

Schulz, Dora / Heinz **Griesbach:** *Grammatik der deutschen Sprache.* Neubearbeitung von Heinz Griesbach. 11. Auflage München 1978. (Nachfolgend unveränderte Nachdrucke).

Weitere Hilfsmittel sowie Darstellungen zu Einzelfragen und zur Didaktik

Ader, Dorothea / Axel **Kress:** *Sprechen – Sprache – Unterricht. Eine Einführung für Studierende, Eltern und Lehrer.* Paderborn 1980 (= Informationen zur Sprach- und Literaturdidaktik 30).

Aßheuer, Johannes / Matthias **Hartig:** *Aufbau einer Schulgrammatik auf der Primar- und Sekundarstufe.* Düsseldorf 1976.

Baurmann, Jürgen / Otfried **Hoppe** (Hrsg.): *Handbuch für Deutschlehrer.* Stuttgart 1984.

Bausch, Karl-Heinz / Siegfried **Grosse** (Hrsg.): *Grammatische Terminologie in Sprachbuch und Unterricht.* Düsseldorf 1987 (= Sprache der Gegenwart 69).

Boettcher, Wolfgang / Horst **Sitta:** *Der andere Grammatikunterricht.* 2. Auflage. München 1981.

Boettcher, Wolfgang / Wolfgang **Herrlitz** / Ernst **Nündel** / Bernd **Switalla:** *Sprache. Das Buch, das alles über Sprache sagt.* Braunschweig 1983.

Braun, Peter / Dieter **Krallmann** (Hrsg.): *Handbuch Deutschunterricht. Band 1: Sprachdidaktik.* Düsseldorf 1983.

Bünting, Karl-Dieter / Wolfgang **Eichler:** *ABC der deutschen Grammatik.* Königstein / Ts. 1982.

Bußmann, Hadumod: *Lexikon der Sprachwissenschaft.* Stuttgart 1983.

Diegritz, Theodor (Hrsg.): *Diskussion Grammatikunterricht.* München 1980.

Engel, Ulrich / Siegfried **Grosse** (Hrsg.): *Grammatik und Deutschunterricht.* Düsseldorf 1977 (= Sprache der Gegenwart 44).

Engelen, Bernhard: *Einführung in die Syntax der deutschen Sprache.* 2 Bände. Baltmannsweiler 1984 / 1986.

Erlinger, Hans Dieter: *Studienbuch: Grammatikunterricht.* Paderborn 1988 (= Studienbücher zur Sprach- und Literaturdidaktik 5).

Gallmann, Peter / Horst **Sitta:** *Deutsche Grammatik. Orientierung für Lehrer.* 2. Auflage. Lehrmittelverlag des Kantons Zürich 1990.

Hartmann, Wilfried: *Grammatik im Deutschunterricht. Didaktische Überlegungen auf generativer Grundlage.* Paderborn 1975 (= Informationen zur Sprach- und Literaturdidaktik 2).

Hartmann, Wilfried / Hans-Henning **Pütz** / Peter **Schefe:** *Sprachwissenschaft für den Unterricht.* Düsseldorf 1978.

Hildebrand, Rudolf: *Vom deutschen Sprachunterricht in der Schule und von deutscher Erziehung und Bildung überhaupt.* 25. Auflage. Bad Heilbrunn 1954.

Kürschner, Wilfried: *Grammatisches Kompendium. Systematisches Verzeichnis grammatischer Grundbegriffe.* Tübingen 1989 (= UTB 1526).

Lewandowski, Theodor: *Linguistisches Wörterbuch.* 3 Bände. 4., neubearbeitete Auflage. Heidelberg 1984 / 1985.

Menzel, Wolfgang: *Die deutsche Schulgrammatik. Kritik und Ansätze zur Neukonstruktion.* 3. Auflage. Paderborn 1975.

Oomen-Welke, Ingelore: *Didaktik der Grammatik. Eine Einführung an Beispielen für die Klassen 5–10.* Tübingen 1982 (= Germanistische Arbeitshefte 25).

Raasch, Albert (Hrsg.): *Grammatische Terminologie. Vorschläge für den Sprachunterricht.* Tübingen 1983 (= Angewandte Linguistik 1).

Rötzer, Hans Gerd (Hrsg.): *Zur Didaktik der deutschen Grammatik.* Darmstadt 1973 (= Wege der Forschung 226).

Sitta, Horst / Hans Josef **Tymister:** *Linguistik und Unterricht.* Tübingen 1978 (= Reihe Germanistische Linguistik 12).

Stadler, Bernd: *Sprachspiele in der Hauptschule. Literarische Gattungen – linguistische Operationen.* Donauwörth 1986 (= Exempla 50).

Ulrich, Winfried: *Linguistik für den Deutschunterricht.* 4. Auflage. Aachen 1987.

Weisgerber, Bernhard: *Vom Sinn und Unsinn der Grammatik.* Bonn-Bad Godesberg 1985 (= Schriften zur Deutschdidaktik).

Weisgerber, Bernhard u. a.: *Handbuch zum Sprachunterricht. Beiträge zur Theorie und Praxis.* Weinheim / Basel 1983.

Wiemer, Rudolf Otto: bundes *deutsch. lyrik zur sache grammatik.* Wuppertal 1974.

Wolfrum, Erich (Hrsg.): *Taschenbuch des Deutschunterrichts.* 4. Auflage. Baltmannsweiler 1986.

REGISTER

Wenn man bei einer grammatischen Frage rasch die entsprechenden Stellen in diesem Buch finden will, benutzt man am besten die Register (Verzeichnisse). Drei Register stehen zur Verfügung:

– Das Sachregister hilft weiter, wenn man schon (ungefähr) weiß, um was für ein grammatisches Problem es sich handelt.
– Im Wortregister sind die wichtigsten Einzelwörter aufgeführt, die zu grammatischen Fragen Anlaß geben.
– Im Verzeichnis der Fachausdrücke sind nicht nur die Bezeichnungen aufgeführt, die in diesem Buch vorkommen, sondern auch die wichtigsten Entsprechungen anderer Grammatiken.

Die Zahlen hinter den Stichwörtern der Register verweisen auf die eingerahmten Abschnittsnummern im Text. Wo hinter den Nummern ein *f.* aufgeführt ist, ist auch der je folgende Abschnitt von Interesse; wenn *ff.* steht, sind mehrere der nachfolgenden Abschnitte wichtig.

Sachregister

Wenn man in diesem Sachregister ein Wort, das man nachschlagen will (zum Beispiel *Wiewort),* nicht findet, hilft ein Blick ins Verzeichnis der Fachausdrücke. Dort steht unter *Wiewort* ein Verweis auf *Adjektiv;* das bedeutet, daß in diesem Buch statt des Ausdrucks *Wiewort* der Ausdruck *Adjektiv* gebraucht wird; ihn findet man dann auch im Sachregister.

Wortregister

In diesem Register findet man von Einzelwörtern aus Verweise auf Abschnitte der Grammatik, in denen bestimmte sprachliche Erscheinungen behandelt werden. Fragen zu Wortformen des Verbs, die hier nicht beantwortet werden, schlägt man am besten in der Tabelle der häufigsten unregelmäßigen Verben (↑ 146) nach.

Verzeichnis wichtiger Fachausdrücke und ihrer Entsprechungen

Fachausdrücke, die in dieser Grammatik verwendet werden, erscheinen im folgenden Verzeichnis **halbfett**, Nebenformen oder Bezeichnungen aus anderen Grammatiken und Sprachbüchern in normaler Schrift.

A

abhängige Rede ↑ indirekte Rede

Ablaut, der: Abstufung, Abtönung

absoluter Superlativ ↑ Elativ

Abstrichmethode ↑ Weglaßprobe

Abstufung ↑ Ablaut

Abtönung ↑ Ablaut

Abwandlung ↑ Flexion

Adjektiv, das (Plural: die Adjektive): Artwort, Beiwort, Eigenschaftswort, Qualitativ, Wiewort

Adverb, das (Plural: die Adverbien): Umstandswort

Adverbiale, das (Plural: die Adverbialien): adverbiale Angabe, Umstandsangabe, Umstandsbestimmung, Umstandsergänzung

adverbiale (adverbielle) Angabe ↑ Adverbiale

adverbialer Akkusativ, der: Adverbialakkusativ

adverbialer Genitiv, der: Adverbialgenitiv

adverbiales Präpositionalglied, das: Umstandsangabe (als Präpositionalgefüge)

Adverbialsatz, der: Umstandssatz

adversativ: entgegensetzend, einschränkend

Akkusativ, der: Wenfall, vierter Fall

Akkusativobjekt, das: Ergänzung im vierten Fall, Wenfall oder im Akkusativ; Wenfallergänzung, Objektsakkusativ, Zielgröße, Prädikatsakkusativ

Aktiv, das: Tatform, Tätigkeitsform

Anakoluth, der: Satzbruch

angeführte Rede ↑ direkte Rede

Anredefall ↑ Anredenominativ

Anredegröße ↑ Anredenominativ

Anredenominativ, der: Anredefall, Vokativ, Anredegröße

anreihend ↑ kopulativ

Anteilgröße ↑ Genitivobjekt

Apposition, die: Beistellung, Beisatz, Hauptwortbeifügung, Nachtrag

Artangabe ↑ Satzadjektiv

Artikel, der: Begleiter, Geschlechtswort

Artwort ↑ Adjektiv

Attribut, das: Beifügung, Gliedteil, Satzgliedteil, nähere Bestimmung

attributiv: beifügend

Attributsatz, der: Beifügesatz

Aufforderungssatz ↑ Wunsch- oder Aufforderungssatz

Ausklammerung, die: Ausrahmung

Auslassung ↑ Ellipse

Ausrahmung ↑ Ausklammerung

Ausrufesatz, der: Exklamativsatz

Ausrufewort ↑ Interjektion

Aussageart ↑ Modus

Aussagesatz, der: Deklarativsatz

Aussageweise ↑ Modus

ausschließend ↑ exklusiv, disjunktiv

Austauschprobe ↑ Ersatzprobe

B

bedingend ↑ konditional
Bedingungssatz ↑ Konditionalsatz
Befehlsform ↑ Imperativ
Begleiter, der: Artikel, Pronomen
begründend ↑ kausal
Begründungsangabe ↑ Adverbiale
  (des Grundes)
beifügend ↑ attributiv
Beifügesatz ↑ Attributsatz
Beifügung ↑ Attribut
beiordnend ↑ nebenordnend
Beisatz ↑ Apposition
Beistellung ↑ Apposition
Beiwort ↑ Adjektiv
berichtete Rede ↑ indirekte Rede
beschränkend ↑ restriktiv
besitzanzeigendes Fürwort ↑ Possessivpronomen
bestimmte Verbform ↑ Personalform
Beugung ↑ Flexion
des Nomens u.ä. ↑ Deklination
des Verbs ↑ Konjugation
bezügliches Fürwort ↑ Relativpronomen
bezügliches Umstandswort ↑ Relativadverb
bezügliches Verb ↑ transitives Verb
Bezugswortsatz ↑ Relativsatz
Bindewort ↑ Konjunktion
Buchstabenwort ↑ Initialwort

D

Dativ, der: Wemfall, dritter Fall
Dativobjekt, das: Ergänzung im dritten Fall, Wemfall oder im Dativ; Wemfallergänzung, Objektsdativ, Zuwendgröße, Prädikatsdativ
Dativus ethicus, der: ethischer Dativ
Deklarativsatz ↑ Aussagesatz
Deklination, die: Flexion (des Nomens u.ä.)
Demonstrativpronomen, das: hinweisendes Fürwort

Desiderativsatz ↑ Wunsch- oder Aufforderungssatz
Dingwort ↑ Nomen
Diphthong, der: Doppellaut, Zwielaut
direkte Rede, die: wörtliche Rede, angeführte Rede
disjunktiv: ausschließend
Doppellaut ↑ Diphthong
dritte Stammform ↑ Partizip II
dritte Vergangenheit ↑ Plusquamperfekt
dritter Fall ↑ Dativ

E

Eigenname, der: Personenname
Eigenschaftswort ↑ Adjektiv
einräumend ↑ konzessiv
Einräumungssatz ↑ Konzessivsatz
einschränkend ↑ restriktiv, adversativ
Einzahl ↑ Singular
Elativ, der: absoluter Superlativ
Elimination ↑ Weglaßprobe
Ellipse, die: Auslassung, Ersparung
Empfindungswort ↑ Interjektion
entgegensetzend ↑ adversativ
Entscheidungsfragesatz, der: Entscheidungsfrage
Ergänzung ↑ Objekt
im Wemfall, dritten Fall oder Dativ ↑ Dativobjekt
im Wenfall, vierten Fall oder Akkusativ ↑ Akkusativobjekt
im Werfall, ersten Fall oder Nominativ ↑ Gleichsetzungsnominativ
im Wesfall, zweiten Fall oder Genitiv ↑ Genitivobjekt
Ergänzungsfragesatz, der: Ergänzungsfrage
Ersatzprobe, die: Austauschprobe, Kommutation, Substitution
Ersparung ↑ Ellipse
erste Steigerungsstufe ↑ Komparativ
erste Vergangenheit ↑ Präteritum
erste Zukunft ↑ Futur I

erster Fall ↑ Nominativ
erstes Futur ↑ Futur I
erstes Partizip ↑ Partizip I
ethischer Dativ ↑ Dativus ethicus
Exklamativsatz ↑ Ausrufesatz
exklusiv: ausschließend

F

Fall ↑ Kasus
  Werfall / erster Fall ↑ Nominativ
  Wesfall / zweiter Fall ↑ Genitiv
  Wemfall / dritter Fall ↑ Dativ
  Wenfall / vierter Fall ↑ Akkusativ
feminin: weiblich
Femininum, das (Plural: die
  Feminina): weibliches Nomen
Finalsatz, der: Umstandssatz der
  Absicht, Zwecksatz
finite Verbform, die: **Personal-
form,** nach Person und Numerus
  (sowie Tempus und Modus) be-
  stimmte Verbform
Flexion, die: Beugung; vgl. auch
  ↑ Deklination, Konjugation
Flexionsform ↑ Wortform
Flexionskasus ↑ Kasus
folgend ↑ konsekutiv
Formveränderung ↑ Flexion
Frageadverb ↑ Interrogativadverb
Fragefürwort ↑ Interrogativpro-
  nomen
Fragepronomen ↑ Interrogativpro-
  nomen
Fragesatz, der: Interrogativsatz
Frageumstandswort ↑ Interrogativ-
  adverb
Füg[e]wort ↑ Konjunktion
Fürwort ↑ Pronomen
Futur, das: Zukunft; **Futur I:**
  erstes Futur, erste Zukunft,
  unvollendete Zukunft
Futur II: zweites Futur, zweite
  Zukunft, vollendete Zukunft,
  Vorzukunft, Futurum exactum,
  Futur des Perfekts
Futur des Perfekts ↑ Futur II
Futurum exactum ↑ Futur II

G

Ganzsatz, der: zusammengesetzter
  Satz
Gegenwart ↑ Präsens
Genitiv, der: Wesfall, zweiter Fall
Genitivobjekt, das: Ergänzung im
  zweiten Fall, Wesfall oder im
  Genitiv; Wesfallergänzung,
  Objektivsgenitiv, Anteilsgröße,
  Prädikatsgenitiv
Genus, das: (Plural: die Genera):
  Geschlecht, grammatisches
  Geschlecht
Genus verbi ↑ Handlungsrichtung:
  Aktiv, Passiv
Geschlecht (grammatisches)
  ↑ Genus
Geschlecht (natürliches) ↑ Sexus
Geschlechtswort ↑ Artikel
Gleichgröße ↑ Gleichsetzungs-
  nominativ
Gleichsetzungsakkusativ, der:
  Gleichsetzungsglied im Akkusa-
  tiv oder Wenfall, prädikativer
  Akkusativ
Gleichsetzungsglied im Akkusativ
  oder Wenfall ↑ Gleichsetzungs-
  akkusativ
Gleichsetzungsglied im Nominativ
  oder Werfall ↑ Gleichsetzungs-
  nominativ
Gleichsetzungsnominativ, der:
  Ergänzung im ersten Fall,
  Werfall oder im Nominativ;
  Gleichsetzungsglied im Nomina-
  tiv oder Werfall, Gleichgröße,
  Prädikatsnominativ,
  Prädikatssubstantiv, prädikativer
  Nominativ; (früher auch: Prädi-
  kativ[um] oder Prädikatsnomen)
Gliedsatz ↑ Nebensatz
Gliedteil ↑ Attribut
grammatische Übereinstimmung
  ↑ Kongruenz
grammatische Zahl ↑ Numerus
grammatischer Fall ↑ Kasus
grammatisches Geschlecht ↑ Genus
Grundform ↑ Infinitiv

Grundformsatz ↑ Infinitivsatz
Grundgröße ↑ Subjekt
Grundstufe ↑ Positiv
Grundzahl, die: Kardinalzahl

H

Handlungsrichtung, die: Genus verbi
Hauptsatz, der: Trägersatz, übergeordneter Teilsatz
Hauptwort ↑ Nomen
Hauptwortbeifügung ↑ Apposition
hinweisendes Fürwort ↑ Demonstrativpronomen
Höchststufe ↑ Superlativ
Höherstufe ↑ Komparativ

I

Imperativ, der: Befehlsform
Imperfekt ↑ Präteritum
Impersonale, das (Plural: die Impersonalia) ↑ unpersönliches Verb
Indefinitpronomen, das: unbestimmtes Fürwort
Indikativ, der: Wirklichkeitsform
indirekte Rede, die: abhängige Rede, berichtete Rede, oblique Rede, wiedergegebene Rede
indirekter Fragesatz, der: Interrogativnebensatz; vgl. auch ↑ Pronominalsatz
infinite Verbform, die: unbestimmte Verbform
Infinitiv, der: Grundform, Nennform
Infinitivgruppe ↑ Infinitivsatz
Infinitivprobe, die: Infinitprobe
Infinitivsatz, der ↑ Infinitivgruppe, Grundformsatz, Nennformsatz, verkürzter Nebensatz, satzwertiger Infinitiv
Infinitprobe ↑ Infinitivprobe
Initialwort, das: Buchstabenwort
instrumental: das Mittel oder Werkzeug bezeichnend
Instrumentalsatz, der: Umstandssatz des Mittels oder Werkzeugs

Interjektion, die: Ausrufewort, Empfindungswort
Interrogativadverb, das: Frageadverb, Frageumstandswort
Interrogativnebensatz ↑ indirekter Fragesatz
Interrogativpronomen, das: Fragefürwort, Fragepronomen
Interrogativsatz ↑ Fragesatz
intransitives Verb, das: Verb ohne Akkusativobjekt, nichtzielendes Verb, unbezügliches Verb
irreal: unwirklich, nur gedacht
Irrealis: nur hypothetischer Fall des Konditionalsatzes

K

Kardinalzahl ↑ Grundzahl
Kasus, der (Plural: die Kasus; mit langem u): grammatischer Fall, Flexionskasus
Kasuszuweisung ↑ Rektion
kausal: begründend
Kausalsatz, der: Begründungssatz, Umstandssatz des Grundes
Klammer, die: Rahmenbildung, verbale Klammer, Umklammerung
»kleine Wörter« ↑ Partikeln
Kommutation ↑ Ersatzprobe
Komparation ↑ Vergleichsformen
Komparativ, der: erste Steigerungsstufe, Höherstufe, Mehrstufe
Kompositum, das (Plural: die Komposita) ↑ Zusammensetzung
konditional: bedingend
Konditionalsatz, der: Bedingungssatz, Umstandssatz der Bedingung
Kongruenz (grammatische), die: grammatische Übereinstimmung
Konjugation, die: Flexion (des Verbs)
Konjunktion, die: Bindewort, Füg[e]wort
Konjunktionalglied, das: verkürzter Nebensatz

Konjunktiv, der: Möglichkeitsform
konsekutiv: folgend
Konsekutivsatz, der: Folgesatz,
Umstandssatz der Folge
Konsonant, der: Mitlaut
Konversion ↑ (Wort-)Bildung ohne
äußere Änderung
konzessiv: einräumend
Konzessivsatz, der: Einräumungssatz
koordinierend ↑ nebenordnend
kopulativ: anreihend, verbindend
korrelativ: wechselseitig

L

Lageangabe ↑ Satzpartikel
Leideform ↑ Passiv
lokal: örtlich, räumlich

M

männlich ↑ maskulin
männliches Nomen ↑ Maskuli-
num
maskulin: männlich
Maskulinum, das (Plural: die Mas-
kulina): männliches Nomen
Mehrstufe ↑ Komparativ
Mehrzahl ↑ Plural
Meiststufe ↑ Superlativ
Mitlaut ↑ Konsonant
Mittelwort ↑ Partizip
Mittelform der Gegenwart
↑ Partizip I
Mittelform der Vergangenheit
↑ Partizip II
Mitvergangenheit ↑ Präteritum
modal: die Art und Weise betref-
fend
Modalsatz, der: Umstandssatz der
Art und Weise
Modus, der (Plural: die Modi):
Aussageweise, Aussageart
Möglichkeitsform ↑ Konjunktiv

N

Nachsilbe ↑ Suffix
Nachtrag ↑ Apposition

nähere Bestimmung ↑ Attribut
Namenwort ↑ Nomen
natürliches Geschlecht ↑ Sexus
nebenordnend: beiordnend,
koordinierend
Nebensatz, der: Gliedsatz
Nebensatzäquivalent, das:
nebensatzwertige Konstruktion
nebensatzwertige Konstruktion
↑ Nebensatzäquivalent
Negation, die: Verneinung, Ver-
neinungswort
Nennform ↑ Infinitiv
Nennformsatz ↑ Infinitivsatz
Nennwort ↑ Nomen
neutral: sächlich
Neutrum, das (Plural: die Neutra):
sächliches Nomen
nichtzielendes Verb ↑ intransitives
Verb
Nomen, das (Plural: die Nomen
oder Nomina): **Substantiv**,
Hauptwort, Dingwort, Namen-
wort, Nennwort
nominalisiert: substantiviert
Nominativ, der: Werfall, erster
Fall
Numerale, das (Plural: die Numera-
lia) ↑ Zahladjektiv
Numerus, der (Plural: die Nume-
ri): (grammatische) Zahl

O

Objekt, das: Ergänzung
Objektsakkusativ ↑ Akkusativ-
objekt
Objektsdativ ↑ Dativobjekt
Objektsgenitiv ↑ Genitivobjekt
oblique Rede ↑ indirekte Rede
Ordinalzahl ↑ Ordnungszahl
Ordnungszahl, die: Ordinalzahl
örtlich ↑ lokal

P

Parenthese, die: **Schaltsatz**
Partikeln, die (= Plural; Singular:
die Partikel): nichtflektierbare
(unveränderliche) Wörter

Partizip, das (Plural: die Partizipien): Mittelwort.

Partizip I: erstes Partizip, Partizip Präsens, Präsenspartizip, Mittelwort der Gegenwart, Mittelform der Gegenwart.

Partizip II: zweites Partizip, Partizip Perfekt, Perfektpartizip, Mittelwort der Vergangenheit, Mittelform der Vergangenheit, Vollzugsform, dritte Stammform

Partizip Perfekt ↑ Partizip II

Partizip Präsens ↑ Partizip I

Partizipialgruppe ↑ Partizipialsatz

Partizipialsatz, der: satzwertiges Partizip, Partizipialgruppe, verkürzter Nebensatz

Passiv, das: Leideform

Perfekt, das: vollendete Gegenwart, Vollendung in der Gegenwart, Vorgegenwart, zweite Vergangenheit

Perfektpartizip ↑ Partizip II

Permutation ↑ Verschiebeprobe

Personalform, die: nach Person und Numerus bestimmte Verbform, **finite Verbform**

Personalpronomen, das: persönliches Fürwort

Personenname ↑ Eigenname

persönliches Fürwort ↑ Personalpronomen

Pertinenzdativ, der: Zugehörigkeitsdativ

Plural, der: Mehrzahl

Pluraletantum, das (Plural: Pluraliatantum): Pluralwort

Pluralwort ↑ Pluraletantum

Plusquamperfekt, das: vollendete Vergangenheit, Vollendung in der Vergangenheit, Vorvergangenheit, dritte Vergangenheit

Positiv, der: Grundstufe

Possessivpronomen, das: besitzanzeigendes Fürwort

Prädikat, das: Satzaussage, zeitwörtlicher Satzkern, verbale Teile

Prädikativ[um] ↑ Gleichsetzungsnominativ

prädikativer Akkusativ ↑ Gleichsetzungsakkusativ

prädikativer Nominativ ↑ Gleichsetzungsnominativ

Prädikatsakkusativ ↑ Akkusativobjekt

Prädikatsdativ ↑ Dativobjekt

Prädikatsgenitiv ↑ Genitivobjekt

Prädikatsnomen (substantivisch) ↑ Gleichsetzungsnominativ

Prädikatsnomen (adjektivisch) ↑ Satzadjektiv

Prädikatsnominativ ↑ Gleichsetzungsnominativ

Prädikatssubstantiv ↑ Gleichsetzungsnominativ

Präfix, das: Vorsilbe

Präposition, die: Verhältniswort, Vorwort

präpositionales Objekt ↑ Präpositionalobjekt

Präpositionalgefüge, das: Vorwortgefüge, Präpositionalkasus

Präpositionalkasus ↑ Präpositionalgefüge

Präpositionalobjekt, das: präpositionales Objekt, Vorwortergänzung

Präsens, das: Gegenwart

Präsenspartizip ↑ Partizip I

Präteritum, das: Imperfekt, (erste) Vergangenheit, Mitvergangenheit

Pronomen, das (Plural: die Pronomen oder Pronomina): **Begleiter, Stellvertreter,** Fürwort

Pronominalsatz, der: Oberbegriff für: Relativsatz, indirekter Fragesatz

Q

Qualitativ ↑ Adjektiv

R

Rahmenbildung ↑ Klammer

räumlich ↑ lokal

Realis, der: realer Fall

reflexives Verb, das: rückbezügliches Verb
Reflexivpronomen, das: rückbezügliches Fürwort
Rektion, die: Kasuszuweisung
Relativadverb, das: bezügliches Umstandswort
Relativpronomen, das: bezügliches Fürwort
Relativsatz, der: Bezugswortsatz; vgl. auch ↑ Pronominalsatz
restriktiv: einschränkend, beschränkend
rückbezügliches Fürwort ↑ Reflexivpronomen
rückbezügliches Verb ↑ reflexives Verb

S
sächlich ↑ neutral
sächliches Nomen ↑ Neutrum
Satzadjektiv, das: Artangabe, (adjektivisches) Prädikatsnomen
Satzart, die: Satzmodus
Satzaussage ↑ Prädikat
Satzbruch ↑ Anakoluth
Satzgegenstand ↑ Subjekt
Satzglied, das: Satzteil
Satzgliedkonjunktion ↑ Satzteilkonjunktion
Satzgliedteil ↑ Attribut
Satzmodus ↑ Satzart
Satzpartikel, die: Lageangabe
Satzreihe, die: **Satzverbindung**
Satzteil ↑ Satzglied
Satzteilkonjunktion, die: Satzgliedkonjunktion
Satzverbindung, die: **Satzreihe**
satzwertiger Infinitiv ↑ Infinitivsatz
satzwertiges Partizip ↑ Partizipialsatz
Schaltsatz, der: **Parenthese**
Selbstlaut ↑ Vokal
Sexus, der: natürliches Geschlecht
Singular, der: Einzahl
sprachliche Zeit ↑ Tempus
Steigerung ↑ Vergleichsformen

Stellung der Satzglieder, die: **Wortstellung**
Stellvertreter, der: **Pronomen**
Subjekt, das: Satzgegenstand, Grundgröße, Subjektsnominativ
Subjektsnominativ ↑ Subjekt
subordinierend ↑ unterordnend
Substantiv, das: **Nomen**
substantiviert: nominalisiert
Substitution ↑ Ersatzprobe
Suffix, das: Nachsilbe
Superlativ, der: zweite Steigerungsstufe, Höchststufe, Meiststufe

T
Tatform ↑ Aktiv
Tätigkeitsform ↑ Aktiv
Tätigkeitswort ↑ Verb
temporal: zeitlich
Temporalsatz, der: Umstandssatz der Zeit
Tempus, das (Plural: die Tempora): grammatische Zeit, Zeitform, Zeitstufe
Trägersatz ↑ Hauptsatz
transitives Verb, das: Verb mit einem Akkusativobjekt, bezügliches Verb, zielendes Verb
trennbare Vorsilbe ↑ Verbzusatz
Tu(n)wort ↑ Verb

U
übergeordneter Teilsatz ↑ Hauptsatz
Umklammerung ↑ Klammer
Umstandsangabe ↑ Adverbiale
Umstandsbestimmung ↑ Adverbiale
Umstandsergänzung ↑ Adverbiale
Umstandssatz ↑ Adverbialsatz
Umstandssatz
  der Absicht ↑ Finalsatz
  der Art und Weise ↑ Modalsatz
  der Bedingung ↑ Konditionalsatz
  der Einräumung ↑ Konzessivsatz
  der Folge ↑ Konsekutivsatz
  des Grundes ↑ Kausalsatz

des Mittels oder Werkzeugs
↑ Instrumentalsatz
der Zeit ↑ Temporalsatz
Umstandswort ↑ Adverb
Umstellprobe ↑ Verschiebeprobe
unbestimmte Verbform ↑ infinite
Verbform
unbestimmtes Fürwort ↑ Indefinitpronomen
unbezügliches Verb ↑ intransitives
Verb
unpersönliches Verb, das: Impersonale, das (Plural: Impersonalia)
unterordnend: subordinierend
unvollendete Zukunft ↑ Futur I
unwirklich ↑ irreal

V

Verb, das (Plural: die Verben):
Tätigkeitswort, Tu[n]wort, Zeitwort
Verb mit einem Akkusativobjekt
↑ transitives Verb
Verb ohne Akkusativobjekt
↑ intransitives Verb
verbale Klammer ↑ Klammer
verbale Teile ↑ Prädikat
verbindend ↑ kopulativ
Verbzusatz, der: trennbare Vorsilbe
Vergangenheit (erste) ↑ Präteritum
Vergleichsformen, die: Komparation, Steigerung
Verhältniswort ↑ Präposition
verkürzter Nebensatz ↑ Infinitivsatz, Partizipialsatz, Konjunktionalglied
Verneinung ↑ Negation
Verneinungswort ↑ Negation
Verschiebeprobe, die: Permutation, Umstellprobe
vierter Fall ↑ Akkusativ
Vokal, der: Selbstlaut
Vokativ ↑ Anredenominativ
vollendete Gegenwart ↑ Perfekt
vollendete Vergangenheit ↑ Plusquamperfekt

vollendete Zukunft ↑ Futur II
Vollendung in der Gegenwart
↑ Perfekt
Vollendung in der Vergangenheit
↑ Plusquamperfekt
Vollzugsform ↑ Partizip II
Vorgegenwart ↑ Perfekt
Vorsilbe ↑ Präfix
Vorvergangenheit ↑ Plusquamper-
fekt
Vorwort ↑ Präposition
Vorwortergänzung ↑ Präpositional-
objekt
Vorwortgefüge ↑ Präpositional-
gefüge
Vorzukunft ↑ Futur II

W

wechselseitig ↑ korrelativ
Weglaßprobe, die: Abstrichmetho-
de, Elimination
weiblich ↑ feminin
weibliches Nomen ↑ Femininum
Wemfall ↑ Dativ
Wemfallergänzung ↑ Dativ-
objekt
Wenfall ↑ Akkusativ
Wenfallergänzung ↑ Akkusativ-
objekt
Werfall ↑ Nominativ
Wesfall ↑ Genitiv
Wesfallergänzung ↑ Genitiv-
objekt
wiedergegebene Rede ↑ indirekte
Rede
Wiewort ↑ Adjektiv
Wirklichkeitsform ↑ Indikativ
Wortart, die: Wortklasse
**Wortbildung ohne äußere
Änderung, die:** Konversion
Wortform, die: Flexionsform
Wortklasse ↑ Wortart
wörtliche Rede ↑ direkte Rede
**Wortstellung, die: Stellung der
Satzglieder**
**Wunsch- oder Aufforderungs-
satz, der:** Aufforderungssatz,
Wunschsatz, Desiderativsatz

Z

Zahl ↑ Numerus
Zahladjektiv, das: Zahlwort, Numerale
Zahlwort ↑ Zahladjektiv
Zeit (sprachliche) ↑ Tempus
Zeitform ↑ Tempus
zeitlich ↑ temporal
Zeitwort ↑ Verb
zeitwörtlicher Satzkern ↑ Prädikat
zielendes Verb ↑ transitives Verb
Zielgröße ↑ Akkusativobjekt
Zugehörigkeitsdativ ↑ Pertinenzdativ

Zukunft ↑ Futur
Zusammensetzung, die: Kompositum, das (Plural: die Komposita)
Zuwendgröße ↑ Dativobjekt
Zwecksatz ↑ Finalsatz
zweite Steigerungsstufe ↑ Superlativ
zweite Vergangenheit ↑ Perfekt
zweite Zukunft ↑ Futur II
zweiter Fall ↑ Genitiv
zweites Futur ↑ Futur II
zweites Partizip ↑ Partizip II
Zwielaut ↑ Diphthong

SCHÜLERDUDEN

die sind wirklich o.k.!

All right!

Schülersprache, Sponti-Deutsch, Oxford-Englisch, Körpersprache: „Einverstanden" kann man in der Tat auf hundert verschiedene Arten ausdrücken. Wie gut man sich allerdings letztendlich verständlich machen kann, das hängt auch und gerade davon ab, wieviel man über die Sprache, ein Wort, seine Bedeutung, seine Herkunft und Geschichte weiß.

Fremdwörterbuch
Von „all right" bis „relaxed" von „à gogo" bis „Plumbum": Fremdwörter gehören zum Sprach- und Schulalltag. Was aber bedeuten sie wirklich? 478 Seiten, rund 20 000 Fremdwörter. Gebunden.

Wortgeschichte
Wirft der Maulwurf wirklich mit seinem Maul Erde auf? Sprachgeschichte und Herkunft der Wörter und was man darüber wissen sollte. 491 Seiten, über 10 000 Stichwörter, zahlreiche 200 Abbildungen, Tabellen und Schaubilder. Gebunden.

DUDENVERLAG
Mannheim · Leipzig · Wien · Zürich

DUDEN-TASCHENBÜCHER

Praxisnahe Helfer zu vielen Themen

Herausgegeben vom Wissenschaftlichen Rat der DUDEN-Redaktion: Prof. Dr. Günther Drosdowski · Dr. Rudolf Köster · Dr. Wolfgang Müller · Dr. Werner Scholze-Stubenrecht

Band 1: Komma, Punkt und alle anderen Satzzeichen
Sie finden in diesem Taschenbuch Antwort auf alle Fragen, die im Bereich der deutschen Zeichensetzung auftreten können. 165 Seiten.

Band 2: Wie sagt man noch?
Hier ist der Ratgeber, wenn Ihnen gerade das passende Wort nicht einfällt oder wenn Sie sich im Ausdruck nicht wiederholen wollen. 219 Seiten.

Band 3: Die Regeln der deutschen Rechtschreibung
Dieses Buch stellt die Regeln zum richtigen Schreiben der Wörter und Namen sowie die Regeln zum richtigen Gebrauch der Satzzeichen dar. 188 Seiten.

Band 4: Lexikon der Vornamen
Mehr als 3000 weibliche und männliche Vornamen enthält dieses Taschenbuch. Sie erfahren, aus welcher Sprache ein Name stammt, was er bedeutet und welche Persönlichkeiten ihn getragen haben. 239 Seiten.

Band 5: Satz- und Korrekturanweisungen
Richtlinien für die Texterfassung.
Dieses Taschenbuch enthält die Vorschriften für den Schriftsatz, die üblichen Korrekturvorschriften und die Regeln für Spezialbereiche. 282 Seiten.

Band 6: Wann schreibt man groß, wann schreibt man klein?
Jeder weiß, daß die Groß- und Kleinschreibung eines der schwierigsten Kapitel der deutschen Rechtschreibung ist. Dieses Taschenbuch bietet mit rund 8200 Artikeln eine schnelle Hilfe für die tägliche Schreibpraxis. 252 Seiten.

Band 7: Wie schreibt man gutes Deutsch?
Dieser Band stellt die vielfältigen sprachlichen Ausdrucksmöglichkeiten dar. Ein unentbehrlicher Ratgeber für alle, die sich um einen guten Stil bemühen. 163 Seiten.

Band 8: Wie sagt man in Österreich?
Das Buch bringt eine Fülle an Informationen über alle sprachlichen Eigenheiten, durch die sich die deutsche Sprache in Österreich von dem in Deutschland üblichen Sprachgebrauch unterscheidet. 252 Seiten.

Band 9: Wie gebraucht man Fremdwörter richtig?
Mit 4000 Stichwörtern und über 30000 Anwendungsbeispielen ist dieses Taschenbuch eine praktische Stilfibel des Fremdwortes. 368 Seiten.

Band 10: Wie sagt der Arzt?
Dieses Buch gibt die volkstümlichen Bezeichnungen zu rund 9000 medizinischen Fachwörtern an und erleichtert damit die Verständigung zwischen Arzt und Patient. 176 Seiten.

Band 11: Wörterbuch der Abkürzungen
Dieses Wörterbuch enthält rund 38000 nationale und internationale Abkürzungen aus allen Bereichen. 288 Seiten.

Band 13: mahlen oder malen?
Gleichklingende Wörter, die verschieden geschrieben werden, gehören zu den schwierigsten Problemen der deutschen Rechtschreibung. Dieses Buch bietet eine umfassende Sammlung solcher Zweifelsfälle. 191 Seiten.

Band 14: Fehlerfreies Deutsch
Zahlreiche Fragen zur Grammatik werden im DUDEN-Taschenbuch „Fehlerfreies Deutsch" in leicht lesbarer, oft humorvoller Darstellung beantwortet. 204 Seiten.

Band 15: Wie sagt man anderswo?
Dieses Buch will all jenen helfen, die mit den landschaftlichen Unterschieden in Wort- und Sprachgebrauch konfrontiert werden. 190 Seiten.

Band 17: Leicht verwechselbare Wörter
Der Band enthält Gruppen von Wörtern, die auf Grund ihrer lautlichen Ähnlichkeit leicht verwechselt werden. 334 Seiten.

Band 18: Wie schreibt man im Büro?
Dieser Band enthält zahlreiche nützliche Informationen, Empfehlungen, Hinweise und Tips für die moderne Büroarbeit. Das praktische Nachschlagewerk für alle Sekretärinnen und Bürokräfte. 179 Seiten.

Band 19: Wie diktiert man im Büro?
Alles Wesentliche über die Verfahren, Regeln und Techniken des Diktierens. 225 Seiten.

Band 20: Wie formuliert man im Büro?
Dieses Taschenbuch bietet Regeln, Empfehlungen und Übungstexte aus der Praxis. 282 Seiten.

Band 21: Wie verfaßt man wissenschaftliche Arbeiten?
Dieses Buch behandelt ausführlich und mit vielen praktischen Beispielen die formalen und organisatorischen Probleme des wissenschaftlichen Arbeitens. 216 Seiten.

Band 22: Wie sagt man in der Schweiz?
In rund 4000 Artikeln gibt dieses Wörterbuch Auskunft über die Besonderheiten der deutschen Sprache in der Schweiz. 380 Seiten.

DUDENVERLAG
Mannheim/Leipzig/Wien/Zürich

DER DUDEN IN 10 BÄNDEN

Das Standardwerk zur deutschen Sprache
Herausgegeben vom Wissenschaftlichen Rat der
DUDEN-Redaktion:
Professor Dr. Günther Drosdowski ·
Dr. Rudolf Köster · Dr. Wolfgang Müller ·
Dr. Werner Scholze-Stubenrecht

Band 1: Die Rechtschreibung
Das maßgebende deutsche Rechtschreibwörter-
buch. Zweifelsfälle der Groß- und Kleinschreibung, der Zusammen- und Getrenntschreibung
und alle anderen orthographischen Probleme
werden auf der Grundlage der amtlichen Richtlinien entschieden. Ausführlicher Regelteil mit
Hinweisen für das Maschinenschreiben und den
Schriftsatz. 832 Seiten.

Band 2: Das Stilwörterbuch
Das DUDEN-Stilwörterbuch ist das umfassende
Nachschlagewerk über die Verwendung der Wörter im Satz und die Ausdrucksmöglichkeiten der
deutschen Sprache. Es stellt die inhaltlich sinn-
vollen und grammatisch richtigen Verknüpfun-
gen dar und gibt ihren Stilwert an. 864 Seiten.

Band 3: Das Bildwörterbuch
Über 27 500 Wörter aus allen Lebens- und Fach-
bereichen werden durch Bilder definiert. Nach
Sachgebieten gegliedert stehen sich Bildtafeln
und Wortlisten gegenüber. 784 Seiten mit
384 Bildtafeln. Register.

Band 4: Die Grammatik
Die DUDEN-Grammatik gilt als die vollständig-
ste Beschreibung der deutschen Gegenwartssprache. Sie hat sich überall in der Welt, wo Deutsch
gesprochen oder gelehrt wird, bewährt. 804 Seiten mit ausführlichem Sach-, Wort- und Zweifels-
fälleregister.

Band 5: Das Fremdwörterbuch
Mit rund 50 000 Stichwörtern, mehr als 100 000
Bedeutungsangaben und 300 000 Angaben zu
Aussprache, Betonung, Silbentrennung, Herkunft
und Grammatik ist dieser DUDEN das grund-
legende Nachschlagewerk über Fremdwörter und
fremdsprachliche Fachausdrücke. 832 Seiten.

Band 6: Das Aussprachewörterbuch
Mit etwa 130 000 Stichwörtern unterrichtet es
umfassende über Betonung und Aussprache
sowohl der heimischen als auch der fremden
Namen und Wörter. 794 Seiten.

Band 7: Das Herkunftswörterbuch
Dieser Band stellt die Geschichte der Wörter von
ihrem Ursprung bis zur Gegenwart dar. Es gibt
Antwort auf die Frage, woher ein Wort kommt
und was es eigentlich bedeutet. 844 Seiten.

Band 8: Die sinn- und sachverwandten Wörter
Wem ein bestimmtes Wort nicht einfällt, wer den
treffenden Ausdruck sucht, wer seine Aussage
variieren möchte, der findet in diesem Buch
Hilfe. 801 Seiten.

Band 9: Richtiges und gutes Deutsch
Dieser Band ist aus der täglichen Arbeit der
DUDEN-Redaktion entstanden. Er klärt gram-
matische, stilistische und rechtschreibliche
Zweifelsfragen und enthält zahlreiche praktische
Hinweise. 803 Seiten.

Band 10: Das Bedeutungswörterbuch
Dieses Wörterbuch stellt einen neuen Wörter-
buchtyp dar. Es ist ein modernes Lernwörter-
buch, das für den Spracherwerb wichtig ist und
den schöpferischen Umgang mit der deutschen
Sprache fördert. 797 Seiten.

DUDEN – Das große Wörterbuch der deutschen Sprache in 6 Bänden

**Das maßgebende Werk für höchste, selbst
wissenschaftliche Ansprüche.**
Herausgegeben und bearbeitet vom Wissen-
schaftlichen Rat und den Mitarbeitern der
DUDEN-Redaktion unter Leitung von Günther
Drosdowski.
Über 500 000 Stichwörter und Definitionen auf
rund 3 000 Seiten. Mehr als 1 Million Angaben zu
Aussprache, Herkunft, Grammatik, Stilschichten
und Fachsprachen sowie Beispiele und Zitate aus
der Literatur der Gegenwart. Jeder Band etwa
500 Seiten.
„Das große DUDEN-Wörterbuch der deutschen
Sprache" ist das Ergebnis jahrzehntelanger
sprachwissenschaftlicher Forschung in der
DUDEN-Redaktion. Mit seinen exakten
Angaben und Zitaten erfüllt es selbst höchste
wissenschaftliche Ansprüche. „Das große
DUDEN-Wörterbuch" basiert auf mehr als drei
Millionen Belegen aus der Sprachkartei der
DUDEN-Redaktion und enthält alles, was für
die Verständigung mit Sprache und für das Ver-
ständnis von Sprache wichtig ist.

DUDEN – Deutsches Universalwörterbuch

Der Wortschatz der deutschen Sprache
2., vollständig überarbeitete und erweiterte Auflage.
Über 120 000 Artikel mit den Neuwörtern der
letzten Jahre, mehr als 500 000 Angaben zu
Rechtschreibung, Aussprache, Herkunft, Grammatik und Stil, 150 000 Anwendungsbeispiele
sowie eine kurze Grammatik für Wörterbuch-
benutzer dokumentieren den Wortschatz der
deutschen Gegenwartssprache in seiner ganzen
Vielschichtigkeit. Ein Universalwörterbuch im
besten Sinne des Wortes. 1 816 Seiten.

DUDENVERLAG
Mannheim/Leipzig/Wien/Zürich